DE TERUGKEER VAN
SHERLOCK HOLMES

DE TERUGKEER VAN SHERLOCK HOLMES

SIR ARTHUR CONAN DOYLE

MET ILLUSTRATIES VAN DAVID JOHNSON

'S WERELDS MEEST GELIEFDE BOEKEN

UITGEVERSMAATSCHAPPIJ THE READER'S DIGEST N.V.
AMSTERDAM / BRUSSEL
WWW.READERSDIGEST.NL

Reader's Digest serie 's Werelds Meest Geliefde Boeken
DE TERUGKEER VAN SHERLOCK HOLMES
De Reader's Digest editie bevat de complete tekst van vijftien verhalen van
Sir Arthur Conan Doyle die voor het eerst zijn gepubliceerd
in de periode van 1904 tot 1926.
Voor deze editie werd gebruik gemaakt van
de vertalingen door Mariëlla de Kuyper.

ISBN Serie 90 6407 227 2
ISBN Deel 80, De Terugkeer van Sherlock Holmes 90 6407 682 0
Wettelijk depot in België D/2004/0621/27
Druk- en bindwerk: GGP Media GmbH, Duitsland

Inhoud

Het avontuur van Abbey Grange   9

Het avontuur van de dansende poppetjes   35

Het avontuur van de gepensioneerde verffabrikant   63

Het avontuur van Charles Augustus Milverton   80

Het avontuur van de zes Napoleons   100

Het probleem van de Thorbrug   124

Het avontuur van de kostschool   153

Het avontuur van de Old Place te Shoscombe   189

Het avontuur van de drie Garridebs   208

Het avontuur van de beroemde cliënt   226

Het avontuur van de gebleekte soldaat   255

Het avontuur van De Drie Gevelspitsen   277

Het avontuur van de Mazarinsteen   296

Het avontuur van de kruipende man   315

Het avontuur van de leeuwenmaan   339

Het avontuur van Abbey Grange

OP EEN IJSKOUDE morgen in de winter van het jaar 1897 werd ik gewekt doordat er iemand aan mijn schouder stond te sjorren. Het was Holmes. De kaars die hij in zijn hand hield, bescheen het enthousiaste gezicht dat zich over mij heen boog en een blik daarop was voor mij voldoende om me duidelijk te maken dat er iets aan de hand was.

"Kom mee, Watson, kom mee," zei hij. "Het spel is begonnen. Nee, geen woorden verspillen. Trek je kleren aan en kom mee!"

Tien minuten later zaten we al in een rijtuig dat ratelend door de stille straten van Londen onderweg was naar het station Charing Cross. Het begon al een heel klein beetje licht te worden die winterochtend en vaag konden we af en toe een arbeider zien die vroeg naar zijn werk vertrok en ons daarbij passeerde in de opaalkleurige Londense lucht. Holmes zat zwijgend weggedoken, zijn winterjas dicht om zich heen getrokken, en ik was blij datzelfde te kunnen doen, want de lucht was bitterkoud en we hadden geen van beiden ontbeten. Pas toen we op het station een kop hete thee hadden gedronken en plaats hadden genomen in een trein met bestemming Kent, waren we voldoende ontdooid. Hij om te kunnen praten en ik om te kunnen luisteren. Holmes haalde een briefje uit zijn zak en las dat hardop voor.

"Abbey Grange, Marsham, Kent, 3 uur 30

Mijn beste meneer Holmes,
Ik zou heel erg blij zijn wanneer u me meteen terzijde zou willen staan bij een zaak die belooft hoogst opmerkelijk te zullen worden. Hij ligt volledig in uw straatje. Ik zal ervoor zorgen dat alles

onaangeroerd blijft, zodat u de situatie precies zo in ogenschouw zult kunnen nemen als ik dat heb gedaan. Ik zal de vrouw uiteraard wel vrijlaten. Ik smeek u geen minuut verloren te laten gaan, omdat het moeilijk is Sir Eustace daar te laten blijven.
Hoogachtend,

Stanley Hopkins

Hopkins heeft me weer bij een zaak gehaald en hij heeft dat iedere keer volkomen terecht gedaan," zei Holmes. "Ik denk dat je al die zaken in je collectie hebt opgenomen en ik moet toegeven, Watson, dat je redelijk tot selecteren in staat bent, wat opweegt tegen veel dingen die ik in jouw verhalen betreur. Die fatale gewoonte van je om alles te bezien vanuit het oogpunt er een verhaal over te schrijven zonder de mogelijkheid van een wetenschappelijke aanpak daarbij in overweging te nemen, heeft veel afbreuk gedaan aan datgene wat een leerzame en zelfs klassieke reeks demonstraties geweest had kunnen zijn. Je loopt losjes heen over werk dat getuigt van maximale finesse en behoedzaamheid, om de nadruk te leggen op sensationele details die de lezer kunnen opwinden, maar beslist niet leerzaam voor hem zijn."

"Waarom schrijf je die verhalen dan niet zelf?" zei ik een beetje gepikeerd.

"Dat zal ik eens ook doen, Watson, dat zal ik eens ook doen. Maar je weet dat ik het op dit moment vrij druk heb. Ik ben wel van plan mijn laatste levensjaren te wijden aan het schrijven van een boek waarin ik uitsluitend aandacht zal besteden aan de kunst van de detective. Het onderzoek waaraan we thans beginnen lijkt betrekking te hebben op een moord."

"Dus jij denkt dat Sir Eustace dood is?"

"Dat denk ik wel, ja. Hopkins was behoorlijk opgewonden toen hij dat bericht schreef, en hij is in wezen geen emotioneel man. Ja, ik vermoed dat er sprake is geweest van geweldpleging en dat hij het lichaam daar heeft gehouden zodat wij dat kunnen bekijken. Wanneer het een geval van zelfmoord betrof, zou hij me er niet bij hebben gehaald. En wat dat vrijlaten van de dame betreft: ik denk dat zij tijdens de tragedie in haar kamer opgesloten heeft gezeten. We gaan ons begeven in verheven kringen, Watson, duur schrijfpapier, een *E.B.* monogram, wapen, schilderachtig adres. Ik denk dat onze vriend Hopkins zijn reputatie waar zal maken en dat ons een interessante morgen te wachten staat. De misdaad is begaan voor twaalf uur gisteravond."

"Hoe kan je dat nu weten?"

"Door de treinen te bekijken en een tijdberekening te maken. De plaatselijke politie moest er worden bijgehaald, die moest contact opnemen met Scotland Yard, Hopkins moest erheen en hij moest er op zijn beurt mij weer bijhalen. Met dat alles ben je wel een nachtje zoet. Aha! We rijden station Chiselhurst binnen en nu zal er spoedig een einde worden gemaakt aan onze twijfels."

Een rit van een paar kilometer over smalle landweggetjes bracht ons voor het hek van het park dat voor ons werd geopend door een oude portier, op wiens vermoeide gezicht de sporen van een recente ramp nog af te lezen waren. De oprijlaan liep door een fraai park en werd omzoomd door heel oude olmen. Hij kwam uit bij een laag, groot gebouw dat bij de voordeuren à la Palladio van pilaren was voorzien. Het middelste gedeelte was duidelijk heel erg oud en met klimop bedekt, maar de grote ramen lieten zien dat er moderne veranderingen waren aangebracht en een vleugel van het huis leek volkomen nieuw te zijn. De jeugdige gestalte van Stanley Hopkins verscheen in de deuropening en zijn gezicht zag er alert en enthousiast uit.

"Ik ben heel erg blij dat u bent gekomen, meneer Holmes. En ook met uw komst, dokter Watson. Maar wanneer ik het over zou kunnen doen, zou ik u niet hebben lastig gevallen, want nadat de dame weer tot rust was gekomen, heeft ze zo'n duidelijk verslag van de gebeurtenissen kunnen geven dat wij niet veel meer te doen hebben. Kunt u zich die bende inbrekers uit Lewisham nog herinneren?"

"Wat zeg je? Die drie Randalls?"

"Inderdaad. Vader en twee zoons. Zij hebben het gedaan. Daar twijfel ik niet aan. Veertien dagen geleden hebben ze een kraak gezet in Sydenham en zijn daar gezien en beschreven. Nogal koelbloedig om zo kort daarna in dezelfde omgeving opnieuw een slag te slaan, maar het lijkt geen enkele twijfel dat zij hier zijn geweest. En ditmaal zullen ze ervoor hangen."

"Is Sir Eustace dan dood?"

"Ja, zijn hoofd is ingeslagen met zijn eigen pook."

"De koetsier heeft me verteld dat zijn volledige naam Sir Hugh Brackenstall luidt."

"Inderdaad. Hij is een van de rijkste mensen in Kent. Lady Brackenstall is in de ontbijtkamer. Arme vrouw, ze heeft een verschrikkelijke ervaring achter de rug. Toen ik haar de eerste keer zag, leek ze halfdood. Ik denk dat u het beste maar naar haar toe kunt gaan om haar verslag aan te horen. Daarna kunnen we dan de eetkamer samen onderzoeken."

Lady Brackenstall was geen doorsneevrouw. Zelden heb ik zo'n gracieuze gestalte gezien, een vrouw die zo in alle opzichten vróúw was en zo'n mooi gezicht had. Ze had goudblond haar en zou ongetwijfeld de perfecte teint die daarbij hoort hebben gehad wanneer ze er door de recente gebeurtenissen niet zo afgetobd en ellendig had uitgezien. Ze leed kennelijk niet alleen psychisch maar ook fysiek, want boven een van haar ogen zat een afschuwelijke, opzwellende buil die haar kamenierster, een lange, strenge vrouw, met azijn en water aan het besprenkelen was. De dame lag uitgeput op een sofa, maar haar snelle, scherpziende blik en de alerte uitdrukking op haar gezicht maakten ons bij het binnengaan van de kamer duidelijk dat ze ondanks die verschrikkelijke ervaring niet aan verstandsverbijstering of moedeloosheid leed. Ze droeg een wijdvallende, blauwzilveren ochtendjas, maar een zwarte avondjurk lag op de sofa naast haar. "Ik heb u alles wat er is gebeurd al verteld, meneer Hopkins," zei ze vermoeid. "Kunt u mijn verhaal niet herhalen? Tja, wanneer u denkt dat het werkelijk nodig is, zal ik deze heren vertellen wat hier heeft plaatsgevonden. Zijn ze al in de eetkamer geweest?"

"Ik achtte het beter dat ze eerst naar uw verhaal luisterden."

"Ik zal blij zijn wanneer u de zaken verder kunt afhandelen. Ik vind het afschuwelijk dat hij daar nog steeds ligt." Ze rilde en begroef haar gezicht in haar handen. Toen ze dat deed, kwamen haar onderarmen bloot. Holmes slaakte een kreet.

"U heeft nog meer verwondingen opgelopen, mevrouw. Wat is dat?" Twee felrode plekjes op een van de ronde, witte ledematen hadden zijn aandacht getrokken. Snel trok ze de mouwen van haar ochtendjas weer omlaag.

"Niets. Het houdt geen verband met die afschuwelijke affaire van vannacht. Wanneer u en uw vriend gaan zitten, zal ik u alles vertellen wat ik weet. Ik ben de echtgenote van Sir Brackenstall. Ik ben nu ongeveer een jaar met hem getrouwd. Ik veronderstel dat het geen zin heeft te proberen te verbergen dat ons huwelijk niet gelukkig was. Ik ben bang dat al onze buren u dat zouden kunnen vertellen, zelfs wanneer ik zou trachten het te ontkennen. Misschien dat het gedeeltelijk mijn schuld was. Ik ben grootgebracht in de vrijere, minder conventionele sfeer van Zuid-Australië en dit leven in Engeland, met al zijn conventies en preutsheid, past niet bij mijn natuur. Maar de belangrijkste reden is het feit dat Sir Eustace een beruchte dronkenlap was, zoals een ieder weet. Het is al onaangenaam om een uur door te brengen in het gezelschap van zo'n man. Kunt u zich voorstellen wat het voor een gevoelige, opgewekte vrouw betekent om dag en nacht aan zo'n persoon vast te zitten? Het is heiligschennis, een misdaad, een schurkenstreek om te verklaren dat een dergelijk huwelijk niet kan worden ontbonden. Ik zeg u dat die monsterlijke wetten van u het land een vloek zullen worden – God zal een dergelijke instelling niet blijven tolereren!"

Even kwam ze overeind, met rode wangen en felle ogen onder die afschuwelijke buil boven haar wenkbrauw. Toen trok de sterke, geruststellende hand van haar kamenierster haar weer omlaag in de kussens en maakte de hevige woede plaats voor hartstochtelijk gesnik. Na verloop van tijd was ze weer in staat verder te gaan.

"Ik zal u vertellen wat er gisteravond is gebeurd. Misschien is het u bekend dat al het personeel in de nieuwe vleugel slaapt. In het middelste gedeelte bevindt zich de woonkamer. Daarachter ligt de keuken, erboven onze slaapkamer. Mijn kamenierster Theresa slaapt boven mijn kamer. Verder is hier 's avonds en 's nachts niemand en diegenen die in de andere vleugel slapen kunnen door geen enkel geluid van hier worden gewekt. Dat moet de dieven goed bekend zijn geweest, want anders hadden ze anders gehandeld dan ze hebben gedaan. Sir Eustace trok zich rond halfelf terug. De bedienden hadden zich al teruggetrokken in hun eigen verblijven. Alleen mijn kamenierster was opgebleven en zat in haar kamer op de bovenste verdieping te wachten tot ik haar nodig zou hebben. Tot na elven heb ik in deze kamer gezeten, verdiept in een boek. Toen heb ik een ronde gemaakt om te zien of alles in orde was alvorens naar boven te gaan. Het was mijn gewoonte om dat zelf te doen, want zoals ik al heb verklaard, was Sir Eustace niet altijd te vertrouwen in dat opzicht. Ik ben naar de keuken gegaan, de pantry van de butler, de wapenkamer, de biljartkamer, en uiteindelijk de eetkamer. Toen ik op het raam afliep, waarvoor een dik gordijn hangt, voelde ik plotseling wind op mijn gezicht en besefte ik dat het open stond. Het raam is laag, eigenlijk een deur naar het gazon. Ik had een aangestoken kaars in mijn hand en bij het licht daarvan zag ik achter de eerste man nog twee anderen die op het punt stonden binnen te komen. Ik deed een stap achteruit, maar de man had me meteen vast. Eerst bij mijn pols, toen bij mijn keel. Ik deed mijn mond open om te schreeuwen, maar hij gaf me met zijn vuist een harde klap boven mijn oog en daardoor werd ik geveld. Ik moet een paar minuten bewusteloos zijn geweest, want toen ik bijkwam, zag ik dat ze het schelkoord kapot hadden getrokken en me stevig hadden vastgebonden op de eikenhouten stoel die aan het hoofd van de eettafel staat. Ik was zo stevig vastgebonden dat ik me niet kon bewegen en een zakdoek om mijn mond belette me het spreken. Op dat moment kwam mijn ongelukkige echtgenoot de kamer in. Hij had duidelijk verdachte geluiden gehoord en was voorbereid op wat hij daar aantrof. Hij droeg een nachthemd en had zijn geliefde stok van sleedoornhout bij zich. Hij rende op de inbrekers af, maar een van hen – een oudere man – boog zich voorover, pakte de pook bij de haard weg en gaf hem onder het voorbijgaan een afschuwelijke klap daarmee. Ik viel opnieuw flauw, maar weer kan dat slechts een paar minuten hebben geduurd. Toen ik mijn ogen open deed, zag ik dat ze het tafelzilver uit de kast hadden gehaald en een fles wijn hadden opengetrokken die daar eveneens was opgeborgen. Ze hadden allemaal een glas in hun hand. Ik heb u, meen ik, al verteld dat een van hen een oudere man met een baard was. De anderen waren jonge jongens zonder baard. Het zouden een vader en twee zoons geweest kunnen zijn. Ze stonden met elkaar te fluisteren. Uiteindelijk gingen ze weer weg en deden het raam achter zich dicht. Het duurde meer dan een kwartier voor ik die zakdoek van mijn mond weg had. Daarna begon ik te schreeuwen en kwam mijn kamenierster me te hulp. De andere bedienden werden toen snel gewekt en we haalden er de politie ter plaatse bij, die meteen contact opnam met Londen. Heren, dat is werkelijk alles wat ik u kan vertellen en ik hoop dat het niet nodig zal zijn dat ik dit pijnlijke verhaal nogmaals doe."

"Heeft u nog iets te vragen, meneer Holmes?" vroeg Hopkins.

"Ik zal het geduld van Lady Brackenstall niet langer op de proef stellen en verder geen beslag meer leggen op haar tijd," zei Holmes.

"Maar voor ik de eetkamer inga, zou ik graag willen horen hoe u dit alles heeft ondergaan," zei hij en keek naar de kamenierster.

"Ik had die mannen al eerder gezien," zei zij. "Ik zat bij het raam van mijn slaapkamer en zag drie mannen bij het hek aan de poort staan, maar daar heb ik toen verder niet over nagedacht. Pas ruim een uur daarna hoorde ik mijn meesteres schreeuwen en ben ik naar beneden gerend. Daar trof ik die arme stakker aan zoals ze u heeft beschreven en lag hij op de grond, met zijn bloed en hersenen overal op het tapijt. Dat was meer dan voldoende om een vrouw gek te maken. Ze zat daar vastgebonden en op haar japon zaten bloedspetters. Maar ze is altijd een moedige vrouw geweest, mejuffrouw Mary Fraser uit Adelaide en Lady Brackenstall is wat dat betreft onveranderd gebleven. En nu heeft u haar lang genoeg ondervraagd, heren. Ik neem haar nu mee naar haar eigen kamer, zodat ze in het gezelschap van haar oude Theresa de rust kan vinden die ze op dit moment zo hard nodig heeft."

Met moederlijke tederheid sloeg de magere vrouw haar arm om haar meesteres heen en nam haar mee de kamer uit.

"Die kamenierster werkt al haar hele leven lang voor de dame," zei Hopkins. "Ze heeft haar als baby verzorgd en is met haar meegegaan naar Engeland toen ze de eerste keer Australië verlieten, nu achttien maanden geleden. Theresa Wright heet ze en het is een bediende van het soort dat heden ten dage nauwelijks is te vinden. Meneer Holmes, wilt u me nu volgen?" Holmes' expressieve gezicht stond nu minder oplettend en ik wist dat voor hem de charme van de zaak eraf was nu het mysterie was opgelost. Er moest nu nog een arrestatie worden verricht, maar waarom zou hij zijn handen vuil maken aan zo'n stelletje doodgewone boeven? Een diepzinnige geleerde specialist die tot de bevinding komt dat hij wordt geconsulteerd wegens een geval van mazelen zou iets ervaren van de ergernis die ik in de ogen van mijn vriend kon lezen. Maar toch was het tafereeltje in de eetkamer van Abbey Grange zo vreemd dat het zijn aandacht trok en zijn afnemende belangstelling erdoor weer werd gewekt. Het was een heel grote en hoge kamer met een bewerkt eikenhouten plafond, eikenhouten panelen op de muren en een fraaie verzameling hertenkoppen en oude wapens tegen die panelen. Achter in de kamer zat het hoge raam waar ons al over was verteld. Drie kleinere ramen aan de rechterkant stelden het koude winterzonnetje in staat de kamer in te schijnen. Links bevond zich een grote, diepe haard met een indrukwekkende, uitstekende houten schoorsteenmantel. Naast die haard stond een zware eikenhouten stoel met leuningen en dwarslatten aan de onderkant. Er was aan die dwarslatten een rood koord bevestigd. De knopen zaten er nog in, hoewel de rest natuurlijk los hing omdat men de dame had bevrijd. Die details trokken echter pas later onze aandacht, omdat we in eerste instantie volledig in beslag werden genomen door het afschuwelijke ding dat op de tijgerhuid voor de haard lag. Het was het lichaam van een lange, goed gebouwde man van een jaar of veertig. Hij lag op zijn rug, zijn gezicht omhoog gewend, en zijn witte tanden grijnsden door zijn korte, zwarte baard heen. Zijn twee handen, die tot vuisten waren gebald, lagen boven zijn hoofd en daaroverheen lag een zware stok van sleedoornhout. Zijn donkere, knappe, adelaarsachtige gezicht was vertrokken tot een grimas van wraakzucht en haat, waardoor het dode gelaat er afzichtelijk uitzag. Hij had kennelijk in bed gelegen toen de tragedie begon, want hij droeg een fatterig, geborduurd nachthemd en zijn blote voeten staken onder zijn broek uit.

Zijn hoofd was afschuwelijk verwond en de hele kamer getuigde van de zeer woeste slag die hem had geveld.

Naast hem lag de zware pook die door de slag was verbogen. Holmes bekeek die pook en de man die er het slachtoffer van was geworden.

"Die oude Randall moet heel sterk zijn," merkte hij op.

"Ja," zei Hopkins. "Ik beschik over een paar gegevens over die vent en het is een ruige klant."

"Het moet je geen moeite kosten hem te pakken te krijgen."

"Geen enkele. We hebben hem al een tijdje in de gaten gehouden maar verkeerden eigenlijk in de veronderstelling dat hij naar Amerika was vertrokken. Nu we echter weten dat die bende hier zit, kunnen ze volgens mij niet ontsnappen. Iedere haven is al gealarmeerd en voor het invallen van de avond zal er een beloning zijn uitgeloofd. Maar ik begrijp eigenlijk niet goed hoe ze zoiets krankzinnigs hebben kunnen doen, wetend dat de dame in staat zou zijn hen te beschrijven en wij hen aan de hand van die beschrijving zonder enige twijfel zouden herkennen."

"Inderdaad. Je zou hebben verwacht dat ze Lady Brackenstall eveneens voor altijd het zwijgen zouden hebben opgelegd."

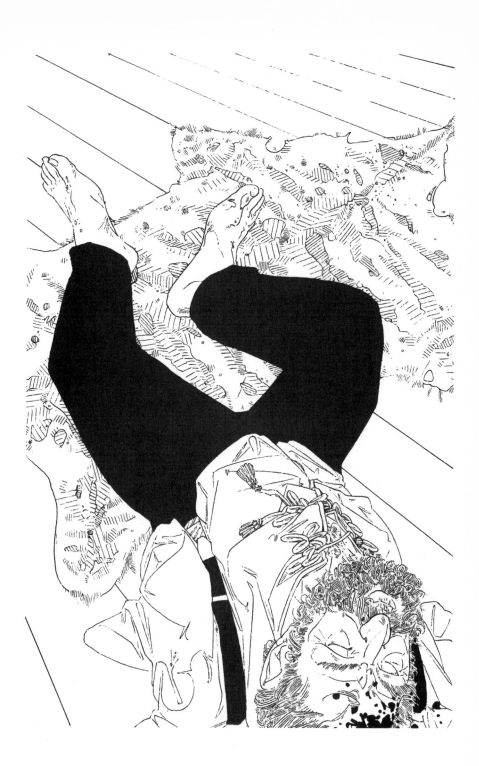

"Misschien," zei ik, "hebben ze niet gezien dat Lady Bracken-stall was bijgekomen."

"Dat is heel goed mogelijk. Wanneer ze de indruk hadden dat ze bewusteloos was, zouden ze haar niet hebben gedood. Maar wat kan je me verder nog vertellen over deze arme man, Hopkins? Ik meen me te herinneren merkwaardige verhalen over hem te hebben gehoord."

"Het was een vriendelijke man wanneer hij nuchter was, maar een absoluut onmens wanneer hij dronken was, of liever gezegd wanneer hij halfdronken was, want hij dronk zich maar zelden compleet laveloos. In die toestand leek de duivel in hem te zijn gevaren en was hij tot alles in staat. Ondanks zijn rijkdom en zijn titel is hij een paar maal bijna met ons in aanraking gekomen, heb ik me laten vertellen. Er is sprake geweest van een schandaal toen hij een hond met petroleum had begoten en het dier vervolgens in brand heeft gestoken – de hond van zijn echtgenote, nota bene – en die kwestie is met veel moeite in de doofpot gestopt. Toen heeft hij later nog een keer een karaf gegooid naar Theresa, de kamenierster. Ook dat heeft problemen opgeleverd. Tussen ons gezegd en gezwegen zal het er in dit huis wat vrolijker aan toe kunnen gaan nu hij er niet meer is. Waar staat u nu naar te kijken?"

Holmes had zich op zijn knieën laten zakken en bekeek uiterst aandachtig de knopen in het rode koord waarmee de dame was vastgebonden. Toen bekeek hij heel aandachtig het gebroken, rafelige uiteinde dat was ontstaan toen de inbreker het schelkoord kapot had getrokken.

"Toen die man hieraan trok, moet de bel in de keuken heel luid hebben geklonken," zei hij. "Niemand heeft dat kunnen horen. De keuken is helemaal achter in het huis."

"Hoe kon die inbreker weten dat niemand dat zou horen? Hoe is het mogelijk dat hij zo zorgeloos aan dat schelkoord heeft durven trekken?"

"Inderdaad, meneer Holmes, inderdaad. U stelt daar de vraag die ik mezelf ook telkens opnieuw heb gesteld. Het lijdt geen twijfel dat die man dit huis kende en wist wat men er gewoonlijk deed. Hij moet zeker hebben geweten dat alle bedienden op dat toch vrij vroege uur al naar hun eigen verblijven zouden zijn gegaan en dat niemand dus die bel in de keuken zou kunnen horen. Dus moet hij nauw contact hebben gehad met een van de bedienden.

Dat staat toch zeker zo vast als een huis. Maar er zijn acht bedienden, die allemaal van onbesproken gedrag zijn."

"Gezien dit feit," zei Holmes, "zou je degene die de karaf naar haar hoofd gesmeten heeft gekregen in eerste instantie verdenken. Maar dat zou verraad betekenen tegenover de meesteres die die vrouw volledig lijkt te zijn toegewijd. Nu ja, dat is een minder belangrijke kwestie en wanneer je Randall eenmaal hebt opgepakt, zal het niet moeilijk zijn de naam van zijn helper te achterhalen. Het verhaal van de dame lijkt door dit alles werkelijk te worden bevestigd, wanneer een dergelijke bevestiging al nodig was."

Hij liep naar het grote raam en maakte dat open.

"Geen sporen te zien, maar de grond is keihard en dus valt zoiets ook niet te verwachten. Ik zie dat die kaarsen op de schoorsteenmantel hebben gebrand."

"Ja, door het licht daarvan, en dat van de nachtkaars van de dame, hebben de inbrekers hier kunnen opereren."

"En wat hebben ze meegenomen?"

"Niet zo veel. Een zestal stuks tafelzilver uit die kast. Lady Brackenstall denkt dat de mannen zo van streek waren door de dood van Sir Eustace dat ze verder in het huis niet op rooftocht zijn gegaan, zoals ze onder andere omstandigheden ongetwijfeld wel zouden hebben gedaan."

"Dat is zeker waar, gezien het feit dat ze wijn hebben gedronken. Dat klopt toch?"

"Om hun zenuwen tot bedaren te brengen."

"Inderdaad. Ik veronderstel dat die drie glazen die daar op de kast staan, niet zijn aangeraakt?"

"Dat klopt. De fles trouwens evenmin."

"Laten we daar dan eens naar kijken. Hé, wat zie ik daar?"

De drie glazen stonden vlak naast elkaar. Er zaten in alle drie nog restjes wijn en in een ervan zat een beetje droesem. De fles, die nog voor tweederde vol was, stond er vlakbij en daarnaast lag een lange, donkerrode kurk. Uit die kurk, en de dikke laag stof op de fles, bleek dat de moordenaars niet van een doodgewoon wijntje hadden genoten.

Holmes' manier van doen was opeens veranderd. Zijn lusteloze gezichtsuitdrukking was verdwenen en weer zag ik een alert, geïnteresseerd lichtje in zijn diepliggende ogen. Hij pakte de kurk op en bekeek die aandachtig.

"Hoe hebben ze die fles opengetrokken?" vroeg hij.

Hopkins wees op een half geopende lade. Daarin lag wat tafellinnen, evenals een grote kurkentrekker.

"Heeft Lady Brackenstall verklaard dat ze van die kurkentrekker gebruik hebben gemaakt?"

"Nee, u zult zich nog wel kunnen herinneren dat ze bewusteloos was op het moment dat die fles werd opengetrokken."

"Inderdaad. Om je de waarheid te zeggen hebben ze geen gebruik gemaakt van die kurkentrekker. Deze fles is geopend met een zakkurkentrekker die waarschijnlijk deel uitmaakte van een zakmes en die niet langer geweest kan zijn dan een kleine drie centimeter. Wanneer je de bovenkant van de kurk bekijkt, zul je zien dat de trekker er driemaal in is gedraaid voor de kurk eruit gehaald kon worden. De kurk is niet aan de trekker vast blijven zitten en dat zou beslist wel zijn gebeurd wanneer ze dat lange exemplaar dat daar in de la ligt, hadden gebruikt. Wanneer je die man te pakken krijgt, zul je zien dat hij een van die zakmessen met allerlei hulpstukken in zijn bezit heeft."

"Uitstekend!" zei Hopkins.

"Maar ik moet bekennen dat ik verbaasd sta over die glazen. Lady Brackenstall heeft die mannen toch wérkelijk wijn zien drinken?"

"Ja, op dat punt was ze erg duidelijk."

"Dat is dan dat. Wat zouden we er verder nog van kunnen zeggen? Maar toch zul je moeten toegeven dat die drie glazen heel opmerkelijk zijn, Hopkins. Wat zeg je? Zie je er niets opmerkelijks aan? Tja, laten we dat punt dan maar laten rusten. Misschien is het zo dat iemand die, zoals ik, over een speciale kennis en speciale talenten beschikt, geneigd is voor bepaalde zaken een ingewikkelde verklaring te zoeken ondanks het feit dat er een eenvoudige voor de hand ligt. Natuurlijk is er ten aanzien van die glazen slechts van toeval sprake. Een goede morgen verder, Hopkins. Ik geloof niet dat ik je verder nog ergens bij kan helpen. Deze zaak lijkt duidelijk te zijn. Ik neem aan dat je het me zult laten weten wanneer Randall is gearresteerd. Van eventuele nieuwe ontwikkelingen zou ik eveneens graag op de hoogte worden gesteld. Ik vertrouw erop dat ik je spoedig zal kunnen feliciteren met een succesvolle bekroning van je onderzoek. Kom mee, Watson, ik denk dat we thuis beter werk kunnen verrichten."

Gedurende onze terugreis kon ik aan Holmes' gezicht zien dat iets wat hij had gezien hem mogelijk verbaasde. Af en toe slaagde hij er met veel moeite in die gezichtsuitdrukking te veranderen, en sprak hij over deze zaak alsof alles volstrekt duidelijk was, maar daarna sloeg de twijfel weer toe en bevestigden zijn samengetrokken wenkbrauwen en nietsziende ogen dat hij in gedachten weer was teruggegaan naar de grote eetkamer van Abbey Grange waar zich die middernachtelijke tragedie had afgespeeld. En net toen onze trein langzaam een stationnetje van een voorstad uitkroop, sprong hij plotseling impulsief op het perron en trok mij met zich mee. "Mijn excuses, beste kerel," zei hij terwijl we de laatste rijtuigen van onze trein om een bocht zagen verdwijnen. "Het spijt me dat ik je het slachtoffer heb laten worden van iets wat niets anders dan een gril kan lijken te zijn, maar ik kan deze zaak werkelijk niet verder laten schieten, Watson. Al mijn instincten protesteren daar hevig tegen. Het klopt niet. Het klopt helemaal niet. Ik durf erop te zweren dat er niets van klopt. En toch heeft de dame een afgerond verhaal gedaan dat door haar kamenierster is bevestigd, inclusief redelijk exacte details. Wat kan ik daar tegenover stellen? Drie wijnglazen. Meer niet. Maar wanneer ik alles niet als vaststaand had aangenomen en ter plaatse de kleinste details nauwkeurig had onderzocht, wat ik zou hebben gedaan wanneer we deze zaak *de novo* hadden benaderd, zou ik dan niet iets tastbaarders hebben gevonden als uitgangspunt? Natuurlijk. Ga op deze bank zitten, Watson, tot er een trein met bestemming Chiselhurst binnenrijdt, en sta het me toe je te vertellen wat ik ervan denk. Daarbij zou ik je in eerste instantie willen verzoeken het idee van je af te zetten dat alles wat de dame en haar kamenierster hebben verteld, ook per se de waarheid moet zijn. We moeten het niet toestaan dat de charmante persoonlijkheid van de dame ons oordeel beïnvloedt. Het staat vast dat haar verhaal details bevatte die, wanneer we er volkomen objectief naar hadden kunnen luisteren, onze achterdocht zouden hebben opgewekt. Die inbrekers slaan een goede slag in Sydenham. Veertien dagen geleden nu. Er heeft een verslag daarvan gestaan in de kranten, die eveneens een korte persoonsbeschrijving van hen hebben afgedrukt. Wanneer iemand een verhaal wenste te verzinnen waarin inbrekers een rol speelden, zou hij of zij natuurlijk meteen aan Sydenham moeten denken. Nu is het zo dat inbrekers die een goede kraak hebben gezet, gewoonlijk maar al te graag in alle rust van hun buit willen genieten, zonder meteen weer aan een gevaarlijke nieuwe onderneming te beginnen. Bovendien is het ongebruikelijk dat inbrekers op zo'n vroeg tijdstip aan de slag gaan, en is het ongebruikelijk dat zij een dame bewusteloos slaan om te voorkomen dat ze gaat schreeuwen. Het is ongebruikelijk dat ze een moord begaan wanneer ze met zovelen zijn dat ze een man gemakkelijk kunnen overmeesteren. Het is ongebruikelijk dat ze zich tevreden stellen met zo'n kleine buit wanneer ze zoveel andere dingen met gemak kunnen meenemen. En in de laatste plaats zou ik zo denken dat het heel erg ongebruikelijk is dat dergelijke mannen een fles niet helemaal opdrinken. Wat denk je van al die ongebruikelijke aspecten, Watson?"

"Alles bij elkaar genomen, zijn het er nogal wat," zei ik. "Maar los van elkaar zijn het geen onmogelijke mogelijkheden. Ik heb de indruk dat het meest ongebruikelijke nog wel het feit is dat die dame op een stoel werd vastgebonden."

"Daar weet ik het fijne ook nog niet van, Watson. Maar wel is het duidelijk dat ze haar moesten doden of zodanig vastzetten dat ze niet meteen nadat zij waren vertrokken, alarm kon slaan. In ieder geval heb ik aangetoond dat er nogal wat onwaarschijnlijke kanten zitten aan het verhaal van de dame, nietwaar? En dat alles culmineert dan nog eens in die wijnglazen."

"Wat was er dan aan de hand met die wijnglazen?"

"Kun je je die nog voor de geest halen?"

"Duidelijk."

"We hebben gehoord dat de drie mannen die wijn hebben gedronken. Acht je dat waarschijnlijk?"

"Waarom niet? In alle glazen zat een restje wijn."

"Inderdaad. Maar in een van die glazen zat droesem. Dat moet je zijn opgevallen. Waar doet je dat aan denken?"

"Dat het laatste glas dat werd uitgeschonken, waarschijnlijk droesem bevatte."

"Helemaal niet. De fles zat er vol mee en het is ondenkbaar dat de eerste twee glazen het niet bevatten en het laatste er zo vol mee zat. Er zijn twee mogelijke verklaringen voor, maar niet meer dan twee. De ene is dat de fles hevig werd geschud, nadat het tweede glas was volgeschonken, waardoor die droesem in het derde terecht kwam. Dat lijkt echter niet waarschijnlijk. Nee, nee, ik ben er zeker van dat ik gelijk heb."

"Wat veronderstel jij dan?"

"Dat er maar twee glazen werden gebruikt en dat de droesem van beide in het derde glas is gegoten om de verkeerde indruk te wekken dat er drie mensen aanwezig waren. Op die manier zou al die droesem in het derde glas hebben kunnen belanden, nietwaar? Ja, ik ben ervan overtuigd dat het zo is gegaan. Maar wanneer ik de juiste verklaring heb gevonden voor dit kleine fenomeen, wordt deze zaak meteen uitzonderlijk opmerkelijk in plaats van doodgewoon, want dat kan alleen maar betekenen dat Lady Brackenstall en haar kamenierster met opzet tegen ons hebben gelogen en dat ze een zeer gegronde reden hebben om de werkelijke misdadiger in bescherming te nemen, en dat we deze zaak zelf moeten reconstrueren zonder enige hulp van hun kant. Dat is de opdracht die we nu ten uitvoer moeten brengen en daar arriveert de trein naar Sydenham."

Op Abbey Grange reageerde men heel verbaasd over onze terugkeer. Toen Sherlock Holmes hoorde dat Stanley Hopkins was weggegaan om op het hoofdbureau verslag uit te brengen, nam hij meteen bezit van de eetkamer, deed de deur aan de binnenkant op slot en was twee uur lang bezig met een van die nauwkeurige, uitgebreide onderzoeken die de solide basis vormden voor zijn briljante manier van deduceren. Ik zat in een hoekje, als een geïnteresseerde student die de werkwijze van zijn professor gadeslaat, en volgde zijn opmerkelijke onderzoek stap voor stap. Het lichaam van de edelman was weggehaald, maar al het overige was nog net zoals het die ochtend was achtergelaten. Uiteindelijk klom Holmes tot mijn verbazing op de imposante schoorsteenmantel. Ver boven zijn hoofd hing het laatste stukje rood schelkoord, dat nog steeds aan de beldraad was bevestigd. Lange tijd stond hij daarnaar te kijken. Toen probeerde hij er dichterbij te komen en steunde daartoe met zijn knie tegen een houten console die aan de muur hing. Daardoor haalde zijn hand op een paar centimeter na het koord, maar op dat moment leek hij zijn aandacht eerder te concentreren op de console. Uiteindelijk sprong hij met een voldane kreet weer op de grond.

"Het is rond," zei hij. "Watson, we hebben deze zaak rond – een van de meest opmerkelijke binnen onze collectie. Maar mijn hemel, wat ben ik traag geweest. Bijna had ik de blunder van mijn leven begaan. Ik denk echter dat mijn keten nu op een paar ontbrekende schakels na voltooid is."

"Weet je dan wie het hebben gedaan?"

"Wie het hééft gedaan, Watson. Heeft gedaan. Een man, maar wel een zeer indrukwekkend manspersoon. Sterk als een leeuw – getuige die slag waardoor de pook is verbogen. Een meter negenentachtig lang, beweeglijk als kwikzilver, met vaardige handen en bijzonder snel van geest, want dit hele vindingrijke verhaal moet door hem zijn bedacht. Ja, Watson, we zijn in aanraking gekomen met het handwerk van een zeer opmerkelijk individu. En toch heeft hij ons in de vorm van dat schelkoord een aanwijzing gegeven die bij ons ieder spoortje van twijfel had moeten laten verdwijnen."

"Wat was die aanwijzing dan?"

"Watson, wanneer je een schelkoord omlaag trekt met het doel het te breken, op welk punt zou het volgens jou dan afknappen? Toch zeker op de plaats waar het aan de beldraad is bevestigd? Waarom zou het koord dan enige centimeters onder dat punt breken, zoals in het onderhavige geval is gebeurd?"

"Omdat het daar een beetje dun en rafelig was?"

"Inderdaad. Dit uiteinde is, zoals we kunnen zien, inderdaad gerafeld. Hij was slim genoeg om daar met een mes voor te zorgen. Maar het andere uiteinde is niet gerafeld. Dat kun je hiervandaan niet zien, maar wanneer je op de schoorsteenmantel gaat staan, kun je zien dat het koord is doorgesneden. Nu kun je verder wel reconstrueren wat er is gebeurd. De man had het koord nodig. Hij wilde dat niet losrukken, omdat hij bang was dat het rinkelen van de bel anderen zou alarmeren. Wat deed hij dus? Hij sprong op de schoorsteenmantel, kon er niet helemaal bij, zette zijn knie op die console, de afdruk ervan staat in het stof, en pakte zijn mes om het koord door te snijden. Ik kon er niet bij en uit de afstand tussen mijn hand en dat uiteinde kon ik zijn lengte zo ongeveer berekenen. Kijk eens naar die plek op die eikenhouten stoel! Wat is dat volgens jou?"

"Bloed."

"Het is zonder enige twijfel bloed. Alleen die plek is al voldoende om ons duidelijk te maken dat het verhaal van de dame niet klopt. Wanneer ze op die stoel zat toen de misdaad werd begaan, zou die plek daar niet kunnen zitten. Nee, nee, ze werd na de dood van haar echtgenoot vastgebonden in die stoel. Ik denk zo dat we op die zwarte japon van haar een vlek zullen vinden die overeenstemt met deze. Watson, we zijn nog niet met ons Waterloo geconfronteerd, maar wel met ons Marengo, want deze strijd is begonnen met een nederlaag, maar zal eindigen in een overwinning. Ik zou nu graag even met die Theresa willen praten. We moeten nog enige tijd behoedzaam opereren wanneer we de inlichtingen willen verkrijgen waaraan we nu nog behoefte hebben."

De streng ogende Australische was een interessante vrouw: zwijgzaam, achterdochtig, onbeleefd. Het duurde enige tijd voor Holmes' plezierige manier van doen en diens duidelijke vertrouwen in alles wat ze zei, haar voldoende hadden ontdooid om hem even vriendelijk te bejegenen als hij dat met haar deed. Ze deed geen enkele poging om haar haatgevoelens tegenover haar overleden werkgever verborgen te houden.

"Ja meneer, hij heeft die karaf inderdaad naar mijn hoofd gegooid. Ik hoorde hem tegen mijn meesteres schelden en ik heb hem toen gezegd dat hij dat niet zou durven wanneer haar broer erbij was geweest. Toen smeet hij dat ding mijn kant op. Hij had er wat mij betreft tien op me af kunnen gooien wanneer hij dat vogeltje van me maar met rust had gelaten. Hij behandelde haar voortdurend slecht en zij was te trots om daarover te klagen. Ze is niet eens bereid om mij alles te vertellen wat hij haar heeft aangedaan. Ze heeft me nooit iets verteld over die plekken die u vanmorgen op haar arm heeft gezien, maar ik weet heel zeker dat die zijn aangebracht door haar te prikken met een hoedenspeld. Die sluwe duivel. Vergeef het me dat ik zo over hem spreek nu hij dood is. Maar hij wás een duivel, wanneer zo'n wezen hier ooit op deze aarde heeft rondgelopen. Toen we hem leerden kennen, was hij poeslief. Dat is achttien maanden geleden gebeurd, maar we hebben alle twee het gevoel dat het achttien jaar is. Ze was net in Londen aangekomen. Ja, het was de eerste maal dat ze op reis ging. Voor die tijd was ze nooit van huis weggeweest. Hij heeft haar toen ingepalmd met zijn titel en zijn geld en zijn aardige manier van doen. Ze heeft een vergissing begaan, maar daarvoor moeten boeten als geen enkele andere vrouw. In welke maand we hem hebben leren kennen? Net nadat we waren gearriveerd in Londen. Dat gebeurde in juni, dus moet ze hem in juli hebben leren kennen. Ze zijn vorig jaar januari getrouwd. Ja, ze zit nu weer in de ontbijtkamer en ik twijfel er niet aan dat ze u zal willen ontvangen, maar u moet niet te veel van haar verlangen, want ze heeft al meer moeten doorstaan dan je van een normaal mens kunt verwachten."

Lady Brackenstall lag weer op dezelfde sofa, maar zag er opgewekter uit dan voorheen. De kamenierster kwam achter ons aan en begon meteen weer de buil op het voorhoofd van haar meesteres te deppen.

"Ik hoop," zei de dame, "dat u me niet weer wilt ondervragen?"

"Nee," antwoordde Holmes vriendelijk, "ik zal het u niet onnodig lastig maken, Lady Brackenstall. Ik wil alles voor u slechts zo gemakkelijk mogelijk maken, want ik ben ervan overtuigd dat u een zwaarbeproefde vrouw bent. Wanneer u bereid bent me als vriend te behandelen en te vertrouwen, zult u merken dat ik dat vertrouwen waard ben."

"Wat wilt u dan van me?"

"Dat u me de waarheid vertelt."

"Meneer Holmes!"

"Nee, nee, Lady Brackenstall, dit heeft geen enkele zin. Misschien dat u wel eens iets over mijn reputatie heeft gehoord. Ik ben bereid die in te zetten voor de mededeling dat uw verhaal geheel en al is verzonnen."

Meesteres en kamenierster staarden Holmes aan met bleke gezichten en bange ogen.

"U bent onbeschaamd!" riep Theresa uit. "Wilt u zeggen dat mijn meesteres heeft gelogen?" Holmes kwam uit zijn stoel overeind. "Heeft u me niets te vertellen?"

"Ik heb u alles al verteld."

"Denkt u nog eens goed na, Lady Brackenstall. Zou het niet beter zijn om open kaart te spelen?" Even lag er een aarzelende blik op het mooie gezicht. Toen moest ze kennelijk ergens aan denken en veranderde dat gezicht in een masker.

"Ik heb u alles al verteld wat ik weet."

Holmes pakte zijn hoed en haalde zijn schouders op. "Het spijt me," zei hij en zonder verder nog iets te zeggen, gingen we de kamer en het huis uit. In het park was een vijvertje en daar ging mijn vriend toen heen. Het was dichtgevroren, maar er was een gat in gehakt ter wille van een eenzame zwaan. Holmes keek naar dat dier en liep toen door naar de portierswoning. Daar krabbelde hij een briefje voor Stanley Hopkins neer en liet dat bij de portier achter.

26

"Het kan zijn dat ik het bij het rechte eind heb, het kan eveneens een faliekante mislukking worden, maar we moeten iets doen voor onze vriend Hopkins, al was het alleen maar om dit tweede bezoek te rechtvaardigen," zei hij. "Ik ben nog niet van plan hem volledig in vertrouwen te nemen. Ik denk dat we nu maar naar het kantoor van de Adelaide-Southampton Scheepvaartmaatschappij moeten gaan, die, wanneer ik het me goed herinner, aan het eind van Pall Mall is gevestigd. Er is nog een andere stoomvaartmaatschappij die tussen Zuid-Australië en Engeland op en neer vaart, maar de eerstgenoemde is de grootste."

Holmes liet zijn visitekaartje bij de manager afgeven en die ontving ons toen meteen. Het duurde niet lang voor hij ons alle inlichtingen kon verschaffen die we nodig hadden. In juni van het jaar 1895 had slechts een van hun schepen een thuishaven aangedaan, dat was de *Rock of Gibraltar*, hun grootste en beste schip. De passagierslijst werd erbij gehaald en daaruit bleek dat mejuffrouw Fraser uit Adelaide en haar kamenierster aan boord waren geweest. Het schip voer nu ergens ten zuiden van het Suezkanaal en was onderweg naar Australië. De officieren aan boord waren die welke ook in 1895 waren meegevaren, met één uitzondering. De eerste stuurman, de heer Jack Crocker, was inmiddels tot kapitein bevorderd en zou binnenkort het bevel op zich nemen van de *Bass Rock* die over twee dagen vanuit Southampton zou wegvaren. Hij woonde in Sydenham, maar zou die ochtend waarschijnlijk naar het kantoor komen om nadere instructies te ontvangen. Wanneer we dat wilden, konden we op hem wachten. Nee, Sherlock Holmes had er geen behoefte aan hem te spreken, maar zou graag wat meer willen weten over het karakter van die man en zijn staat van dienst. Zijn staat van dienst was uitstekend. Er was geen scheepsofficier die zich met hem kon meten. En wat zijn karakter betreft: hij was betrouwbaar als hij dienst had, maar aan de wal een wildeman, een desperado. Heethoofdig, lichtgeraakt, maar wel trouw, in wezen vriendelijk en eerlijk. Dat was, kort samengevat, de informatie die Holmes verkreeg voor hij het kantoor van de scheepvaartmaatschappij weer verliet. Vandaar gingen we naar Scotland Yard, maar in plaats van daar binnen te gaan, bleef Holmes met gefronste wenkbrauwen in het rijtuig zitten, diep in gedachten verzonken. Uiteindelijk liet hij ons naar het postkantoor bij Charing Cross rijden, waar hij een telegram verstuurde. Toen gingen we weer terug naar Baker Street.

"Nee, Watson, ik kon het niet doen," zei hij toen we onze kamer opnieuw betraden. "Wanneer dat arrestatiebevel eenmaal zou zijn uitgevaardigd, had niemand hem meer kunnen redden. Een- of tweemaal tijdens mijn carrière heb ik het gevoel gehad dat ik door het ontdekken van wie de misdadiger was, meer kwaad heb gedaan dan hij door het plegen van de misdaad. Nu heb ik geleerd voorzichtiger te zijn en speel ik liever een spelletje met de Engelse wetten dan met mijn eigen geweten. Voordat we tot handelen overgaan, moeten we eerst nog maar eens wat meer aan de weet komen."

Voor het avond werd kregen we bezoek van inspecteur Stanley Hopkins. Hij leek het niet zo goed te maken.

"Meneer Holmes, volgens mij bent u een tovenaar," zei hij. "Soms denk ik werkelijk wel eens dat u over talenten beschikt die niet menselijk zijn. Hoe kon u in vredesnaam weten dat het gestolen zilver op de bodem van die vijver lag?"

"Dat wist ik niet."

"Maar u heeft me geschreven dat ik die moest onderzoeken!"

"Dus je hebt het gevonden?"

"Ja, inderdaad."

"Ik ben erg blij wanneer ik je wat dat betreft heb kunnen helpen."

"Maar u heeft me helemaal niet geholpen! U heeft alles alleen maar moeilijker gemaakt. Wat voor soort inbrekers gooit de buit nu in een vijver?"

"Dat was zeker een nogal merkwaardige manier van doen. Ik ben alleen maar uitgegaan van het idee dat dat zilver, wanneer het was meegenomen door personen die het niet wilden hebben, die het alleen maar hadden meegenomen om als het ware een rookgordijn op te werpen, natuurlijk zo snel mogelijk weer zou moeten verdwijnen."

"Maar waarom is een dergelijke gedachte bij u opgekomen?"

"Tja, ik achtte zoiets mogelijk. Wanneer ze door dat grote raam annex deur naar binnen waren gegaan, moesten ze die vijver hebben gezien met dat verleidelijke gat erin gehakt. Wie zou zich een betere plaats kunnen voorstellen om dingen te verstoppen?"

"Aha! Een plaats om die dingen te verstoppen. Dat klinkt al een stuk beter!" riep Stanley Hopkins uit. "Ja, ja, nu begrijp ik het helemaal. Het was nog vroeg, er liepen mensen buiten rond en ze waren bang met dat zilver te worden gezien. Dus hebben ze hun buit in de vijver laten zakken met het plan die te komen ophalen wanneer de kust veilig was. Uitstekend, meneer Holmes! Dat is beter dan uw idee van een rookgordijn!"

"Inderdaad. Daarmee heb je een theorie ontwikkeld die bewondering afdwingt. Ik twijfel er niet aan dat mijn eigen ideeën nogal vergezocht waren, maar je zult moeten toegeven dat we daardoor wel het zilver hebben gevonden."

"Ja, meneer ja. Dat heeft u beredeneerd. Maar ik ben geconfronteerd met een ernstige tegenslag."

"Een tegenslag?"

"Ja, meneer Holmes. De Randall-bende is vanmorgen in New York gearresteerd."

"Mijn hemel, Hopkins! Dat pleit zeker niet voor je theorie dat ze gisteravond in Kent een moord hebben gepleegd!"

"Het is fataal voor mijn theorie, meneer Holmes. Absoluut fataal. Maar naast de Randalls zijn er nog andere bendes die in groepen van drie opereren. Het kan ook zijn dat het een nieuwe bende betreft van wier bestaan de politie nog niet op de hoogte is."

"Inderdaad, dat is beslist mogelijk. Wat, ga je nu al weer weg?"

"Ja, meneer Holmes, ik zal geen rust kennen voor ik deze kwestie tot op de bodem heb onderzocht. Ik veronderstel dat u me verder geen aanwijzingen kunt geven?"

"Ik heb je er al een gegeven."

"Welke?"

"Dat rookgordijn."

"Maar waarom, meneer Holmes, waarom?"

"Aha! Dat is natuurlijk een belangrijke vraag. Maar ik zou je ten stelligste willen aanraden erover na te denken. Misschien dat je dan tot de ontdekking komt dat er iets in zit. Heb je geen zin om hier te blijven eten? Tja, tot ziens dan maar en houd ons op de hoogte van je vorderingen."

Pas toen we hadden gegeten en de tafel was afgeruimd, kwam Holmes weer op de zaak terug. Hij had zijn pijp aangestoken en hield zijn in slippers gestoken voeten bij het vrolijk knapperende houtvuur. Plotseling keek hij op zijn horloge.

"Ik verwacht nieuwe ontwikkelingen, Watson."

"Wanneer?"

"Nu… binnen een paar minuten. Ik denk zo dat je van mening bent dat ik me daarnet onheus tegenover Stanley Hopkins heb gedragen?"

"Ik ga op jouw oordeel af."

"Een heel zinnig antwoord, Watson. Je moet het maar op deze manier bekijken: wat ik weet is onofficiële kennis, wat hij weet officiële. Ik heb het recht zelf bepaalde zaken te beoordelen, maar hij heeft dat niet. Hij moet alles wat hij weet melden, anders beantwoordt hij niet aan zijn dienstopdracht. Wanneer het geen twijfelachtige zaak betrof, zou ik hem niet in zo'n pijnlijke positie plaatsen door de inlichtingen waarover ik beschik achter te houden tot ik zelf duidelijkheid heb verkregen. Nu heb ik echter besloten die niet aan hem mee te delen."

"Maar wanneer denk je er dan wel alles van af te weten?"

"Zo meteen. Je zult straks getuige kunnen zijn van de laatste scène van een opmerkelijk klein drama."

Ik hoorde geluiden op de trap en onze deur werd geopend. Een jongeman kwam binnen, zo knap als een man maar kan zijn. Hij was heel erg lang en jong, had een goudblonde snor, blauwe ogen en een huid die door de tropische zon was gebruind. Zijn tred was kwiek, wat duidelijk maakte dat zijn grote gestalte niet alleen sterk was, maar ook geoefend. Hij deed de deur achter zich dicht en bleef staan, met tot vuisten gebalde handen en een zwoegende borstkas, kennelijk een of andere hevige emotie met moeite bedwingend.

"Gaat u zitten, kapitein Crocker. Heeft u mijn telegram ontvangen?"

Onze bezoeker liet zich in een gemakkelijke stoel vallen en keek ons om beurten met vragende ogen aan.

"Ik heb uw telegram ontvangen en ben op het door u genoemde uur hierheen gekomen. Ik had al gehoord dat u bij ons kantoor langs was geweest. Ik kon u dus niet meer ontwijken. Laat me het ergste maar horen. Wat bent u van plan met mij te gaan doen? Laat u me arresteren? Man, zeg toch wat. U kunt hier niet een spelletje van kat en muis met me gaan zitten spelen!"

"Geef hem een sigaar," zei Holmes. "U moet daar maar eens op bijten, kapitein Crocker, en uw emoties niet de overhand laten krijgen. Ik zou hier niet samen met u zitten roken wanneer ik dacht dat u een gewone misdadiger was. Daar kunt u van verzekerd zijn. Wanneer u open kaart met me speelt, kunnen we dit alles misschien nog een wending ten goede geven. Maar wanneer u denkt een spelletje met me te kunnen spelen, zal ik niets meer van u heel laten."

"Wat wilt u dan dat ik doe?"

"Ik wil dat u me naar waarheid vertelt wat er gisterenavond op Abbey Grange is voorgevallen. Naar waarheid, luistert u goed naar me, waarbij u niets toevoegt en niets achterhoudt. Ik weet er al zo veel van dat ik door het raam op mijn politiefluitje zal blazen wanneer u ook maar even liegt en dan zal ik deze zaak niet langer in de hand kunnen houden."

De zeeman dacht even na. Toen sloeg hij met zijn grote, door de zon gebruinde hand tegen zijn been.

"Ik neem dat risico maar," zei hij toen. "Ik geloof dat u een man van uw woord en van eer bent. Ik zal u het hele verhaal vertellen. Maar eerst wil ik één ding duidelijk zeggen. Voor zover het mij aangaat, betreur ik niets en ben ik nergens bang voor. Ik zou het allemaal weer doen en er nog trots op zijn ook. Dat vervloekte beest! Wanneer hij evenveel levens had als een kat, zou hij me voor alle dankbaar moeten zijn. Maar het gaat om de dame. Mary, Mary Fraser, want ik zal haar nooit bij die vervloekte andere naam kunnen noemen. Wanneer ik eraan denk dat ik haar in problemen heb gebracht, ik, die mijn leven zou geven om maar één glimlach op dat dierbare gezicht van haar te toveren, wordt het mij wee om het hart. En toch… en toch… wat had ik anders kunnen doen? Ik zal u, van man tot man, mijn verhaal vertellen, heren, en dan moet u me maar vertellen wat ik anders had kunnen doen. Ik moet een beetje teruggaan in de tijd. U schijnt alles te weten, dus verwacht ik dat het u bekend is dat ik haar op de *Rock of Gibraltar* heb leren kennen. Zij was een passagier, ik eerste stuurman. Vanaf het moment dat ik haar zag, was zij de enige vrouw voor mij. Iedere dag van die reis ging ik meer van haar houden en sinds die tijd ben ik in de duisternis van de avond meermalen neergeknield op het dek van dat schip om dat te kussen, wetend dat haar lieve voetjes erover hadden gelopen. Ze is nooit met me verloofd geweest. Ze behandelde me zo eerlijk als een vrouw een man maar kan behandelen. Ik heb me niet te beklagen. Ik hield van haar, zij bejegende me kameraadschappelijk en als vriendin. Toen we afscheid namen van elkaar, was zij een vrije vrouw, maar zou ik nooit meer een vrij man kunnen worden. Ik dacht haar nooit terug te zullen zien, maar na de laatste reis heb ik promotie gemaakt. Het nieuwe schip was nog niet te water gelaten, dus moest ik een paar maanden wachten en ging logeren bij familie in Sydenham. Op een dag kwam ik op een landweggetje Theresa Wright tegen, haar oude kamenierster. Ze vertelde me alles over haar, over hem, over alles. Heren, ik kan u wel vertellen dat ik er bijna krankzinnig van werd. Die dronken hond die zijn hand tegen haar durfde heffen terwijl hij het niet waard was haar schoenen te likken! Ik ontmoette Theresa daarna weer. En daarna trof ik Mary eveneens verscheidene malen. Toen wilde ze me niet meer ontmoeten. Maar eergisteren kreeg ik bericht dat ik binnen een week moest uitvaren en ik nam me voor haar voor mijn vertrek nog éénmaal te zien. Theresa is me altijd bijzonder vriendelijk gezind geweest, want ze hield van Mary en haatte die schoft bijna even sterk als ik dat deed. Van haar hoorde ik hoe het daar in huis toeging. Mary bleef vaak tot laat zitten lezen in haar kleine kamer beneden. Ik ben daar gisteravond heen geslopen en heb aan het raam gekrabbeld. Aanvankelijk wilde ze me niet binnenlaten, maar nu weet ik dat ze in haar hart van me houdt en ze kon me daar die koude avond niet buiten laten staan. Ze fluisterde dat ik naar het grote raam aan de voorkant moest gaan en ik merkte dat dat openstond, waardoor ik de eetkamer kon betreden. Weer hoorde ik uit haar eigen mond dingen die mijn bloed deden koken en weer vervloekte ik die bruut die de vrouw van wie ik hield zo mishandelde. Zo stond ik met haar vlak bij het raam, heren, zonder haar ook maar aan te raken, zoals God kan getuigen. Op dat moment kwam hij als een gek de kamer in gerend, wierp haar de smerigste verwensingen toe die een man tegenover zijn vrouw kan uiten en gaf haar met de stok die hij in zijn hand had een klap in haar gezicht. Ik was op de pook afgesprongen en daarna ontstond er een eerlijk gevecht tussen ons. Hier op mijn arm kunt u de plaats nog zien waar hij me met zijn stok als eerste heeft geraakt. Toen was het mijn beurt. Ik vermorzelde zijn hoofd, alsof dat een verrotte pompoen was. Denkt u dat het me speet? Nee! Het ging om zijn leven of het mijne, maar wat nog veel belangrijker was: zijn leven of het hare. Want hoe zou ik haar kunnen achterlaten in de klauwen van die krankzinnige? Zo heb ik hem gedood. Heb ik daar verkeerd aan gedaan? Wat zou een van u beiden hebben gedaan wanneer u zich in mijn positie had bevonden? Ze had geschreeuwd toen hij haar sloeg en daardoor was de oude Theresa, die boven zat, naar beneden gekomen. Er stond een fles wijn op de kast. Ik heb die opengemaakt en er Mary een slokje van gegeven, want door de schok was ze halfdood. Toen heb ik zelf ook een glas genomen. Theresa was heel koelbloedig en het plan dat toen werd bedacht, is van ons samen. We moesten het doen voorkomen alsof inbrekers er de schuld van waren. Theresa bleef ons verhaal voortdurend tegen haar meesteres herhalen, terwijl ik op de schoorsteenmantel klom om het schelkoord door te snijden. Toen bond ik haar aan die stoel vast en maakte het uiteinde van het koord rafelig om het echter te maken, omdat men zich anders wel eens zou kunnen gaan afvragen waarom een inbreker de moeite had genomen dat koord door te snijden. Toen pakte ik wat zilverwerk om de indruk van roof te versterken en liet hen daar achter, na te hebben gezegd dat ze pas een kwartiertje later alarm mochten slaan. Ik liet het zilver in de vijver vallen en ging snel op weg naar Sydenham. Ik had het gevoel dat ik voor het eerst in mijn leven werkelijk goed werk had gedaan. En dat, meneer Holmes, is de waarheid, de volledige waarheid en het kan me niet schelen of dat me aan de galg brengt."

Holmes zat enige tijd zwijgend te roken. Toen liep hij de kamer door en gaf onze bezoeker een hand.

"Ik zal u vertellen hoe ik erover denk," zei hij. "Ik weet dat u in alle opzichten de waarheid heeft gesproken, want u heeft me nauwelijks iets kunnen vertellen wat ik niet al wist. Alleen een acrobaat of een zeeman had met behulp van die console als steuntje dat schelkoord kunnen doorsnijden en de knopen kunnen maken waarmee dat later aan de stoel werd vastgebonden. De dame in kwestie was slechts éénmaal in haar leven met zeelieden in aanraking gekomen en dat was gebeurd tijdens haar reis. Bovendien, wist ik, betrof het iemand van haar eigen klasse, omdat ze zo haar uiterste best deed om hem in bescherming te nemen en hem zo te laten zien dat ze van hem hield. Dus zult u wel inzien hoe gemakkelijk het voor me was om de vinger op u te leggen toen ik eenmaal het juiste pad was ingeslagen."

"Ik dacht dat de politie onze truc nooit zou doorzien."

"Dat is ook niet gebeurd en ik ben er vrijwel zeker van dat dat ook niet zal gebeuren. Kapitein Crocker, dit is een heel ernstige aangelegenheid, hoewel ik bereid ben toe te geven dat u tot handelen bent overgegaan na de meest extreme provocatie waarmee een man kan worden geconfronteerd. Ik acht het niet onmogelijk dat een rechter u niet zou veroordelen omdat u uit zelfverdediging hebt gehandeld. Dat zou een Britse jury moeten uitmaken. Ik heb echter zoveel sympathie voor u dat ik u kan beloven dat niemand u iets in de weg zal leggen wanneer u er de voorkeur aan geeft binnen de komende vierentwintig uur te verdwijnen."

"En dan zal alles aan het licht komen?"

"Zonder enige twijfel."

De zeeman werd rood van woede.

"Wat voor voorstel is dat nu voor een man? Ik weet genoeg van de Engelse wetgeving af om er zeker van te zijn dat Mary als medeplichtige zou worden beschouwd. Denkt u nu werkelijk dat ik bereid ben haar alleen te laten, zelf te verdwijnen en haar vervolgens voor alles te laten opdraaien? Nee, meneer, ze doen maar met me wat ze willen. Maar ik smeek u, meneer Holmes, om een manier te bedenken om Mary niet voor de rechtbank te laten verschijnen."

Voor de tweede maal schudde Holmes de zeeman de hand.

"Ik wilde u alleen maar op de proef stellen en opnieuw word ik in u niet teleurgesteld. Ik neem hiermee een grote verantwoording op mijn schouders, maar ik heb Hopkins een prima aanwijzing gegeven en wanneer hij daar geen gebruik van kan maken, kan ik verder niets meer doen. Kapitein Crocker, we zullen dit als een echte rechtbank afhandelen. U bent de gevangene, Watson, jij bent een Britse jury en ik kan je wel vertellen dat ik nooit iemand heb ontmoet die geschikter is om een dergelijke instelling te vertegenwoordigen. Ik ben de rechter. Heren van de jury, u heeft alle verklaringen aangehoord. Acht u de verdachte schuldig of onschuldig?"

"Niet schuldig, edelachtbare," zei ik.

"*Vox populi, vox Dei.* U bent vrijgesproken, kapitein Crocker. Zolang er voor deze zaak geen onschuldige wordt veroordeeld, heeft u van mij niets te vrezen. Keert u over een jaar naar deze dame terug, en dan hoop ik dat haar toekomst en de uwe duidelijk zullen maken dat het oordeel dat we vanavond over deze zaak hebben uitgesproken, het juiste is geweest."

Het avontuur van de dansende poppetjes

HOLMES ZAT EEN aantal uren zwijgend en met gebogen lange, magere rug, bij een chemische kolf waarin hij een bijzonder onwelriekend product liet koken. Zijn hoofd was op zijn borst gezonken en ik vond hem eruitzien als een vreemde, magere vogel met dofgrijze veren en een zwarte kuif. "Dus, Watson," zei hij plotseling, "heb je het besluit genomen geen geld te investeren in Zuid-Afrikaanse effecten?"

Ik schrok en was verbaasd. Ik was gewend aan die merkwaardige gave van Holmes maar dit verwoorden van mijn allerdiepste gedachten was totaal onverklaarbaar.

"Watson, beken maar dat je er helemaal niets van begrijpt," zei hij.

"Inderdaad."

"Ik zou je een dergelijke verklaring op schrift moeten laten stellen en ondertekenen."

"Waarom?"

"Omdat je over vijf minuten zult verklaren dat het allemaal werkelijk doodeenvoudig is."

"Ik ben er zeker van dat ik iets dergelijks helemaal niet zal zeggen."

"Je moet begrijpen, Watson" – hij zette een reageerbuisje in het rek en begon te doceren, zoals een professor tegenover zijn studenten – "dat het niet werkelijk moeilijk is om een aantal gevolgtrekkingen te maken die alle op hun beurt afhankelijk zijn van die welke je daaraan voorafgaand hebt gemaakt, en alle op zich eenvoudig zijn. Nadat je dat hebt gedaan, laat je alle gevolgtrekkingen uit het midden weg en geeft je toehoorders alleen het beginpunt en de conclusie. Op die manier kan je een verbazingwekkend, hoewel mogelijk bedrieglijk effect sorteren. Wat ik net heb gedaan, was in wezen niet moeilijk. Aan de hand van een grondig bekijken van de groef tussen je linkerwijsvinger en duim, was ik er zeker van dat je niet van plan was je kleine kapitaal te investeren in de goudmijnen."

"Ik begrijp het verband daartussen niet."

"Dat is heel goed mogelijk. Maar ik zal je meteen een duidelijk verband laten zien. Hier heb je de ontbrekende schakels uit een heel eenvoudige keten: 1. Toen je gisteravond terugkwam uit de club, zat er krijt tussen je linkerwijsvinger en duim. 2. Dat krijt had je aangebracht om voor het biljartspelen je vingers stroef te maken. 3. Je speelt nooit biljart, behalve met Thurston. 4. Je hebt me een paar weken geleden verteld dat Thurston een optie had op een stuk Zuid-Afrikaanse grond en dat die optie over een maand zou verlopen en dat hij wilde dat jij met hem zou meedoen. 5. Je chequeboek ligt in een van mijn laden en je hebt niet om de sleutel gevraagd. 6. Je bent niet van plan om je geld op die manier te investeren."

"Wat krankzinnig eenvoudig!" riep ik uit.

"Inderdaad," zei hij, een beetje gepikeerd. "Ieder probleem wordt kinderlijk eenvoudig wanneer het je wordt verklaard. Hier heb ik een probleem dat nog niet is verklaard. Kijk maar eens wat je daarvan kunt maken, mijn beste Watson."

Hij gooide een velletje papier op tafel en hield zich daarna weer bezig met zijn scheikundige analyse. Ik keek vol verbazing naar de absurde hiëroglifen op het papier.

"Holmes, dat is een kindertekening!" riep ik uit.

"O, denk je dat?"

"Wat zou het anders kunnen zijn?"

"Dat zou de heer Hilton Cubitt, woonachtig op Thorpe Manor te Norfolk ook heel erg graag willen weten. Dit kleine raadseltje arriveerde met de eerste post en hij zou er met de eerstvolgende trein achteraan komen. Daar gaat de bel, Watson. Het zou me niet bijzonder verbazen wanneer hij dat was."

We hoorden zware voetstappen op de gang en even later kwam er een lange, blozende, gladgeschoren man binnen, wiens heldere ogen en rode wangen vertelden over een leven dat ver van het mistige Baker Street werd geleid. Hij leek iets van zijn sterke, frisse, versterkende wind met zich mee te nemen toen hij binnenkwam. Nadat hij ons ieder een hand had gegeven, wilde hij gaan zitten. Maar op dat moment zag hij het velletje papier met de eigenaardige tekeningen dat ik net had zitten bekijken en op tafel had laten liggen.

"Meneer Holmes, wat denkt u daarvan? riep hij uit. "Ze hebben me verteld dat u gek bent op eigenaardige mysteries en ik denk niet dat er een te vinden is dat eigenaardiger is dan dit. Ik heb dat velletje papier meteen vooruitgestuurd, zodat u de gelegenheid zou hebben het te bestuderen voor ik naar u toekwam."

"Het is inderdaad een nogal opmerkelijk product," zei Holmes. "Zo op het eerste gezicht zou je denken dat het een of ander grapje van een kind was. Het bestaat uit een aantal absurde kleine figuurtjes die over het papier dansen. Waarom bent u geneigd enige waarde te hechten aan zo'n grotesk geheel?"

"Dat zou ik ook nooit hebben gedaan, meneer Holmes, maar mijn vrouw doet dat wel. Ze wordt er werkelijk doodsbang van. Ze zegt niets, maar ik kan de angst in haar ogen lezen. Daarom wil ik dat deze kwestie tot op de bodem wordt onderzocht."

Holmes hield het velletje papier zodanig omhoog dat het zonlicht er helemaal opviel. Het was een velletje uit een notitieboekje. De poppetjes waren met potlood getekend en zagen er zo uit:

Holmes bekeek het enige tijd aandachtig, vouwde het toen behoedzaam op en stopte het in zijn zakboekje.

"Dit belooft een uiterst interessante en ongewone zaak te worden," zei hij. "In uw brief heeft u me enige bijzonderheden meegedeeld, meneer Hilton Cubitt, maar ik zou het heel plezierig vinden wanneer u alles nog eens van voren af aan vertelt omwille van mijn vriend, dokter Watson."

"Ik ben niet zo'n goed verteller," zei onze bezoeker die zijn grote, sterke handen zenuwachtig ineenstrengelde. "Wanneer ik iets niet duidelijk maak, moet u me daarnaar vragen. Ik zal beginnen met het tijdstip waarop ik vorig jaar ben getrouwd, maar in de eerste plaats wil ik verklaren dat ik weliswaar geen rijk man ben, maar dat mijn geslacht al vijf eeuwen Riding Thorpe bewoont en dat er in het graafschap Norfolk geen familie is te vinden die een betere reputatie geniet dan wij. Vorig jaar ben ik in verband met het Jubileum naar Londen gegaan en heb daar gelogeerd in een pension aan Russell Square, omdat de dominee van onze gemeente daar verbleef. Er zat daar eveneens een Amerikaanse jonge vrouw, Patrick geheten. Elsie Patrick. Op de een of andere manier sloten we vriendschap en binnen nog geen maand was ik zo verliefd op haar als een man dat maar kan zijn. Op het bureau van de burgerlijke stand zijn we toen in alle stilte getrouwd en keerden als echtpaar naar Norfolk terug. U zult het wel erg raar vinden dat een man uit een gegoede familie op die manier trouwde, meneer Holmes, zonder iets te weten van de achtergrond van zijn vrouw of haar familie. Maar wanneer u haar zou zien en leren kennen, zou u dat beter kunnen begrijpen. Elsie was heel recht door zee. Ik kan niet zeggen dat ze me niet iedere kans heeft gegeven er niet mee door te gaan wanneer ik dat niet wilde. 'Ik heb in mijn leven een aantal zeer onaangename contacten gehad,' zei ze. 'Ik wil die allemaal vergeten. Ik zou liever nooit over het verleden praten, want dat zou heel pijnlijk voor me zijn. Wanneer je mij tot je vrouw maakt, Hilton, zal je een echtgenote krijgen die zich persoonlijk nergens voor hoeft te schamen. Maar je zult tevreden moeten zijn met het feit dat ik je dat zeg en het goedvinden dat ik een stilzwijgen bewaar over alles wat er is gebeurd voor het moment dat ik de jouwe werd. Wanneer je die voorwaarden niet kunt accepteren, moet je teruggaan naar Norfolk en mij verder het eenzame leven laten leiden dat ik tot op heden heb geleid.' Pas op de dag voor ons trouwen, zei ze dat tegen me en ik deelde haar mee dat ik bereid was haar op de door haar gestelde voorwaarden tot mijn vrouw te maken en ik heb die belofte gestand gedaan. We zijn nu een jaar getrouwd en in die tijd erg gelukkig geweest. Maar ongeveer een maand geleden, tegen het einde van juni, zag ik voor het eerst tekenen die op moeilijkheden wezen. Op een dag ontving mijn vrouw een brief uit Amerika. Ik heb het Amerikaanse poststempel gezien. Ze werd lijkbleek, las de brief en smeet die in de haard. Daarna refereerde ze er niet éénmaal aan en ik al evenmin, want beloofd is beloofd. Maar vanaf dat moment is ze voortdurend onrustig geweest. Haar gezicht had aldoor een angstige uitdrukking alsof ze iets verwachtte. Ze had me beter in vertrouwen kunnen nemen. Dan zou ze tot de ontdekking zijn gekomen dat ik haar beste vriend ben. Maar ik kon niets zeggen tot zij erover begon. Meneer Holmes, ze is een vrouw die nooit liegt en wanneer ze vroeger moeilijkheden heeft gehad, kan dat niet haar eigen schuld zijn geweest. Ik ben maar een eenvoudige landjonker uit Norfolk, maar er is in heel Engeland geen man te vinden die zijn familie-eer belangrijker vindt dan ik. Dat weet ze heel goed en dat wist ze ook al voor ze met me trouwde. Ik ben er zeker van dat ze mijn naam nooit zou bezoedelen. En nu kom ik bij het merkwaardige deel van mijn verhaal.

Ongeveer een week geleden – op dinsdag om precies te zijn – vond ik op de vensterbank een aantal absurde kleine dansende poppetjes getekend, zoals die op dat velletje papier. Ze waren met krijt aangebracht. Ik dacht dat de staljongen die had getekend, maar de jongen bezwoer me dat hij er niets van af wist. In ieder geval waren ze 's nachts aangebracht. Ik liet ze weghalen en sprak er pas later over met mijn vrouw. Tot mijn verbazing ging ze er heel serieus op in en smeekte me haar die tekeningetjes te laten zien wanneer ze ooit opnieuw zouden verschijnen. Een week lang gebeurde er niets, maar gisterochtend vond ik dit velletje papier op de zonnewijzer in de tuin.

Ik liet het aan Elsie zien en meteen daarop viel ze flauw. Sinds die tijd ziet ze eruit als een vrouw die voortdurend in een droomtoestand verkeert, half verdoofd en met aldoor diep in haar ogen die doodsbange blik. Toen heb ik u een brief geschreven en dit velletje daarbij gedaan, meneer Holmes. Het was niet iets waarmee ik naar de politie kon stappen, want die zou me hebben uitgelachen. Maar u zult me wel kunnen vertellen wat ik moet doen. Ik ben niet rijk, maar ik zou bereid zijn mijn laatste cent op tafel te leggen wanneer een gevaar mijn vrouw bedreigt en zij daartegen in bescherming moet worden genomen."

Deze man, afkomstig van oude Engelse grond, was een prima kerel – eenvoudig, recht door zee en vriendelijk. Hij had grote, oprechte blauwe ogen in een breed, aantrekkelijk gezicht. Uit zijn gelaatstrekken bleek zijn liefde voor zijn vrouw en zijn vertrouwen in haar. Holmes had zeer aandachtig naar zijn verhaal geluisterd en bleef nu enige tijd zwijgend zitten nadenken.

"Denkt u niet, meneer Cubitt," zei hij uiteindelijk, "dat het het verstandigste zou zijn uw vrouw te verzoeken haar geheim met u te delen?"

Hilton Cubitt schudde zijn grote kop.

"Beloofd is beloofd, meneer Holmes. Wanneer Elsie het me zou

willen vertellen, zou ze dat ook doen. Zo niet, dan kan ik haar niet dwingen me in vertrouwen te nemen. Maar ik voel me wel gerechtigd zelfstandig actie te ondernemen en dat zal ik ook doen."

"Dan zal ik u bijzonder graag helpen. In de eerste plaats: zijn er, voor zover u weet, onbekenden bij u in de buurt gesignaleerd?"

"Nee."

"Ik neem aan dat het daar bij u heel erg rustig is. Een onbekende zou meteen worden opgemerkt?"

"In mijn directe omgeving wel. Maar niet al te ver van mijn huis vandaan bevinden zich enige drinkplaatsen waar reizigers water kunnen meenemen, en de boeren laten ook wel eens mensen bij zich logeren."

"Deze hiërogliefen hebben duidelijk een betekenis. Wanneer die zuiver willekeurig is, zal het voor ons wellicht onmogelijk zijn die te achterhalen. Maar wanneer er aan de andere kant systeem in zit, lijdt het geen twijfel dat we deze kwestie tot op de bodem zullen kunnen doorgronden. Maar dit exemplaar is zo kort dat ik er niets mee kan doen en de feiten die u me heeft voorgelegd zijn zo fragmentarisch dat die ons geen gedegen basis verschaffen voor een onderzoek. Ik zou u willen voorstellen naar Norfolk terug te keren en uw ogen goed open te houden. Wanneer er nieuwe dansende poppetjes verschijnen, moet u van zo'n tekening een precieze kopie maken. Het is doodzonde dat we geen reproductie hebben van die welke met krijt op de vensterbank waren aangebracht. Verder wil ik u verzoeken eens discreet te informeren of er vreemden bij u in de buurt verblijven. Wanneer u nieuw bewijsmateriaal heeft gevonden, moet u weer naar me toekomen. Dat is het beste advies dat ik u op dit moment kan geven, meneer Hilton Cubitt. Wanneer er zich nieuwe ontwikkelingen met een dringend karakter voordoen, ben ik altijd bereid me naar uw huis in Norfolk te haasten."

Na dat gesprek bleef Holmes diep nadenken. Gedurende de eerste dagen daarna zag ik hem herhaalde malen het velletje papier uit zijn aantekenboekje halen en lang en aandachtig staren naar de merkwaardige poppetjes die erop stonden. Maar hij maakte geen enkele toespeling op deze kwestie tot op een middag zo'n veertien dagen later. Ik stond net op het punt om naar buiten te gaan, toen hij me terugriep.

"Watson, je kunt maar beter hier blijven."

"Waarom?"

"Omdat ik vanmorgen een telegram heb ontvangen van Hilton Cubitt. Je zult je Hilton Cubitt van de dansende poppetjes nog wel herinneren? Hij zou om tien voor halftwee Liverpool Street bereiken. Hij kan nu dus ieder moment arriveren. Ik heb uit dat telegram kunnen opmaken dat er zich een aantal belangrijke nieuwe incidenten hebben voorgedaan."

We hoefden niet lang te wachten, want de landjonker uit Norfolk kwam zo snel als een rijtuig hem kon vervoeren, naar ons toe. Hij zag er bezorgd en depressief uit. Zijn ogen stonden vermoeid en zijn voorhoofd zat vol lijnen.

"Meneer Holmes, dit begint voor mij zenuwslopend te worden," zei hij, toen hij zich als een doodvermoeide man in een stoel liet zakken. "Het is al erg genoeg om te voelen dat je wordt omgeven door mensen die je niet kent en nooit te zien krijgt maar die duidelijk iets met je van plan zijn. Maar wanneer je daarnaast weet dat hun aanwezigheid geleidelijk aan de dood van je vrouw wordt, wordt het meer dan je geestelijk en lichamelijk kunt verdragen. Ze gaat eraan te gronde… gaat eraan te gronde onder mijn eigen ogen."

"Heeft ze u al iets verteld?"

"Nee, meneer Holmes, dat heeft ze niet gedaan. En toch zijn er momenten geweest waarop dat arme meisje duidelijk wilde spreken, maar zich er niet toe kon brengen de sprong te wagen. Ik heb geprobeerd haar te helpen, maar ik denk zo dat ik dat nogal onhandig heb gedaan en haar daardoor nog banger heb gemaakt. Ze heeft wel gesproken over mijn familie en de reputatie die we genoten. Over het feit dat we zo trots waren op onze eer die nog nooit was bezoedeld. Telkens weer heb ik het gevoel gehad dat ze daarna nog iets wilde zeggen, maar op de een of andere manier kwam het daar nooit van."

"Maar heeft u zelf iets ontdekt?"

"Heel wat, meneer Holmes. Ik heb een aantal nieuwe prentjes van dansende poppetjes voor u en, wat belangrijker is, ik heb de man gezien."

"Wat zegt u? De man die die dingetjes tekent?"

"Ja, ik heb hem ermee bezig gezien. Maar ik zal u alles in de juiste volgorde vertellen. Toen ik na mijn bezoek aan u naar huis was teruggekeerd, zag ik de volgende ochtend meteen een nieuw stel dansende poppetjes. Ze waren met krijt aangebracht op de

42

zwarthouten deur van de gereedschapsschuur die naast het gazon staat en vanaf de ramen aan de voorkant duidelijk kan worden gezien. Ik heb er een exacte kopie van gemaakt. Hier heeft u hem."

Hij vouwde een velletje papier open en legde dat op tafel neer. Hieronder volgt een replica:

"Uitstekend!" riep Holmes uit. "Uitstekend! Gaat u alstublieft verder."

"Toen ik er een kopie van had gemaakt, maakte ik de deur weer schoon. Maar twee ochtenden later waren er nieuwe aangebracht. Hier heeft u een kopie daarvan."

Holmes wreef in zijn handen en grinnikte vergenoegd. "Het materiaal wordt snel omvangrijker," zei hij.

"Drie dagen later werd er op een stukje papier een boodschap achtergelaten onder een steentje op de zonnewijzer. Daarna besloot ik de wacht te houden, dus pakte ik mijn revolver en ging in de studeerkamer zitten die uitzicht biedt op het gazon en de tuin. Rond twee uur 's morgens zat ik bij het raam en was het volslagen donker. Alleen de maan stond aan de hemel. Ik hoorde voetstappen achter me en daar verscheen mijn vrouw in haar ochtendjas. Ze smeekte me naar bed te komen. Ik zei haar eerlijk dat ik wilde weten wie degene was die zulke absurde trucs met ons uithaalde. Ze antwoordde dat het de een of andere zinloze grap was en dat ik er geen enkele aandacht aan moest besteden. 'Wanneer het je werkelijk stoort, Hilton, zouden we op reis kunnen gaan, jij en ik, om zo verdere ergernissen te voorkomen.' 'Wat zeg je nu? Me mijn huis laten uitdrijven door iemand die een grap uithaalt?' zei ik. 'Mijn hemel, iedereen zou ons erom uitlachen!' 'Kom nu in ieder geval maar mee naar bed,' zei ze. 'Morgen kunnen we het er verder over hebben.' Plotseling zag ik, terwijl ze sprak, haar gezicht bleker worden. Haar hand greep mijn schouder steviger vast. Er bewoog zich iets in de schaduw van de schuur. Ik zag een donkere figuur die de hoek om kroop en op zijn hurken voor de deur ging zitten. Ik greep mijn revolver en rende naar buiten, maar mijn vrouw sloeg haar armen om me heen en hield me met een ongekende kracht tegen. Ik probeerde haar van me af te schudden, maar ze klemde zich in uiterste wanhoop aan me vast. Uiteindelijk wist ik me los te maken, maar toen ik de deur uit was en de schuur had bereikt, was het wezen er niet meer. Hij had echter wel een spoor van zijn aanwezigheid achtergelaten, want op de deur stonden weer die dansende poppetjes waarvan ik al een kopie had gemaakt. Nergens viel een spoor van de kerel te bekennen, hoewel ik het hele terrein ben over gerend. Toch moet hij er al die tijd wel zijn geweest, want toen ik de volgende ochtend de deur opnieuw ging bekijken, had hij nog een aantal figuurtjes getekend, onder die welke ik al had gezien."

"Heeft u die laatste bij u?"

"Ja, het waren er maar een paar. Ik heb er eveneens een kopie van gemaakt. Hier heeft u hem.

Weer haalde hij een velletje papier te voorschijn. De nieuwe dansende poppetjes zagen er zo uit:

"Vertelt u me eens," zei Holmes en ik kon aan zijn ogen zien dat hij erg opgewonden was, "of dit slechts een toevoeging is of dat u de indruk had dat deze poppetjes op zichzelf stonden?"

"Ze waren aangebracht op een ander paneel van de deur."

"Uitstekend. Voor ons is die laatste tekening van veel meer belang dan de andere. Ik krijg er goede hoop door. En nu, meneer Hilton Cubitt, moet u verder gaan met uw zeer interessante verhaal."

"Verder heb ik niets meer te zeggen, meneer Holmes, behalve dan dat ik boos was op mijn vrouw omdat ze me die nacht heeft tegengehouden toen ik die gluiperige schurk had kunnen pakken. Ze zei dat ze bang was geweest dat mij iets zou overkomen. Even bedacht ik me dat ze misschien bang was dat hem wat zou overkomen, want ik kon er niet aan twijfelen dat ze wist wie die man was en wat hij met die vreemde tekens wilde zeggen. Maar iets in de stem van mijn vrouw en een blik in haar ogen verboden me aan haar te twijfelen, meneer Holmes, en ik ben er nu zeker van dat ze zich alleen maar zorgen maakte over mijn veiligheid. Nu weet u alles en wil ik graag van u horen wat ik nu verder moet doen. Ik ben zelf geneigd een zestal boerenjongens zich in de struiken te laten verbergen om die man wanneer hij zich weer laat zien zo'n aframmeling te geven dat hij ons verder met rust zal laten."

"Ik ben bang dat deze zaak te diepe gronden heeft om met zo'n simpele remedie te worden afgedaan," zei Holmes. "Hoe lang kunt u in Londen blijven?"

"Ik moet vandaag nog terug. Ik wil mijn vrouw voor niets ter wereld een nacht alleen laten. Ze is heel erg zenuwachtig en heeft me gesmeekt terug te komen."

"Ik denk dat u daar verstandig aan doet. Maar wanneer u hier had kunnen blijven, had ik wellicht over een paar dagen samen met u naar uw huis kunnen reizen. U moet deze velletjes papier in ieder geval hier achterlaten en ik denk dat het waarschijnlijk is dat ik u binnenkort een bezoek kan brengen om enig licht te werpen op deze duisternis."

Sherlock Holmes bleef rustig tot onze bezoeker was vertrokken, hoewel ik, doordat ik hem zo goed kende, duidelijk zag dat hij zeer opgewonden was. Op het moment dat de brede rug van Hilton Cubitt door de deur was verdwenen, rende mijn kameraad naar de tafel, legde alle velletjes met de dansende poppetjes voor zich neer en begon aan een ingewikkelde en uitgebreide berekening. Twee uren lang keek ik toe hoe hij vel na vel volschreef met getallen en letters, waarin hij zo volledig opging dat hij mijn aanwezigheid helemaal was vergeten. Soms boekte hij vooruitgang en dan zat hij te fluiten en te zingen. Soms wist hij er geen raad mee en dan zat hij lange tijd met gefronste wenkbrauwen en nietsziende ogen voor zich uit te staren. Uiteindelijk sprong hij, met een voldane kreet uit zijn stoel overeind en liep handenwrijvend door de kamer heen en weer. Toen schreef hij een lang telegram op een daarvoor bestemd formulier.

"Wanneer het antwoord hierop luidt zoals ik hoop, zul je een fraaie zaak aan je collectie kunnen toevoegen, Watson," zei hij. "Ik verwacht dat we morgen naar Norfolk kunnen gaan om onze vriend enige duidelijke mededelingen te doen omtrent het geheim dat hem zo dwars zit."

Ik moet bekennen dat ik verschrikkelijk nieuwsgierig was, maar ik wist dat Holmes graag in zijn eigen tijd en eigen tempo vertelde wat hij had ontdekt, dus wachtte ik tot het hem zou schikken me in vertrouwen te nemen. Maar het antwoord kwam niet meteen en dus volgden er twee dagen waarin Holmes van ongeduld blijk gaf en elke keer dat de bel ging zijn oren spitste. Op de avond van de tweede dag arriveerde er een brief van Hilton Cubitt. Bij hem thuis was alles rustig, behalve dan dat er die ochtend bij de zonne-wijzer weer een lange inscriptie was gevonden. Hij had een kopie ingesloten, die ik hieronder laat volgen:

Holmes boog zich enige minuten over die groteske fries heen en sprong toen plotseling overeind met een uitroep van verbazing en ergernis. Zijn gezicht stond verschrikkelijk bezorgd.

"We hebben deze zaak nu lang genoeg op zijn beloop gelaten," zei hij. "Gaat er vanavond nog een trein naar North Walsham?"

Ik pakte het spoorboekje. De laatste trein was net vertrokken.

"Dan zullen we morgenochtend vroeg ontbijten en de eerste trein nemen," zei hij. "Onze aanwezigheid daar is uiterst dringend gewenst. Aha! Daar is het telegram waarop ik zat te wachten. Een ogenblikje alstublieft, mevrouw Hudson, misschien dat ik een antwoord wil versturen. Nee, het strookt met mijn verwachtingen. Deze boodschap maakt het des te noodzakelijker dat we Hilton Cubitt zo snel mogelijk laten weten hoe de zaken ervoor staan, want onze landjonker uit Norfolk is verstrikt geraakt in een eigenaardig en gevaarlijk web."

Dat bleek inderdaad het geval te zijn en nu ik het sombere einde nader van een verhaal dat mij aanvankelijk alleen maar kinderlijk en bizar was voorgekomen, voel ik opnieuw de ontzetting en afschuw van toen. Ik wou dat ik mijn lezers deelgenoot kon maken van een vrolijker einde, maar in deze kronieken worden feiten meegedeeld en ik moet die vreemde reeks gebeurtenissen die Riding Thorpe Manor enige dagen lang tot hét gespreks-onderwerp van heel Engeland maakte, afronden met een beschrij-ving van de trieste crisis waartoe die leidde.

Net toen we in North Walsham uit de trein waren gestapt en de koetsier hadden meegedeeld waar we naar toe wilden, kwam de stationschef snel op ons toelopen.

46

"Ik neem aan dat u de detectives uit Londen bent?" zei hij.

Holmes keek even geërgerd.

"Hoe komt u daarbij?"

"Omdat inspecteur Martin uit Norwich hier net is geweest. Het kan ook zijn dat u arts bent. Ze is nog niet dood... in ieder geval niet volgens de laatste berichten. Misschien dat u op tijd zult zijn om haar te redden... maar dan wel alleen voor de galg."

Holmes' voorhoofd vertoonde bezorgde rimpels.

"We zijn inderdaad onderweg naar Riding Thorpe Manor," zei hij, "maar hebben niets gehoord van wat daar is gebeurd."

"Een afschuwelijke zaak," zei de stationschef. "Ze zijn neergeschoten, zowel de heer Hilton Cubitt als diens vrouw. Zij heeft hem neergeschoten en toen zichzelf, dat hebben de bedienden in ieder geval verklaard. Hij is dood en men twijfelt eraan of zij in leven zal blijven. Mijn hemel, mijn hemel, een van de oudste families in dit graafschap, en bovendien een van de meest eerbiedwaardige!"

Zonder iets te zeggen, stapten Holmes en ik toen snel het rijtuig in en tijdens de lange, ruim tien kilometer durende rit zei hij geen woord. Zelden heb ik hem zo volslagen moedeloos meegemaakt. Hij was gedurende de reis vanuit Londen al voortdurend onrustig geweest en ik had gezien dat hij de ochtendbladen uiterst aandachtig had bekeken. Maar nu was hij door het bewaarheid worden van zijn ergste angsten uiterst melancholiek geworden. Hij leunde achterover en zat somber na te denken. Toch was er om ons heen veel waar we eigenlijk belangstelling voor hadden moeten hebben, want we reden door een zeer typerend Engels landschap met her en der een huisje waarin de mensen van nu woonden en overal enorm grote kerken met vierkante torens die spraken over de roem en de welvaart van het oude East Anglia. Uiteindelijk zagen we de violette rand van de oceaan aan de groene kust van Norfolk verschijnen en wees de koetsier met zijn zweep op twee oude, bakstenen en houten gevels die boven een groepje bomen uitstaken. "Dat is Riding Thorpe Manor," zei hij. Toen we naar de voordeur reden, die voorzien was van een zuilengang, zag ik naast het tennisveld de schuur en de zonnewijzer die zo'n vreemde rol in deze affaire hadden gespeeld. Een kwieke kleine man met een vlugge, alerte manier van doen en een met was ingevette snor was net uit een rijtuig gesprongen. Hij stelde zichzelf voor als inspec-

teur Martin van de politie van Norfolk en reageerde nogal verbaasd toen hij de naam hoorde van mijn metgezel.

"Meneer Holmes, de misdaad is pas om drie uur vannacht
begaan. Hoe heeft u daar in Londen iets van kunnen horen om
vervolgens op hetzelfde tijdstip als ik hier te arriveren?"

"Ik verwachtte zoiets. Ik ben hierheen gekomen in de hoop het
te kunnen verhinderen."

"Dan moet u over belangrijk bewijsmateriaal beschikken waar
wij niets van afweten, want men zegt dat dit echtpaar het uitstekend met elkaar kon vinden."

"Ik heb als bewijsmateriaal alleen maar tekeningen van dansende poppetjes," zei Holmes. "Ik zal u alles later uitleggen. Maar
gezien het feit dat ik te laat ben gekomen om een tragedie te voorkomen, zou ik graag gebruik maken van de kennis waarover ik
beschik om ervoor te zorgen dat gerechtigheid geschiedt. Wilt u
zich bij mijn onderzoek aansluiten, of geeft u er de voorkeur aan
dat ik alleen tot handelen overga?"

"Het zal me een groot genoegen zijn met u samen te werken,
meneer Holmes," zei de inspecteur gemeend.

"In dat geval zou ik graag nu meteen de getuigen willen horen
en het huis doorzoeken." Inspecteur Martin was zo verstandig
mijn vriend alles op zijn eigen manier te laten doen en nam er
genoegen mee aantekeningen te maken van de resultaten. De
plaatselijke arts, een oude, witharige man, was net uit de slaapkamer van mevrouw Hilton Cubitt naar beneden gekomen en
deelde mee dat haar verwondingen ernstig waren maar niet noodzakelijkerwijze fataal. De kogel was door het voorste deel van haar
hersenen gegaan en het zou waarschijnlijk wel enige tijd duren
voor zij weer bij bewustzijn kwam. Toen Holmes hem vroeg of zij
was neergeschoten of zichzelf had neergeschoten, wilde hij daar
geen uitgesproken mening over geven. Het stond vast dat de kogel
van heel dichtbij was afgevuurd. In de kamer was slechts één
pistool gevonden met twee lege kamers. De heer Hilton Cubitt
was door het hart geschoten. Maar het was ook mogelijk dat hij
haar had neergeschoten en daarna zichzelf. De revolver lag midden tussen hen in.

"Is zijn lichaam verplaatst?" vroeg Holmes.

"Nee, we hebben niets verplaatst, behalve de dame. We konden
haar niet gewond op de grond laten liggen."

"Hoe lang bent u hier al, dokter?"

"Sinds vier uur."

"Is er verder nog iemand?"

"Ja, een agent."

"En u heeft niets aangeraakt?"

"Niets."

"Dan bent u uiterst discreet te werk gegaan. Wie heeft u erbij geroepen?"

"Het dienstmeisje, Saunders."

"Heeft zij alarm geslagen?"

"Zij en mevrouw King, de kokkin."

"Waar zijn zij nu?"

"In de keuken, geloof ik."

"Dan denk ik dat we hun verhaal nu maar meteen moeten aanhoren."

De oude hal met zijn eikenhouten panelen en hoge ramen werd in een hof van onderzoek veranderd. Holmes zat in een grote, ouderwetse stoel en zijn onverbiddelijke ogen glinsterden diep in hun kassen. Ik las uit zijn blik het vaste voornemen om zich uitsluitend met deze kwestie bezig te houden tot de cliënt die hij niet had kunnen redden, in ieder geval zou zijn gewroken. De slanke inspecteur Martin, de oude grijsharige arts, ikzelf en een stevig gebouwde dorpsagent maakten het vreemde gezelschap compleet.

De twee vrouwen vertelden hun verhaal duidelijk. Ze waren wakker geworden door het geluid van een harde explosie, een minuut later gevolgd door dat van een tweede. Ze sliepen in aangrenzende slaapkamers en mevrouw King was meteen die van Saunders binnengerend. Samen waren ze toen de trap afgelopen. De deur van de studeerkamer stond open en op tafel brandde een kaars. Hun meester lag met zijn gezicht op de grond midden in de kamer. Hij was dood. Bij het raam zat zijn vrouw, ineengedoken en met haar hoofd leunend tegen de muur. Ze was verschrikkelijk gewond, en een zijkant van haar gezicht zat onder het bloed. Ze haalde moeizaam adem en was niet in staat iets te zeggen. De gang en de kamer waren doortrokken van de rook en de geur van het kruit. Het raam was beslist dicht en vanbinnen vergrendeld. Beide vrouwen waren daar zeker van. Ze hadden meteen de arts en de agent laten komen. Toen hadden ze, geholpen door de livreiknecht en de staljongen, hun gewonde meesteres naar haar kamer gedragen. Zowel zij als haar echtgenoot bleken duidelijk in bed te hebben gelegen. Zij had een nachthemd aan, hij zijn kamerjas, over zijn nachtgewaad heen. In de studeerkamer was niets verplaatst. Voor zover zij wisten, hadden de echtgenoten nooit ruzie gemaakt. Ze hadden altijd een zeer gelukkig echtpaar geleken.

Dat waren de belangrijkste punten uit de verklaringen die de bedienden aflegden. In antwoord op een vraag van inspecteur Martin verklaarden ze met stellige zekerheid dat alle deuren aan de binnenkant afgesloten waren geweest en dat niemand het huis kon zijn ontvlucht. In antwoord op een vraag van Holmes herinnerden ze zich alle twee dat ze meteen toen ze op de bovenste verdieping hun kamers hadden verlaten, de kruitdamp hadden geroken. "Dat gegeven moet ik met nadruk onder uw aandacht brengen," zei Holmes tegen de politieman. "En nu denk ik dat we de studeerkamer maar eens heel grondig moeten bekijken."

Het bleek een kleine kamer te zijn. Drie wanden waren bedekt met boeken. Voor een raam stond een schrijftafel. Dat raam bood uitzicht op de tuin. Eerst richtten we onze aandacht op het lichaam van de ongelukkige landjonker, wiens grote gestalte uitgestrekt op de grond lag. Zijn kleren zaten zo wanordelijk dat het duidelijk was dat hij plotseling en snel uit zijn slaap was gehaald. De kogel was afgeschoten door iemand die voor hem stond, had zijn hart geraakt en was daarna in het lichaam blijven steken. Hij moest meteen zijn overleden, zonder pijn te voelen. Op zijn kamerjas werden geen kruitsporen gevonden, evenmin als op zijn handen. Volgens de arts had de dame dergelijke sporen op haar gezicht, maar niet op haar handen.

"Het ontbreken van die laatste heeft niets te betekenen, al kan de aanwezigheid ervan alles betekenen," zei Holmes. "Tenzij het poeder van een slechte kogel toevallig achterwaarts terugkomt, kan je vele schoten afvuren zonder dat daar een spoor van achterblijft. Ik denk zo dat het lichaam van de heer Cubitt nu kan worden verplaatst. Dokter, ik veronderstel dat u de kogel die de dame heeft verwond, niet heeft gevonden?"

"Daarvoor zal een zware operatie noodzakelijk zijn. Maar er zitten nog vier kogels in de revolver. Twee zijn er afgevuurd en hebben twee verwondingen aangebracht, dus ontbreken er geen kogels."

"Hmm, daar lijkt het wel op," zei Holmes. "Misschien dat u dan ook een verklaring kunt geven voor de kogel die kennelijk de zijkant van het raam heeft geraakt?"

Hij had zich plotseling omgedraaid en zijn lange, magere vinger wees op een gat dat in de onderste lijst van het schuifraam zat, ongeveer twee en een halve centimeter van onderen af. "Mijn hemel!" riep de inspecteur uit. "Hoe is het mogelijk dat u dat heeft gezien?"

"Omdat ik ernaar op zoek was."

"Geweldig," zei de plattelandsarts. "U heeft inderdaad gelijk, meneer. Dus is er een derde kogel afgevuurd en dus moet er een derde persoon aanwezig zijn geweest. Maar wie kan dat zijn geweest en hoe heeft die zich uit de voeten kunnen maken?"

"Dat is een probleem dat we snel zullen oplossen," zei Sherlock Holmes. "Inspecteur Martin, u zult zich nog wel herinneren dat de bedienden hebben verklaard dat ze meteen bij het verlaten van hun kamers kruitdamp hebben geroken en dat ik heb opgemerkt dat die mededeling van het allergrootste belang was?"

"Ja, meneer, maar ik moet bekennen dat ik u niet helemaal kan volgen."

"Ik denk dat zowel het raam als de deur van deze kamer openstonden toen de schoten werden afgevuurd. Anders zouden die dampen zich niet zo snel door het huis hebben kunnen verspreiden. Daar was tocht voor nodig. Maar raam en deur moeten slechts zeer korte tijd hebben opengestaan."

"Hoe kunt u dat bewijzen?"

"Omdat de kaars niet is gaan druipen."

"Geweldig!" riep de inspecteur uit. "Werkelijk geweldig!"

"Omdat ik het zekere gevoel had dat het raam op het moment dat de tragedie zich voltrok openstond, kreeg ik het idee dat er een derde persoon bij deze affaire betrokken kon zijn die buiten heeft gestaan en door het geopende raam heeft geschoten. Een schot dat werd gericht op die persoon, zou het schuifraam hebben kunnen raken. Ik keek ernaar en zag toen meteen het kogelgat."

"Maar hoe kan dat raam dan weer zijn gesloten en vergrendeld?"

"De vrouw moet instinctief meteen naar dat raam zijn toegegaan om dat te doen. Maar mijn hemel! Wat hebben we daar?"

Op de tafel stond een damestas – een fraai klein handtasje van krokodillenleer, met zilveren sluiting. Holmes maakte het open en deponeerde de inhoud ervan op de tafel. Er zaten twintig briefjes in van vijftig pond die met een elastiekje bij elkaar werden gehouden en verder niets. "Dit moeten we goed bewaren, want het zal tijdens het proces op tafel moeten komen," zei Holmes, terwijl hij de tas met inhoud aan de inspecteur overhandigde. "Nu moeten we beslist enig licht zien te werpen op die derde kogel, die, gezien de splinters, duidelijk vanuit deze kamer is afgevuurd. Ik zou mevrouw King, de kokkin, graag nog iets willen vragen. Mevrouw King, u heeft verklaard dat u wakker werd van het geluid van een zware explosie. Bedoelt u daarmee dat dat geluid harder was dan dat van de tweede?"

"Tja, meneer, ik werd erdoor uit mijn slaap gehaald, dus dat weet ik eigenlijk niet zo goed. Maar ik vond het wel een heel hard geluid."

"Zou het niet zo geweest kunnen zijn dat er twee schoten vrijwel tegelijkertijd werden gelost?"

"Dat zou ik niet durven zeggen, meneer."

"Ik denk dat dat ongetwijfeld het geval is geweest. Inspecteur, ik denk zo dat deze kamer ons niet veel wijzer zal kunnen maken. Wanneer u zo vriendelijk wilt zijn me te volgen, zullen we eens kijken wat de tuin ons heeft te bieden."

Een bloembed liep tot aan het raam van de studeerkamer en toen we daaropaf liepen, slaakten we allemaal kreten. De bloemen waren vertrapt en overal op de zachte bodem zagen we voetafdrukken. Van grote, mannelijke voeten met schoenen met eigenaardig lange en puntige neuzen. Holmes ging op jacht tussen het gras en de bladeren, als een retriever die een gewonde vogel heeft geroken. Toen boog hij zich met een kreet van voldoening voorover en pakte een kleine, koperkleurige huls op.

"Dat dacht ik wel," zei hij. "Hier hebben we huls nummer drie. Ik denk werkelijk, inspecteur Martin, dat de zaak nu vrijwel rond is."

Het gezicht van de inspecteur sprak van zijn intense verbazing over de snelle en meesterlijke wijze waarop Holmes zijn onderzoek instelde. Aanvankelijk had hij nog enige neiging vertoond om zich per se niet te willen laten overtroeven, maar nu was hij vol bewondering en bereid Holmes te volgen, waarheen die ook ging.

"Wie verdenkt u?" vroeg hij. "Daar zal ik het later over hebben.

Dit probleem heeft een aantal kanten waarover ik het met u nog niet heb gehad. Nu ik eenmaal zover ben, kan ik het beste verder volgens mijn eigen methode te werk gaan en daarna deze kwestie definitief tot een oplossing brengen."

"Zoals u wilt, meneer Holmes, als we de schuldige maar in handen krijgen."

"Ik houd niet van het scheppen van mysteries, maar wanneer er tot handelen moet worden overgegaan, is er geen tijd voor lange en ingewikkelde verklaringen. Ik heb alle draden van deze kwestie nu in mijn hand. Zelfs wanneer de dame nooit meer bij bewustzijn zou komen, kunnen we de gebeurtenissen van de afgelopen nacht nog reconstrueren en ervoor zorgen dat gerechtigheid geschiedt. In de eerste plaats wil ik weten of er hier in de buurt een herberg is die Elrige wordt genoemd."

De bedienden werden opnieuw ondervraagd, maar niemand kende een herberg van die naam. Maar een staljongen maakte de zaak iets duidelijker door zich te herinneren dat er een paar kilometer verderop een boer woonde die zo heette. In de richting van East Ruston, verklaarde hij. "Ligt die boerderij afgelegen?"

"Heel erg afgelegen, meneer."

"Misschien hebben zij nog niet gehoord wat hier vannacht is gebeurd?"

"Misschien niet, meneer." Holmes dacht even na en toen speelde er een merkwaardig glimlachje om zijn lippen.

"Zadel een paard, jongen," zei hij. "Ik wil dat je voor mij een briefje gaat bezorgen op die boerderij van Elrige."

Hij haalde uit zijn zak verschillende velletjes met dansende poppetjes te voorschijn. Die legde hij op de tafel in de studeerkamer voor zich neer en was enige tijd druk in de weer. Uiteindelijk overhandigde hij een briefje aan de jongen en zei dat dat moest worden afgegeven aan de geadresseerde. Hij gaf de staljongen zeer nadrukkelijk opdracht geen vragen te beantwoorden. Ik zag de adressering die was geschreven in een vreemd, onregelmatig handschrift dat heel anders was dan het precieze handschrift van Holmes. Het adres luidde: De heer Abe Slaney, Elrigeboerderij, East Ruston, Norfolk.

"Ik denk, inspecteur," merkte Holmes op, "dat u er verstandig aan zou doen om telegrafisch om versterking te vragen, want wanneer mijn ideeën bewaarheid worden, is het niet onmogelijk dat u een heel gevaarlijke misdadiger naar de gevangenis moet laten transporteren. De jongen die dit briefje gaat wegbrengen, kan ongetwijfeld ook uw telegram op het postkantoor afgeven. Watson, wanneer er vanmiddag een trein naar Londen vertrekt, moeten we die maar nemen, omdat ik een nogal interessante scheikundige analyse moet afronden en dit onderzoek snel zijn einde nadert." Toen de jongeman met het briefje was vertrokken, gaf Sherlock Holmes de bedienden instructies. Wanneer iemand kwam vragen naar de toestand van mevrouw Hilton Cubitt, mocht daar geen informatie over worden verstrekt, maar moest de persoon in kwestie meteen naar de salon worden gebracht. Hij drukte hun die instructies zeer ernstig op het hart. Toen ging hij ons voor naar de salon met de opmerking dat de zaak nu niet langer in onze handen was en dat we onze tijd zo goed mogelijk moesten zoekbrengen tot we konden zien wat men nog voor ons in petto had. De arts was vertrokken om zijn patiënten te gaan bezoeken en alleen de inspecteur en ikzelf bleven achter.

"Ik denk dat ik jullie wel behulpzaam kan zijn om dit uur op een interessante en leerzame manier door te brengen," zei Holmes, die zijn stoel naar de tafel trok en de verschillende velletjes papier voor zich neerlegde waarop de capriolen van de dansende poppetjes stonden afgebeeld.

"En wat jou betreft, mijn vriend Watson: ik moet je mijn verontschuldigingen aanbieden voor het feit dat ik je nieuwsgierigheid zo lang onbevredigd heb gelaten. Inspecteur, u heeft wellicht de indruk dat dit hele voorval voor u beroepshalve een opmerkelijk studieobject vormt. In de eerste plaats moet ik u op de hoogte stellen van de interessante omstandigheden die verband houden met de eerdere gesprekken die de heer Hilton Cubitt met mij in Baker Street heeft gevoerd." Toen vatte hij kort de feiten samen waarvan hier al verslag is gedaan.

"Ik heb hier die merkwaardige producties voor me liggen, waarom je zou kunnen glimlachen wanneer ze niet de voorlopers zouden zijn gebleken van een zo afschuwelijke tragedie. Ik ken alle vormen van geheimschrift en heb zelf een onbeduidende monografie geschreven over dat onderwerp, waarin ik een honderdzestig aparte tekens heb geanalyseerd. Maar ik moet bekennen dat dit iets heel nieuws voor me is. Diegenen die dit systeem hebben bedacht, hebben duidelijk het doel gehad niet te laten merken dat deze poppetjes een boodschap behelzen door de indruk te wekken dat het kindertekeningetjes zijn. Maar toen ik eenmaal had ingezien dat deze figuurtjes letters vertegenwoordigden, en toen ik daarop de regels had losgelaten die ons behulpzaam zijn alle geheimschriften te doorgronden, was de oplossing eenvoudig genoeg. De eerste boodschap, aan mij voorgelegd, was zo kort, dat het onmogelijk voor mij was meer te zeggen dan dat

een E voorstelde. Zoals jullie weten, is de E de meest gebruikte letter in de Engelse taal en komt daarin zo dikwijls voor, dat men hem zelfs in een korte zin enige keren aantreft. Van de vijftien poppetjes in de eerste mededeling waren er vier gelijk, zodat dit vrij zeker vier E's waren. Het is waar, dat in sommige gevallen de figuur een vlag droeg, en in de andere weer niet, maar waarschijnlijk was, uit de wijze waarop de vlaggetjes verdeeld waren, dat zij moesten dienen om aan te duiden, dat zij aan het einde van een woord stonden. Dit nam ik aan als een hypothese en noteerde, dat de E werd voorgesteld door

Maar nu kwam de grote moeilijkheid van het onderzoek. De volgorde van de Engelse letters na de E is niet goed aan te geven. In het algemeen is de volgorde aldus T.A.O.I.N.S.H.R.D. en L., maar T.A.O. en I. komen ongeveer even dikwijls voor en het zou eindeloos werk zijn geweest om elke combinatie te proberen en aldus een oplossing te vinden. Ik wachtte daarom op nieuw materiaal. Bij mijn tweede onderhoud met mijnheer Hilton Cubitt gaf hij mij twee andere korte zinnetjes en een boodschap die een enkel woord bevatte. Hier zijn de figuurtjes. In dit enkele woord zien jullie, dat de E tweemaal voorkomt en wel op de tweede en vierde plaats van het woord dat uit vijf letters bestaat. Het kon dus zijn *sever*, of *lever*, of *never*. Er kon geen twijfel bestaan of het laatste, *never* (nooit), was als een antwoord op een vraag verreweg het waarschijnlijkst, en de feiten wezen erop, dat het een

antwoord was door mevrouw Hilton geschreven. Dit als juist aan-
nemend, zijn wij zover, dat de figuren

N.C. en R voorstellen. Zelfs nu nog zat ik voor een grote moeilijkheid, maar een gelukkige ingeving bracht mij een heel eind
verder. Het viel mij in, dat indien deze mededelingen, zoals ik veronderstelde, kwamen van iemand die vroeger zeer intiem met
deze dame was omgegaan, een combinatie die twee E's bevatte,
met deze letters ertussen zeer goed Elsie kon betekenen. Bij
onderzoek bleek mij, dat zo'n combinatie aan het einde van de zin
stond en wel driemaal. Het was dus zeker een of andere vraag, tot
'Elsie' gericht. Op deze manier kreeg ik de L.S. en I. Maar welke
vragen werden gesteld? Er waren slechts vier letters in het woord,
dat aan 'Elsie' voorafging, en het bevatte een E. Het betekende dus
vrij zeker *come* (kom). Ik probeerde voor alle zekerheid verscheidene woorden op E, maar kwam er niet. Ik nam daarom aan ook
in het bezit te zijn van de tekens C.O. en M. en nu kon ik de eerste
mededeling onder handen nemen. Voor elk teken, dat ik nog niet
kende, plaatse ik een stip. Zodoende, kreeg ik dit:

.M.ERE..E SL.NE.

Nu kon de eerste letter alleen een A zijn, wat een zeer belangrijke
ontdekking was, omdat die niet minder dan driemaal in deze
korte zin voorkomt en de H ook duidelijk op te maken was uit het
tweede woord. Nu wordt het:

AM HERE A.E SLANE.

Nu was het duidelijk, welke letters ontbraken, en ik kreeg:

AM HERE ABE SLANEY. (Ik ben hier, Abe Slaney)

Ik had hier nu zoveel letters, dat ik met vertrouwen de tweede
mededeling onder handen kon nemen, die ik onmiddellijk aldus
uitwerkte:

A.ELRI.ES

Hiervan kon ik alleen iets maken door een T en een G in te lassen voor de ontbrekende letters, zodat ik kreeg *At Elriges* (te Elriges), en ik veronderstelde dat deze naam duidde op een of ander huis of herberg, waar de schrijver zijn intrek had genomen."

Inspecteur Martin en ik hadden met de grootste belangstelling geluisterd naar de duidelijke en heldere uiteenzetting van de manier waarop mijn vriend resultaten had verkregen, waardoor hij onze problemen de baas was geworden.

"En wat deed u daarna, meneer?" vroeg de inspecteur.

"Ik had alle reden om te vermoeden, dat deze Abe Slaney een Amerikaan was, omdat Abe een Amerikaanse voornaam is, terwijl een brief uit Amerika het begin was geweest van alle onheil. Ik had bovendien alle reden te geloven dat een of ander misdadig geheim aan de zaak verbonden was. De zinspelingen van de vrouw op haar verleden en haar weigering om haar man in vertrouwen te nemen, wezen beide in deze richting. Ik telegrafeerde daarom aan mijn vriend Wilson Hargreave van de New Yorkse politie, die meer dan eens gebruik gemaakt heeft van mijn kennis van de Londense misdadigers. Ik vroeg hem, of de naam Abe Slaney hem bekend was. Hier is zijn antwoord: 'De gevaarlijkste bandiet in Chicago.' Dezelfde avond, waarop ik zijn antwoord had, zond Hilton Cubitt mij de laatste boodschap van Slaney. De bekende letters leverden dit resultaat:

ELSIE.RE.ARE TO MEET THY GO.

De bijvoeging van een P en een D voltooiden een zin: *Elsie prepare to meet thy God* (Elsie, bereid je voor voor Gods aangezicht te verschijnen). Deze zin toonde mij dat de schurk nu begon te dreigen, en mijn kennis van de bandieten van Chicago zei mij, dat hij misschien zeer spoedig van woorden tot daden zou overgaan. Ik kwam dadelijk naar Norfolk met mijn vriend en collega dokter Watson, maar helaas te laat en alleen om te zien, dat het ergste al gebeurd was."

"Het is werkelijk een privilege om bij het afhandelen van een zaak met u te kunnen samenwerken," zei de inspecteur gemeend. "Maar ik hoop dat u het me niet kwalijk zult nemen wanneer ik van mijn hart geen moordkuil maak. U bent alleen uzelf verantwoording verschuldigd, maar ik heb superieuren. Wanneer die Abe Slaney die op Elrige verblijft inderdaad de moordenaar is en wanneer die man erin slaagt te ontsnappen terwijl ik hier zit, zal ik daardoor zonder enige twijfel in ernstige moeilijkheden komen."

"Daar hoeft u zich geen zorgen over te maken. Hij zal niet proberen te ontsnappen."

"Hoe weet u dat?"

"Vluchten zou schuld bekennen betekenen."

"Laten we hem dan gaan arresteren."

"Ik verwacht hem ieder moment hier."

"Maar waarom zou hij hierheen komen?"

"Omdat ik hem een dergelijk verzoek per brief heb gedaan."

"Dit is ongelooflijk, meneer Holmes. Waarom zou die man hierheen komen omdat u hem dat hebt gevraagd? Zou een dergelijk verzoek zijn achterdocht niet opwekken en hem ertoe nopen op de vlucht te slaan?"

"Ik denk dat ik de juiste bewoordingen heb weten te kiezen," zei Sherlock Holmes. "En wanneer ik me niet vergis, hoor ik dat heerschap op dit moment de oprijlaan opkomen."

Met grote passen kwam een man aangelopen. Het was een lange, knappe, donkere kerel, gekleed in een grijsflanellen pak en met een breedgerande hoed op. Hij had een borstelige, zwarte baard en een grote, agressief gebogen neus en hij liep te zwaaien met een wandelstok. Hij liep over het terrein alsof het huis van hem was en luid en zelfverzekerd belde hij even later aan.

"Ik denk, heren," zei Holmes rustig, "dat we het beste achter de deur kunnen gaan staan. Het is noodzakelijk alle voorzorgsmaatregelen te nemen wanneer je met zo'n man hebt te maken. U zult de boeien nodig hebben, inspecteur. Ik zal hem wel overmeesteren."

Een paar minuten stonden we daar zwijgend – en die minuten zal ik mijn leven lang niet meer vergeten. Toen ging de deur open en kwam de man naar binnen. Meteen drukte Holmes een pistool tegen zijn hoofd en sloeg Martin de boeien om zijn polsen. Het gebeurde allemaal zo snel en behendig dat de man al hulpeloos was voor hij zich realiseerde dat hij was aangevallen. Met een paar gloeiende, zwarte ogen keek hij ons een voor een aan en barstte toen opeens uit in een bittere lach.

"Tja, mijne heren, ditmaal bent u mij te slim af geweest. Ik schijn tegen iets hards opgebotst te zijn. Maar ik kwam hier in antwoord op een schrijven van mevrouw Hilton Cubitt. U wilt me toch zeker niet gaan vertellen dat zij hier iets van afweet? U wilt me toch zeker niet gaan vertellen dat zij heeft geholpen deze val voor me uit te zetten?"

"Mevrouw Hilton heeft ernstige verwondingen opgelopen en zweeft op het randje van de dood." De man uitte een schorre kreet van verdriet die door het hele huis weergalmde.

"U bent gek," zei hij woest. "Hij werd gewond, zij niet. Wie zou die kleine Elsie iets willen aandoen? Ik mag haar dan hebben bedreigd en ik hoop dat God me dat zal vergeven – maar ik zou geen haar van haar knappe hoofdje hebben gekrenkt. U moet die woorden terugnemen. Zeg dat ze niet is gewond."

"Ze is zwaar gewond naast haar overleden echtgenoot aangetroffen."

Met een diepe kreun liet hij zich op de sofa zakken en begroef zijn gezicht in zijn geboeide handen. Vijf minuten lang zweeg hij. Toen hief hij zijn gezicht weer op en sprak met de koele bedaardheid die wanhoop met zich meebrengt.

"Ik heb niets voor u te verbergen, heren. Die man schoot op mij en wanneer ik hem daarop heb neergeschoten, is dat geen kwestie van moord. Maar wanneer u denkt dat ik die vrouw kwaad heb gedaan, dan kent u haar noch mij. Ik kan u wel zeggen dat er op deze wereld nooit een man is geweest die zoveel van een vrouw hield als ik van haar. Ik had recht op haar. Ze heeft me jaren geleden beloofd met me te trouwen. Wat dacht die Engelsman wel door tussenbeide te komen! Ik zeg u dat ik de eerste rechten op haar had en dat ik daar gebruik van wilde maken."

"Ze heeft zich uit uw invloedssfeer losgemaakt toen ze ontdekte wat voor een man u was," zei Holmes streng. "Ze is uit Amerika gevlucht om u te ontlopen en ze is in Engeland met een alom geacht man getrouwd. U bent achter haar aan gegaan en hebt het leven voor haar tot een hel gemaakt om haar zover te krijgen dat ze de man van wie ze hield zou verlaten om weg te gaan met u, een man voor wie ze bang was en die ze haatte. En dat alles heeft u afgerond met het doden van een nobel mens en dat had tot gevolg dat diens vrouw zelfmoord wilde plegen. Dat alles heeft u gedaan, meneer Abe Slaney en daar zult u voor de rechter verantwoording over moeten afleggen."

"Wanneer Elsie doodgaat, kan het me niets schelen wat er met me gebeurt," zei de Amerikaan. Hij opende een van zijn handen en keek naar het velletje papier dat daar verfrommeld in had gezeten.

"Luister eens, makker," zei hij met een ietwat achterdochtige blik in zijn ogen, "u probeert me toch niet alleen maar angst aan te jagen, hè? Wanneer die dame inderdaad zo ernstig is gewond als u zegt, wie heeft dit briefje dan geschreven?" Hij smeet het op tafel.

"Dat heb ik gedaan, om u hierheen te halen."

"Heeft u dat geschreven? Niemand op aarde kende het geheim van de dansende poppetjes, met uitzondering van de Joint."

"Wat de ene man kan uitvinden, kan de andere man ontdekken," zei Holmes. "Er is een rijtuig onderweg om u mee te nemen naar Norwich, meneer Slaney. Maar in die tussentijd kunt u een beetje boete doen voor wat u hebt aangericht. Weet u dat mevrouw Hilton Cubitt zelf onder de ernstige verdenking heeft gestaan haar man te hebben vermoord? Alleen mijn aanwezigheid hier, en de kennis waarover ik toevallig beschikte, hebben haar van een dergelijke beschuldiging gevrijwaard. U bent het haar nu op zijn minst verschuldigd de hele wereld duidelijk te maken dat ze op geen enkele manier, direct noch indirect, verantwoordelijk is voor de tragische manier waarop haar echtgenoot om het leven is gekomen."

"Ik zou niets anders willen," zei de Amerikaan. "Ik denk dat ik de zaak voor mezelf alleen maar kan redden door de waarheid en niets dan de waarheid te spreken."

"Het is mijn plicht u te waarschuwen dat alles wat u zegt tegen u gebruikt kan worden," zei de inspecteur meteen omdat het Britse strafrecht een dergelijk *fair play* voorschrijft.

Slaney haalde zijn schouders op.

"Dat risico neem ik dan maar," zei hij. "In de eerste plaats wil ik dat u begrijpt en weet dat ik deze dame al vanaf haar kinderjaren ken. We vormden in Chicago met z'n zevenen een bende en Elsie's vader was de baas van de Joint. Die ouwe Patrick was een slimme vent. Hij heeft dat geheimschrift uitgevonden dat door kon gaan voor kindertekeningen tenzij je toevallig de sleutel ervoor in je bezit had. Elsie werd dus met ons leven geconfronteerd, maar bleek er niet tegen te kunnen. Ze had zelf de beschikking over enig eerlijk verdiend geld, dus is ze ons allemaal te slim af geweest en naar Londen vertrokken. Ze was met me verloofd geweest en zou naar mijn idee ook met me zijn getrouwd wanneer ik op een ander beroep was overgestapt. Maar met oneerlijke zaken wenste ze zich in het geheel niet in te laten. Pas na haar huwelijk met die Engelsman, slaagde ik erin te ontdekken waar ze was. Ik schreef haar een brief, maar kreeg daarop geen antwoord. Daarna ben ik hierheen gegaan en omdat het schrijven van brieven zinloos was, heb ik mijn boodschappen achtergelaten op plaatsen waar ze die kon lezen. Ik zit hier nu een maand. Ik woonde op die boerderij, waar ik op de begane grond een kamer had en iedere avond het huis kon verlaten en betreden wanneer ik dat wenste. Op alle mogelijke manieren heb ik geprobeerd Elsie over te halen met me mee te gaan. Ik wist dat ze die boodschappen las, want eenmaal heeft ze onder een daarvan een antwoord opgeschreven. Maar toen kon ik mezelf niet meer in de hand houden en begon ik haar te dreigen. Toen stuurde ze me een brief en smeekte me weg te gaan. Ze schreef dat het haar hart zou breken wanneer haar echtgenoot met een schandaal werd geconfronteerd. Ze schreef dat ze naar me toe zou komen wanneer haar man sliep. Dat zou gebeuren om drie uur 's nachts en ze was bereid door het raam met me te praten wanneer ik beloofde daarna weg te gaan en haar verder met rust te laten. Ze kwam op dat tijdstip inderdaad naar beneden en had geld meegenomen om te proberen me om te kopen om weg te gaan. Daardoor werd ik woedend. Ik pakte haar arm vast en probeerde haar door het raam naar buiten te trekken. Op dat moment kwam haar echtgenoot de kamer binnengerend met een revolver in zijn hand. Elsie had zich op de grond laten zakken en toen stonden we recht tegenover elkaar. Ik had eveneens een wapen bij me en pakte dat om hem bang te maken en er zelf weer vandoor te kunnen gaan. Hij schoot, maar miste. Ik schoot vrijwel op datzelfde moment en hij viel op de grond. Snel ben ik toen door de tuin weggelopen en toen ik dat deed, hoorde ik hoe het raam achter me werd gesloten. En dat is, bij God, de waarheid, heren. Ik heb toen verder niets meer gehoord, tot die jonge jongen me een briefje kwam bezorgen waardoor ik hierheen ben gekomen en me als een onnozele gans in uw handen heb laten vallen."

Terwijl de Amerikaan sprak, was er een rijtuig voor de deur tot stilstand gekomen. Daar zaten twee geüniformeerde agenten in.

Inspecteur Martin stond op en tikte op de schouder van de gevangene.

"Het wordt tijd dat we weggaan."

"Kan ik haar eerst nog even zien?"

"Nee. Ze is niet bij bewustzijn. Meneer Sherlock Holmes, ik kan alleen maar hopen dat ik, wanneer ik ooit nog eens een belangrijke zaak te behandelen krijg, het geluk zal hebben weer met u te kunnen samenwerken."

We gingen voor het raam staan en keken toe hoe het rijtuig wegreed. Toen ik me weer omdraaide, viel mijn blik toevallig op het verfrommelde velletje papier dat de gevangene op tafel had gesmeten. Het briefje waarmee Holmes hem in deze hinderlaag had gelokt.

"Kijk maar eens of je dat kunt lezen, Watson," zei hij met een glimlach.

Ik zag de volgende rij dansende poppetjes:

"Wanneer je gebruik maakt van de code die ik net heb uitgelegd," zei Holmes, "zal je zien dat er alleen maar staat: *Kom meteen hierheen*. Ik was ervan overtuigd dat hij een dergelijke uitnodiging niet zou afslaan, omdat hij onmogelijk kon weten dat die niet door de dame was verzonden. En dus, mijn beste Watson, hebben we uiteindelijk een goed gebruik kunnen maken van de dansende poppetjes die zo vaak kwaad hebben bewerkstelligd. Ik denk zo dat ik mijn belofte gestand heb gedaan je iets ongebruikelijks te geven voor je archief. Om drie uur veertig gaat onze trein en ik denk dat we op tijd in Baker Street terug zullen zijn voor het diner."

Nog een korte epiloog. De Amerikaan Abe Slaney werd ter dood veroordeeld tijdens de wintersessie van het hof in Norwich, maar die straf werd omgezet in dwangarbeid omdat men rekening hield met verzachtende omstandigheden en het feit dat Hilton Cubitt als eerste had geschoten. Van mevrouw Hilton Cubitt weet ik alleen dat ze volgens zeggen volledig is hersteld en nog altijd weduwe is. Ze schijnt haar hele leven te hebben gewijd aan het zorgen voor de armen en het beheren van het landgoed van haar echtgenoot.

Het avontuur van de gepensioneerde verffabrikant

 SHERLOCK HOLMES verkeerde die ochtend in een melancholieke en filosofische stemming. Zijn alerte, praktische aard had wel eens meer dergelijke reacties tot gevolg.

"Heb je hem gezien?" vroeg bij.

"Je bedoelt die oude man die net naar buiten is gegaan?"

"Inderdaad."

"Ja, ik ben hem bij de deur tegengekomen."

"Wat vond je van hem?"

"Een pathetische, nutteloze, gebroken man."

"Inderdaad, Watson. Pathetisch en nutteloos. Maar is niet ieder leven pathetisch en nutteloos? Is zijn verhaal niet een microkosmos van het grote geheel? We proberen iets te bereiken. Iets te grijpen. En wat hebben we dan uiteindelijk in handen? Een schaduw, of nog iets ergers dan een schaduw – ellende."

"Is hij een van jouw cliënten?"

"Ik veronderstel dat ik hem wel zo kan noemen, ja. Hij is door de Yard naar mij verwezen. Net zoals artsen af en toe ongeneeslijke patiënten doorsturen naar een kwakzalver. Ze beweren dat ze niets meer kunnen doen en dat wat er verder met de patiënten kan gebeuren hen er niet slechter op kan maken."

"Wat is er aan de hand?"

Holmes pakte een nogal smerig visitekaartje van tafel op. "Josiah Amberley. Hij zei dat hij de jongste vennoot is geweest bij Brickfall en Amberley, fabrikanten van kunstschildermaterialen. Je zult hun naam wel eens op verfdozen hebben zien staan. Hij heeft een klein kapitaaltje verzameld, is op een en zestigjarige leeftijd met pensioen gegaan, heeft een huis in Lewisham gekocht en wilde daar na een leven van onophoudelijk hard werken van een welverdiende rust gaan genieten. Je zou zo denken dat zijn toekomst behoorlijk veilig was gesteld."

"Ja, inderdaad."

Holmes keek even naar een paar aantekeningen, die hij op de achterkant van een enveloppe had gekrabbeld. "In 1896 gepensioneerd, Watson. Begin 1897 getrouwd met een vrouw die twintig jaar jonger is dan hij – een aantrekkelijke vrouw bovendien, wanneer de foto niet flatteert. Een behoorlijk kapitaaltje, een vrouw en vrije tijd – er leek een rechte weg voor hem te liggen. Maar toch is hij, zoals je hebt gezien, binnen twee jaar zo gebroken en ellendig als je op deze wereld maar kunt zijn."

"Wat is er dan gebeurd?"

"Het oude verhaal, Watson. Een vriend die hem heeft verraden en een wispelturige vrouw. Schaken is Amberley's hobby. Vlak bij hem in Lewisham woont een jonge arts die ook schaakt. Ik heb zijn naam genoteerd. Dokter Ray Ernest. Ernest kwam vaak bij hem thuis en een intieme relatie tussen hem en mevrouw Amberley was daar een natuurlijk gevolg van, want je zult moeten toegeven dat onze cliënt zijn uiterlijk niet of nauwelijks mee heeft, hoe groot zijn innerlijke deugden ook mogen zijn. Het stel is vorige week samen vertrokken met onbekende bestemming. Bovendien heeft de trouweloze echtgenote de aktedoos van de oude man met haar bagage meegenomen en die bevatte een groot deel van het geld dat hij gedurende zijn leven had gespaard. Kunnen we de dame vinden? Kunnen we zijn geld redden? Een doodgewoon probleem tot dusverre, maar voor Josiah Amberley wel van levensbelang."

"Wat ben je van plan eraan te gaan doen?"

"Mijn beste Watson, de eerste vraag die zich voordoet is wat jij zult gaan doen – wanneer je tenminste zo vriendelijk wilt zijn als mijn vervanger op te treden. Je weet dat ik druk bezig ben met de zaak van de twee Koptische patriarchen. Ik heb werkelijk de tijd niet om naar Lewisham te gaan en toch kan bewijsmateriaal dat ter plaatse wordt aangetroffen, een heel bijzondere waarde hebben. De oude man staat erop dat ik erheen ga, maar ik heb hem uitgelegd dat ik dat op dit moment moeilijk kan. Hij is bereid iemand die me vertegenwoordigt te ontvangen."

"Uitstekend," zei ik. "Ik moet bekennen dat ik niet inzie hoe ik je van dienst zou kunnen zijn, maar ik ben bereid mijn best te doen."

En zo ging ik op een zomermiddag naar Lewisham, zonder ook maar te dromen dat de affaire waarmee ik me zou gaan bezighouden, binnen een week in Engeland algemeen en uitgebreid zou worden besproken.

PAS 'S AVONDS LAAT keerde ik terug naar Baker Street en bracht verslag uit van mijn missie. Holmes' magere gestalte lag uitgestrekt in zijn diepe leunstoel en zijn pijp bracht langzame kringetjes voort van scherpe tabak, terwijl zijn oogleden zo loom over zijn ogen zakten dat hij vrijwel de indruk wekte in slaap te zijn gevallen, wanneer ze niet, zodra ik even zweeg of iets twijfelachtigs meldde, half omhoog gingen en twee grijze ogen, helder en scherp als degens, me zeer onderzoekend aankeken.

"Het huis van Josiah Amberley heet The Haven," zei ik. "Ik denk dat het jou zou interesseren, Holmes. Hij is net een vrekkerige patriciër die zover is gezakt dat hij nu te midden van mensen beneden zijn stand woont. Je kent dat soort wijk wel, de monotone bakstenen huizen, de vervelende hoofdwegen in de voorsteden. Zijn oude huis staat er midden tussenin, een klein eiland vol oude cultuur en comfort. Dat huis wordt omgeven door een in de zon geblakerde muur bedekt met korstmos en andere mossoorten, het type muur dat…"

"Laat die poëzie maar achterwege, Watson," onderbrak Holmes me streng. "Ik heb er nota van genomen dat het een hoge, bakstenen muur was."

"Inderdaad. Ik zou niet hebben geweten welk huis The Haven was, wanneer ik het niet had gevraagd aan iemand die, een pijp rokend, op straat rondlummelde. Het feit dat ik hem noem, heeft een reden. Hij was lang, donker en had een grote snor – een nogal militaristisch voorkomen. Toen ik hem naar het huis vroeg, knikte hij en keek me toen merkwaardig vragend aan – een blik waaraan ik enige tijd later moest terugdenken. Net toen ik het hek door was, zag ik de heer Amberley de oprijlaan komen aflopen. Ik had hem vanmorgen maar heel vaag gezien en toen had ik al de indruk gekregen dat hij een vreemd wezen was. Maar toen ik hem in het volle licht zag, was zijn verschijning nog abnormaler."

"Die heb ik natuurlijk ook uitgebreid bestudeerd, maar toch zou ik het interessant vinden jouw indrukken te vernemen," zei Holmes.

"Het leek me een man die letterlijk onder de zorgen gebukt ging. Zijn rug was gebogen alsof hij een zware last moest torsen. Toch was hij niet zo'n slappeling als ik aanvankelijk dacht, want zijn schouders en borstkas zijn die van een reus, hoewel zijn benen heel dun zijn."

"Linker schoen vol kreukels, rechter glad."

"Dat heb ik niet gezien."

"Nee, dat zal wel. Ik heb gezien dat hij een kunstbeen heeft. Maar ga verder."

"Ik werd getroffen door de slangachtige lokken grijs haar die onder de oude strohoed vandaan krulden en door zijn gezicht met die felle, alerte uitdrukking en de diepe lijnen erin."

"Uitstekend, Watson. Wat zei hij?"

"Hij begon al zijn grieven te spuien. We liepen samen de oprijlaan over en natuurlijk heb ik toen goed om me heen gekeken. In de tuin zag ik veel onkruid, wat me de indruk gaf dat die lange tijd zodanig was verwaarloosd dat de planten vrijelijk hadden kunnen groeien, zonder dat er ooit een mensenhand aan te pas was gekomen. Ik weet niet hoe een fatsoenlijke vrouw iets dergelijks heeft kunnen tolereren. Ook het huis was in alle opzichten slonzig, maar daar leek die arme man zich zelf van bewust te zijn. Hij had kennelijk geprobeerd er wat aan te doen, want midden in de hal stond een grote pot groene verf en hij had in zijn linkerhand een dikke verfkwast. Hij was duidelijk bezig geweest met het houtwerk. Hij nam me mee naar zijn vieze onderkomen en daar hadden we een lang gesprek. Natuurlijk was hij teleurgesteld dat jij niet zelf was gekomen. 'Ik verwachtte nauwelijks,' zei hij, 'dat een onbetekenend individu zoals ik de volledige aandacht zou kunnen verkrijgen van een man die zo beroemd is als de heer Sherlock Holmes – en dat vooral na mijn zware financiële verlies.' Ik verzekerde hem dat geld geen probleem vormde. 'Nee, voor hem is het natuurlijk kunst omwille van de kunst,' zei hij, 'maar zelfs wat de artistieke kant van de misdaad betreft zou hij hier wel iets hebben kunnen bestuderen. En de menselijke natuur, dokter Watson… hoe verschrikkelijk ondankbaar kan een mens zijn! Wanneer heb ik haar ooit een verzoek geweigerd? Is een vrouw ooit zo in de watten gelegd? En die jongeman… hij had mijn eigen zoon kunnen zijn. Hij was hier kind aan huis. En zie hoe ze mij hebben behandeld! O, dokter Watson, dit is een afschuwelijke wereld.' Zo ging hij een uur lang verder. Het schijnt dat hij geen enkel vermoeden had van de intrige. Ze leefden afgezonderd. Overdag komt er een huishoudster, die om zes uur 's avonds weer weggaat. Op die speciale avond wilde Amberley zijn vrouw eens verrassen en had twee plaatsen gereserveerd op het balkon van het Haymarket Theater. Op het laatste moment klaagde ze over hoofdpijn en weigerde met hem mee te gaan. Hij is er toen alleen naar toe gegaan. Dat lijkt geen enkele twijfel te lijden, want hij heeft me het ongebruikte kaartje van zijn vrouw laten zien."

"Dat is heel opmerkelijk, heel opmerkelijk," zei Holmes, die meer belangstelling voor de zaak leek te krijgen. "Ga alsjeblieft verder, Watson. Ik vind je verhaal heel interessant. Heb je dat kaartje persoonlijk bekeken? Heb je toevallig het nummer gezien?"

"Toevallig wel," zei ik met enige trots. "Het was mijn oude schoolnummer, eenendertig, dus is dat me bijgebleven."

"Uitstekend, Watson. Dus zat hij op stoel nummer dertig of tweeëndertig."

"Inderdaad," antwoordde ik. "En op rij B."

"Uitstekend. Wat heeft hij je nog meer verteld?"

"Hij heeft me zijn kluis laten zien, zoals hij die ruimte noemde. Een echte kluis – zoals je die in banken aantreft, met een ijzeren deur en een ijzeren luik – bestand tegen iedere poging tot inbraak, beweerde hij. Maar de vrouw lijkt ook een sleutel te hebben gehad en zij heeft met de jonge arts samen zo'n zevenduizend pond aan contant geld en effecten meegenomen."

"Effecten? Hoe zouden ze die in geld kunnen omzetten?"

"Hij zei dat hij de politie er een lijst van had gegeven en hoopte dat ze inderdaad onverkoopbaar zouden zijn. Hij was rond middernacht uit het theater teruggekeerd en had toen gezien dat zijn huis was geplunderd. De deur en het raam stonden open en de vluchtelingen waren vertrokken. Ze hadden geen brief of boodschap achtergelaten en sinds die tijd heeft hij verder ook niets meer van hen gehoord. Toen heeft hij meteen alarm geslagen bij de politie."

Holmes zat enige minuten te broeden.

"Je zei dat hij aan het schilderen was. Wat was hij aan het schilderen?"

"De gang. Maar hij had de deur en het houtwerk van de kamer waar ik het zojuist over had, al geschilderd."

"Vind je dat, gegeven de omstandigheden, niet een vreemde bezigheid?"

"'Je moet iets doen om hartzeer wat te doen afnemen.' Die verklaring gaf bij ervoor. Excentriek natuurlijk, maar hij is ook een excentrieke man. In mijn aanwezigheid heeft hij een foto van zijn vrouw verscheurd – razend verscheurd in een vlaag van hartstochtelijke woede. 'Ik wil dat verdoemde gezicht van haar nooit meer zien!' schreeuwde hij."

"Verder nog iets, Watson?"

"Ja, één ding dat me meer dan wat dan ook is opgevallen. Ik was naar het Blackheath station gereden en daar in de trein gestapt. Net op het moment dat de trein zich in beweging zette, zag ik een man in het rijtuig naast het mijne springen. Je weet, Holmes, dat ik snel gezichten kan onthouden. Het was zonder enige twijfel de lange, donkere man die ik op straat had aangesproken. Bij Londen Bridge heb ik hem nog éénmaal gezien en toen ben ik hem in de mensenmenigte kwijtgeraakt. Maar ik ben ervan overtuigd dat hij mij volgde."

"Ongetwijfeld, ongetwijfeld," zei Holmes. "Een lange, donkere man met een grote snor, zeg je, en een grijsgetinte zonnebril?"

"Holmes, je bent een tovenaar. Ik heb het niet gezegd, maar hij had inderdaad een grijsgetinte zonnebril op."

"Een dasspeld van de Orde der Vrijmetselaars?"

"Holmes!"

"Heel eenvoudig, mijn beste Watson. Maar laten we ons tot de praktische gegevens beperken. Ik moet toegeven dat deze zaak, die me aanvankelijk zo absurd eenvoudig toescheen dat hij nauwelijks mijn aandacht waard was, al snel een heel ander karakter begint te krijgen. Je hebt tijdens je missie weliswaar alles gemist wat van belang is, maar toch stemmen die dingen die je wel zijn opgevallen tot ernstig nadenken."

"Wat is me dan ontgaan?"

"Voel je niet gekwetst, mijn beste man. Je weet dat ik het niet persoonlijk bedoel. Niemand anders had het er beter van af kunnen brengen. Maar wat vinden de buren van die Amberley en zijn vrouw? Dat is zeker van belang. En hoe zit het met die dokter Ernest? Was hij de vrolijke Lothario die je zou verwachten? Watson, de charmes die jij van nature hebt meegekregen, kunnen ervoor zorgen dat iedere dame bereid is je te helpen. Zoals bijvoorbeeld het meisje van het postkantoor of de vrouw van de kruidenier. Ik kan me heel goed voorstellen hoe jij de jongedame in de Blue Anchor onbetekenende woordjes in het oor fluistert en daarvoor in ruil enige harde gegevens te horen krijgt. Dat zijn zeer belangrijke zaken, Watson, waaraan je geen aandacht hebt besteed."

"Dat kan ik altijd nog gaan doen."

"Niet meer nodig. Dankzij de telefoon en de hulp van de Yard kan ik meestal de essentiële inlichtingen verkrijgen zonder deze kamer te verlaten. Ik kan je meedelen dat de inlichtingen die ik heb gekregen, het verhaal van de man bevestigen. Ter plaatse geniet hij de reputatie vrekkerig te zijn en zijn vrouw hardvochtig te behandelen en veeleisend te zijn ten aanzien van haar. Het staat vast dat hij in die kluis een groot geldbedrag had opgeborgen. En ook dat de jonge dokter Ernest, een ongetrouwde man, schaakte met Amberley en zijn vrouw waarschijnlijk het hof maakte. Tot dusverre lijkt alles in dit opzicht duidelijk, maar toch… maar toch!"

"Wat is je probleem?"

"Mijn verbeeldingskracht, wellicht. Laat maar, Watson. Laten we aan deze matte, alledaagse wereld ontsnappen via de zijdeur naar de muziek. Carina zingt vanavond in de Albert Hall en we hebben nog tijd genoeg om ons daarvoor te kleden, te gaan dineren en vervolgens te genieten."

DE VOLGENDE OCHTEND was ik al vroeg uit de veren, maar een paar kruimeltjes toast en twee lege eierdoppen vertelden me dat mijn metgezel nog eerder was opgestaan. Op tafel lag een in haast neergekrabbeld briefje.

Mijn beste Watson,
Er zijn een paar dingen die ik in verband met de heer Josiah Amberley, wil verifiëren. Daarna kunnen we de zaak verder laten rusten – of niet. Ik zou je willen vragen rond drie uur vanmiddag in Baker Street te zijn, omdat ik het mogelijk acht dat ik je nodig zal hebben.

S.H.

De hele dag kreeg ik Holmes niet te zien, maar op het eerder genoemde uur keerde hij terug, ernstig, in gedachten verzonken en afstandelijk. Op dergelijke momenten was het het verstandigst hem met rust te laten.

"Is Amberley hier al geweest?"

"Nee."

"Aha! Ik verwacht hem wel." Hij werd daarin niet teleurgesteld, want even later arriveerde de oude man met een zeer bezorgde en verbaasde uitdrukking op zijn norse gezicht.

"Ik heb een telegram ontvangen, meneer Holmes, en begrijp de betekenis ervan in het geheel niet." Hij overhandigde het en Holmes las het voor.

Kom meteen, zonder dralen. Kan u inlichtingen verstrekken over uw recentelijk geleden verlies. Elman. The Vicarage.

"Om twee uur tien vanuit Little Purlington verzonden," zei Holmes. "Little Purlington ligt in Essex, meen ik, niet ver van Frinton. Natuurlijk moet u er meteen heen gaan. Dit telegram is verstuurd door een belangrijk man, de dominee ter plaatse. Waar is mijn *Crockford Clerical Directory*? Ja, daar staat hij: J. C. Elman, M. A. Bedient de parochies van Moosmoor en Little Purlington. Watson, pak jij het spoorboekje eens even."

"Vanuit Liverpool Street vertrekt er een trein om vijf uur twintig."

"Uitstekend. Jij moet maar met hem mee gaan, Watson. Het is mogelijk dat hij hulp of advies nodig heeft. Het is duidelijk dat we in deze zaak een crisis hebben bereikt."

Onze cliënt leek echter helemaal niet graag op stap te willen gaan.

"Dit is volslagen absurd, meneer Holmes," zei hij. "Wat kan die man nu mogelijkerwijze afweten van wat er is gebeurd? Hiermee kan alleen maar tijd en geld worden verspild."

"Hij zou u geen telegram hebben gestuurd wanneer hij niet werkelijk iets weet. U moet nu meteen een telegram sturen om hem mee te delen dat u eraan komt."

"Ik denk niet dat ik er heen zal gaan."

Holmes werd meteen verschrikkelijk streng. "Het zou de slechtst mogelijke indruk maken op de politie en mijzelf, meneer

Amberley, wanneer u weigerde een dergelijke duidelijke aanwijzing na te trekken. Dan zouden we het idee krijgen dat u dit onderzoek niet ernstig neemt."

Dat idee leek de cliënt met afschuw te vervullen.

"Natuurlijk ga ik er heen wanneer u er zo over denkt," zei hij. "Zo op het eerste gezicht lijkt het absurd te veronderstellen dat die dominee iets weet, maar wanneer u denkt..."

"Dat doe ik inderdaad," zei Holmes nadrukkelijk.

En dus gingen we op reis. Voor we de kamer uitgingen, nam Holmes me nog even apart om me raad te geven, wat erop wees dat hij deze zaak belangrijk achtte.

"Zorg ervoor, wat je ook doet, dat hij er in ieder geval heen gaat," zei hij. "Wanneer hij er vandoor gaat of op zijn schreden terugkeert, moet je naar de eerste de beste telefoon stappen en het woord 'Foetsie' doorgeven. Ik zal ervoor zorgen dat die boodschap mij bereikt, waar ik me ook bevind."

Little Purlington is een plaatsje dat niet gemakkelijk bereikbaar is, want het ligt aan een zijspoor. Ik bewaar geen plezierige herinneringen aan die reis, want het was heet, de trein reed langzaam en mijn metgezel was stuurs en zwijgzaam, met uitzondering van enige sardonische opmerkingen over de zinloosheid van onze onderneming. Toen we uiteindelijk het kleine stationnetje hadden bereikt, moesten we nog eens drie kilometer rijden voor we bij de pastorie waren, waar een grote, plechtstatige, nogal pompeuze dominee ons in zijn studeerkamer ontving. Ons telegram lag voor hem.

"En heren," zei hij, "wat kan ik voor u doen?"

"We zijn gekomen," antwoordde ik, "naar aanleiding van uw telegram."

"Mijn telegram? Ik heb geen telegram verstuurd."

"Ik bedoel het telegram dat u naar de heer Josiah Amberley heeft gestuurd in verband met diens vrouw en zijn geld."

"Wanneer dit een grap is, is het een erg twijfelachtige," zei de dominee boos. "Ik heb nog nooit gehoord van de heer die u noemt en ik heb niemand een telegram gestuurd."

Onze cliënt en ik keken elkaar verbaasd aan.

"Misschien is er sprake van een vergissing," zei ik. "Zijn er hier wellicht twee pastorieën? Hier heb ik het telegram, ondertekend door Elman en met als afzender deze pastorie."

"Er is hier maar één pastorie, meneer, en dat telegram is een schandalige vervalsing. De herkomst ervan dient beslist door de politie te worden onderzocht. En verder kan ik er onmogelijk het nut van inzien dit gesprek nog langer te rekken."

En toen stonden de heer Amberley en ik weer op straat in een dorpje dat volgens mij het primitiefste was dat er in heel Engeland te vinden was. We liepen naar het telegraafkantoor, maar dat was al gesloten. In de kleine herberg, Railway Arms geheten, vonden we echter een telefoon en zo kon ik contact opnemen met Holmes, die onze verbazing over het resultaat van de reis deelde.

"Heel eigenaardig," zei de stem in de verte. "Heel opmerkelijk! Ik ben erg bang, mijn beste Watson, dat er vanavond geen trein terug meer gaat. Onbewust heb ik je overgeleverd aan een afschuwelijk verblijf in een plattelandsherberg. Maar je kunt altijd nog terugvallen op de Natuur, Watson. De Natuur en Josiah Amberley. Op beide kun je terugvallen."

Ik hoorde een droog gegrinnik toen hij de hoorn op de haak legde. Het was al spoedig duidelijk dat mijn metgezel de reputatie een vrek te zijn, verdiende. Hij had gemopperd over de kosten van de reis, had erop gestaan derdeklas te reizen en verklaarde nu met luide stem dat hij het niet eens was met de rekening die het hotel had ingediend. Toen we de volgende ochtend uiteindelijk weer in Londen terug waren, was het moeilijk uit te maken wie van ons beiden een slechter humeur had.

"U moet maar even meegaan naar Baker Street," zei ik. "Het kan zijn dat de heer Holmes u nieuwe instructies wil geven."

"Wanneer die niet beter zijn dan de laatste die hij me heeft gegeven, zijn ze waardeloos," zei Amberley met een boosaardige blik in zijn ogen. Toch hield hij me gezelschap. Ik had Holmes per telegram al meegedeeld wanneer we zouden aankomen, maar we vonden een boodschap dat hij in Lewisham zat en ons daar verwachtte. Dat was een verrassing, maar een nog grotere verrassing was het feit dat we hem in de salon van onze cliënt niet alleen aantroffen. Een streng ogende, onbeweeglijke man zat naast hem – een donkere man met grijsgetinte zonnebril en een grote vrijmetselaarsdasspeld.

"Dit is mijn vriend de heer Barker," zei Holmes. "Hij is ook in uw zaak geïnteresseerd, meneer Josiah Amberley, hoewel ik daaraan moet toevoegen dat we onafhankelijk van elkaar hebben gewerkt. Maar wij beiden hebben u dezelfde vraag te stellen."

De heer Amberley liet zich zwaar in een stoel vallen. Hij vermoedde dreigend gevaar. Dat zag ik aan zijn angstige, gespannen ogen en het zenuwachtig vertrekken van zijn gezicht.

"En hoe luidt die vraag dan wel, meneer Holmes?"

"Als volgt: wat heeft u met de lijken gedaan?"

Met een rauwe kreet sprong de man overeind. Zijn benige handen klauwden door de lucht. Zijn mond stond open en even zag hij eruit als een of ander afschuwelijk roofdier. In een flits zagen we iets van de werkelijke Josiah Amberley, een misvormde duivel met een ziel die even mismaakt was als zijn lichaam. Toen hij zich in zijn stoel terug liet vallen, bracht hij zijn hand naar zijn mond, alsof hij moest hoesten. Holmes sprong als een tijger op zijn keel af en duwde zijn gezicht tussen zijn benen. Er viel een wit tabletje op de grond.

"Deze weg zal door u niet worden afgesneden, Josiah Amberley! Alles moet fatsoenlijk en in de juiste volgorde worden afgehandeld. Barker, ben je zover?"

"Er staat een rijtuig voor de deur," zei onze zwijgzame metgezel.

"Het is niet meer dan een paar honderd meter rijden naar het bureau. We gaan er samen heen. Jij kunt hier blijven, Watson. Binnen een half uurtje ben ik weer terug." De oude man had de kracht van een leeuw in dat grote lichaam zitten, maar hij was niet opgewassen tegen de twee ervaren anderen. Hij werd naar het wachtende rijtuig gesleept, hoe hij zich ook in allerlei bochten probeerde te wringen, en ik begon aan mijn eenzame wake in het gedoemde huis. Binnen de tijd die hij had genoemd, was Holmes al weer terug, in het gezelschap van een knappe, jonge inspecteur van politie.

"Het afhandelen van de formaliteiten heb ik verder aan Barker overgelaten," zei hij. "Watson, jij hebt Barker nog niet eerder ontmoet. Op de kust van Surrey is hij mijn gehate rivaal. Toen jij het had over een lange, donkere man kostte het me geen moeite het plaatje in te kleuren. Hij heeft een aantal zaken uitstekend opgelost, nietwaar inspecteur?"

"Hij is inderdaad enige malen tussenbeide gekomen," antwoordde de inspecteur gereserveerd. "Zijn methodes zijn ongetwijfeld ongewoon, net zoals de mijne. Maar soms kan dat zin hebben, weet je. Ik denk niet dat je die boef door hem officieel mee te delen dat alles wat hij zei tegen hem gebruikt kon worden, ertoe had kunnen brengen een verklaring af te leggen die vrijwel gelijk staat aan een bekentenis."

"Misschien niet. Maar ook wij kunnen zaken oplossen, meneer Holmes. Denkt u niet dat wij ons wat dat betreft ook al een mening hadden gevormd. We hadden die man te pakken gekregen, dat staat vast. U moet het ons niet kwalijk nemen dat we niet blij zijn wanneer u tussenbeide komt met gebruikmaking van methodes waarvan wij ons niet kunnen bedienen en daarna met de eer gaat strijken."

"Ik zal niet met de eer gaan strijken, MacKinnon. Ik kan je verzekeren dat ik me van nu af aan volkomen op de achtergrond zal houden en Barker heeft alleen maar gedaan wat ik hem had opgedragen."

De inspecteur leek behoorlijk opgelucht te zijn. "Dat is heel aardig van u, meneer Holmes. Lovende of afkeurende woorden betekenen voor u wellicht niet zoveel, maar voor ons is het uiterst onplezierig wanneer de kranten vragen gaan stellen."

"Inderdaad. Maar het lijdt vrijwel geen twijfel dat er nu vragen gesteld zullen gaan worden, dus is het beter de antwoorden gereed te hebben. Wat zou je bijvoorbeeld zeggen wanneer een intelligente en ondernemende verslaggever je vraagt om welke redenen je achterdocht bent gaan koesteren en waardoor je tenslotte de waarheid kon vaststellen?"

De inspecteur keek verward.

"Volgens mij beschikken we nog niet over duidelijke feiten, meneer Holmes. U zegt dat de gevangene, in aanwezigheid van drie getuigen, zo goed als een bekentenis heeft afgelegd door een poging tot zelfmoord en dat hij zijn vrouw en haar geliefde heeft vermoord. Over welke andere feiten beschikt u?"

"Heb je een huiszoekingsbevel aangevraagd?"

"Ja."

"Dan zul je spoedig met het allerduidelijkste feit worden geconfronteerd. De lijken kunnen niet ver weg zijn. Ze moeten maar eens gaan zoeken in de kelders en de tuin. Binnen korte tijd zullen ze de meest waarschijnlijke plekken wel hebben gevonden. Dit huis is ouder dan de uitvinding van de waterleiding. Er moet ergens een put zijn die niet langer wordt gebruikt. Daar moet je maar eens gaan zoeken."

"Maar hoe bent u erachter gekomen en hoe zijn die twee mensen vermoord?"

"Ik zal je eerst laten zien hoe dat is gebeurd, en dan zal ik je de verklaring geven waar je recht op hebt, en Watson, mijn vriend die veel te lijden heeft gehad en bij deze zaak van onschatbare waarde is geweest, al minstens evenzeer. Maar eerst zou ik je graag inzicht willen geven in de mentaliteit van de man. Die man beschikt over een ongebruikelijke geest – zo ongebruikelijk dat ik denk dat zijn bestemming eerder Broadmoor dan het schavot zal zijn. Tot op zeer grote hoogte heeft hij een geest die je eerder associeert met een Italiaan uit de middeleeuwen dan met een hedendaagse Brit. De man was een afschuwelijke vrek die zijn vrouw door zijn krenterige manier van doen zo tot wanhoop heeft gedreven dat ze een willige prooi werd voor welke avonturier dan ook. En die dook op in de gedaante van de schakende jonge arts. Amberley kon uitstekend schaken – een teken, Watson, van een geslepen geest. Net als alle vrekken, was hij jaloers van aard en die jaloezie veranderde geleidelijk aan in krankzinnigheid. Terecht of ten onrechte vermoedde hij een intrige. Hij was vastbesloten wraak te nemen en trof met een duivelse sluwheid de voorbereidingen daartoe. Kom maar eens kijken, hier."

Holmes ging ons voor de gang door, zo zeker alsof hij in het huis woonde, en bleef staan voor de geopende deur van de kamer die in een kluis was veranderd.

"Bah! Wat een afschuwelijke verflucht!" riep de inspecteur uit.

"Dat was de eerste aanwijzing," zei Holmes. "Daar moet je het waarnemingsvermogen van dokter Watson dankbaar voor zijn, hoewel hij er geen conclusie uit heeft getrokken. Daardoor kwam ik op het goede spoor. Waarom zou een man in zo'n tijd zijn huis met sterke geuren willen doordrenken? Duidelijk om daarmee een andere geur te verbergen – een onaangename geur die achterdocht zou kunnen wekken. Toen hoorde ik van een kamer zoals deze – met een ijzeren deur en ijzeren luik – een kamer die hermetisch kan worden afgesloten. Wanneer je deze twee feiten combineert, wat krijg je dan? Dat kon ik alleen maar vaststellen door zelf het huis te onderzoeken. Ik was er al zeker van dat deze zaak ernstig was, want ik had bij het Haymarket Theater de plattegrond

van die avond bekeken en me er zo van vergewist dat noch B dertig, noch B tweeëndertig die avond bezet waren geweest. Dus was
Amberley niet naar dat theater gegaan en bleef er van zijn alibi
niets over. Hij heeft een ernstige fout begaan door mijn slimme
vriend in de gelegenheid te stellen het nummer op te nemen van
de plaats die hij voor zijn vrouw had gereserveerd. Toen deed zich
de vraag voor hoe ik dit huis zou kunnen onderzoeken. Ik stuurde
iemand naar het meest onmogelijke dorpje dat ik kon bedenken
en liet onze man daarheen gaan op een uur dat me ervan verzekerde dat hij diezelfde avond niet meer naar Londen zou kunnen
terugkeren. Om te voorkomen dat er iets mis zou gaan, ging dokter Watson met hem mee. De naam van die brave dominee had ik
natuurlijk uit mijn *Crockford* gehaald. Is dit alles duidelijk?"
    "Het is meesterlijk," zei de inspecteur met een stem vol ontzag.
    "Toen ik niet bang hoefde te zijn gestoord te worden, heb ik
ingebroken in dit huis. Inbreken is voor mij altijd een alternatieve
beroepsmogelijkheid geweest waarvoor ik had kunnen kiezen en
ik twijfel er nauwelijks aan dat ik een van de beste inbrekers zou
zijn geworden. Kijk eens wat ik toen heb gevonden! U ziet hier de
gasbuis langs de plint lopen. Prima. Die gaat dan daar in de hoek
omhoog en daar zit een kraantje. Die buis loopt door naar de als
kluis ingerichte kamer en eindigt in die roos van pleisterwerk daar
midden op het plafond. Het uiteinde van die buis, dat door het
ornament aan het oog wordt onttrokken, is helemaal open. Door
dat buitenkraantje open te draaien, kan die ruimte dus vol gas
komen te staan. Wanneer deur en luik hermetisch zijn gesloten en
het kraantje volledig open wordt gedraaid, denk ik dat iemand die
in dat kleine kamertje opgesloten is, niet langer dan twee minuten
bij bewustzijn kan blijven. Ik weet niet met welk een duivelse list
hij hen die ruimte heeft ingelokt, maar toen ze daar eenmaal binnen zaten, waren ze aan zijn genade overgeleverd."
    De inspecteur bekeek de buis geïnteresseerd.
    "Een van onze agenten heeft gemeld dat hij gas rook," zei hij.
"Maar toen stonden deur en raam natuurlijk weer open en was hij
al begonnen met schilderen. Volgens zijn verhaal was hij de dag
daarvoor met de verfkwast aan de slag gegaan. En verder, meneer
Holmes?"
    "Toen deed zich een incident voor dat ook voor mij nogal
onverwacht kwam. Vroeg in de ochtend glipte ik door het raam

van de voorraadkamer naar buiten en merkte dat ik meteen in mijn kraag werd gegrepen. 'Stuk geboefte, wat doe jij hier?' vroeg een stem. Toen ik mijn hoofd kon omdraaien, zag ik de gekleurde brillenglazen van mijn vriend en concurrent, de heer Barker. Het was een vreemde, toevallige ontmoeting die ons beiden deed glimlachen. Het bleek dat hij in de arm was genomen door de familie van dokter Ray Ernest en net als ik tot de conclusie was gekomen dat hier een vuil spelletje was gespeeld. Hij had het huis al enige dagen in de gaten gehouden en dokter Watson beschouwd als een van de duidelijk verdachte figuren die Amberley een bezoek brachten. Hij kon Watson natuurlijk niet arresteren, maar toen hij een man uit het raam van de voorraadkamer zag klimmen, kon hij zich niet meer inhouden. Natuurlijk heb ik hem toen verteld hoe de zaken ervoor stonden en hebben we toen verder samengewerkt."

"Waarom met hem en niet met ons?"

"Omdat ik van plan was die kleine test uit te voeren waarmee ik zo'n bewonderenswaardig succes heb geboekt. Ik ben bang dat jullie niet zover gegaan zouden zijn."

De inspecteur glimlachte. "Misschien niet, inderdaad. Ik heb begrepen, meneer Holmes, dat u bereid bent me uw woord te geven dat u zich vanaf dit moment terugtrekt en al uw bevindingen aan ons overdraagt."

"Zeker. Dat is immers mijn gewoonte."

"Dan dank ik u, namens de politie, hartelijk. Zoals u alles heeft verteld, lijkt me de zaak duidelijk en het zal inderdaad niet veel moeite kosten om de lijken te vinden."

"Ik zal je nog een grimmig stukje bewijsmateriaal laten zien," zei Holmes, "en ik ben er zeker van dat Amberley dat niet heeft waargenomen. Je behaalt de beste resultaten, inspecteur, door jezelf te verplaatsen in de ander en dan te bedenken wat jij in zo'n geval zou doen. Daar heb je een beetje verbeeldingskracht voor nodig, maar het loont de moeite. Laten we nu eens veronderstellen dat je in deze kleine kamer opgesloten zit, nog slechts twee minuten te leven hebt, maar de boef die je waarschijnlijk aan de andere kant van de deur staat uit te lachen, diens misdaad betaald wilt zetten. Wat zou je dan doen?"

"Een boodschap achterlaten."

"Inderdaad. Je zou willen laten weten hoe je om het leven bent gekomen. Zinloos om iets op papier te zetten, want zo'n briefje zou worden gevonden. Wanneer je iets op de muur schreef, zou dat eveneens kunnen worden ontdekt. Maar kijk nu eens hiernaar. Net boven de plint staat met inktpotlood *We we* geschreven. Meer niet."

"Wat betekent dat volgens u?"

"Het zit maar dertig centimeter van de grond af. De arme stakker lag op de grond en was stervende toen dit werd geschreven. Hij is bewusteloos geraakt voor hij nog meer kon opschrijven."

"Hij was van plan *We werden vermoord* te schrijven!"

"Inderdaad. Wanneer je bij het lijk een inktpotlood aantreft…"

"We zullen er naar zoeken, daar kunt u op rekenen. Maar die waardepapieren? Het is duidelijk dat er helemaal geen sprake van roof is. Maar hij bezat die papieren wel degelijk. We zijn dat nagegaan."

"Je kunt er zeker van zijn dat hij die op een veilige plaats verborgen heeft. Wanneer deze geschiedenis definitief tot het verleden behoort, zou hij ze ongetwijfeld zogenaamd hebben gevonden, met als verklaring dat het schuldige tweetal berouw had gekregen en hun buit had geretourneerd."

"U lijkt inderdaad voor iedere lastige vraag een antwoord te hebben," zei de inspecteur. "Natuurlijk moest hij ons erbij halen, maar ik kan niet begrijpen waarom hij naar u toe is gegaan."

"Niets anders dan bluf!" antwoordde Holmes. "Hij vond zichzelf zo slim en was zo zeker van zijn zaak dat hij zich inbeeldde dat niemand hem te pakken kon krijgen. Tegen een buurman die misschien enige verdenking ging koesteren kon hij dan zeggen:'Kijk eens naar alle stappen die ik heb ondernomen. Ik heb niet alleen de politie erbij gehaald, maar zelfs Sherlock Holmes.'"

De inspecteur lachte. "We zullen u dat 'zelfs' maar vergeven, meneer Holmes," zei hij. "U heeft deze zaak uiterst vakbekwaam afgehandeld."

EEN PAAR DAGEN later gooide mijn vriend me een exemplaar toe van de *North Surrey Observer*, een blad dat eens in de veertien dagen verschijnt. Onder een reeks koppen, beginnend met *De gruwel van The Haven* en eindigend met *Briljant politiewerk* stond een kolom waarin voor het eerst in chronologische volgorde een opsomming van de feiten werd gegeven. De laatste alinea is typerend voor het hele artikel en luidde aldus:

De opmerkelijke scherpzinnigheid waarmee inspecteur MacKinnon uit de lucht van verf heeft afgeleid dat er een andere lucht, die van gas bijvoorbeeld, verborgen moest worden; de stoutmoedige deductie dat de als kluis ingerichte kamer tevens de kamer kon zijn waarin de slachtoffers overleden; en het daarop volgende onderzoek dat leidde tot het vinden van de lijken in een put die niet langer werd gebruikt en slim aan het oog werd onttrokken door een hondenhok, moeten de geschiedenis van de misdaad ingaan als een blijvend voorbeeld dat aantoont hoe groot de intelligentie is van die mensen die politieman van beroep zijn.

"Tja, MacKinnon is een goeie vent," zei Holmes met een verdraagzaam lachje. "Stop dat artikel maar in onze archieven, Watson. Misschien dat op een dag het ware verhaal kan worden verteld."

Het avontuur van Charles Augustus Milverton

HET IS AL JAREN geleden dat de voorvallen waarover ik het nu wil hebben plaatsvonden, maar toch kost het me moeite eraan te refereren. Lange tijd zou het onmogelijk zijn geweest de feiten in de openbaarheid te brengen, hoe terughoudend en discreet dat ook was geschied. Maar nu de man die er de belangrijkste rol in heeft gespeeld, niet langer meer grijpbaar is voor de menselijke wetgeving, kan ik, wanneer ik voldoende achterhoud, het verhaal zodanig vertellen dat niemand er schade van kan ondervinden. Dit verhaal betreft een volstrekt unieke ervaring in de carrière van Sherlock Holmes en die van mijzelf. De lezer zal het me hopelijk niet kwalijk nemen wanneer ik het tijdstip niet noem en sommige feiten verborgen houd waardoor hij de daadwerkelijke gebeurtenis zou kunnen achterhalen.

Holmes en ik hadden een avondwandelingetje gemaakt en waren rond zes uur naar Baker Street teruggekeerd. Het was een koude winteravond en het vroor. Toen Holmes de lamp hoger draaide, viel het licht op een visitekaartje dat op tafel lag. Hij keek daarnaar en smeet het vervolgens op de grond met een uitroep van walging. Ik pakte het op en las het volgende:

Charles Augustus Milverton
Appledore Towers
Hampstead
Agent

"Wie is dat?" vroeg ik.
"De slechtste man die er in heel Londen te vinden is," ant-

woordde Holmes, terwijl hij ging zitten en zijn lange benen uit-strekte in de richting van het haardvuur. "Staat er nog iets achter op het kaartje?" Ik draaide het om.

"*Zal om 6 uur 30 langskomen – C.A.M.,*" las ik voor.

"Hmm. Dan kan hij dus ieder moment arriveren. Watson, ken jij dat kriebelige gevoel dat je in een dierentuin krijgt wanneer je voor de slangen staat en naar die venijnige dieren met hun dode-lijke ogen en verdorven, platte koppen kijkt? Precies zo'n indruk maakt die Milverton op mij. Ik ben tijdens mijn carrière met vijf-tig moordenaars in aanraking gekomen, maar de ergste onder hen heeft me nooit vervuld met de afschuw die ik voor deze man voel. En toch ontkom ik er niet aan zaken met hem te doen. Hij is op mijn uitnodiging hierheen gekomen."

"Maar wat voor man is het dan?"

"Dat zal ik je vertellen, Watson. Hij is de koning onder de afper-sers. De hemel sta de man – en nog meer de vrouw – bij die een geheim heeft en wiens of wier reputatie door Milverton kan wor-den gebroken. Met een glimlachend gezicht en een hart van steen knijpt hij dergelijke mensen net zolang uit tot er helemaal niets meer te halen valt. De man is op zijn manier een genie en zou, wanneer hij een beter beroep had gekozen, beslist naam hebben gemaakt. Hij gaat als volgt te werk: hij zorgt ervoor dat het bekend wordt dat hij bereid is zeer hoge bedragen op tafel te leggen voor brieven die compromitterend zijn voor rijke mensen die een goede positie bekleden. Hij ontvangt zijn handelswaar niet alleen van ontrouwe mannelijke of vrouwelijke bedienden, maar vaak ook van beschaafde schurken die zich het vertrouwen en de genegen-heid hebben verworven van goedgelovige vrouwen. Hij is absoluut niet krenterig. Ik weet toevallig dat hij zevenhonderd pond heeft gegeven aan een livreiknecht voor een briefje van niet meer dan twee regels en dat het gevolg daarvan was dat een adellijke familie werd geruïneerd. Alles wat die markt te bieden heeft, gaat naar Mil-verton en er lopen in deze stad honderden mensen rond die bleek worden bij het horen van zijn naam. Niemand weet wie hij te grazen zal gaan nemen, want hij is veel te sluw en te rijk om meteen in de aanval te gaan. Hij is in staat een troef jaren achter de hand te houden om ermee voor den dag te komen op het moment dat hij er het meeste uit kan halen. Ik heb gezegd dat hij de meest verdor-ven man is die er in Londen is te vinden en ik zou je willen vragen hoe je de schurk die in een vlaag van woede zijn makker een aframmeling geeft, zou kunnen vergelijken met deze man, die methodisch en op zijn dooie gemak de ziel foltert en het zenuwgestel vernietigt om zijn al aanzienlijke fortuin nog verder te vergroten."

Ik had mijn vriend maar zelden zo geëmotioneerd horen spreken.

"Maar dan moet die man toch zeker opgepakt kunnen worden?" zei ik.

"Technisch gesproken ongetwijfeld wel, praktisch niet. Wat zou een vrouw er bijvoorbeeld aan hebben om hem een paar maanden in de gevangenis te doen belanden wanneer ze weet dat daarop meteen haar eigen ondergang zal volgen? Wanneer hij ooit een onschuldig persoon had afgeperst, hadden we hem inderdaad kunnen laten arresteren, maar hij is even geslepen als de duivel. Nee, nee, we moeten andere manieren bedenken om tegen hem ten strijde te trekken."

"En waarom is hij hier?"

"Omdat een beroemde cliënte haar meelijwekkende kwestie ter afwikkeling aan mij heeft gegeven. Het gaat om Eva Blackwell, de mooiste debutante van het afgelopen seizoen. Over veertien dagen gaat zij trouwen met de graaf van Dovercourt. Die schoft heeft een aantal brieven van haar waarin ze onvoorzichtig is geweest. Onvoorzichtig, Watson, niet meer dan dat. Brieven die ze heeft geschreven aan een jonge landjonker die krap bij kas zat. Maar die brieven zijn wel voldoende om het huwelijk geen doorgang te laten vinden. Milverton heeft gezegd de brieven naar de graaf te sturen wanneer hem niet een grote som geld wordt uitbetaald. Ik heb opdracht gekregen hem te ontvangen en zo gunstig mogelijke voorwaarden te bedingen."

Op dat moment hoorden we beneden op straat geratel en geklak. Ik keek naar buiten en zag een fraai rijtuig, getrokken door twee paarden. De felle lantaarns beschenen de glanzende flanken van de kastanjebruine dieren. Het portier werd geopend en toen verscheen een kleine, gezette man in een ruigharige astrakanjas. Een minuut later stond hij in de kamer. Charles Augustus Milverton was een man van een jaar of vijftig. Hij had een groot, intelligent hoofd, een rond, dik, onbehaard gezicht, een glimlach die om zijn lippen vastgekleefd leek te zijn en twee felle grijze ogen achter een brede, goudomrande bril. Zijn uiterlijk had iets van de welwillendheid van Mr. Pickwick, maar aan die indruk werd afbreuk gedaan door de onoprechtheid van die glimlach en de harde glans van die rusteloze, doordringende ogen. Zijn stem was even glad en vriendelijk als zijn gezicht. Met een uitgestoken, dikke kleine hand liep hij op Holmes af, een woord van spijt mompelend over het feit dat hij ons de eerste keer niet thuis had getroffen. Holmes negeerde de uitgestoken hand en keek hem aan met een ijskoude blik en een onbeweeglijk gezicht. Milvertons glimlach verbreedde zich, hij haalde zijn schouders op, trok zijn jas uit, legde die zeer zorgvuldig over de rugleuning van een stoel en ging toen zitten.

"Deze heer?" zei hij met een handgebaar mijn kant op. "Is hij discreet? Kan hij erbij zijn?"

"Dokter Watson is mijn vriend en compagnon."

"Uitstekend, meneer Holmes. Ik stelde die vragen uitsluitend omwille van de belangen van uw cliënte. De kwestie is zo delicaat…"

"Dokter Watson is er al van op de hoogte."

"Dan kunnen we meteen ter zake komen. U zegt dat u als tussenpersoon optreedt voor Lady Eva. Heeft ze u gemachtigd met mijn voorwaarden akkoord te gaan?"

"Wat zijn uw voorwaarden?"

"Zevenduizend pond."

"En het alternatief?"

"Mijn beste man, het is pijnlijk voor me om daarover te spreken. Maar wanneer ik dat bedrag niet op de 14de heb ontvangen, zal er op de 18de beslist geen huwelijk worden voltrokken."

De onverdraaglijke glimlach van de man was zelfvoldaner dan ooit.

Holmes dacht even na.

"Ik heb de indruk," zei hij uiteindelijk, "dat u er te gemakkelijk van uitgaat dat deze kwestie is geregeld. Ik ben natuurlijk op de hoogte van de inhoud van die brieven. Mijn cliënte zal zonder enige twijfel mijn raad in dezen opvolgen. Ik zal haar aanraden haar aanstaande echtgenoot alles te vertellen en te rekenen op zijn vergevensgezindheid."

Milverton grinnikte.

"Het is duidelijk dat u de graaf niet kent," zei hij.

Uit de tartende uitdrukking op Holmes' gezicht kon ik opmaken dat hij hem inderdaad niet kende.

"Hoe schadelijk zouden die brieven dan wel kunnen zijn?" vroeg hij.

"Ze zijn heel erg dartel, erg dartel," antwoordde Milverton. "De dame kon charmante brieven schrijven. Maar ik kan u verzekeren dat de graaf van Dovercourt er geen waardering voor zal kunnen opbrengen. Maar gezien het feit dat u daar anders over denkt, zullen we daar verder maar niet over discussiëren. Het is een zuiver zakelijke aangelegenheid. Wanneer u denkt dat de belangen van uw cliënte het beste worden gediend wanneer die brieven in het bezit komen van de graaf, zou het inderdaad dwaasheid zijn zoveel geld op tafel te leggen om ze terug te krijgen."

Hij stond op en pakte zijn astrakanjas. Holmes zag grijs van woede en ergernis.

"Wacht nog eens even," zei hij. "U loopt te snel van stapel. We moeten beslist alles in het werk stellen om te proberen een schandaal te voorkomen."

Milverton ging weer zitten.

"Ik was er zeker van dat u deze delicate aangelegenheid in dat licht zou bezien," zei hij snorrend. "Maar tegelijkertijd," zei Holmes, "moeten we constateren dat Lady Eva geen rijke vrouw is. Ik kan u verzekeren dat tweeduizend pond al een bedrag is dat eigenlijk te hoog voor haar is. Het bedrag dat u heeft genoemd, zal ze nooit op tafel kunnen leggen. Ik smeek u daarom uw eisen te laten zakken en de brieven terug te geven voor het zojuist door mij genoemde bedrag dat, zo kan ik u verzekeren, het hoogste is dat u van haar kunt loskrijgen."

Milvertons glimlach verbreedde zich en in zijn ogen dansten pretlichtjes.

"Ik weet dat u ten aanzien van haar financiële positie de waarheid heeft gesproken," zei hij. "Maar tegelijkertijd zult u moeten toegeven dat een huwelijk vrienden en verwanten een uitstekende gelegenheid biedt om een dame te hulp te komen. Misschien weten ze nog niet wat een passend huwelijksgeschenk zou kunnen zijn. Ik kan die mensen dan verzekeren dat dit kleine stapeltje brieven haar meer vreugde zal geven dan alle kroonluchters en boterschaaltjes die er in Londen te koop zijn."

"Het is onmogelijk," zei Holmes.

"Mijn hemel, mijn hemel, wat vervelend!" riep Milverton uit en haalde een dik aantekenboekje te voorschijn. "Ik vind dat dames er

onverstandig aan doen om niet op alle mogelijke manieren te proberen aan mijn eisen tegemoet te komen. Kijkt u hier eens naar!"

Hij stak een klein briefje in de lucht met een wapen op de
enveloppe.

"Die is van... tja, ik denk dat ik die naam morgenochtend pas
moet openbaren. Maar op dat moment is die brief wel in het bezit
van de echtgenoot van de dame. En dat komt alleen maar omdat ze
niet bereid is het kleine bedrag op tafel te leggen dat ze bijeen zou
kunnen brengen door haar diamanten te verkopen na er duplicaten
van te hebben laten maken. Verschrikkelijk jammer! U zult zich
ook nog wel de plotselinge beëindiging herinneren van de verloving tussen de hoogwelgeboren mejuffrouw Miles en kolonel
Dorking? Slechts twee dagen voor het huwelijk stond er in de *Morning Post* een aankondiging dat het geen doorgang zou vinden. En
waarom? Het is bijna niet te geloven, maar het absurde bedrag van
twaalfhonderd pond zou de hele kwestie hebben kunnen regelen.
Is het niet onverstandig? En nu zit ik met u, een man met een goed
verstand, over geld te praten terwijl de toekomst en de eer van uw
cliënte op het spel staan. Dat verbaast me van u, meneer Holmes."

"Ik heb de waarheid gesproken," zei Holmes. "Ze kan dat
bedrag niet bij elkaar krijgen. Het zou wat u betreft toch zeker
verstandiger zijn het door mij genoemde bedrag op te strijken dan
de carrière van die vrouw te ruïneren, iets waar u op geen enkele
manier uw voordeel mee zou kunnen doen?"

"Wat dat betreft heeft u het mis, meneer Holmes. Wanneer zij in
het openbaar aan de kaak wordt gesteld, zou ik daar indirect veel
baat bij hebben. Ik heb nog zo'n acht of tien soortgelijke zaken in
portefeuille. Wanneer het de betrokkenen bekend wordt dat ik
Lady Eva als voorbeeld heb gesteld, zullen zij ongetwijfeld eerder
op mijn redelijke eisen ingaan. Begrijpt u wat ik bedoel?" Holmes
sprong overeind uit zijn stoel.

"Watson, ga achter hem staan. Laat hem de deur niet uitgaan! En
nu, meneer, wil ik wel eens even kijken wat er allemaal in dat aantekenboekje van u zit."

Milverton was snel als een rat door de kamer geslopen en stond
nu met zijn rug tegen de muur. "Meneer Holmes, meneer
Holmes," zei hij en draaide zijn jas open om ons een grote revolver
te laten zien, die in zijn binnenzak zat.

"Ik had verwacht dat u iets origineels zou doen. Met een derge-

lijke situatie ben ik al zo vaak geconfronteerd en heeft dat ooit iets gunstigs opgeleverd? Ik kan u verzekeren dat ik tot de tanden toe gewapend ben en dat ik volstrekt bereid ben van die wapens gebruik te maken, wetend dat ik daarbij door de wet zal worden gesteund. Bovendien is uw veronderstelling dat ik die brieven heb meegenomen, volslagen foutief. Zoiets doms zou ik nooit doen. En nu, mijne heren, moet ik weg, want ik moet vanavond nog een paar kleine gesprekjes voeren en de terugreis naar Hampstead neemt veel tijd in beslag."

Hij deed een stap naar voren, pakte zijn jas, legde zijn hand op zijn revolver en liep naar de deur. Ik pakte een stoel, maar Holmes schudde zijn hoofd en ik zette hem weer neer. Met een buiging, een glimlach en een knipoog verliet Milverton de kamer en even later hoorden we hem het portier van het rijtuig hard dichtslaan. Daarop reed het rijtuig ratelend weg.

Holmes zat bewegingloos naast het haardvuur met zijn handen diep in zijn broekzakken, zijn kin op zijn borst en zijn blik strak gericht op de gloeiende kooltjes. Een halfuur lang zweeg hij en zat hij stil. Toen sprong hij overeind, als een man die een beslissing heeft genomen, en liep zijn slaapkamer in. Even later stak een schooierige jonge werkman met een geitensikje en een zwierige manier van lopen, een pijp op alvorens de straat op te gaan.

"Je ziet me wel weer, Watson," zei hij en verdween de duisternis in. Ik begreep daaruit dat er een begin was gemaakt met de veldtocht tegen Charles Augustus Milverton, maar had er geen idee van wat een vreemde vorm die veldtocht zou krijgen.

Enige dagen lang kwam en ging Holmes voortdurend in die vermomming. Maar afgezien van een opmerking dat hij zijn tijd doorbracht in Hampstead en dat dat resultaten opleverde, wist ik in het geheel niet waarmee bij bezig was. Maar uiteindelijk, op een stormachtige avond toen de wind gierend tegen de ramen blies en die in hun sponningen deed trillen, ontdeed hij zich van zijn vermomming, ging voor het haardvuur zitten en lachte uitbundig op zijn geluidloze, naar binnen gekeerde manier.

"Watson, ik neem aan dat jij me niet rekent tot het type man dat op een huwelijk uit is?"

"Absoluut niet!"

"Dan zal het je interesseren te horen dat ik verloofd ben."

"Mijn beste kerel! Laat me je feli…"

"Met het dienstmeisje van Milverton."

"Mijn hemel, Holmes!"

"Ik wilde inlichtingen hebben, Watson."

"Naar mijn idee ben je dan toch te ver gegaan."

"Het was absoluut noodzakelijk dit te doen. Ik ben een loodgieter met een zaak die zich steeds verder aan het uitbreiden is. Ik ben iedere avond met haar uit geweest en heb met haar gepraat. Mijn hemel, wat een gesprekken hebben we gevoerd! Maar in ieder geval heb ik nu de beschikking over alle informatie die ik wilde hebben. Ik ken het huis van Milverton even goed als de palm van mijn eigen hand."

"Maar het meisje, Holmes?"

Hij haalde zijn schouders op. "Sommige dingen moeten gewoon, Watson. Je moet je kaarten zo goed mogelijk gebruiken wanneer er dergelijke belangen op het spel staan. Ik kan je echter tot mijn grote vreugde meedelen dat ik een rivaal heb, die me ongetwijfeld op het moment dat ik wegga, zal aftroeven. Wat is dit een schitterende avond."

"Ben je gesteld op dit weertype?"

"Het past goed in mijn straatje, Watson. Ik ben namelijk van plan vannacht bij Milverton in te breken."

Ik hield even mijn adem in en mijn huid werd ijskoud toen hij dat zei, langzaam, geconcentreerd en vastberaden. Wanneer het 's nachts onweert, verlicht een bliksemflits even ieder detail van een woest landschap. In net zo'n flits leek ik alle mogelijke gevolgen van een dergelijke handelwijze te zien – het betrappen, gevangen nemen, het einde van een grote carrière, mijn vriend overgeleverd aan de genade van die afstotelijke Milverton.

"Holmes, denk er in 's hemelsnaam eerst nog eens goed over na!" riep ik uit.

"Mijn beste kerel, ik heb er al heel uitgebreid over nagedacht. Ik doe nooit iets overhaast en ik zou een dergelijk ingrijpend en inderdaad ook gevaarlijk plan niet hebben overwogen wanneer er alternatieven waren geweest. Laten we de kwestie duidelijk en open bespreken. Ik veronderstel dat je zult toegeven dat een dergelijke handelwijze moreel te rechtvaardigen is, hoewel hij in technisch opzicht crimineel is. Het inbreken in zijn huis heeft ten doel zijn aantekenboekje te verkrijgen en bij een poging in die richting heb je me al eerder geholpen."

Daar dacht ik even over na.

"Ja," zei ik. "Het is moreel verantwoord zolang je geen andere dingen wilt meenemen dan die welke voor een doel worden gebruikt dat wettelijk strafbaar is."

"Inderdaad. En gezien het feit dat die inbraak dus moreel gerechtvaardigd is, hoef ik alleen maar verder na te denken over de persoonlijke risico's die ermee gepaard gaan. Maar daar mag een heer niet al te veel aandacht aan besteden wanneer een dame zijn hulp zo verschrikkelijk hard nodig heeft."

"Je positie kan er heel moeilijk door worden."

"Tja, dat risico hoort erbij. Er is geen enkele andere mogelijkheid om die brieven terug te krijgen. De dame beschikt niet over het gevraagde geld en verder heeft ze niemand die ze in vertrouwen kan nemen. Morgen is de laatste dag waarop Milverton kan worden betaald en wanneer we die brieven vannacht niet kunnen bemachtigen, zal die schurk zich zeker aan zijn woord houden en haar ondergang bewerkstelligen. Dus zijn er maar twee mogelijkheden: ik laat mijn cliënte aan haar lot over of ik speel deze laatste kaart uit. Watson, tussen ons gezegd en gezwegen is het een duel tussen die Milverton en mij. Zoals je hebt gezien is hij tot dusverre aan de winnende hand geweest, maar mijn zelfrespect en mijn reputatie dwingen me ertoe dit gevecht af te maken."

"Het staat me niet aan, maar ik veronderstel dat het niet anders kan," zei ik. "Wanneer gaan we erheen?"

"Jij gaat niet mee."

"Dan ga jij er ook niet heen," zei ik. "Ik geef je mijn erewoord – en dat heb ik nog nooit van mijn levensdagen niet gestand gedaan – dat ik met een rijtuig regelrecht naar het politiebureau zal gaan om je plan te verraden wanneer je het me niet toestaat dit avontuur met je te delen."

"Je kunt me niet helpen."

"Hoe weet je dat? Je weet nooit wat er kan gebeuren. In ieder geval staat mijn besluit vast. Er zijn behalve jou nog andere mensen die zelfrespect hebben."

Holmes had geërgerd zitten kijken, maar even later verdwenen de fronsen en gaf hij me een schouderklopje.

"Tja, mijn beste kerel, dan moet het maar. We hebben deze kamer enige jaren gedeeld en het zou amusant zijn wanneer we uiteindelijk samen een cel zouden delen. Watson, ik vind het niet erg je te bekennen dat ik altijd het idee heb gehad dat ik een uiterst efficiënt opererende schurk had kunnen worden. En nu wordt me in die richting een prachtkans geboden. Kijk eens!" Hij haalde een fraai leren etui uit een lade, maakte die open en liet me een aantal glanzende instrumenten zien. "Dit is een eersteklas uitrusting voor een inbreker, met een breekijzer met nikkel en een glassnijder met een diamanten punt, verschillende sleutels en alle foefjes die in de loop der tijden tot ontwikkeling zijn gebracht. En zoals je ziet heb ik de dievenlantaarn ook al bij de hand. Alles is in orde. Heb je een paar schoenen die je in staat stellen geruisloos te lopen?"

"Tennisschoenen met rubberzolen."

"Uitstekend. En een masker?"

"Kan ik maken van zwarte zijde."

"Ik zie dat je een sterk, aangeboren gevoel hebt voor dergelijke zaken. Uitstekend. Maak jij die maskers dan maar. Voor we op weg gaan, zullen we nog even een hapje eten. Het is nu halftien. Om elf uur laten we ons naar Church Row rijden. Appledore Towers ligt daar een kwartiertje lopen vandaan. Voor middernacht kunnen we dan aan de slag. Milverton slaapt diep en gaat altijd precies om halfelf naar bed. Wanneer we een beetje geluk hebben, zullen we hier om twee uur weer terug zijn, met de brieven van Lady Eva in mijn zak."

Holmes en ik trokken avondkleding aan, zodat we konden doorgaan voor twee heren die na een theaterbezoek naar huis terugkeerden. In Oxford Street namen we een rijtuig en lieten ons naar een adres in Hampstead rijden. Daar betaalden we de koetsier, knoopten onze jassen dicht omdat het bitter koud was en de wind dwars door ons heen leek te blazen en liepen langs de rand van de heide.

"Deze zaak moet behoedzaam worden geregeld," zei Holmes. "De documenten zitten in een brandkast in de studeerkamer van die man en aan die studeerkamer grenst zijn slaapkamer. Maar net als al die gezette, kleine mannetjes die het voor de wind gaat, slaapt hij altijd als een os. Agatha – dat is mijn verloofde – zegt dat de bedienden altijd grapjes maken over het feit dat het onmogelijk is die man te wekken. Hij heeft een secretaris die zijn belangen volledig is toegewijd en de hele dag in de studeerkamer zit. Daarom gaan we er nu heen. Verder heeft hij nog een grote hond die door de tuin zwerft. De afgelopen twee avonden heb ik Agatha 's avonds laat nog ontmoet en toen heeft ze dat beest opgesloten om mij de kans te geven me uit de voeten te maken. Daar heb je het huis. Dat grote, vrijstaande geval. Ziezo, we zijn het hek door en moeten nu naar rechts, achter die laurierstruiken om. Ik denk dat we nu maar beter onze maskers kunnen voordoen. Je ziet dat het achter alle ramen volkomen donker is. Tot dusverre verloopt alles schitterend."

Met onze zwartzijden maskers voor, waardoor we veranderden in twee uiterst woeste figuren, slopen we op het stille, sombere huis af. Aan één zijde ervan liep een soort betegelde veranda waarop verscheidene ramen en twee deuren uitkwamen. "Dat is zijn slaapkamer," fluisterde Holmes. "Die deur hoort bij de studeerkamer. Die zou in feite het handigste voor ons zijn, maar hij wordt niet alleen afgesloten maar ook vergrendeld en dus zouden wij bij het openen ervan te veel lawaai moeten maken. Kom nu maar eens mee. Hier is een kas die grenst aan de salon."

De kas was afgesloten, maar Holmes sneed er een cirkeltje glas uit en stak zijn hand daar toen doorheen om de sleutel aan de binnenkant om te draaien. Even later had hij de deur achter ons al weer gesloten en waren we in de ogen van de wet overtreders geworden. De zware, warme lucht die in de kas hing en de weelderige, verstikkende geuren van exotische planten benamen ons bijna de adem. Holmes greep in het donker mijn hand vast en nam me snel mee langs rijen struiken die langs onze gezichten streken. Holmes kon in het donker opmerkelijk goed zien. Hij hield nog steeds een hand van me vast en maakte een deur open. Ik was me er vaag van bewust dat we een grote kamer waren binnengegaan waarin kort daarvoor nog een sigaar was gerookt. Op de tast liep hij verder tussen de meubels door, maakte een andere deur open en deed die achter ons weer dicht. Ik stak een hand uit en voelde een aantal jassen. En daaruit maakte ik op dat we ons op een gang bevonden. Die liepen we door en toen maakte Holmes heel zachtjes een deur aan de rechterkant open. Iets vloog op ons af en ik was even doodsbang, maar toen ik zag dat het de kat was, had ik hardop kunnen lachen. In deze kamer brandde een haardvuur en weer hing er een duidelijke geur van zware tabak. Holmes liep op zijn tenen naar binnen, wachtte tot ik achter hem aan was gekomen en deed toen heel zachtjes de deur weer dicht.

We bevonden ons in de studeerkamer van Milverton en een deur aan de andere kant maakte me duidelijk waar zijn slaapkamer was. Het haardvuur brandde zo fel dat de kamer erdoor werd verlicht. Vlakbij de deur zag ik een elektriciteitsschakelaar glanzen, maar zelfs wanneer we zonder gevaar de lamp hadden kunnen aandoen, zou dat nog niet nodig zijn geweest. Aan één kant van de haard hing een zwaar gordijn voor de erker die we buiten hadden gezien. Midden in de kamer stond een bureau met een draaistoel erbij van glanzend rood leer. Daartegenover zag ik een grote boekenkast met daarbovenop een marmeren buste van Athene. In de hoek tussen de boekenkast en de muur stond een grote, groene brandkast waarvan de gepoetste koperen knoppen het licht van het haardvuur weerkaatsten. Holmes liep er geruisloos op af om het ding even te bekijken. Toen sloop hij naar de deur van de slaapkamer en stond daar met scheefgehouden hoofd aandachtig te luisteren. Geen enkel geluid te horen. In die tussentijd was de gedachte bij me opgekomen dat het verstandig zou zijn ervoor te zorgen dat we ons via de deur naar de veranda weer uit de voeten konden maken en dus liep ik daarop af om die te bekijken. Tot mijn grote verbazing was die noch op slot noch vergrendeld. Ik tikte even Holmes' arm aan en hij draaide zijn gemaskerde gezicht die kant op. Ik zag hem schrikken. Het verbaasde hem kennelijk evenzeer als mij.

"Dat staat me niet aan," fluisterde hij met zijn lippen tegen mijn oor. "Ik begrijp het niet helemaal. Maar in ieder geval mogen we nu geen moment meer verliezen."

"Kan ik iets doen?"

"Ja, bij de deur gaan staan. Wanneer je iemand aan hoort komen, moet je die aan de binnenkant vergrendelen en kunnen we dit huis weer langs dezelfde weg verlaten als we het hebben betreden. Wanneer ze vanaf de andere kant aankomen, kunnen we door die deur naar buiten gaan wanneer ons werk is geklaard. Zo niet, dan verbergen we ons achter deze gordijnen. Heb je dat begrepen?"

Ik knikte en ging bij de deur staan. Mijn angst was weer verdwenen en ik was nu enthousiaster dan ik ooit was geweest toen we als wetshandhavers en niet als wetsovertreders opereerden. Het verheven doel van onze missie, het besef dat die niet zelfzuchtig maar ridderlijk was, het schurkachtige karakter van onze tegenstander... alles droeg ertoe bij dat dit avontuur interessant en spannend werd. Ik voelde me in het geheel niet schuldig en genoot van de gevaren waaraan we ons hadden blootgesteld.Vol bewondering keek ik toe hoe Holmes zijn etui openvouwde en een instrument uitzocht met de rustige, wetenschappelijke accuratesse van een chirurg die aan een delicate operatie moet beginnen. Ik wist dat het openmaken van brandkasten een speciale hobby van hem was en ik begreep dat het hem veel genoegen moest doen met dit groengouden monster te worden geconfronteerd – de draak die de reputatie van vele aantrekkelijke vrouwen in zijn muil bewaarde. Holmes stroopte de manchetten van zijn avondkostuum op – hij had zijn jas op een stoel neergelegd – en legde twee boren, een breekijzer en een aantal lopers klaar. Ik stond bij de middelste deur en hield de andere deuren nauwlettend in de gaten, op ieder noodgeval voorbereid, hoewel ik moet toegeven dat ik niet meer dan vage plannen had ten aanzien van wat ik moest ondernemen wanneer we bij onze werkzaamheden werden gestoord. Een half-uur lang werkte Holmes snel en geconcentreerd. Hij legde het ene instrument neer, pakte het andere op en hanteerde dat instrumentarium krachtig en delicaat, zoals het een getrainde mecanicien betaamt. Uiteindelijk hoorde ik een klik en zwaaide de brede, groene deur open. In de brandkast zag ik een aantal pakjes papieren, samengebonden, verzegeld en van een opschrift voorzien. Holmes haalde er een zo'n pakje uit, maar bij het licht van het flikkerende haardvuur liet het opschrift zich niet makkelijk lezen. Dus haalde hij zijn kleine lantaarn te voorschijn omdat het met Milverton in de aangrenzende kamer te gevaarlijk was het elektrisch licht aan te doen. Plotseling zag ik hem verstijven en aandachtig luisteren. Toen had hij binnen een seconde de deur van de brandkast weer dicht gedaan, zijn jas gepakt, zijn gereedschap in zijn zakken gestopt en zich achter de gordijnen verborgen, waarbij hij mij gebaarde hetzelfde te doen. Pas toen ik naast hem achter dat gordijn stond, hoorde ik datgene waarop zijn gespitste zintuigen al eerder hadden gereageerd. Ergens in huis hoorde ik een geluid. In de verte werd een deur dichtgeslagen. Toen hoorde ik een verward, dof gemompel dat zich vermengde met het geluid van zware voetstappen die snel dichterbij kwamen. Ik hoorde die geluiden op de gang. Toen hielden ze voor de deur op. De deur ging open. Ik hoorde een scherpe klik toen het licht werd aangedaan. De deur werd weer gesloten en ik rook de doordringende stank van een zware sigaar. Daarna hoorde ik de voetstappen weer, heen en weer, heen en weer, niet meer dan een paar meter van ons vandaan. Toen hoorde ik een stoel kraken en hielden de voetstappen op. Daarna werd er een sleutel in een slot gestoken, gevolgd door het ritselen van papier.

Tot dat moment had ik niet durven kijken, maar nu trok ik de gordijnen een klein stukje uit elkaar en keek de kamer in. Ik voelde de schouders van Holmes tegen de mijne drukken en wist daardoor dat hij eveneens de kamer inkeek. Recht voor ons, vrijwel binnen handbereik, was de brede, ronde rug van Milverton. Het was duidelijk dat we totaal niet op de hoogte waren geweest van zijn doen en laten en dat hij helemaal niet in zijn slaapkamer was geweest, maar ergens in de andere vleugel van het huis, waarvan we de ramen niet gezien hadden, had gezeten. In een rookkamer misschien, of een biljartkamer. Zijn brede, grijze kop die al een beetje kaal begon te worden, konden we duidelijk zien. Hij zat ver achterover geleund in de roodleren stoel. Hij had zijn benen gestrekt voor zich en een grote, zwarte sigaar in een van zijn mondhoeken. Hij droeg een semi-militair huisjasje, rood en met een zwartfluwelen kraag. In zijn hand hield hij een lang document dat hij traag zat te lezen, waarbij hij rookkringetjes uitblies. Die comfortabele houding en rustige manier van doen maakten me duidelijk dat we er niet op hoefden te rekenen dat hij weer snel zou vertrekken. Ik voelde dat Holmes mijn hand vastpakte en er even geruststellend in kneep, alsof hij wilde zeggen dat hij de situatie onder controle had en dat hij zich nergens zorgen over maakte. Ik was er niet zeker van dat hij had gezien wat mij meteen was opgevallen, namelijk dat de brandkast niet goed dicht was en dat Milverton dat ieder moment in de gaten kon krijgen. Ik nam me vast voor dat ik, wanneer ik uit zijn blik zou opmaken dat hij het gezien had, meteen de kamer zou inspringen, mijn jas over zijn hoofd heen zou gooien, hem vast zou houden en de rest aan Holmes zou overlaten. Maar Milverton keek niet eenmaal op. Hij zat op een loom-geïnteresseerde manier het document te bekijken en sloeg de ene bladzijde na de andere om. Wanneer hij alles heeft gelezen en zijn sigaar heeft opgerookt, zal hij wel naar zijn slaapkamer gaan, dacht ik. Maar voor dat gebeurde, deed er zich een opmerkelijke ontwikkeling voor die onze gedachten een heel andere wending gaf.

Ik had al een paar maal gezien dat Milverton op zijn horloge keek. Eén keer was hij opgestaan om vervolgens met een gebaar van ongeduld weer te gaan zitten. Maar de gedachte dat hij op zo'n vreemd uur een afspraak kon hebben gemaakt, kwam in het geheel niet bij me op – tot ik een vaag geluid hoorde op de veranda buiten. Milverton legde de documenten weg en zat stokstijf in zijn stoel. Even later werd er zachtjes op de deur geklopt. Milverton stond op om open te doen.

"Zo," zei hij kortaf, "je bent bijna een halfuur te laat."

Dat was dus de verklaring voor de ongesloten deur en de nachtelijke wake van Milverton. Ik hoorde het zachte ritselen van een jurk van een vrouw. Toen Milvertons gezicht onze kant was toegewend, had ik de gordijnen weer helemaal dicht gedaan, maar nu waagde ik het voorzichtig weer een kiertje te maken. Hij was weer gaan zitten en de sigaar bengelde nog altijd uit zijn mondhoek. Voor hem stond, beschenen door het felle elektrische licht, een lange, slanke, donkere vrouw met een voile voor haar gezicht en een mantel die tot haar kin was dichtgetrokken. Ze ademde snel en haar hele soepele lichaam trilde van een sterke emotie.

"Tja," zei Milverton, "op deze manier heb je me van een goede nachtrust beroofd, meisje. Ik hoop dat het de moeite waard zal blijken te zijn. Je kon zeker niet op een ander tijdstip komen?" De vrouw schudde haar hoofd.

"Nu ja, wat niet kan, kan niet. Wanneer de gravin een hardvochtige meesteres is, krijg je nu de kans haar dat betaald te zetten. Waarom sta je zo te trillen? Kom tot jezelf alsjeblieft. En laten we nu ter zake komen."

Hij haalde een aantekenboekje uit de la van zijn bureau.

"Je zegt dat je vijf brieven in je bezit hebt die compromitterend zijn voor de gravin d'Albert. Je wilt die verkopen. Ik wil ze kopen. Tot zover geen probleem. Nu moeten we alleen nog een prijs overeenkomen. Natuurlijk wil ik die brieven eerst zien. Wanneer het werkelijk goede exemplaren zijn… Mijn hemel, ben jij het?"

Zonder iets te zeggen had de vrouw haar voile weggetrokken en de mantel omlaag gedaan. Milverton werd geconfronteerd met een donker, knap, gezicht met scherpe trekken – een gezicht met een gebogen neus, sterke, donkere wenkbrauwen boven harde, glinsterende ogen en een rechte mond met dunne lippen die zich tot een gevaarlijke glimlach hadden geplooid.

"Ik ben het inderdaad," zei ze. "De vrouw wier leven je hebt geruïneerd."

Milverton lachte, maar er klonk angst door in zijn stem.

"Je was zo verschrikkelijk koppig," zei hij. "Waarom heb je me gedreven tot het nemen van zulke extreme maatregelen? Ik verzeker je dat ik uit eigen vrije wil nog geen vlieg kwaad zou doen. Maar iedere man moet door het doen van zaken brood op de plank krijgen en wat had ik anders kunnen doen? Ik heb toen een bedrag genoemd dat je gemakkelijk kon opbrengen. Maar jij was niet bereid te betalen."

"Dus heb je die brieven naar mijn echtgenoot gestuurd en daardoor is de edelste heer die ooit heeft geleefd, een man die zo goed was dat ik het niet waard was zijn laarzen dicht te rijgen, overleden aan een gebroken hart. Je zult je nog wel herinneren hoe ik gisteravond, toen ik die deur door kwam, je heb gebeden en gesmeekt om genade en dat je me toen in mijn gezicht hebt uitgelachen, net zoals je nu probeert te lachen. Maar je laffe hart kan niet voorkomen dat die lippen trillen. Ja, je had nooit gedacht me weer te zien, maar door de ervaring van gisteravond wist ik hoe ik je onder vier ogen zou kunnen spreken. Charles Milverton, wat heb je daarop te zeggen?"

"Denk maar niet dat je mij kunt intimideren," zei hij en kwam overeind. "Ik hoef mijn stem maar even te verheffen en dan komen al mijn bedienden en word jij gearresteerd. Maar ik ben bereid die woede van je door de vingers te zien. Wanneer je de kamer nu meteen weer langs dezelfde weg verlaat als je die hebt betreden, zal ik er verder geen woord meer over vuil maken."

De vrouw bleef staan, met haar hand tegen haar boezem en diezelfde dodelijke glimlach om haar dunne lippen.

"Je zult de kans niet krijgen nog meer levens te ruïneren, zoals je dat met het mijne hebt gedaan. Je zult geen harten meer doen wegkwijnen zoals je dat met het mijne hebt gedaan. Ik zal de wereld bevrijden van een stuk vergif. Dit is voor jou, hond, en dit en dit en dit!"

Ze had een kleine, glimmende revolver te voorschijn gehaald en vuurde kogel na kogel af op Milvertons lichaam, met de loop nog geen zestig centimeter van zijn borstkas vandaan. Hij week achteruit en viel toen voorover op de tafel. Hij hoestte verschrikkelijk en zijn handen klauwden door de paperassen heen. Toen kwam hij wankel overeind, kreeg nog een kogel en rolde op de grond. "Je hebt me vermoord!" riep hij uit en bleef toen stil liggen. De vrouw keek hem gespannen aan en zette toen haar hak op zijn gezicht. Ze keek weer. Geen geluid, geen enkele beweging. Ik hoorde een scherp geritsel, de nachtlucht kwam de verwarmde kamer binnen en degene die wraak had genomen, was verdwenen.

Tussenkomst van ons had de man niet kunnen redden, maar toen de vrouw de ene kogel na de andere afvuurde op Milvertons ineenkrimpende lichaam, had ik wel op het punt gestaan de kamer in te springen. Maar Holmes pakte met zijn koude hand mijn pols stevig vast om dat te voorkomen. Ik begreep volkomen wat die stevige greep wilde zeggen. Dat wij er niets mee hadden te maken, dat de gerechtigheid een schurk had achterhaald en dat wij onze eigen verplichtingen en doelstellingen hadden die we niet uit het oog mochten verliezen. Maar toen de vrouw de kamer had verlaten, stond Holmes met een paar snelle, geruisloze passen al bij de andere deur. Hij draaide de sleutel in het slot om. Op datzelfde moment hoorden we elders in huis stemmen en het geluid van haastige voetstappen. De schoten hadden iedereen gewekt. Volkomen koelbloedig liep Holmes op de brandkast af, pakte twee armen vol brieven en gooide die in het vuur. Dat herhaalde hij net zo lang totdat de brandkast leeg was. Iemand draaide aan de deurknop en bonkte op de deur. Holmes keek snel om zich heen. De brief die Milvertons dood had aangekondigd, lag op tafel, bedekt met zijn bloed. Holmes smeet die brief eveneens in het vuur. Toen pakte hij de sleutel van de deur naar de veranda, liep achter me aan naar buiten en sloot hem vervolgens af.

"Deze kant op, Watson," zei hij. "Zo kunnen we langs de tuinmuur lopen."

Ik had nooit gedacht dat er zo snel algeheel alarm kon worden geslagen. Toen ik omkeek, brandde er overal in het immens grote huis licht. De voordeur stond open en ik zag hoe enige mensen snel de oprijlaan afliepen. Even later wemelde het in de tuin van de mensen en toen we de veranda afliepen, begon een man te brullen en kwam snel achter ons aan. Holmes leek het terrein op zijn duimpje te kennen en ging me snel voor tussen een aantal kleine bomen door. Ik volgde hem op de voet en achter ons aan kwam hijgend de man die ons als eerste had gesignaleerd. De muur die onze weg versperde, was een meter tachtig hoog, maar Holmes sprong erbovenop en eroverheen. Toen ik datzelfde deed, voelde ik dat onze achtervolger mijn enkel vastgreep, maar ik trapte mijn voet weer los en kwam aan de andere kant van de muur op mijn gezicht tussen enige struiken neer. Holmes trok me meteen over-eind en samen renden we de uitgestrekte heide over. Ik denk dat we zo'n drie kilometer door hebben gerend voor Holmes uiteindelijk bleef staan en aandachtig luisterde. Alles achter ons was volkomen stil. We hadden onze achtervolgers afgeschud en waren veilig.

OP DE OCHTEND na de nacht waarin we de opmerkelijke belevenis hadden meegemaakt waarvan ik hierboven verslag heb gedaan, hadden we net ontbeten en zaten we een pijp te roken, toen inspecteur Lestrade van Scotland Yard, plechtig en indrukwekkend als altijd, onze bescheiden zitkamer binnenkwam.

"Een goede morgen, meneer Holmes," zei hij. "Een goede morgen. Mag ik u vragen of u het op dit moment erg druk heeft?"

"Niet te druk om naar je te kunnen luisteren."

"Ik dacht dat u misschien bereid zou zijn me te helpen bij een zeer opmerkelijke kwestie die zich vannacht in Hampstead heeft voorgedaan. Wanneer u het niet druk hebt, tenminste."

"Mijn hemel!" zei Holmes. "Wat is daar dan gebeurd?"

"Een moord. Een heel dramatische en opmerkelijke moord. Ik weet hoeveel belangstelling u daarvoor hebt en ik zou het als een grote gunst beschouwen wanneer u bereid was naar Appledore Towers te gaan en ons van advies te dienen. Het is geen gewone misdaad. We hebben de heer Milverton al enige tijd in de gaten gehouden en tussen ons gezegd en gezwegen was het een schurk. Het is bekend dat hij documenten in zijn bezit had die hij gebruikte om mensen mee te chanteren. Die papieren zijn door de moordenaars allemaal verbrand. Er is geen enkel waardevol object meegenomen en dus is het waarschijnlijk dat de moordenaars mannen waren die een goede positie bekleden en alleen wilden voorkomen dat ze in het openbaar met een schandaal zouden worden geconfronteerd."

"Moordenaars?" zei Holmes. "Meervoud?"

"Ja, er moeten er twee zijn geweest. Bijna waren ze op heterdaad betrapt. We hebben afdrukken van hun voeten en een duidelijke persoonsbeschrijving. Tien tegen één dat we erin zullen slagen hen te vinden. De eerste man was een beetje al te snel, maar de tweede werd vastgepakt door een assistent-tuinman en kon pas na een kort gevecht ontsnappen. Het was een sterk gebouwde man van normale lengte – een vierkante kaak, dikke nek, snor, een masker voor zijn ogen."

"Dat is nogal vaag," zei Sherlock Holmes. "Het zou een persoonsbeschrijving van Watson kunnen zijn!"

"Dat is waar," zei de inspecteur vrolijk. "Het zou inderdaad een persoonsbeschrijving van dokter Watson kunnen zijn."

"Tja, toch ben ik bang dat ik je niet kan helpen, Lestrade," zei Holmes. "Ik heb die Milverton gekend en hem beschouwd als een van de gevaarlijkste mannen die er in Londen te vinden zijn. Ik ben van mening dat er bepaalde misdrijven worden gepleegd die niet kunnen worden berecht en daardoor tot op zekere hoogte een persoonlijke wraakneming rechtvaardigen. Nee, het heeft geen enkele zin hier verder over te discussiëren. Ik heb een besluit genomen. Mijn sympathie gaat eerder uit naar de moordenaars dan naar het slachtoffer en ik zal me niet in deze zaak verdiepen."

Holmes had tegenover mij met geen woord meer gerept over de tragedie waarvan wij getuige waren geweest, maar ik constateerde wel dat hij die hele ochtend in een nadenkende stemming verkeerde. Zijn nietsziende ogen en afwezige houding gaven me de indruk dat hij zijn uiterste best aan het doen was om zich iets te herinneren. Midden onder de lunch sprong hij opeens overeind.

"Mijn hemel, Watson, ik weet het!" riep bij uit. "Pak je hoed, Kom met me mee!"

Zo snel hij kon liep hij Baker Street af en Oxford Street op, tot we vrijwel Regent Circus hadden bereikt. Daar bevindt zich links een etalage vol foto's van vrouwen die beroemd of gevierd zijn. Holmes keek aandachtig naar een bepaalde foto. Ik volgde zijn blik en zag het portret van een koninklijke, statige dame in een avondtoilet en met een hoge, diamanten tiara op haar hoofd. Ik keek naar die fraai gebogen neus, de opvallende wenkbrauwen, de rechte mond en de kleine, krachtige kin daaronder. Toen ik de eerbiedwaardige titel zag van de grote edelman en staatsman wiens vrouw zij was geweest, hield ik mijn adem in. Mijn blik kruiste die van Holmes en hij drukte zijn vingers tegen zijn lippen toen we ons van de etalage afwendden.

Het avontuur van de zes Napoleons

HET WAS NIET bijzonder ongebruikelijk dat inspecteur Lestrade van Scotland Yard ons 's avonds een bezoekje kwam brengen en die bezoekjes waren Sherlock Holmes welgevallig, omdat zij hem in staat stelden op de hoogte te blijven van alles wat zich op het hoofdbureau van politie afspeelde. Als dank voor de mededelingen van Lestrade was hij dan altijd bereid aandachtig te luisteren naar de details van een zaak waar de rechercheur actief bij was betrokken. Af en toe is hij op die manier in staat geweest om, puttend uit zijn eigen grote kennis en ervaring, een suggestie te doen zonder zichzelf daadwerkelijk met zo'n zaak bezig te houden. Op de avond waar ik het nu over heb, had Lestrade het gehad over het weer en de kranten. Toen had hij er het zwijgen toe gedaan, nadenkend trekkend aan zijn sigaar. Holmes keek hem geïnteresseerd aan. "Iets opmerkelijks aan de hand?" vroeg hij.

"O nee, meneer Holmes. Niets dat bijzonder opmerkelijk is."

"Vertel me er dan maar eens iets over."

Lestrade: "Tja, meneer Holmes, het is zinloos om te ontkennen dat iets me bezig houdt. Maar het is zo'n absurde kwestie dat ik aarzelde u ermee lastig te vallen. Aan de andere kant is het ongetwijfeld eigenaardig, hoewel onbelangrijk, en ik weet dat u interesse hebt voor alles wat buiten het normale patroon valt. Maar volgens mij ligt deze kwestie eerder op het terrein van dokter Watson dan op het uwe."

"Een ziekte?" vroeg ik.

"Krankzinnigheid in ieder geval. En bovendien een rare vorm van krankzinnigheid. Je zou toch niet verwachten dat er heden ten dage nog iemand rondloopt die Napoleon de Eerste zozeer haat dat hij ieder beeldje dat hij van hem ziet, meteen kapot maakt."

Holmes liet zich weer achterover zakken in zijn stoel.

"Niets voor mij," zei hij.

"Inderdaad. Dat heb ik ook al gezegd. Maar wanneer die man gaat inbreken om beeldjes te vernietigen die niet van hem zijn, wordt het eerder een zaak voor de politie dan een geval voor een arts."

Holmes ging weer overeind zitten.

"Inbraak! Dat is heel interessant. Vertel me er eens wat meer over!"

Lestrade haalde zijn aantekenboekje te voorschijn en friste aan de hand van een paar volgeschreven velletjes zijn geheugen op.

"Eerste inbraak is vier dagen geleden gemeld," zei hij. "In de winkel van Morse Hudson aan Kennington Road. De assistent was even de voorwinkel uitgegaan en hoorde toen opeens iets vallen. Snel liep hij terug en zag een gipsen buste van Napoleon, die naast enige andere kunstwerken op de toonbank had gestaan, in duizenden stukjes op de grond liggen. Hij is toen meteen de straat opgerend. Verscheidene voorbijgangers verklaarden dat ze een man de winkel hadden zien uitrennen, maar hij kon geen spoor meer van hem ontdekken en kon al evenmin op de een of andere manier diens identiteit achterhalen. Het leek een van die zinloze daden van vandalisme te zijn die zich van tijd tot tijd voordoen en bij de politie is er ook in die zin aangifte van gedaan. De gipsen buste was niet meer waard dan een paar shilling en de hele affaire leek te onbetekenend om er een onderzoek naar in te stellen. Het tweede incident was echter ernstiger en bovendien eigenaardiger. Dat heeft zich gisteravond voorgedaan. Een paar honderd meter van de winkel van Morse Hudson vandaan is aan Kennington Road een bekend arts gevestigd, dokter Barnicot, die aan de zuidkant van de Theems een van de grootste praktijken heeft. Hij woont aan Kennington Road en oefent daar ook voornamelijk zijn praktijk uit, maar daarnaast heeft hij een tweede behandelruimte annex apotheek aan Lower Brixton Road, drie kilometer verderop. Die dokter Barnicot is een enthousiast bewonderaar van Napoleon en zijn huis staat vol boeken, prenten en relikwieën van die Franse keizer. Enige tijd geleden heeft hij bij Morse Hudson twee gipsen afgietsels gekocht van de beroemde buste van Napoleon die is vervaardigd door de Franse beeldhouwer Devine. Een daarvan zette hij neer in de hal van zijn huis aan Kennington Road en de andere werd neergezet op de schoorsteenmantel van de behandelkamer aan Lower Brixton Road. Toen dokter Barnicot vanmorgen naar beneden kwam, zag hij tot zijn verbazing dat er die nacht bij hem was ingebroken, maar dat er niets werd vermist met uitzondering van die gipsen kop die in de hal had gestaan. Die was mee naar buiten genomen en vervolgens met grote kracht tegen de tuinmuur kapotgeslagen."

Holmes wreef in zijn handen.

"Dit is inderdaad iets heel nieuws," zei hij.

"Ik dacht wel dat u erin zou zijn geïnteresseerd. Maar ik heb nog niet alles verteld. Dokter Barnicot moest om twaalf uur patiënten in zijn praktijkruimte behandelen en u zult zich kunnen voorstellen hoe verbaasd hij was toen hij daar zag dat het raam open stond en de tweede buste in gruzelementen op de grond lag. Beide inbraken hebben ons geen enkele aanwijzing kunnen verschaffen over de schurk of de krankzinnige die er verantwoordelijk voor was. En nu, meneer Holmes, heb ik u alle feiten meegedeeld."

"Die zijn heel eigenaardig, om niet te zeggen grotesk," zei Holmes. "Waren de twee bustes van dokter Barnicot exacte duplicaten van de buste die in de winkel van Morse Hudson werd stukgegooid?"

"Inderdaad."

"Een dergelijk feit weerspreekt de theorie dat de man die die dingen vernietigt zich laat leiden door een algemene haat jegens Napoleon. Wanneer je in aanmerking neemt hoeveel honderden beelden er van die grote man in Londen in omloop moeten zijn, is het onjuist om ervan uit te gaan dat een iconoclast puur toevallig drie specimens van eenzelfde buste kapot maakt."

"Dat dacht ik ook," zei Lestrade. "Maar aan de andere kant levert Morse Hudson in dat deel van Londen alle bustes en die drie waren de enige die hij al jarenlang in zijn winkel had staan. U heeft inderdaad gelijk wanneer u zegt dat er vele honderden beeldjes van Napoleon in Londen in omloop zijn, maar het is wel heel waarschijnlijk dat die drie in dat district de enige waren. Dus zou een fanatiekeling die daar ergens in de buurt woont, het eerste met die bustes beginnen. Wat denkt u daarvan, dokter Watson?"

"Monomanie kent onbegrensde mogelijkheden," zei ik. "Moderne Franse psychologen hebben het gedefinieerd als een idee-fixe dat in wezen onbelangrijk kan zijn. De persoon in kwestie kan verder in alle opzichten volkomen normaal zijn. Een man die veel over Napoleon heeft gelezen of misschien binnen zijn familie is geconfronteerd met onplezierige gevolgen van de oorlogen die die keizer heeft gevoerd, zou zo'n idee-fixe kunnen krijgen en onder invloed daarvan in staat zijn tot de meest fantastische wandaden."

"Nee, mijn beste Watson, dat is de verklaring niet," zei Holmes hoofdschuddend. "Dat idee-fixe van jou zou je interessante, aan monomanie lijdende man niet in staat kunnen stellen om te achterhalen waar die bustes zich bevonden."

"Heb jij er dan wel een verklaring voor?"

"Ik ben niet eens van plan een poging daartoe in het werk te stellen. Ik wil volstaan met de opmerking dat het excentrieke gedrag van de man een bepaald patroon vertoont. Een voorbeeld. De buste die in de hal stond, is mee naar buiten genomen omdat een geluid de familie had kunnen wekken. In de tweede praktijkruimte, waar het risico dat er alarm zou worden geslagen veel minder groot was, werd het ding ter plaatse vernietigd. Het lijkt allemaal belachelijk onbelangrijk, maar toch durf ik niets onbelangrijk te noemen wanneer ik bedenk dat een aantal van de meest klassieke zaken die ik heb behandeld, aanvankelijk volstrekt niet veelbelovend leken te zijn. Je zult je nog wel herinneren, Watson, hoe mijn belangstelling voor de afschuwelijke kwestie rond de familie Abernetty voor het eerst werd gewekt door te zien hoe diep de peterselie op een hete dag in de boter was weggezakt. Dus kan ik het me niet veroorloven om te glimlachen om die drie bustes van je, Lestrade. Ik zou je erg dankbaar zijn wanneer je bereid bent me op de hoogte te stellen van nieuwe ontwikkelingen binnen deze zo merkwaardige reeks gebeurtenissen."

DE ONTWIKKELING waarnaar mijn vriend had gevraagd, kwam sneller en in een eindeloos tragischer vorm dan hij zich had kunnen indenken. Toen ik me de volgende ochtend in mijn kleedkamer stond aan te kleden, werd er op mijn deur geklopt en kwam Holmes binnen met een telegram in zijn hand. Hij las het voor:

"Kom meteen, Pitt Street 131, Kensington,
Lestrade"

"Wat is er dan aan de hand?" vroeg ik. "Ik weet het niet. Kan van alles en nog wat zijn. Maar ik vermoed dat het hier een vervolg betreft van het verhaal van de beeldjes. In dat geval is onze vriend de beeldenverwoester in een ander deel van Londen gaan opereren. Er staat op tafel koffie klaar, Watson, en voor de deur een rijtuig."

Binnen een halfuur hadden we Pitt Street bereikt, een rustig klein binnenwatertje vlakbij een van de drukste stromen van het Londense leven. Nummer 131 was een rijtjeshuis, zonder erker, zeer respectabel en volstrekt onromantisch. Toen we er arriveerden, stonden er voor de hekken die rond het huis waren neergezet, al veel nieuwsgierige mensen.

Holmes floot.

"Mijn God, het gaat hier op zijn minst om een poging tot moord. Anders blijven Londense loopjongens er niet voor stilstaan. De ronde schouders en uitgestrekte hals van die man wijzen op een gewelddaad. Hé, Watson, wat zien we daar? De bovenste treden nat en de andere droog. In ieder geval meer dan genoeg voetafdrukken. Aha, daar staat Lestrade voor het raam en die zal ons er spoedig alles over kunnen vertellen."

De politieman ontving ons met een heel ernstig gezicht en nam ons mee naar de zitkamer, waar een uitzonderlijk onverzorgde en opgewonden oudere man, gekleed in een flanellen ochtendjas, aan het ijsberen was. Hij werd aan ons voorgesteld als de eigenaar van het huis – de heer Horace Harker van het Centrale Perssyndicaat.

"Weer die kwestie rond de bustes van Napoleon," zei Lestrade. "U leek er gisteravond belangstelling voor te hebben, meneer Holmes, dus dacht ik dat u graag ter plaatse zou willen zijn nu die kwestie een veel ernstiger wending heeft genomen."

"Welke wending is dat dan?"

"Moord. Meneer Harker, wilt u deze heren nauwkeurig vertellen wat er is gebeurd?"

De man in de ochtendjas wendde een uiterst melancholiek gezicht onze kant op.

"Het is merkwaardig," zei hij, "dat ik heel mijn leven het nieuws van andere mensen heb verzameld en ik, nu mijzelf iets is overkomen, zo verward en onrustig ben dat ik geen twee zinnige woorden achter elkaar kan krijgen. Wanneer ik hier als journalist was binnengekomen, zou ik mezelf een interview hebben afgenomen dat dan over twee kolommen in alle avondbladen zou zijn afgedrukt. Maar nu geef ik waardevolle kopij gratis weg door mijn verhaal telkens weer aan andere mensen te vertellen en kan ik er zelf geen enkel gebruik van maken. Uw naam is me echter bekend, meneer Sherlock Holmes, en wanneer u een verklaring kunt vinden voor deze eigenaardige kwestie, zal ik dat als een betaling beschouwen voor de moeite die ik neem u het hele verhaal nogmaals te doen."

Holmes ging zitten en luisterde.

"Het lijkt allemaal te gaan om die buste van Napoleon die ik ongeveer vier maanden geleden voor deze kamer heb gekocht. Ik heb hem bij Harding Brothers, twee huizen van High Street Station vandaan, goedkoop op de kop kunnen tikken. Als journalist werk ik merendeels 's avonds en schrijf daarna vaak door tot vroeg in de ochtend. Dat is vandaag ook gebeurd. Ik zat in mijn studeerkamer, aan de achterkant op de bovenste verdieping van dit huis, en was er om drie uur van overtuigd dat ik beneden geluiden hoorde. Ik luisterde, maar daarna bleef het stil en dus concludeerde ik dat die geluiden van buiten afkomstig waren geweest. Maar plotseling hoorde ik, ongeveer vijf minuten later, een afschuwelijke kreet – het meest angstaanjagende geluid, meneer Holmes, dat ik ooit heb gehoord. Ik zal het mijn hele leven lang verder blijven horen. Een paar minuten lang bleef ik stokstijf zitten. Toen pakte ik de pook en ging naar beneden. Toen ik deze kamer betrad, zag ik dat het raam helemaal openstond en de buste van de schoorsteenmantel was verdwenen. Ik begrijp niet waarom een inbreker iets dergelijks zou willen meenemen, want hij was van gips en dus helemaal niet waardevol.

U kunt met eigen ogen zien dat iemand die door dat geopende raam naar buiten gaat, met één lange pas bij de trap van de voordeur kon komen. Dat had de inbreker duidelijk gedaan. Dus ging ik naar die deur en maakte hem open. Toen ik naar buiten stapte, viel ik bijna over een dode man die daar lag. Ik rende terug naar binnen om een lantaarn te halen en toen zag ik die arme man liggen. Zijn keel was doorgesneden en overal lag bloed. Hij lag op zijn rug, met opgetrokken knieën en zijn mond afschuwelijk wagenwijd open. Ik zal hem in mijn dromen voor me blijven zien. Ik blies op mijn politiefluitje en moet toen zijn flauwgevallen, want ik kan me pas weer wat herinneren vanaf het moment dat de agent in de hal over me heen gebogen stond.

"En wie was die vermoorde man?" vroeg Holmes.

"Dat valt uit niets op te maken," zei Lestrade. "U kunt het lijk straks in het lijkenhuisje bekijken, maar tot dusverre zijn wij er niets wijzer door geworden. Het is een lange, door de zon gebruinde man, heel sterk, niet ouder dan dertig jaar. Hij was armoedig gekleed, maar zag er verder niet als een werkman uit. In de plas bloed naast hem lag een knipmes met een hoornen handvat. Ik weet niet of de man met dat wapen is vermoord of dat het aan hem toebehoorde. Zijn kleding was niet voorzien van etiketten en in zijn zakken had hij niets anders zitten dan een appel, een stukje touw, een goedkope plattegrond van Londen en een foto. Die laatste heb ik hier."

Het was een kiekje dat met een kleine camera moest zijn gemaakt. Erop stond een waakzame, aapachtige man met een scherp gezicht, dikke wenkbrauwen en een merkwaardig vooruitstekende onderste gezichtshelft, als de snuit van een baviaan.

"En wat is er met die buste gebeurd?" vroeg Holmes na de foto heel aandachtig te hebben bekeken.

"Vlak voor uw komst hebben we daar wat meer over gehoord. Hij is gevonden in de voortuin van een leegstaand huis aan Campden House Road. In gruzelementen. Ik ga er nu heen. Gaat u met me mee?"

"Natuurlijk. Maar eerst wil ik hier nog even rondkijken."

Hij onderzocht het tapijt en het raam.

"De man had ofwel erg lange benen, of was zeer lenig," zei hij. "Het moet niet zijn meegevallen om het raam open te maken. De terugweg was verhoudingsgewijze natuurlijk een stuk eenvoudiger. Meneer Harker, gaat u met ons mee om de resten van uw buste te bekijken?"

De ontroostbare journalist was aan een schrijftafel gaan zitten.

"Ik moet proberen er iets van te maken," zei hij, "hoewel ik er niet aan twijfel dat de eerste edities van de avondbladen alle details al uitgebreid zullen melden. Echt iets voor mij. Kunt u zich nog het voorval herinneren van die tribune in Doncaster die instortte? Ik was de enige journalist die daar bij was en mijn krant was de enige die er geen verslag van kon doen omdat ik te zeer was geschrokken om erover te kunnen schrijven. En nu zal ik weer te laat op de proppen komen met een verslag over een moord die voor mijn eigen huisdeur is gepleegd."

Toen we de kamer uitliepen, hoorden we zijn pen over het papier krassen. De plaats waar de gruzelementen van de buste waren gevonden, bevond zich slechts enige honderden meters verderop. Voor de eerste maal zagen we deze replica van de kop van de grote keizer die zo'n razende en destructieve haat leek op te roepen in de geest van de onbekende man. Holmes pakte een aantal stukjes gips op en bekeek die aandachtig. Gezien zijn gespannen gezichtsuitdrukking en doelgerichte manier van doen was ik ervan overtuigd dat hij uiteindelijk een aanwijzing had gevonden.

"En?" vroeg Lestrade.

Holmes haalde zijn schouders op.

"We hebben nog een lange weg te gaan," zei hij. "En toch... en toch... tja, we beschikken nu in ieder geval over enige gegevens waarmee we aan de slag kunnen gaan. Deze vreemde man vond het bezit van deze onbelangrijke buste kennelijk waardevoller dan het leven van een medemens. Dat is een feit. Het tweede, opmerkelijke, feit is dat hij die buste niet in huis kapot heeft gemaakt, of vlak daarbij... wanneer hij zich tenminste alleen ten doel had gesteld hem te breken."

"Hij was van slag door de komst van die andere man. Hij zal toen wel nauwelijks hebben geweten wat hij deed."

"Dat is heel waarschijnlijk. Maar ik zou je aandacht ten sterkste willen vestigen op de positie van dit huis in welke tuin de buste werd vernietigd."

Lestrade keek om zich heen.

"Het is een leegstaand huis, dus wist hij dat hij in de tuin niet zou worden gestoord."

"Ja, maar iets verderop staat nog een leegstaand huis en daar moet hij langs gelopen zijn. Waarom heeft hij die buste daar niet kapotgeslagen, gezien het feit dat het duidelijk is dat iedere meter die hij er verder mee sjouwde het risico vergrootte dat hij iemand zou tegenkomen?"

"Ik weet het niet," zei Lestrade.

Holmes wees op de lantaarn boven ons hoofd.

"Hier kon hij zien wat hij deed en daar niet. Daarom is hij verder gelopen."

"Mijn hemel, u heeft gelijk!" riep Lestrade uit. "Ik bedenk nu opeens ook dat de buste van dokter Barnicot vlakbij diens rode lantaarn werd kapotgeslagen. Maar wat kunnen we verder met dat gegeven doen, meneer Holmes?"

"Onthouden. Opbergen. Later kunnen we met iets worden geconfronteerd dat er verband mee houdt. Lestrade, wat ben je nu van plan verder te gaan doen?"

"Ik ben van mening dat het meest praktische startpunt het identificeren van de overleden man is. Dat moet niet moeilijk zijn. Wanneer we weten wie hij is en met wie hij omging, kunnen we wellicht achterhalen wat hij gisteravond in Pitt Street te zoeken had en wie hem toen heeft ontmoet en voor de deur van de heer Horace Harker heeft vermoord. Bent u dat niet met me eens?"

"Zonder twijfel. Maar toch is het niet helemaal de manier waarop ik deze kwestie zou aanpakken."

"Wat zou u dan doen?"

"O, je moet je door mij in geen enkel opzicht laten beïnvloeden. Ik stel voor dat jij op jouw manier te werk gaat en ik op de mijne. Later kunnen we dan onze bevindingen vergelijken en elkaar op die manier aanvullen."

"Uitstekend," zei Lestrade.

"Wanneer je teruggaat naar Pitt Street, zul je de heer Horace Harker waarschijnlijk nog wel spreken. Zeg hem alsjeblieft - namens mij dat ik ervan overtuigd ben dat hij vannacht een gevaarlijke moordzuchtige gek in huis heeft gehad die aan Napoleontische waandenkbeelden lijdt. Daar zal hij voor het schrijven van zijn artikel wel wat aan hebben."

Lestrade staarde hem aan.

"Dat gelooft u toch niet werkelijk?"

Holmes glimlachte.

"Nee? Misschien wel niet. Maar ik ben er zeker van dat die mededeling de heer Horace Harker en de lezers van het Centrale Perssyndicaat zal interesseren. Watson, ik denk dat we tot de ontdekking zullen komen dat we een dag tegemoet gaan waarop veel en ingewikkeld werk moet worden verzet. Lestrade, ik zou het op prijs stellen wanneer het je schikt vanavond om zes uur langs te komen in Baker Street. Tot die tijd zou ik deze foto graag bij me willen houden, die in de zak van de overledene is gevonden. Het is mogelijk dat ik je moet verzoeken me te begeleiden en helpen bij een kleine expeditie die vanavond ondernomen zal moeten worden wanneer mijn redenering de juiste blijkt te zijn. Tot die tijd wens ik je een goede dag en veel succes."

Sherlock Holmes en ik liepen samen naar High Street, waar we de winkel van de Harding Brothers binnengingen, waar de buste was gekocht. Een jonge bediende vertelde ons dat de heer Harding tot de middag afwezig was en dat hijzelf pas was aangesteld en ons dus geen inlichtingen kon verstrekken. Op het gezicht van Holmes verscheen een teleurgestelde en geërgerde uitdrukking.

"Tja, Watson, we moeten niet verwachten in alle opzichten op onze wenken te worden bediend," zei hij uiteindelijk. "Wanneer de heer Harding vanmiddag pas aanwezig is, dan moeten we hierheen terugkeren. Zoals je ongetwijfeld al wel vermoedt, probeer ik te achterhalen waar deze bustes oorspronkelijk vandaan zijn gekomen om te kijken of er niet iets merkwaardigs mee aan de hand is wat hun opmerkelijke lot zou kunnen verklaren. Laten we nu maar naar de heer Morse Hudson gaan in Kennington Road om te zien of hij enig licht kan werpen op dit probleem."

Een rit van een uur bracht ons voor de deur van de schilderijenhandelaar. Het was een kleine, gezette man met een rood gezicht en een heetgebakerde manier van doen. "Ja, meneer, hier op mijn toonbank, meneer," zei hij. "Ik weet niet waarvoor we belasting betalen wanneer boeven zomaar binnenkomen om je eigendommen te vernietigen. Ja, meneer, ik ben degene geweest die dokter Barnicot die twee bustes heeft verkocht. Afschuwelijk, meneer! Een samenzwering van nihilisten… daar houd ik het op. Alleen een anarchist is in staat erop uit te gaan om beelden kapot te gooien. Rode republikeinen noem ik die mensen. Van wie ik die bustes heb betrokken? Ik begrijp niet wat dat ermee te maken heeft. Tja, wanneer u het werkelijk wilt weten, zal ik het u zeggen. Ik heb ze gekocht bij Gelder & Co. gevestigd aan Church Street in Stepney. Dat is een bekende firma binnen deze branche. Al twintig jaar lang. Hoeveel ik er heb aangekocht? Drie. Twee en een zijn samen drie. Twee van dokter Barnicot en de ene die op klaarlichte dag op mijn eigen toonbank kapot is geslagen. Ken ik de man op die foto? Nee, die ken ik niet. Ja, bij nader inzien toch wel. Het is Beppo. Een Italiaanse stukwerker die hier allerlei klusjes opknapte. Hij kon een beetje houtsnijden en vergulden en inlijsten en zo. De man is vorige week vertrokken en na die tijd heb ik niets meer van hem gehoord. Nee, ik weet niet waar hij vandaan kwam, noch waar hij heen is gegaan. In de tijd dat hij hier werkte, had ik niets tegen hem. Twee dagen voor die buste werd vernield, is hij weggegaan."

"Tja, dat is alles wat we in redelijkheid van Morse Hudson konden verwachten te horen," zei Holmes, toen we de winkel weer uitliepen. "Die Beppo is een gemeenschappelijke factor voor Kennington en Kensington, dus is die een ritje van zestien kilometer waard. Watson, laten we nu maar eens naar Gelder & Co. gaan, de firma die de bustes heeft geleverd. Het zou me verbazen wanneer die mensen ons niet kunnen helpen."

Snel reden we door de rand van het modieuze Londen, het Londen van de hotels, het Londen van de theaters, het Londen van de literatoren, het Londen van de handel en bereikten uiteindelijk het maritieme deel van Londen. Verder reden we, tot we arriveerden bij een stad aan de rivier, bewoond door honderdduizend zielen, waar het in de stinkende flatgebouwen wemelde van de verschoppelingen van Europa. En daar vonden we aan een brede doorgangsweg waar eens rijke handelslieden uit de stad hadden gewoond, de beeldenfabriek waarnaar we op zoek waren. We zagen een grote, onoverdekte werkplaats vol grafstenen. In het gebouw zelf was een grote ruimte waar vijftig mensen druk in de weer waren met beeldhouwen en gieten. De directeur, een grote, blonde Duitser, ontving ons heel beleefd en gaf duidelijk antwoord op alle vragen van Holmes. Na zijn boeken even te hebben ingezien, was het zonneklaar dat er honderden afgietsels van de buste van Devine waren vervaardigd aan de hand van de marmeren kopie daarvan, maar dat de drie bustes die ongeveer een jaar geleden bij Morse Hudson waren afgeleverd, deel uitmaakten van een set van zes. De andere drie waren bezorgd bij de Harding Brothers in Kensington. Er was geen reden om te veronderstellen dat die zes anders waren dan alle andere afgietsels. Hij kon geen enkele reden bedenken waarom iemand die dingen zou willen vernietigen. Hij moest er zelfs om lachen. Ze werden aan de detailhandel geleverd voor zes shilling, maar meestal doorverkocht voor twaalf shilling of meer. De afgietsels bestonden uit twee delen – twee gezichtshelften, die later aan elkaar werden gezet. Dat werd gewoonlijk gedaan door Italianen en wel in de ruimte waar we ons bevonden. Wanneer de bustes klaar waren, werden ze op de tafel in de gang neergezet om te drogen. Daarna werden ze in rekken opgeborgen. Meer kon de man ons niet vertellen. Maar het te voorschijn halen van de foto had een merkwaardige uitwerking op de manager. Zijn gezicht liep rood aan van woede en zijn wenkbrauwen trokken zich samen boven zijn grote, Teutoonse ogen.

"Ah! Dat stuk geboefte?" riep hij uit. "Ja, ik ken die man inderdaad erg goed. Dit is altijd een respectabele firma geweest en de enige keer dat we er de politie bij hebben moeten halen, had dat te maken met die vent. Het is nu al weer iets langer dan een jaar geleden gebeurd. Hij had een andere Italiaan buiten op straat neergestoken, keerde hierheen terug en werd even later door de politie gearresteerd. Beppo heette hij. Zijn achternaam is me niet bekend. Ik had een man met een dergelijk gezicht nooit in dienst moeten nemen. Maar wat zijn vak betreft was hij goed – een van de besten."

"Waartoe werd hij veroordeeld?"

"Zijn slachtoffer bleef in leven en dus kwam hij er met een jaar zitten van af. Ik twijfel er niet aan dat hij inmiddels weer op vrije voeten is, maar hij heeft het niet gewaagd zijn neus hier opnieuw te laten zien. Een neef van hem werkt nog wel voor ons en ik denk zo dat die u wel zou kunnen vertellen waar hij uithangt."

"Nee, nee!" riep Holmes uit. "Geen woord hierover tegen die neef. Geen woord, smeek ik u. Deze kwestie is heel erg belangrijk en hoe meer ik erover te weten kom, hoe belangrijker hij lijkt te worden. Toen u uw boeken nakeek, zag ik dat die zes bustes zijn afgeleverd op de derde juni van het afgelopen jaar. Kunt u me zeggen op welke dag Beppo werd gearresteerd?"

"Ruwweg wel, aan de hand van de loonstaten," zei de manager.

"Ja," ging hij verder na een paar bladzijden te hebben omgeslagen. "Ik heb hem voor het laatst uitbetaald op de 20ste mei."

"Dank u," zei Holmes. "Ik geloof niet dat we uw tijd nog langer in beslag hoeven te nemen."

Na een laatste waarschuwing dat er met niemand over ons onderzoek mocht worden gesproken, gingen we weer in westelijke richting. Pas laat in de middag konden we snel een hapje eten in een restaurant. Bij de ingang ervan stond een standaard met kranten, waarin met grote kop stond:

Wandaad in Kensington.
Moord door een krankzinnige.

De heer Horace Harker had zijn verhaal duidelijk toch op papier gekregen. Twee kolommen werden in beslag genomen door een zeer sensationeel en bloemrijk verslag van het hele voorval. Holmes zette de krant tegen het azijnrekje aan en las terwijl hij at. Een paar maal moest hij grinniken.
"Prima, Watson," zei hij. "Luister eens.

"Het is bevredigend te weten dat er over deze kwestie geen meningsverschillen kunnen ontstaan, omdat de heer Lestrade, een van onze meest ervaren politiemensen, en de heer Sherlock Holmes, de bekende particulier opererende expert, beiden tot de conclusie zijn gekomen dat de groteske reeks gebeurtenissen die zo'n tragische climax hebben bereikt, eerder het werk is van een krankzinnige dan van een man die doelbewust een misdaad wilde plegen. De feiten kunnen alleen maar worden verklaard wanneer je uitgaat van een geestelijke afwijking.

"Watson, de pers is een uiterst waardevol instituut wanneer je weet hoe je er gebruik van moet maken. Wanneer je klaar bent met eten, moeten we nu terug gaan naar Kensington om te horen wat de manager van de Harding Brothers over deze zaak kan vertellen."
De stichter van dat grote imperium bleek een kwieke, levendige kleine man te zijn, heel bedrijvig en snel, met een gezond verstand en een grote bereidheid om te praten.
"Ja meneer, ik heb het verslag ervan al in de avondkranten gelezen. De heer Horace Harker is een klant van ons. We hebben hem enige maanden geleden een buste geleverd. We hebben drie van die bustes besteld bij Gelder & Co. uit Stepney. Ze zijn nu allemaal verkocht. Aan wie? O, ik denk dat ik u dat makkelijk zal kunnen vertellen wanneer ik er de boeken even bijhaal. Ja, hier staat het. Een is verkocht aan de heer Harker, en een aan de heer Josiah Brown, woonachtig in Laburnum Lodge, Laburnum Vale, Chiswick, en een aan de heer Sandeford woonachtig aan de Lower Grove Road in Reading. Nee, ik heb de man op de foto die u me

laat zien nog nooit gezien. Zo'n gezicht zou je nauwelijks kunnen vergeten, nietwaar, meneer, want ik heb maar zelden iets lelijkers gezien. Hebben wij Italianen onder ons personeel zitten? Ja, meneer, een aantal ambachtslieden en schoonmakers. Ik denk zo dat die deze boeken wel kunnen inzien wanneer ze dat zouden willen. Ik heb geen speciale redenen om dat boek achter slot en grendel te houden. Wel, wel, het is een heel merkwaardige gebeurtenis en ik hoop dat u het me zult laten weten wanneer uw onderzoek iets heeft opgeleverd."

Terwijl de heer Harding aan het woord was, had Holmes enige aantekeningen zitten maken en ik kon zien dat hij volkomen tevreden was met de wending der gebeurtenissen. Hij maakte er echter geen enkele opmerking over, behalve dan de mededeling dat we ons moesten haasten omdat we anders te laat zouden komen voor onze afspraak met Lestrade. Toen we Baker Street bereikten, bleek de rechercheur er inderdaad al te zijn. Koortsachtig ongeduldig was hij door de kamer aan het ijsberen. Uit zijn gezichtsuitdrukking kon ik opmaken dat hij die dag niet tevergeefs in touw was geweest.

"En?" vroeg hij. "Heeft u nog iets ontdekt, meneer Holmes?"

"We hebben het verschrikkelijk druk gehad en inderdaad enige resultaten geboekt," zei mijn vriend. "We hebben gesproken met beide detailhandelaren en met de groothandelaar. Ik kan de sporen van de bustes nu vanaf hun ontstaan volgen."

"De bustes!" riep Lestrade uit. "Tja, meneer Holmes, u maakt gebruik van uw eigen methodes en ik heb niet het recht daar iets tegen in te brengen, maar ik denk dat ik vandaag dan toch meer heb bereikt dan u. Ik heb de dode geïdentificeerd."

"Werkelijk?"

"En ik heb een motief voor de misdaad gevonden."

"Schitterend!"

"We hebben een inspecteur die zich uitsluitend bezighoudt met Saffron Hill en de Italiaanse wijk. De overledene had een of ander katholiek embleempje om zijn nek hangen en dat deed me vermoeden dat hij afkomstig was uit het Zuiden. Hij heet Pietro Venucci, komt uit Napels en was een van de grootste moordenaars die er in Londen rondlopen. Inspecteur Hill herkende hem meteen. Hij onderhoudt relaties met de maffia, een geheim politiek genootschap zoals u weet, die besluiten dwingend oplegt door middel van moord. Het zal u duidelijk zijn dat er nu licht in de duisternis komt. De andere man is naar alle waarschijnlijkheid eveneens een Italiaan en lid van de maffia. Op de een of andere manier heeft hij zich niet aan de regels gehouden. Pietro wordt achter hem aan gestuurd. Waarschijnlijk is de man op de foto die we in zijn zak hebben gevonden, degene die hij moest achtervolgen. Hij gaat achter die kerel aan, ziet hem een huis binnengaan, wacht hem buiten op. Er ontstaat een gevecht en dat wordt zijn eigen dood. Wat vindt u me daar van, meneer Holmes?"

Holmes klapte waarderend in zijn handen.

"Uitstekend, Lestrade, uitstekend!" riep hij uit. "Maar ik heb je verklaring omtrent dat vernietigen van die bustes niet helemaal kunnen volgen."

"Die bustes! U kunt die bustes kennelijk maar niet uit uw hoofd zetten. Dat heeft uiteindelijk toch niets te betekenen. Kruimeldiefstal, niet meer dan zes maanden op zijn hoogst. We zijn nu een onderzoek aan het instellen naar moord en ik zeg u dat ik alle draden aan het verzamelen ben."

"En de volgende stap?"

"Is een heel eenvoudige. Ik ga met Hill naar de Italiaanse wijk, zoek de man wiens foto we hebben en arresteer hem op verdenking van moord. Gaat u met ons mee?"

"Dat denk ik niet. Ik denk dat we op een eenvoudiger manier ons doel kunnen bereiken. Ik weet het niet zeker, want het hangt allemaal af van... tja, het hangt allemaal af van een factor die we op geen enkele wijze kunnen beïnvloeden. Maar ik heb heel goede hoop – een kans van twee tegen één – dat ik je vanavond zal kunnen helpen hem te pakken te nemen wanneer je bereid bent met ons mee te gaan."

"Naar de Italiaanse wijk?"

"Nee. Ik denk dat we hem eerder in Chiswick zullen vinden. Lestrade, wanneer je vanavond met me meegaat naar Chiswick, beloof ik je morgen mee te gaan naar de Italiaanse wijk. Enig uitstel in die richting kan beslist geen kwaad. En nu denk ik dat een paar uurtjes slaap ons allemaal goed zou doen, want ik ben niet van plan voor elven te vertrekken en het is onwaarschijnlijk dat we voor de ochtend terug zullen zijn. Lestrade, je kunt meeeten en dan staat de sofa tot je beschikking tot het tijd wordt om te vertrekken. Watson, zou je iemand kunnen roepen die meteen een brief voor me kan gaan bezorgen? Dat is van het allergrootste belang."

Holmes bracht de avond door met het rommelen in de stapels oude dagbladen waarmee een van onze bergkasten vol zat. Toen hij uiteindelijk weer naar beneden kwam, straalden zijn ogen triomfantelijk, maar geen van ons beiden deelde hij iets mee over het resultaat van zijn onderzoek. Ik had stap voor stap de methodes gevolgd aan de hand waarvan hij de verschillende draden van deze ingewikkelde zaak had getraceerd, en hoewel ik nog niet wist welk doel we zouden bereiken, was het me wel volkomen duidelijk dat Holmes verwachtte dat deze groteske schurk zou proberen de twee laatste bustes te pakken te krijgen en ik herinnerde me dat een daarvan in Chiswick was. Het doel van onze reis was ongetwijfeld om hem op heterdaad te betrappen en ik moest wel bewondering opbrengen voor de vernuftige wijze waarop mijn vriend ervoor had gezorgd dat er een verkeerde aanwijzing in de avondbladen was afgedrukt, om de man het idee te geven dat hij zijn plannen ongestraft verder ten uitvoer kon brengen. Het verbaasde me niet dat Holmes me voorstelde mijn revolver mee te nemen. Hij had zelf de verzwaarde jachtzweep meegenomen – zijn favoriete wapen. Om elf uur stond er een vierwielig rijtuig voor de deur en daarmee lieten we ons naar een plekje aan de andere kant van de Hammersmithbrug brengen. Daar kreeg de koetsier opdracht te wachten. Een korte wandeling bracht ons naar een afgelegen weg met aan weerszijden fraaie, vrijstaande huizen. Bij het licht van de straatlantaarn lazen we 'Laburnum Villa' bij een van de hekken. De bewoners van de villa waren duidelijk al naar bed gegaan, want alles was in duisternis gehuld, met uitzondering van het waaiervormige venster boven de deur, dat een vaag cirkeltje op het tuinpad wierp. De houten omheining die de tuin van de weg scheidde, zorgde aan de tuinkant voor een strook die zeer donker was en daar gingen we op onze hurken zitten.

"Ik ben bang dat we lang zullen moeten wachten," fluisterde Holmes. "We mogen dankbaar zijn voor het feit dat het niet regent. Ik denk dat we het zelfs niet kunnen wagen te roken om de tijd te doden. Maar we hebben wel een kans van twee op drie dat we voor onze moeite zullen worden beloond."

We bleken echter niet zo lang te hoeven wachten als Holmes had gedacht, en aan die wake van ons kwam een heel plotseling en eigenaardig einde. Opeens zwaaide het hek open, zonder dat we daaraan voorafgaand enig geluid hadden gehoord. Een lenige, donkere gestalte, even vlug en actief als een aap, rende het tuinpad op. We zagen hem snel langs het lichtcirkeltje wippen en in de donkere schaduw van het huis verdwijnen. Toen gebeurde er lange tijd niets. We hielden onze adem in. Enige tijd later hoorden we een zacht krakend geluid. Het raam werd geopend. Het geluid hield op en weer volgde er een lange stilte. De man was het huis binnengegaan. Plotseling zagen we hoe er in de kamer een dievenlantaarn werd ontstoken. Hij kon kennelijk niet vinden wat hij zocht, want we zagen licht achter een ander raam en even later achter weer een ander. "Laten we naar dat openstaande raam gaan," fluisterde Lestrade. "Dan kunnen we hem pakken wanneer hij weer naar buiten klimt."

Maar voor we in beweging konden komen, was de man al weer verschenen. Toen hij vlak bij de lichtcirkel was, zagen we dat hij iets wits onder zijn arm bij zich had. Hij keek even alle kanten op. De stilte op de verlaten weg leek hem gerust te stellen. Hij draaide ons zijn rug toe en legde zijn last neer. Even later hoorden we een scherpe klap, gevolgd door een rinkelend en rammelend geluid. De man was zo ingespannen bezig dat hij ons niet hoorde aankomen toen we zo geruisloos mogelijk het gazon over liepen. Met een tijgersprong liet Holmes zich op de rug van de man vallen en even later hadden Lestrade en ik zijn polsen vastgegrepen en klikten de handboeien. Toen we hem omdraaiden zag ik een afschuwelijk, ingevallen gezicht dat ons woedend aanstaarde en verwrongen was. Het was inderdaad de man van de foto die in ons bezit was gekomen. Maar Holmes besteedde geen aandacht aan onze gevangene. Hij zat op zijn hurken bij de deur en bekeek heel aandachtig datgene wat de man uit het huis had meegenomen. Het was een buste van Napoleon, eenzelfde als die we die ochtend hadden gezien, nu eveneens aan gruzelementen. Zorgvuldig hield Holmes iedere scherf tegen het licht, maar kon er geen verschillen in ontdekken. Net toen hij dat onderzoek had afgerond, ging het licht in de hal aan, werd de deur opengemaakt en verscheen de eigenaar van het huis, een joviale, rondborstige man, gekleed in hemd en pantalon.

"Meneer Josiah Brown, neem ik aan?" zei Holmes.

"Ja, meneer. En u bent ongetwijfeld de heer Sherlock Holmes?

Ik heb het briefje ontvangen dat u per expresse bij me had laten bezorgen en heb precies gedaan wat u me vroeg. We hebben iedere deur aan de binnenkant vergrendeld en afgewacht wat er verder zou gaan gebeuren. Ik ben blij te zien dat u de schurk heeft gevangen. Ik hoop, mijne heren, dat u even binnen wilt komen om een kleine verfrissing te gebruiken?"

Maar Lestrade wilde zijn mannetje zo snel mogelijk veilig opgeborgen hebben, dus kwam ons rijtuig binnen een paar minuten voorgereden en gingen we alle vier op de terugweg naar Londen. Onze gevangene zei geen woord, maar zat ons voortdurend loerend op te nemen. Eénmaal, toen mijn hand binnen zijn bereik kwam, hapte hij daarnaar, als een hongerige wolf. We bleven lang genoeg op het politiebureau om te vernemen dat het fouilleren van de man niets anders had opgeleverd dan een paar shilling en een lang mes waarvan op het heft talloze recente bloedsporen zaten.

"Prima," zei Lestrade toen we weer vertrokken. "Hill kent al die mannetjes en zal zijn naam wel weten te achterhalen. U zult tot de bevinding komen dat mijn maffiatheorie blijkt te kloppen. Maar toch ben ik u bijzonder dankbaar, meneer Holmes, voor de vakbekwame manier waarop u hem te pakken heeft gekregen. Ik begrijp het eigenlijk allemaal nog niet volledig."

"Ik ben bang dat het te laat is om nu uitgebreide verklaringen te gaan geven," zei Holmes. "Bovendien moeten een paar details nog worden afgehandeld en dit is een van die zaken die de moeite waard zijn om volledig te worden afgerond. Wanneer je bereid bent morgen nogmaals om zes uur naar me toe te komen, denk ik dat ik in staat zal zijn je te laten zien dat je zelfs nu nog niet de betekenis van deze affaire hebt doorgrond – een affaire die bepaalde kanten heeft die hem volkomen origineel maken in de geschiedenis van de misdaad. Watson, ik voorzie dat je je oeuvre zult kunnen verrijken met een verslag over het eigenaardige avontuur van de bustes van Napoleon!"

TOEN WE ELKAAR de volgende avond weer zagen, kon Lestrade ons heel wat vertellen over onze gevangene. Hij bleek Beppo te heten, achternaam onbekend. Alle Italianen kenden hem als een man die nooit iets goeds deed. Eens was hij een bekwaam beeldhouwer geweest en had op een eerlijke manier zijn brood verdiend, maar later was hij het slechte pad opgegaan. Hij had al twee maal eerder in de gevangenis gezeten – één keer wegens een kruimeldiefstal en één keer, zoals wij al wisten, omdat hij een landgenoot had neergestoken. Hij kon heel erg goed Engels spreken. Men wist nog niet waarom hij die bustes had vernield, en hij weigerde op vragen in die richting antwoord te geven. Maar de politie had inmiddels wel ontdekt dat die bustes naar alle waarschijnlijkheid door hemzelf waren vervaardigd, omdat hij dergelijke werkzaamheden had verricht voor de firma Gelder & Co.

Naar al die informatie, die ons voor het grootste deel al bekend was, luisterde Holmes met een beleefde aandacht. Maar ik kende hem zo goed dat ik duidelijk kon zien dat hij met zijn gedachten elders was. Achter het masker dat hij gewoon was voor te doen, bespeurde ik een mengeling van onrust en verwachting. Uiteindelijk schrok hij een beetje overeind en begonnen zijn ogen te stralen. Er was aangebeld. Een minuut later hoorden we voetstappen op de trap en verscheen er een oudere man met een rood gezicht en grijze bakkebaarden. In zijn rechterhand droeg hij een ouderwetse reiszak, die hij op tafel deponeerde.

"Is een van u de heer Sherlock Holmes?"

Mijn vriend maakte glimlachend een buiging. "De heer Sandeford uit Reading, neem ik aan?" zei hij.

"Ja, meneer. Ik ben bang dat ik een beetje aan de late kant ben, maar de treinen hadden vertraging. U heeft me geschreven over een buste die ik in mijn bezit heb."

"Inderdaad."

"Hier heb ik uw brief. U schreef dat u bereid was tien pond te betalen voor een kopie van de buste die Devine van Napoleon heeft vervaardigd, die ik in mijn bezit heb. Klopt dat?"

"Volkomen."

"Ik heb me bijzonder over die brief verbaasd, want ik kon me niet voorstellen hoe u wist dat ik zo'n ding in mijn bezit had."

"Natuurlijk was u daarover verbaasd, maar de verklaring is heel eenvoudig. De heer Harding, van de Harding Brothers, heeft me verteld dat hij zijn laatste exemplaar aan u had verkocht en me vervolgens uw adres gegeven."

"Aha, nu begrijp ik het. Heeft hij u verteld wat ik ervoor heb betaald?"

"Nee, dat heeft hij niet gedaan."

"Tja, meneer, ik ben een eerlijk, hoewel niet erg rijk man. Ik heb maar vijftien shilling voor die buste betaald en ik vind dat u dat moet weten voor u me die tien pond overhandigt."

"Die eerlijkheid van u stel ik bijzonder op prijs, meneer Sandeford, maar ik heb dat bedrag genoemd en ben van plan daaraan vast te houden."

"Dat is heel genereus van u, meneer Holmes. Ik heb die buste meegenomen, zoals u me had gevraagd. Hier heeft u hem!"

Hij maakte de tas open en toen zagen we ten langen leste een niet gebroken specimen van die buste die we al meermalen in gruzelementen hadden gezien.

Holmes legde een briefje van tien pond op tafel neer. Vervolgens pakte hij een velletje papier. "Meneer Sandeford, ik zou u willen verzoeken dit document in aanwezigheid van deze getuigen te ondertekenen. Er staat alleen maar in dat u ieder mogelijk recht dat u op de buste had, aan mij overdraagt. Ik ben een methodisch man, weet u, en je weet nooit welke wending bepaalde gebeurtenissen later nog kunnen nemen. Dank u, meneer Sandeford. Hier heeft u uw geld. Ik wens u verder een heel goede avond."

Toen onze bezoeker was verdwenen, gedroeg Sherlock Holmes zich zodanig dat we hem met onze ogen geen seconde loslieten. Hij pakte een schone witte doek uit een lade en legde die over de tafel heen. Toen zette hij zijn pasverkregen buste daar midden op neer. Daarna pakte hij zijn zweep en gaf Napoleon een harde klap op diens hoofd. Het beeld veranderde in gruzelementen en Holmes boog zich daar meteen aandachtig overheen. Een seconde later kwam hij met een triomfantelijke kreet weer overeind en hield een scherf omhoog waarin een rond, donker voorwerp zat.

"Heren," zei hij, "mag ik jullie kennis laten maken met de beroemde zwarte parel van de Borgia's?"

Lestrade en ik bleven even sprakeloos zitten. Toen begonnen we beiden spontaan te klappen, zoals je dat doet wanneer een toneelstuk een goed voorbereide climax bereikt. Holmes' bleke wangen kregen kleine blosjes en hij maakte voor ons een buiging, als een toneelregisseur die voor een prachtig uitgevoerd stuk het applaus van het publiek in ontvangst neemt. Op zulke momenten was hij even niet langer een redeneermachine en liet hij zijn menselijke gesteldheid op bewondering en applaus blijken. Dezelfde opmerkelijk trotse en gereserveerde aard die minachtend de neus ophaal-

de voor algemene bekendheid, kon wel worden geroerd, diep geroerd zelfs, door spontane verbazing en lof van een vriend.

"Ja, heren," zei hij, "dit is de meest beroemde parel die er op deze wereld te vinden is en door inductief redenerend te werk te gaan, heb ik het geluk gehad zijn spoor te volgen van de slaapkamer van de prins van Colonna in het Hotel Dacre, waar hij werd ontvreemd, tot de binnenkant van deze laatste van een zestal bustes van Napoleon die werden vervaardigd door de firma Gelder & Co. gevestigd te Stepney. Lestrade, je zult je nog wel herinneren hoe sensationeel het verdwijnen van dit juweel is geweest. De politie is er toen niet in geslaagd de parel terug te vinden. Ik ben in die tijd zelf ook ten aanzien van die diefstal geraadpleegd, maar slaagde er evenmin in licht in de duisternis te brengen. Men verdacht het kamenierstertje van de prinses ervan erbij betrokken te zijn en het bleek dat zij Italiaanse was en een broer in Londen had. Maar we konden geen contacten tussen hen achterhalen. Die kamenierster heette Lucretia Venucci en ik twijfel er niet aan dat die Pietro die twee nachten geleden is vermoord, haar broer was. Ik heb oude kranten er nog eens op nageslagen en kon toen constateren dat de parel precies twee dagen voor de arrestatie van Beppo was ontvreemd. Beppo werd gearresteerd vanwege een gepleegde gewelddaad en wel op het terrein van Gelder & Co. waar die bustes op dat moment werden vervaardigd. Nu hebben jullie dus een duidelijk beeld voor ogen van de gebeurtenissen die ik jullie heb meegedeeld in de omgekeerde volgorde van die zoals ze zich aan mij hebben geopenbaard. Beppo had de parel in zijn bezit. Het kan zijn dat hij die van Pietro heeft gestolen. Het kan ook zijn dat hij en Pietro het op een akkoordje hadden gegooid. Het kan ook zijn dat hij als tussenpersoon optrad voor Pietro en diens zuster. Het juiste antwoord op die vraag is voor ons echter niet van belang. Het belangrijkste gegeven is dat hij die parel in zijn bezit had op het moment dat hij door de politie werd achtervolgd. Hij rende naar de fabriek waar hij werkte en wist dat hij maar een paar minuten de tijd zou hebben om zijn ongelooflijk kostbare schat te verbergen, omdat die anders tijdens het fouilleren zou worden gevonden. In de gang stonden zes bustes van Napoleon te drogen. Eén ervan was nog erg zacht. Beppo, een bekwaam vakman, maakte meteen een klein gaatje in het natte gips, liet de parel daarin verdwijnen en maakte toen met een paar streken dat gat weer dicht. Een bewonderenswaardige bergplaats! Niemand zou die kunnen ontdekken. Maar Beppo kreeg een jaar gevangenisstraf en in die tijd werden de zes bustes her en der in Londen gedistribueerd. Hij wist niet in welke buste zijn schat verborgen zat. Daar kon hij alleen maar achter komen door ze kapot te slaan. Zelfs heen en weer schudden zou hem niet wijzer maken, want het gips was nog nat en daardoor zat de parel er naar alle waarschijnlijkheid aan vastgekleefd, zoals ook inderdaad het geval bleek te zijn. Beppo wanhoopte echter niet en begon met aanzienlijke vindingrijkheid en vasthoudendheid aan de zoekactie. Via een neef die voor de firma Gelder werkt, kwam hij erachter welke detailhandelaren de bustes hadden opgekocht. Hij slaagde erin een baantje te krijgen bij Morse Hudson en kon er op die manier drie achterhalen. Toen slaagde hij erin, geholpen door een Italiaanse werknemer van de Harding Brothers, te achterhalen waar de drie andere bustes heen waren gegaan. Eerst is hij toen naar Harker gegaan, maar werd daarbij gevolgd door zijn makker, die hem verantwoordelijk achtte voor het verdwijnen van de parel. Er ontstond een gevecht en Beppo heeft die man neergestoken."

"Waarom had die man dan een foto van hem bij zich?" vroeg ik.

"Om bij derden navraag te doen. Dat ligt voor de hand. In ieder geval kwam ik na die moord tot de conclusie dat Beppo eerder sneller verder zou werken dan zijn zoekactie enige tijd uit te stellen. Hij moest wel bang zijn dat de politie zijn geheim zou achterhalen. Dus ging hij snel verder. Natuurlijk wist ik niet of hij die parel niet in de buste van Harker had gevonden. Ik wist toen nog niet eens volkomen zeker dat het hierbij werkelijk om die parel ging, maar het was me wel duidelijk dat hij naar iets op zoek was, omdat hij die buste langs andere leegstaande huizen had meegenomen om een lamp in de buurt te hebben bij het kapotmaken ervan. Er waren twee bustes over en het was duidelijk dat hij eerst zou gaan zoeken naar die welke zich in Londen bevond. Ik heb de bewoners van dat huis gewaarschuwd om een tweede tragedie te voorkomen en we zijn erheen gegaan en hebben uiterst bevredigende resultaten geboekt. Natuurlijk wist ik toen wel zeker dat ze achter de parel van de Borgia's aanzaten. De naam van de vermoorde man vormde de schakel tussen de twee gebeurtenissen. Toen was er nog maar één buste over, die in Reading, en moest de parel dus daarin verborgen zitten. Ik heb die in jullie aanwezigheid van de vorige eigenaar gekocht en daar ligt hij nu in gruzelementen."

Even bleven we zwijgend zitten.

"Tja, meneer Holmes," zei Lestrade toen, "ik heb u heel wat zaken zien afhandelen, maar ik geloof nog nooit zo vakbekwaam als deze kwestie. Wij van Schotland Yard zijn niet jaloers op u. Nee, meneer, we zijn heel trots op u en wanneer u morgen naar ons bureau komt, zal er geen mens te vinden zijn, van de oudste inspecteur tot de jongste agent, die u niet graag de hand zal willen drukken."

"Dank je!" zei Holmes. "Dank je!"

En toen hij zich afwendde, had ik de indruk dat hij nog nooit zo dicht bij ontroering door menselijke emoties was geweest. Even later was de koele, praktische denker weer teruggekeerd. "Watson, stop de parel in de brandkast," zei hij, "en haal dan de paperassen te voorschijn van die Conk-Singleton vervalsingszaak. Lestrade, tot ziens. Wanneer je weer eens met een klein probleempje zit, zal het me een waar genoegen zijn je, indien ik daartoe in staat ben, een paar aanwijzingen te geven over de wijze waarop het kan worden opgelost."

Het probleem van de Thorbrug

ERGENS IN DE gewelven van de bank van Cox en Co. bij Charing Cross staat een door mijn vele reizen versleten en gedeukte doos met mijn naam op het deksel: JOHN H. WATSON, ARTS, EX-MILITAIR UIT HET BRITS-INDISCHE LEGER. Hij zit stampvol papieren, die bijna allemaal verslagen bevatten van de merkwaardige problemen die de heer Sherlock Holmes op verschillende tijdstippen op verzoek heeft onderzocht. Sommige, en zeker niet de minst interessante, waren volledig tot mislukken gedoemd en kunnen dus eigenlijk niet te boek worden gesteld, omdat er geen definitieve oplossing is om ze af te ronden. Een probleem zonder oplossing is wellicht interessant voor een student, maar zal iemand die zin heeft om eens wat te lezen, naar alle waarschijnlijkheid slechts ergeren. Tot die verhalen zonder oplossing behoort dat van de heer James Phillimore, die zijn eigen huis weer binnenging om zijn paraplu te halen en daarna spoorloos van deze aardbodem verdwenen bleek te zijn. Niet minder opmerkelijk is het verhaal van de kotter die de *Alicia* werd genoemd, en die op een lenteochtend een mistbank binnenvoer en daarna spoorloos verdween, zonder dat iemand ooit nog iets van haar of de bemanning vernomen heeft. Een derde voorval dat de aandacht verdient, was dat van Isadora Persano, de bekende journalist en duellist, die volslagen krankzinnig werd aangetroffen met een lucifersdoosje voor hem waarin een merkwaardige worm zat van welks bestaan geen enkele wetenschapper op de hoogte was. Afgezien van die onopgeloste zaken zijn er andere waarbij privégeheimen van bepaalde families zo'n grote rol hebben gespeeld dat er in vele verheven kringen grote beroering zou ontstaan wanneer men het niet onmogelijk achtte dat zij ooit te boek zouden worden gesteld. Ik hoef hier nauwelijks te verklaren dat een dergelijke inbreuk op genoten vertrouwen ondenkbaar is en dat de verslagen van die gevallen geselecteerd en vernietigd zullen worden, omdat mijn vriend nu tijd en gelegenheid heeft om zijn aandacht daaraan te schenken. Er blijven echter nog heel wat zaken over, sommige interessanter dan andere, die ik wel te boek had kunnen stellen wanneer ik niet bang was geweest het publiek daarmee zoveel informatie te geven dat de reputatie van de man die ik meer dan wie dan ook hoogacht, daardoor schade zou kunnen lijden. Bij sommige daarvan was ik persoonlijk betrokken en kan er dus als ooggetuige over vertellen. Bij andere was ik niet aanwezig, of speelde erbij slechts zo'n kleine rol dat ze alleen door een derde kunnen worden verteld. Bij het hieronder volgende verhaal heb ik kunnen putten uit mijn eigen ervaringen.

Op een gure oktoberochtend zag ik onder het aankleden hoe de laatste bladeren werden losgerukt van de ene plataan die op het pleintje achter ons huis staat. Ik liep de trap af om te gaan ontbijten en verwachtte mijn vriend depressief aan te treffen, want net als bij alle grote kunstenaars was de omgeving ook van invloed op zijn stemmingen. Ik zag echter integendeel dat hij zijn ontbijt al vrijwel had verorberd en dat hij in een bijzonder opgewekte en blijde stemming verkeerde. Het was een beetje sinistere opgewektheid, die typerend kon worden genoemd voor de momenten dat hij in een wat minder sombere stemming verkeerde.

"Is je een probleem voorgelegd, Holmes?" vroeg ik.

"De gave om te kunnen deduceren is beslist besmettelijk, Watson," antwoordde hij. "Daardoor was jij in staat mijn geheim te doorgronden. Ja, er is me inderdaad een zaak voorgelegd. Na een aantal maanden lang me alleen met uiterst onbelangrijke zaken te hebben beziggehouden, zijn de wielen nu weer in beweging gezet."

"Wil je me er wat over vertellen?"

"Er valt nog niet zoveel over te vertellen, maar we zullen deze zaak bespreken wanneer jij de twee hardgekookte eieren hebt opgegeten waarmee onze nieuwe kokkin ons een genoegen meende te moeten doen. De hardheidsgraad van die eieren houdt wellicht verband met het exemplaar van de *Family Herald* dat ik gisteren op het tafeltje in de hal heb zien liggen. Zelfs een onbeduidende zaak als het koken van een ei heeft die aandacht nodig, waarbij het verglijden van de tijd niet uit het oog wordt verloren, en dat gegeven is niet verenigbaar met de verhalen over liefde en romances die in dat uitstekende tijdschrift gewoonlijk worden aangetroffen."

Een kwartiertje later was de tafel afgeruimd en zaten we tegenover elkaar. Hij had een brief uit zijn zak te voorschijn gehaald.

"Heb je wel eens gehoord van Neil Gibson, de goudkoning?" vroeg hij.

"Je bedoelt die Amerikaanse senator?"

"Hij is inderdaad ooit senator geweest voor de een of andere staat in het westelijke deel van Amerika, maar heeft bekendheid gekregen als de grootste goudmagnaat ter wereld."

"Ja, ik heb wel eens wat over hem gehoord. Ik meen me duidelijk te herinneren dat hij enige tijd in Engeland heeft gewoond, zijn naam klinkt me werkelijk heel bekend in de oren."

"Ja, vijf jaar geleden heeft hij een groot landgoed in Hampshire gekocht. Misschien heb je al gehoord over de tragische dood van zijn vrouw?"

"Natuurlijk. Nu weet ik het weer. Daarom komt die naam me zo bekend voor. Maar ik weet werkelijk geen enkel detail."

Holmes wees met een armgebaar op een aantal papieren dat op een stoel lag.

"Ik had er geen idee van dat die zaak mij zou worden voorgelegd," zei hij. "Anders had ik er wel voor gezorgd dat ik mijn documentatie gereed had liggen. Het probleem, dat weliswaar uitzonderlijk sensationeel is, leek aanvankelijk gemakkelijk te kunnen worden opgelost. De interessante persoonlijkheid van degene die nu wordt beschuldigd, heeft het bewijsmateriaal er niet minder duidelijk op gemaakt. Zo dacht men er tenminste over bij de lijkschouwing en later bij de politierechtbank. De zaak moet nu voorkomen bij de rechtbank van Winchester. Ik ben bang, dat het een weinig dankbare onderneming wordt. Ik kan feiten boven tafel halen, Watson, maar niets veranderen. Tenzij er iets geheel nieuws en onverwachts aan het licht komt, begrijp ik niet waarop mijn cliënt nog hoopt."

"Je cliënt?"

"Ah, ik was even vergeten dat ik je dat nog niet heb verteld. Ik begin jouw gewoonte om een verhaal van achteren naar voren te vertellen over te nemen, Watson. Je moet dit eerst maar eens lezen."

De brief die hij me had overhandigd, was geschreven in een stoutmoedig, autoritair handschrift en had de volgende inhoud:

Hotel Claridge, 3 oktober

Mijn beste meneer Sherlock Holmes, Ik kan de beste vrouw die God ooit heeft geschapen haar dood niet tegemoet laten gaan zonder alles te doen wat in mijn vermogen ligt om haar te redden. Ik kan de zaken niet verklaren – ik kan zelfs niet eens ook maar een poging in die richting ondernemen – maar ik weet zonder enige twijfel dat mejuffrouw Dunbar onschuldig is. U kent de feiten. Wie kent die trouwens niet? Het hele land heeft er druk over geroddeld. En nooit heeft iemand een keer iets ten gunste van haar gezegd! Ik word gek van de onrechtvaardigheid die uit dit alles spreekt! Deze vrouw zou nog geen mug kwaad kunnen doen. Ik zal morgen om elf uur bij u langskomen om te zien of u enig licht kunt werpen in de duisternis. Misschien heb ik, zonder dat te weten, wel een aanwijzing in handen. In ieder geval zal ik u alles wat ik weet vertellen, alles wat ik heb ter beschikking stellen en mezelf geheel en al te uwen dienste maken wanneer u erin denkt te kunnen slagen haar te redden. Ik verzoek u dringend van de grote talenten die u bezit gebruik te maken voor deze zaak.

Hoogachtend,

J. Neil Gibson

"Nu weet je alles," zei Sherlock Holmes, die zijn eerste pijp van die dag uitklopte en hem toen opnieuw stopte. "Dat is de heer op wie ik zit te wachten. En wat het verhaal erachter betreft: je hebt nauwelijks de tijd om al die documenten door te lezen, dus zal ik je er een korte samenvatting van geven, zodat je met enige kennis van zaken de vorderingen kunt gadeslaan. Deze man is op financieel gebied de machtigste ter wereld en ik heb begrepen dat hij bovendien over een zeer heftige, onstuimige natuur beschikt. Hij was getrouwd met een vrouw, het slachtoffer van deze tragedie, van wie ik niets afweet dan dat ze haar beste jaren eigenlijk al achter de rug had, wat des te vervelender was omdat een zeer aantrekkelijke gouvernante de leiding kreeg over de verzorging van hun twee jonge kinderen. Dat zijn de drie mensen die hierbij zijn betrokken en alles heeft plaatsgevonden op een groot, oud landgoed, waar in het verleden geschiedenis is gemaakt. En nu die tragedie. De echtgenote is op het landgoed gevonden, een kleine kilometer van het huis vandaan. Laat op een avond. Ze was gekleed in een avondjapon, had een sjaal over haar schouders en een kogel in haar hart. Bij haar in de buurt is geen wapen aangetroffen en ter plaatse heeft men verder geen enkele aanwijzing gevonden die licht zou kunnen werpen op deze moord. Geen wapen bij haar in de buurt, Watson, onthoud dat goed! De misdaad schijnt laat in de avond te zijn begaan en het lijk werd rond elf uur 's avonds door de jachtopziener ontdekt. Voordat het werd meegenomen naar het huis, is het onderzocht door de politie en een arts. Is dit alles te kort samengevat of kun je me duidelijk volgen?"

"Het is allemaal volkomen duidelijk. Maar waarom is de verdenking op die gouvernante gevallen?"

"In de eerste plaats is er sprake van enig direct bewijsmateriaal. Op de bodem van haar klerenkast is een revolver gevonden waaruit een kogel was afgeschoten, en het kaliber kwam overeen met dat van de kogel waarmee de vrouw was vermoord."

Hij staarde me aan en herhaalde, gescandeerd: "Op-de-bodem-van-haar-klerenkast."

Toen deed hij er het zwijgen toe en ik zag dat hij begonnen was aan een gedachtegang die ik niet mocht onderbreken. Plotseling werd hij weer een en al leven.

"Ja, Watson, dat ding heeft men gevonden. Zeer bezwarend bewijsmateriaal, nietwaar? Dat vonden de twee jury's in ieder geval. Verder had die overleden vrouw een briefje bij zich waarin de gouvernante, die het had ondertekend, op dat tijdstip en die plaats een afspraak met haar had gemaakt. Wat zeg je me daarvan? En dan ten slotte het motief. Senator Gibson is een aantrekkelijke man. Wie zou er beter de plaats van zijn echtgenote kunnen innemen dan de jonge vrouw die, volgens alle verhalen, al herhaalde malen veel aandacht had gekregen van haar werkgever? Liefde, fortuin, macht, alle verkrijgbaar wanneer een dame van middelbare leeftijd er niet meer zou zijn. Smerig zaakje, Watson. Een heel smerig zaakje."

"Inderdaad, Holmes."

"Bovendien had die gouvernante geen sluitend alibi. Integendeel. Ze was gedwongen toe te geven dat ze rond die tijd in de buurt van de Thorbrug was – de plaats waar de misdaad zich heeft afgespeeld. Dat kon ze niet ontkennen, want een dorpeling die daar toevallig liep, had haar gezien."

"Daarmee lijkt het definitieve bewijs te zijn geleverd."

"Ja, maar toch, Watson, maar toch…! De brug, een kleine stenen overspanning met balustrades, loopt over het smalste deel van een lang en diep meer met oevers vol riet, Thor Mere geheten. De vrouw lag aan het begin van de brug. Dat zijn de belangrijkste feiten. Maar wanneer ik me niet vergis, komt daar onze cliënt, veel eerder dan was afgesproken."

Billy had de deur opengemaakt, maar kondigde niet degene aan die we verwachtten.

De heer Marlow Bates was een onbekende, zowel voor Holmes als voor mij. Hij was een magere, zenuwachtige, slungelachtige man met bange ogen en een aarzelende, onzekere manier van doen – een man die in mijn beroepsogen op de rand van een zenuwinzinking verkeerde.

"U lijkt me nogal opgewonden, meneer Bates," zei Holmes. "Gaat u alstublieft zitten. Ik ben bang dat ik maar weinig tijd voor u heb, omdat ik om elf uur een afspraak heb."

"Dat weet ik," bracht onze bezoeker er met enige moeite uit. Hij sprak in korte zinnen, als een man die volstrekt buiten adem is. "Meneer Gibson komt naar u toe. Meneer Gibson is mijn werkgever. Ik ben de beheerder van zijn landgoed, meneer Holmes en hij is een boef – een hels stuk geboefte."

"Nogal krachtige taal, meneer Bates."

"Ik moet me wel van dergelijke termen bedienen, meneer Holmes, want ik heb maar weinig tijd. Ik wil voor geen geld ter wereld dat hij me hier aantreft. Hij kan nu vrijwel ieder moment hier arriveren. Maar het was mij door bepaalde omstandigheden onmogelijk eerder te komen. Zijn secretaris, de heer Ferguson, heeft me pas vanmorgen verteld dat hij een afspraak met u had gemaakt."

"En u bent werkelijk zijn rentmeester?"

"Ik heb hem mijn ontslag aangekondigd. Over een paar weken zal ik me uit deze vervloekte slavernij hebben bevrijd. Een keiharde man, meneer Holmes, voor iedereen in zijn omgeving. Al die donaties die hij liefdadigheidsinstellingen schenkt, hebben

129

maar één doel: het verborgen houden van zijn privézonden. Zijn vrouw was daar het grootste slachtoffer van. Hij was een bruut voor haar. Ja, meneer, werkelijk een bruut. Ik weet niet hoe zij de dood gevonden heeft, maar ik ben er wel zeker van dat hij het leven voor haar tot een hel heeft gemaakt. Ze kwam uit de tropen, Brazilië, zoals u ongetwijfeld wel weet."

"Nee, dat wist ik niet."

"In de tropen geboren en met een tropisch temperament. Een kind van de zon en de hartstochten. Ze heeft van hem gehouden op een wijze zoals dergelijke vrouwen kunnen liefhebben. Maar toen haar lichamelijke aantrekkingskracht minder was geworden – ik heb me laten vertellen dat ze vroeger uitzonderlijk aantrekkelijk is geweest – liet hij zich door haar van niets meer weerhouden. We vonden haar allemaal aardig en hadden allemaal met haar te doen, en we haatten hem vanwege de wijze waarop hij haar behandelde. Maar hij is geslepen en kan uiterst geloofwaardig lijken. Meer heb ik u niet te zeggen. Geloof hem niet op het eerste gezicht. Er zit meer achter dan u in eerste instantie kan denken. Nu ga ik weer weg. Nee, nee, u moet me nu niet langer hier houden. Hij kan ieder moment voor de deur staan."

Met een angstige blik op de klok rende onze bezoeker letterlijk naar de deur en verdween.

"Wel, wel," zei Holmes na een korte stilte. "De heer Gibson lijkt aardige, trouwe mensen in dienst te hebben! Maar die waarschuwing is bruikbaar en nu kunnen we alleen maar wachten tot de man zelf verschijnt."

Precies om elf uur hoorden we zware voetstappen op de trap en werd de beroemde miljonair de kamer binnengebracht. Toen ik naar hem keek, begreep ik niet alleen waarom de rentmeester zo bang voor hem was en zo'n haat tegen hem koesterde, maar ook waarom zovele zakelijke concurrenten een hartgrondige hekel aan hem hadden. Wanneer ik een beeldhouwer was en een ideaalbeeld zou willen scheppen van een succesvol zakenman, met een ijzeren zenuwgestel en een rekbaar geweten, zou ik de heer Neil Gibson uitkiezen als mijn model. Zijn lange, benige, verweerde voorkomen suggereerde honger en hebzucht. Wanneer de lezer zich een Abraham Lincoln voorstelt die zich geen verheven, maar laaghartige doelen in dit leven heeft gesteld, kan hij zich een idee vormen van het uiterlijk van deze man. Zijn gezicht leek uit graniet te zijn gehouwen. Hard, verweerd, meedogenloos, met diepe lijnen – de littekens van vele crises. Koude grijze ogen die slim onder borstelige wenkbrauwen vandaan keken en nu beurtelings op Holmes en mij rustten. Hij maakte een formele buiging toen Holmes mijn naam noemde en trok toen, alsof hij in Baker Street heer en meester was, een stoel dicht bij die van Holmes en ging zitten. Zijn benige knieën raakten vrijwel die van mijn metgezel.

"Laat ik beginnen met te zeggen, meneer Holmes, dat geld in deze zaak niets voor mij betekent. Bankbiljetten mag u wat mij betreft gaan verbranden wanneer u meent dat daardoor enig licht op deze zaak kan worden geworpen. Deze vrouw is onschuldig en deze vrouw moet van alle blaam worden gezuiverd en het is uw taak daarvoor te zorgen. Noemt u maar een bedrag!"

"Voor het uitoefenen van mijn beroep hanteer ik een vast tarief," zei Holmes koud. "Daar wijk ik nimmer vanaf, tenzij om af te zien van iedere vorm van betaling."

"Wanneer dollars voor u niets uitmaken, moet u in dit verband wellicht denken aan uw reputatie. Wanneer u dit tot een oplossing brengt, zal daar in iedere Engelse en Amerikaanse krant veel ophef over worden gemaakt. Dan zal er op twee continenten door iedereen over u worden gesproken!"

"Meneer Gibson, ik geloof niet dat ik daar enige behoefte aan heb. Het zal u wellicht verbazen te horen dat ik het liefste in de anonimiteit mijn werkzaamheden verricht en dat ik me voel aangetrokken tot het probleem op zich. Maar we zijn onze kostbare tijd aan het verspillen. Laten we ons bij de feiten houden en die nu bespreken."

"Ik denk dat alle belangrijke feiten al in de pers zijn vermeld. Ik geloof niet dat ik er iets aan kan toevoegen wat u zou kunnen helpen. Maar wanneer u over het een of ander nog iets meer wilt weten, ben ik hier om u zo mogelijk duidelijkheid te verschaffen."

"Het gaat eigenlijk maar om één detail."

"Welk?"

"Hoe was de verhouding tussen u en mejuffrouw Dunbar precies?"

De goudkoning schrok hevig en kwam half uit zijn stoel overeind. Toen werd hij weer rustig.

"Ik veronderstel dat u het recht heeft – en misschien zelfs de plicht – me een dergelijke vraag te stellen, meneer Holmes."

"Laten we het er over eens zijn dat we dat kunnen veronderstellen," antwoordde Holmes.

"Dan kan ik u verzekeren dat onze verhouding nooit anders is geweest dan die welke normaal gesproken bestaat tussen een werkgever en een jongedame met wie hij nooit een woord heeft gewisseld, ja, die hij zelfs nimmer heeft gezien, zonder dat de kinderen erbij waren."

Holmes kwam uit zijn stoel overeind.

"Ik ben een nogal druk bezet man, meneer Gibson," zei hij, "en ik heb tijd voor noch zin in nutteloze gesprekken. Ik wens u verder een goede morgen."

Onze bezoeker was eveneens overeind gekomen en zijn grote, slungelige gestalte stak een heel eind boven Holmes uit. Onder de borstelige wenkbrauwen flikkerden een paar boze ogen en op de bleke wangen was een lichte blos verschenen.

"Wat bedoelt u daar voor den duivel mee, meneer Holmes? Bent u niet van plan mijn zaak verder in behandeling te nemen?"

"Tja, meneer Gibson, ik wil in ieder geval verder met u niets meer te maken hebben. Ik dacht zo dat mijn woorden duidelijk waren."

"Duidelijk genoeg, maar wat zit erachter? Wilt u meer geld zien te krijgen of bent u bang u hierin te gaan verdiepen of...? Ik heb recht op een duidelijk antwoord."

"Tja, misschien wel," zei Holmes. "En ik zal u er een geven. Deze zaak is al gecompliceerd genoeg zonder dat ik nog eens wordt opgezadeld met inlichtingen die niet kloppen."

"Hetgeen betekent dat ik lieg."

"Ik probeerde dat zo bedekt mogelijk te zeggen, maar wanneer u erop staat dat woord te gebruiken, zal ik u niet tegenspreken."

Ik sprong overeind, want de uitdrukking op het gezicht van de miljonair was uiterst vijandig en gemeen en hij had een grote vuist omhoog geheven. Holmes glimlachte verveeld en stak een hand uit om zijn pijp te pakken.

"Maakt u nu niet zoveel lawaai, meneer Gibson. Ik vind zelfs het kleinste meningsverschil zo vlak na het ontbijt al storend. Ik zou willen voorstellen dat een wandeling in de frisse ochtendlucht en een beetje rustig nadenken u veel goed zullen doen."

Met enige inspanning wist de goudkoning zijn woede in bedwang te houden. Ik moest hem daar wel om bewonderen, want door een zeer grote zelfbeheersing veranderde zijn houding binnen de kortste keren van heetgebakerde woede in ijskoude en minachtende onverschilligheid.

"Tja, wanneer u het zo wenst, moet u uw gang maar gaan. Ik denk dat uzelf het beste weet hoe u uw beroep moet uitoefenen. Ik kan u er niet toe dwingen u tegen uw zin in met deze zaak bezig te houden. U heeft zichzelf echter deze ochtend geen goed gedaan, meneer Holmes, want ik ben in staat geweest sterkere mannen dan u te breken. Geen enkele man die tegen mijn wensen inging, is daar ooit beter van geworden."

"Dat hebben velen voor u ook al gezegd en toch leef ik nog steeds," zei Holmes glimlachend. "Een goede morgen nu verder, meneer Gibson. U moet nog heel wat leren."

Onze bezoeker vertrok met veel misbaar, maar Holmes rookte zwijgend en onverstoorbaar door, met dromerige ogen die op het plafond waren gericht.

"Heb jij je al een mening gevormd, Watson?" vroeg hij uiteindelijk.

"Tja, Holmes, ik moet bekennen dat ik, in aanmerking genomen dat deze man in staat is ieder obstakel dat hem voor de voeten wordt geworpen te verwijderen en dat zijn echtgenote een dergelijk obstakel geweest kan zijn en dat hij een hekel aan haar had, zoals die Bates ons onomwonden heeft verteld, van mening ben dat…"

"Inderdaad, dat ben ik ook."

"Maar hoe is zijn verhouding tot die gouvernante dan wel en hoe ben jij daar achter gekomen?"

"Bluf, Watson, niets anders dan bluf. Ik had de hartstochtelijke, onconventionele en weinig zakelijke toon waarin zijn brief was gesteld in gedachten en plaatste die tegenover de manier van optreden en het uiterlijk van die man en daardoor werd het me duidelijk dat die man diepgaande gevoelens had die eerder met de vrouw die van de moord wordt beschuldigd te maken hadden dan met het slachtoffer. Wanneer we de waarheid willen achterhalen, moeten we nauwkeurig weten hoe de verhoudingen tussen die drie mensen lagen. Je bent getuige geweest van mijn rechtstreekse aanval en de onverstoorbaarheid waarmee hij die opving. Toen heb ik blufpoker gespeeld, door hem de indruk te geven dat ik ergens absoluut zeker van was, terwijl ik in werkelijkheid alleen maar ernstige vermoedens in die richting had."

"Denk je dat hij terugkomt?"

"Dat staat vast. Dat moet hij wel. Hij kan deze zaak nu verder niet opeens laten rusten. Ha! Wordt daar niet gebeld? Ja, ik hoor zijn voetstappen al. Zo, meneer Gibson, ik zei net tegen dokter Watson dat u een beetje aan de late kant was."

De goudkoning was de kamer weer binnengekomen in een heel wat ingetogener stemming dan hij was weggegaan. Uit zijn ogen sprak nog steeds gekwetste trots, maar zijn gezonde verstand had hem doen inzien dat hij moest toegeven wanneer hij zijn doel wilde bereiken.

"Ik heb er nog eens over nagedacht, meneer Holmes, en ik ben tot de conclusie gekomen dat ik me door uw opmerkingen te snel beledigd heb gevoeld. U heeft het recht om naar de feiten te vragen, welke dat ook zijn, en daarom moet ik u eigenlijk alleen maar meer waarderen. Ik kan u echter verzekeren dat de verhouding tussen juffrouw Dunbar en mij niets met deze zaak te maken heeft."

"Dat zal ík moeten uitmaken, nietwaar?"

"Ja, ik veronderstel van wel. U bent net een chirurg, die alle symptomen wil kennen alvorens een diagnose te stellen."

"Inderdaad. Dat heeft u goed onder woorden gebracht. En alleen een patiënt die er belang bij heeft de chirurg om de tuin te leiden, zal voor hem de feiten verborgen houden."

"Dat kan zo zijn, maar u zult moeten toegeven, meneer Holmes, dat de meeste mannen een beetje terugdeinzen wanneer onomwonden wordt gevraagd naar een relatie met een vrouw, wanneer er tenminste sprake is van serieuze gevoelens. Ik vermoed dat de meeste mannen een plekje in hun hart hebben dat ze niet graag aan indringers laten zien. En u stelde onomwonden dat u dat plekje wilde zien. Maar het doel van die vraag is voldoende excuus, omdat u hem stelde om te proberen haar te redden. Ik zal u vertellen wat u wilt weten."

"De waarheid."

De goudkoning zweeg even, als iemand die zijn gedachten ordent. Zijn grimmige, diep doorgroefde gezicht was nog triester en ernstiger geworden.

"Die kan ik u in een paar woorden meedelen, meneer Holmes," zei hij uiteindelijk. "Sommige dingen laten zich moeilijk en pijnlijk verwoorden, dus zal ik er niet dieper op ingaan dan noodzake-

lijk is. Ik heb mijn vrouw leren kennen toen ik in Brazilië op zoek
was naar goud. Maria Pinto was de maarte van een in Manaos
woonachtige regeringsfunctionaris en heel erg mooi om te zien.
In die tijd was ik jong en vurig, maar zelfs nu, nu ik met een
kritischer oog en minder hartstocht op die periode kan terugzien,
weet ik dat ze een wonderbaarlijke, zeldzame schoonheid bezat.
Ze had ook een diepvoelend, warm karakter, gepassioneerd,
oprecht, tropisch, snel onevenwichtig, heel anders dan de Amerikaanse vrouwen die ik kende. Om een lang verhaal kort te maken:
ik ging van haar houden en trouwde met haar. Pas toen de roman-
ce, die jarenlang bleef sudderen, minder intens van aard werd,
realiseerde ik me dat we niets – helemaal niets – gemeen hadden.
Mijn liefde voor haar werd steeds minder. Het zou gemakkelijker
zijn geweest wanneer haar liefde voor mij eveneens minder was
geworden. Maar u weet ongetwijfeld hoe vrouwen kunnen zijn.
Wat ik ook deed, ze bleef me volkomen toegewijd. Wanneer ik
hard tegen haar ben geweest, bruut zelfs, zoals sommigen beweren, heb ik dat gedaan omdat ik wist dat alles voor ons beiden
gemakkelijker zou worden wanneer ik haar liefde voor mij kon
uitblussen, of desnoods veranderen in haat. Maar niets leek haar in
dat opzicht tot andere gedachten te kunnen brengen. Ze aanbad
me hier in Engeland te midden van de bossen net zoals ze me
twintig jaar daarvoor had aanbeden aan de oever van de Amazone.
Wat ik ook deed – ze bleef me even toegewijd. Toen kwam
mejuffrouw Grace Dunbar op het toneel. Ze reageerde op een
advertentie die we hadden geplaatst en werd gouvernante voor
onze twee kinderen. Misschien heeft u een portret van haar in de
kranten gezien. De hele wereld heeft verklaard dat ook zij een heel
erg mooie vrouw is. Nu zal ik niet net doen alsof ik moralistischer
ben ingesteld dan mijn buren en ik zal u bekennen dat ik niet met
die vrouw onder één dak kon leven en dagelijks contact met haar
kon onderhouden zonder gepassioneerde gevoelens te gaan koesteren. Neemt u me dat kwalijk, meneer Holmes?"

"Ik kan u dat niet kwalijk nemen. Ik zou het u wel kwalijk
nemen wanneer u aan die gevoelens uitdrukking had gegeven,
omdat die jonge vrouw in zekere zin recht had op uw bescherming."

"Misschien wel," zei de miljonair, hoewel dat verwijt even een
boze blik in zijn ogen had gebracht. "Ik wil me niet beter voor-

doen dan ik ben. Ik denk dat ik mijn hele leven lang al iemand ben geweest die gepakt heeft wat hij wilde hebben en ik heb nog nooit iets zo graag willen hebben als die vrouw en haar liefde. En dat heb ik haar ook gezegd."

"Zo, heeft u dat inderdaad gedaan?"

Holmes kon er erg indrukwekkend uitzien wanneer er emoties in het spel waren.

"Ik heb tegen haar gezegd dat ik met haar zou trouwen wanneer me dat mogelijk was, maar dat dat laatste niet het geval was. Ik zei haar dat geld voor mij er niet toe deed en dat ik alles zou doen om haar gelukkig te maken en ervoor te zorgen dat ze een comfortabel leventje kon leiden."

"Heel genereus, ongetwijfeld," zei Holmes sarcastisch.

"Luister eens, meneer Holmes, ik ben naar u toegekomen om bewijsmateriaal te bespreken, en niet een al dan niet moreel verantwoord gedrag mijnerzijds. Ik heb u niet gevraagd kritiek te leveren."

"Ik bemoei me alleen maar met uw zaak omwille van die jonge vrouw," zei Holmes streng. "Ik geloof niet dat zij wordt beschuldigd van ernstiger vergrijpen dan uzelf heeft begaan – gezien het feit dat u heeft geprobeerd de reputatie te verwoesten van een meisje dat onder uw dak woonde en zichzelf niet kon verdedigen. Sommige rijke mannen moeten eenvoudigweg leren dat het niet mogelijk is iedereen zodanig om te kopen dat ze hun vergrijpen door de vingers zien."

Tot mijn grote verbazing aanvaardde de goudkoning dat standje gelijkmoedig.

"Zo denk ik er nu zelf ook over. Ik dank God dat mijn plannen niet zo zijn verwezenlijkt als ik me dat had voorgesteld. Ze wilde er niets van weten en was eigenlijk van plan meteen definitief het huis te verlaten."

"Waarom heeft ze dat dan niet gedaan?"

"In de eerste plaats omdat er anderen van haar afhankelijk waren en ze het niet gemakkelijk vond om hen in de steek te laten. Toen ik had gezworen dat ik haar niet meer lastig zou vallen, stemde ze erin toe te blijven. Maar ze had er ook nog een andere reden voor. Ze wist dat ze meer dan wie dan ook invloed op me kon uitoefenen en wilde die ten goede aanwenden."

"Hoe?"

"Tja, ze wist wel iets af van mijn zakelijke aangelegenheden. Die zijn verschrikkelijk veelzijdig, meneer Holmes, veelzijdiger dan een gewoon mens zich ooit zal kunnen voorstellen. Ik kan mensen maken of breken – en gewoonlijk breek ik hen. En dan niet alleen mensen. Ook leefgemeenschappen, steden en zelfs naties. Zakendoen is een hard spel en de zwakken redden het niet. Ik speelde dit spel met volle inzet. Ik heb mezelf nooit beklaagd en het heeft me nooit wat kunnen schelen wanneer een ander dat wel deed. Maar zij was een andere mening toegedaan. Ik denk dat ze gelijk had. Ze geloofde en zei dat een man niet een fortuin mocht bezitten dat groter was dan hij nodig had, wanneer dat werd vergaard over de ruggen van tienduizend mensen die daardoor geruïneerd raakten en geen droog brood meer hadden om te eten. Zo dacht ze erover en ik vermoedde dat ze door het bezit van geld heen kon kijken naar iets wat blijvender en waardevoller was. Ze merkte dat ik bereid was te luisteren naar wat ze zei en ze geloofde dat ze de wereld een goede dienst bewees door mijn handelwijze te beïnvloeden. Dus bleef ze… en toen gebeurde dit."

"Kunt u daarover wellicht nog iets meer zeggen?"

De goudkoning zweeg een minuut of iets langer, zijn hoofd op zijn handen rustend, verloren in gedachten.

"De zaken staan er voor haar erg slecht voor. Dat kan ik niet ontkennen. Vrouwen hebben een innerlijk leven en kunnen dingen doen die een man niet kan beoordelen. Aanvankelijk was ik zo van streek en geschrokken dat ik bereid was te denken dat ze op de een of andere buitengewone manier, die geheel strijdig was met haar eigen natuur, van het rechte pad was afgedwaald. In dat verband kwam er een mogelijke verklaring in mijn gedachten op. Ik geef hem u maar voor wat hij waard is, meneer Holmes. Het lijdt geen twijfel dat mijn vrouw ontzettend jaloers was. Hoewel zij daarvoor geen werkelijke reden had – en ik geloof dat ze dat ook begreep – was ze zich er wel van bewust dat dit Engelse meisje mijn geest kon beïnvloeden, evenals mijn daden. En dat op een wijze waartoe zij nimmer in staat was geweest. Het was een beïnvloeding ten goede, maar dat maakte de zaken er niet beter op. Ze werd verteerd door krankzinnige haatgevoelens en de hitte van de Amazone is altijd in haar bloed blijven zitten. Het is mogelijk dat ze het plan had opgevat om juffrouw Dunbar te vermoorden of laten we zeggen, met een wapen te bedreigen en haar daardoor zo bang te maken dat ze van ons weg zou gaan. Daarna kan er een ruzie zijn ontstaan waarna het wapen afging en de vrouw die het vasthield, trof."

"Die mogelijkheid heb ik ook al overwogen," zei Holmes. "Dat is inderdaad het enige voor de hand liggende alternatief naast moord met voorbedachten rade."

"Maar zij ontkent alles ten stelligste."

"Dat zegt echter niet alles, zoals u ook best weet. Je zou je kunnen voorstellen dat een vrouw die zich met zo'n afschuwelijke situatie geconfronteerd ziet, haastig naar huis terug loopt en nog zo verward is dat ze het wapen blijft vasthouden. Het is zelfs mogelijk dat ze het ergens tussen haar kleren verstopte, vrijwel zonder zich daarvan bewust te zijn, waarna het te proberen viel om door alles te ontkennen zich eruit te redden wanneer iemand het wapen mocht vinden. Wat valt er tegen een dergelijke veronderstelling in te brengen?"

"Het karakter van juffrouw Dunbar."

"Tja, misschien wel." Holmes keek op zijn horloge. "Ik twijfel er niet aan dat we deze ochtend de noodzakelijke formaliteiten in orde kunnen maken en dan kunnen we met de avondtrein in Winchester arriveren. Wanneer ik de jongedame heb gesproken, is het zeer wel mogelijk dat ik u in deze kwestie beter van dienst kan zijn, hoewel ik u niet kan beloven dat mijn conclusies die zullen zijn die u wilt horen."

Het duurde enige tijd voor we het officiële pasje verkregen hadden. We gingen die dag niet meer door naar Winchester, maar naar Thor Place, het landgoed van de heer Neil Gibson. Hij ging zelf niet met ons mee, maar we werden opgevangen door brigadier Coventry van de plaatselijke politie, die in eerste instantie een onderzoek naar deze affaire had ingesteld. Hij was een lange, magere, lijkbleke man die zich zo terughoudend en mysterieus gedroeg dat je het idee had dat hij heel wat meer wist of vermoedde dan hij met woorden uitte. Hij had er kennelijk ook een gewoonte van gemaakt om zijn stem plotseling tot een gefluister te laten dalen, alsof hij iets zeer belangrijks had ontdekt, hoewel de informatie die dan te berde werd gebracht gewoonlijk niets bijzonders was. Maar we merkten al spoedig dat achter die maniertjes een fatsoenlijke, eerlijke vent school die niet te trots was om toe te geven dat hij er geen raad meer mee wist en iedere assistentie verwelkomde.

"Ik zie u liever dan Scotland Yard, meneer Holmes," zei hij. "Wanneer de Yard bij een zaak geroepen wordt, krijgt de plaatselijke politie nooit lof, maar wel de schuld wanneer het mis gaat. Ik heb gehoord dat u altijd een eerlijk spel speelt met de politie."

"Mijn naam hoeft in verband met deze zaak in het geheel niet te worden genoemd," zei Holmes, tot duidelijke opluchting van onze melancholieke kennis. "Wanneer ik deze kwestie tot een oplossing kan brengen, is dat mij al meer dan genoeg."

"Dat is heel erg aardig van u. En ik weet dat uw vriend dokter Watson te vertrouwen is. Meneer Holmes, ik zou u onderweg naar de plaats des onheils één ding willen vragen. Ik durf er met niemand anders ook maar met een woord over te reppen." Hij keek om zich heen, alsof hij de woorden nauwelijks over zijn lippen durfde te laten komen. "Denkt u dat de heer Neil Gibson zelf van deze moord zou kunnen worden beschuldigd?"

"Aan die mogelijkheid heb ik inderdaad al gedacht."

"U heeft juffrouw Dunbar nog niet gezien. Dat is een in alle opzichten schitterende, geweldige vrouw. Het kan heel goed zijn dat hij zijn vrouw uit de weg wilde ruimen. En die Amerikanen trekken sneller een pistool dan wij. Ze is neergeschoten met zijn pistool, weet u."

"Is dat duidelijk vastgesteld?"

"Ja, meneer. Eén van een tweetal pistolen die hij in zijn bezit had."

"Eén van een tweetal? Waar is het andere dan?"

"Tja, meneer Gibson heeft een heleboel verschillende wapens en we hebben de evenknie van het moordwapen niet kunnen vinden, maar de doos waarin het was opgeborgen, wijst erop dat er twee van dergelijke wapens geweest moeten zijn."

"Wanneer het werkelijk een van een tweetal betreft, moet het toch niet moeilijk zijn om hetzelfde exemplaar erbij te vinden?"

"Alle wapens liggen nog steeds uitgestald in het huis, zodat u die kunt bekijken wanneer u dat wenst."

"Later misschien. Laten we eerst maar eens gedrieën gaan kijken naar de plaats waar zich deze tragedie heeft voltrokken."

Dat gesprek had plaatsgevonden in de kleine voorkamer van het huisje van brigadier Coventry, dat tevens dienst deed als politiebureau. We wandelden een kleine kilometer over de winderige heide en kwamen zo bij een zij-ingang van het domein rond Thor

Place. Een pad voerde ons tussen de fazantenhokken door naar een open plek, vanwaar we boven op de heuvel het grote, half uit hout opgetrokken huis konden zien dat deels uit de Tudor-periode stamde en deels Georgisch van bouw was. Vlak naast ons zagen we de brug. Onze gids wees op de grond.

"Daar lag het lijk van mevrouw Gibson. De plaats heb ik met die steen aangegeven."

"Ik heb begrepen dat je hierheen gekomen bent voordat iemand het lijk had verschoven?"

"Ja, ze hebben me meteen laten halen."

"Wie?"

"Meneer Gibson zelf. Op het moment dat er alarm was geslagen en hij met de anderen vanuit het huis hierheen was gerend, gaf hij meteen bevel dat niets mocht worden aangeraakt of veranderd tot de politie erbij was."

"Dat was verstandig. Ik heb uit het verslag in de kranten begrepen dat het schot van dichtbij werd afgevuurd?"

"Ja, meneer, van heel dichtbij."

"Naast de rechterslaap?"

"Net ietsje daarachter, meneer."

"Hoe lag het lijk?"

"Op de rug, meneer. Geen spoor van een gevecht. Geen vinger-afdrukken, geen wapen. Het korte briefje van juffrouw Dunbar zat in de linkerhand geklemd."

"Geklemd, zeg je?"

"Ja, meneer, we konden de vingers nauwelijks rechtbuigen om het te pakken."

"Dat is heel erg belangrijk. Daardoor kan niet worden verondersteld dat iemand dat briefje na haar dood in haar hand heeft gestopt om een valse aanwijzing te geven. Mijn hemel! Als ik het me goed herinner, was het maar een heel kort briefje: *Ben om negen uur bij de Thorbrug. G. Dunbar.* Dat klopt toch, nietwaar?"

"Inderdaad, meneer."

"Heeft juffrouw Dunbar toegegeven dat ze het heeft geschreven?"

"Ja, meneer."

"Welke verklaring gaf ze ervoor?"

"Ze heeft nog niets ter verdediging aangevoerd. Dat zal pas gebeuren wanneer deze hele affaire voor de rechtbank komt."

"Het probleem is beslist bijzonder interessant. Die kwestie rond die brief is heel erg duister, nietwaar?"

"Tja, meneer," zei onze gids, "wanneer ik zo vrij mag zijn het op te merken, leek ons dat nu juist het enige dat aan deze hele zaak duidelijk was."

Holmes schudde zijn hoofd.

"We kunnen aannemen dat die brief echt is en door de verdachte geschreven. Maar de geadresseerde moet die één, twee uur eerder hebben ontvangen. Waarom had die dame dat briefje dan nog steeds zo stevig vast in haar linkerhand? Waarom had ze het bij zich gehouden? Tijdens het gesprek hoefde er niet aan te worden gerefereerd. Vind je dat niet opmerkelijk?"

"Misschien wel, meneer, zoals u het nu stelt."

"Ik denk dat ik nu graag een paar minuten stil zou willen zitten om hierover na te denken."

Hij ging op de stenen balustrade van de brug zitten en ik zag zijn snelle, grijze ogen onderzoekende blikken werpen – alle kanten op. Plotseling sprong hij weer overeind, rende naar de balustrade aan de andere kant, haalde zijn vergrootglas uit zijn zak en begon de stenen nauwkeurig te bekijken.

"Dat is merkwaardig," zei hij.

"Ja, meneer, het is ons ook opgevallen dat er een scherf van de balustraderand af is. Ik vermoed dat dat de schuld is van de een of andere toevallige passant."

De stenen waren grijs, maar een plekje ongeveer ter grootte van een sixpence was wit. Wanneer je dat plekje goed bekeek, kon je zien dat het stukje steen er met een harde slag moest zijn afgeslagen.

"Daar is behoorlijk wat kracht voor nodig geweest," zei Holmes nadenkend. Met zijn stok sloeg hij een aantal malen op de rand, zonder dat daar ook maar een spoortje van te zien was. "Ja, dat moet een harde slag zijn geweest. En bovendien op een merkwaardige plaats. En niet van bovenaf, maar van onderaf."

"Maar deze plaats is minstens vier en een halve meter van het lijk vandaan!"

"Inderdaad. Het kan er allemaal niets mee te maken hebben, maar deze gegevens zijn de moeite van het onthouden waard. Ik geloof niet dat we verder op deze plaats nog wijzer kunnen worden. Geen voetafdrukken gevonden?"

"De grond was keihard, meneer. We hebben geen enkel spoor gevonden."

"Dan kunnen we nu weer verder gaan. Ik wil eerst die wapens waarover u het had, eens nader bekijken. Daarna reizen we door naar Winchester, want ik wil juffrouw Dunbar spreken voor we met deze zaak verder gaan."

De heer Neil Gibson was nog niet uit de stad teruggekeerd, maar in het huis troffen we wel de neurotische meneer Bates aan die ons die ochtend een bezoek had gebracht. Met een sinister genoegen liet hij ons de indrukwekkende collectie vuurwapens zien die zijn werkgever tijdens zijn avontuurlijke leven had bij-eengebracht.

"Meneer Gibson heeft vijanden, zoals iedereen die hem en zijn methodes kent ook zonder meer zal verwachten," zei hij. "Hij slaapt met een geladen revolver in de lade naast zijn bed. Hij is een gewelddadig man, meneer, en af en toe zijn we allemaal bang voor hem. Ik ben er zeker van dat de arme dame die is overleden, vaak doodsbang voor hem is geweest."

"Bent u ooit getuige geweest van lichamelijke geweldpleging ten aanzien van haar persoon?"

"Nee, dat kan ik niet zeggen. Maar ik heb woorden gehoord die bijna even erg waren. Woorden vol koude, scherpe minachting, zelfs wanneer er bedienden bij waren."

"Onze miljonair schijnt privé niet zo'n fraai leventje te leiden," zei Holmes toen we op weg waren naar het station. "Tja, Watson, we hebben nu heel wat feiten gehoord. Sommige ervan waren me nog niet bekend. Toch lijk ik nog geen duidelijk beeld te kunnen vormen. Ondanks het feit dat de heer Bates zijn werkgever duide-lijk niet mag, heb ik van hem begrepen dat het geen twijfel lijdt dat hij in zijn studeerkamer zat op het moment dat er alarm werd geslagen. Om halfnegen was het diner beëindigd en tot dan toe is alles volstrekt normaal geweest. Het is waar dat er pas later die avond alarm werd geslagen, maar het staat vast dat de tragedie zich heeft afgespeeld op het tijdstip dat in het briefje stond vermeld. Niets wijst erop dat de heer Gibson de deur nog is uitgegaan nadat hij om vijf uur vanuit de stad op Thor Place was gearriveerd. Aan de andere kant heb ik begrepen dat juffrouw Dunbar heeft toe-gegeven dat ze een afspraak had gemaakt om mevrouw Gibson bij de brug te ontmoeten. Verder heeft ze niets gezegd, omdat haar advocaat haar heeft aangeraden alles voor zich te houden tot het moment dat ze voor de rechtbank moet verschijnen. We hebben die jongedame een aantal zeer belangrijke vragen te stellen en mijn geest zal geen rust kennen tot we haar hebben gesproken. Ik moet bekennen dat haar zaak er heel erg slecht zou voorstaan wanneer er niet één ding..."

"Waar heb je het over, Holmes?"

"Het aantreffen van dat pistool op de grond van haar klerenkast."

"Mijn hemel, Holmes," riep ik uit. "Dat lijkt me nu net het meest belastende van alles."

"Nee, Watson, dat is het niet. Toen ik, beroepshalve, voor het eerst een verslag van dit alles doorlas, trof me dat al als iets merkwaardigs en nu ik me verder in deze kwestie heb verdiept, is dat het enige waarop ik met recht en reden hoop kan baseren. We moeten zoeken naar consistentie. Wanneer die ontbreekt, moeten we deceptie vermoeden."

"Ik begrijp nauwelijks wat je daarmee bedoelt."

"Stel je nu eens even voor, Watson, dat jij een vrouw bent die op kille, voorbedachte wijze zich van haar rivale wil ontdoen. Je hebt alle voorbereidingen daartoe getroffen. Je hebt een briefje geschreven. Het slachtoffer is komen opdagen. Je hebt een wapen bij je. De misdaad wordt begaan. Deskundig en volledig. Zou je dan durven stellen dat je je reputatie als misdadiger teniet zou doen door te vergeten je pistool in het riet te gooien, maar het mee te nemen naar je kamer en in je klerenkast te deponeren – wat natuurlijk een van de plaatsen is die het eerst zullen worden doorzocht? Er zullen onder je beste vrienden niet veel mensen te vinden zijn die jou sluw vinden, Watson, maar ik zou me toch niet kunnen voorstellen dat jij zoiets doms zou doen."

"In de opwinding van het moment..."

"Nee, nee, Watson, ik ben niet bereid toe te geven dat dat mogelijk is. Wanneer een misdaad koel en nauwkeurig wordt voorbereid, wordt er even hard over nagedacht hoe eventuele sporen kunnen worden uitgewist of naar een ander gedirigeerd. Daarom hoop ik dat men het ten aanzien van mejuffrouw Dunbar volslagen mis heeft."

"Maar er moet zoveel worden verklaard."

"Laten we daar maar een begin mee maken. Wanneer je –

gezichtspunt eenmaal is veranderd, wordt wat zulk bezwarend bewijsmateriaal leek, opeens een aanwijzing die naar de waarheid kan leiden. Die revolver bijvoorbeeld. Juffrouw Dunbar zegt dat ze daar niets van afweet. Volgens onze nieuwe theorie spreekt ze de waarheid wanneer ze dat stelt. Dus werd dat wapen door iemand in haar kast neergelegd. Wie heeft dat gedaan? Iemand die haar in staat van beschuldiging gesteld wenste te zien. Iemand die de misdaad zelf moet hebben begaan. Je ziet dat we op deze manier meteen vruchtbare vragen aan het stellen zijn."

We waren gedwongen die nacht in Winchester door te brengen, omdat alle formaliteiten nog niet waren afgerond. Maar de volgende ochtend kregen we toestemming de jongedame in haar cel een bezoek te brengen, tezamen met de heer Joyce Cummings, de snel naam makende advocaat die haar zou gaan verdedigen. Na alles wat ik had gehoord, verwachtte ik een knappe vrouw te zien, maar ik zal nooit vergeten wat voor uitwerking juffrouw Dunbar op me had. Het was geen wonder dat zelfs de heerszuchtige miljonair iets in haar had gevonden wat machtiger was dan hijzelf. Iets wat hem in bedwang kon houden en kon sturen. Wanneer je naar dat sterke, open, maar toch gevoelige gezicht keek, had je het gevoel dat ze, zelfs wanneer ze tot een onstuimige daad in staat zou zijn, een aangeboren edel karakter had waardoor ze haar invloed altijd ten goede zou aanwenden. Ze was een lange brunette met een edel figuur en een indrukwekkend voorkomen, maar haar donkere ogen hadden de smekende, hulpeloze blik van een wezen waarop jacht wordt gemaakt, dat het net om zich heen voelt dichttrekken, maar geen ontsnappingsmogelijkheid kan ontdekken. Nu ze zich de aanwezigheid en hulp van mijn beroemde vriend bewust werd, kregen haar bleke wangen weer een beetje kleur en sprak er uit de ogen die ze op ons richtte, een sprankje hoop.

"Misschien heeft de heer Neil Gibson u iets verteld van wat er tussen ons is voorgevallen?" vroeg ze met lage, geagiteerde stem.

"Ja," antwoordde Holmes, "u hoeft uzelf geen verdriet te doen door me dat deel van het verhaal te vertellen. Na u te hebben gezien, aanvaard ik de verklaring van de heer Gibson. Zowel ten aanzien van de invloed die u op hem uitoefende als de onschuldige aard van de relatie tussen hem en u. Maar waarom is hier bij eerdere verhoren voor de rechtbank nooit melding van gemaakt?"

"Het leek me onvoorstelbaar dat een dergelijke aanklacht tegen mij zou standhouden. Ik dacht dat alles vanzelf wel duidelijk zou worden wanneer we maar bereid waren rustig af te wachten, zodat de pijnlijke details van het particuliere leven van de familie niet in de openbaarheid gebracht zouden hoeven te worden. Maar ik heb begrepen dat de zaak in het geheel niet is opgehelderd, maar integendeel juist nog veel ernstiger is geworden."

"Mijn beste jongedame," riep Holmes oprecht uit. "U moet op dat punt geen illusies koesteren. Meneer Cummings zal u kunnen verzekeren dat alle kaarten op dit moment tegen ons zijn geschud en dat we al het mogelijke moeten doen om een schijn van kans te maken dat u wordt vrijgesproken. Het zou wreed zijn u de illusie te geven dat u niet in groot gevaar verkeert. Geef me al uw mogelijke hulp om de waarheid te achterhalen."

"Ik zal niets voor u verborgen houden."

"Vertelt u ons dan eerst maar eens hoe uw relatie tot mevrouw Gibson was."

"Ze haatte me, meneer Holmes. Ze haatte me met alle felheid van haar tropische karakter. Ze was een vrouw die niet bereid was ook maar iets half te doen, en ze hield even intens van haar echtgenoot als ze mij haatte. Het is waarschijnlijk dat ze de relatie tussen hem en mij verkeerd heeft geïnterpreteerd. Ik wilde haar geen kwaad berokkenen, maar haar liefde was zo duidelijk fysiek van aard dat ze nauwelijks begrip kon opbrengen voor de mentale band die tussen haar echtgenoot en mij bestond, en al evenmin in staat was om zich in te denken dat ik alleen maar in dat huis bleef wonen omdat ik hem zodanig wilde beïnvloeden dat hij zijn macht ten goede zou aanwenden. Ik zou het recht niet hebben gehad te blijven wanneer mijn aanwezigheid iemand doodongelukkig zou maken, maar ook wanneer ik was vertrokken, zou dat ongelukkig-zijn zijn blijven bestaan."

"Wilt u ons nu precies vertellen wat er die avond is gebeurd, juffrouw Dunbar?" vroeg Holmes. "Ik kan u de waarheid vertellen voor zover mij die bekend is, meneer Holmes, maar ik kan niets bewijzen en er zijn een aantal zaken – zeer belangrijke zaken – die ik niet kan verklaren en waar ik ook geen verklaring voor kan bedenken."

"Wanneer u de feiten meedeelt, is iemand anders wellicht in staat met de verklaring ervoor te komen."

"Ik ontving 's morgens een briefje van mevrouw Gibson. Het

lag op de tafel in het leslokaaltje en het is niet onmogelijk dat ze het daar zelf had neergelegd. Daarin werd me verzocht haar na het diner bij de Thorbrug te treffen. Dat werd me dringend verzocht. Ze schreef dat ze me iets belangrijks had mee te delen en vroeg me een antwoord bij de zonnewijzer in de tuin neer te leggen, omdat ze verder niemand iets over onze geplande ontmoeting wilde vertellen. Ik zag de zin van een dergelijke geheimhouding niet in, maar deed desondanks wat ze me had gevraagd en aanvaardde de uitnodiging. Ze vroeg me haar briefje te vernietigen en ik verbrandde dat in de haard in het leslokaal. Ze was heel erg bang voor haar echtgenoot, die haar bejegende met een barsheid waarover ik hem vaak heb onderhouden, en ik kon me alleen maar indenken dat ze op deze wijze te werk was gegaan omdat ze niet wilde dat hij iets van onze afspraak afwist."

"Toch heeft ze uw antwoord heel zorgvuldig bewaard."

"Ja. Het verbaasde me te horen dat ze het in haar hand had toen ze stierf."

"En wat is er toen gebeurd?"

"Ik ben erheen gegaan, zoals ik had beloofd. Toen ik bij de brug arriveerde, stond ze al op me te wachten. Tot dat moment had ik me niet gerealiseerd hoezeer dat arme schepsel mij haatte. Ze was net een krankzinnige vrouw – nee, ik denk dat ze werkelijk krankzinnig was, subtiel krankzinnig, met een groot vermogen tot het plegen van bedrog, zoals krankzinnigen dat wel meer hebben. Hoe valt anders het feit te verklaren dat ze me iedere dag zo nonchalant bejegende terwijl ze me in haar hart zo verschrikkelijk haatte? Ik zal niet herhalen wat ze toen allemaal heeft gezegd. In vurige, afschuwelijke bewoordingen kwam al haar woeste razernij over haar lippen. Ik heb haar daar niet eens antwoord op gegeven. Ik was er niet toe in staat. Ze bood een afschuwelijke aanblik. Ik sloeg mijn handen voor mijn oren en rende weg. Zij bleef bij de brug staan, schreeuwend en mij vervloekend."

"Op dezelfde plaats waar ze later is gevonden?"

"Vlak daarbij, inderdaad."

"Maar toch heeft u geen schot gehoord, ondanks het feit dat we van de veronderstelling mogen uitgaan dat ze kort daarna is doodgeschoten?"

"Nee, ik heb niets gehoord. Maar ik was zo geagiteerd en geschrokken door die afschuwelijke uitbarsting, meneer Holmes, dat ik zo snel ik kon terugliep naar de rust van mijn eigen kamer. Ik was op dat moment niet in staat om ook maar iets waar te nemen."

"U zegt dat u naar uw kamer bent teruggegaan. Heeft u die voor de volgende ochtend nog een keer verlaten?"

"Ja, toen er alarm werd geslagen wegens de dood van dat arme schepsel ben ik samen met de anderen erheen gerend."

"Heeft u toen de heer Gibson gezien?"

"Ja, ik zag hem op het moment dat hij net weer van de brug teruggelopen kwam. Hij had inmiddels al iemand weggestuurd om een arts en de politie erbij te halen."

"Was hij volgens u erg van streek?"

"Meneer Gibson is een heel sterke, gesloten man. Ik geloof niet dat hij ooit iets van zijn emoties zal laten blijken. Maar ik kende hem zo goed dat ik kon zien dat hij zich ernstig zorgen maakte."

"Dan komen we nu bij het allerbelangrijkste punt. Het pistool dat in uw kamer is gevonden. Had u dat wapen ooit al eens eerder gezien?"

"Nooit, dat zweer ik u."

"Wanneer werd het gevonden?"

"De volgende morgen, toen de politie het huis doorzocht."

"Tussen uw kleren?"

"Ja, onder mijn jurken, op de grond van de klerenkast."

"U heeft er zeker geen idee van hoelang dat wapen daar heeft gelegen?"

"De ochtend daarvoor lag het wapen er nog niet."

"Hoe weet u dat?"

"Omdat ik toen die kast heb schoongemaakt."

"Daarmee is die zaak rond. Iemand moet uw kamer zijn binnengekomen om het wapen te verbergen en u zo verdacht te maken."

"Zo moet het inderdaad wel gegaan zijn, ja."

"En wanneer?"

"Het kan alleen tijdens het eten zijn gebeurd, of anders in de tijd dat ik de kinderen les gaf in het lokaaltje."

"Waar u de brief hebt gevonden?"

"Ja, en vanaf dat moment ben ik daar verder de hele morgen gebleven."

"Hartelijk dank, juffrouw Dunbar. Is er nog iets anders dat u zou kunnen vertellen om me bij mijn onderzoek behulpzaam te zijn?"

"Ik zou niets kunnen bedenken."

"Op de balustrade van de brug heb ik sporen van gewelddadigheid bespeurd – een stukje steen was eraf, op de plaats recht tegenover die waar het ontzielde lichaam werd aangetroffen. Zou u daarvoor een of andere verklaring kunnen bedenken?"

"Dat moet volgens mij toch zeker puur toeval zijn!"

"Merkwaardig, mejuffrouw Dunbar, heel merkwaardig. Waarom verdwijnt dat stukje steen precies op die dag en die plaats?"

"Hoe kan dat dan geschied zijn? Alleen door veel geweld te gebruiken kan zoiets gebeuren, volgens mij."

Holmes gaf geen antwoord. Zijn bleke, enthousiaste gezicht kreeg plotseling die gespannen, afwezige uitdrukking die ik had leren associëren met de allerbeste manifestatie van zijn genie. De crisis in zijn geest was ons zo duidelijk dat we geen van drieën iets durfden te zeggen. Advocaat, gevangene en ikzelf keken hem geconcentreerd, gefascineerd en zwijgend aan. Plotseling sprong hij uit zijn stoel overeind, trillend van nerveuze energie en hij leek te hebben vastgesteld dat er meteen tot handelen moest worden overgegaan.

"Kom, Watson! Kom mee!" riep hij.

"Wat is er aan de hand, meneer Holmes?"

"Maakt u zich daar maar geen zorgen over, mijn lieve dame. Meneer Cummings, u hoort nog van me. Met de hulp van de god der gerechtigheid zullen we u een zaak geven waar heel Engeland niet over uitgepraat raakt. Mejuffrouw Dunbar, u zult morgenochtend nadere berichten ontvangen en in die tussentijd moet u zich door mij laten verzekeren dat de wolken aan het wegtrekken zijn en dat ik alle hoop heb dat het licht der waarheid aan het doorbreken is."

Het was geen lange reis van Winchester naar Thor Place, maar ik was zo ongeduldig dat hij voor mij lang leek, en het was zonneklaar dat Holmes hem eindeloos lang vond duren. Hij was zo nerveus en rusteloos dat hij niet stil kon zitten, maar in het rijtuig heen en weer liep of met zijn lange, gevoelige vingers op de kussens naast hem trommelde. Maar toen we de plaats van bestemming naderden, kwam hij plotseling recht tegenover me zitten – we hadden een eerste-klasserijtuig voor onszelf – legde zijn beide handen op mijn knieën en keek me recht aan met die merkwaardige ondeugende blik in zijn ogen die kenmerkend was voor zijn schelmsere buien. "Watson," zei hij, "ik meen me te herinneren dat jij je bij onze kleine excursies altijd van een wapen voorziet."

Dat klopte, en was maar goed ook, want Holmes besteedde altijd weinig aandacht aan zijn eigen veiligheid wanneer zijn geest door een probleem in beslag werd genomen. Daardoor is mijn revolver in tijden van nood al meermalen gebleken een goede vriend te zijn. Dat feit bracht ik hem in herinnering.

"Ja, ja, in dergelijke zaken ben ik nogal eens afwezig. Maar heb je je revolver nu ook bij je?"

Ik haalde het ding uit mijn heupzak te voorschijn – een kort, handzaam maar uiterst effectief wapen. Holmes haalde de hulzen eruit en bekeek die aandachtig.

"Zwaar – opmerkelijk zwaar," zei hij. "Ja, het is een massief apparaatje."

Hij zat er even peinzend naar te kijken.

"Weet je, Watson," zei hij toen, "dat ik geloof dat jouw wapen heel direct verband gaat houden met het mysterie dat we aan het onderzoeken zijn?"

"Mijn beste Holmes, je maakt zeker een grapje."

"Nee, Watson, ik meen dat heel serieus. We moeten een proef gaan doen. Wanneer die slaagt, is verder alles duidelijk. En het resultaat van die proef zal afhangen van wat dit kleine wapen doet. Eén kogel eruit, de andere vijf weer erin. Pal vast. Zo! Daardoor wordt het wat zwaarder en krijgen we een beter resultaat."

Ik had er geen idee van wat er door zijn hoofd speelde en hij vertelde me daar ook niets over. Hij zat in gedachten verzonken tot de trein tot stilstand kwam op het kleine stationnetje. We huurden een gammel rijtuigje en binnen een kwartier zaten we thuis bij de politiebrigadier, onze vriend en vertrouweling.

"Een aanwijzing, meneer Holmes? Welke dan?"

"Dat hangt allemaal af van het gedrag van de revolver van dokter Watson," zei mijn vriend. "Daar hebben we hem. Brigadier, kun je me tien meter touw lenen?"

Dat bleek verkrijgbaar te zijn in het dorpswinkeltje.

"Meer hebben we, geloof ik, niet nodig," zei Holmes. "Nu kunnen we aan, naar ik hoop, het laatste deel van onze reis beginnen, heren, wanneer jullie tenminste zover zijn."

De zon was al aan het ondergaan en veranderde het golvende

landschap van Hampshire in een schitterend herfstpanorama. De brigadier liep achter ons aan en wierp mijn metgezel menige kritische en ongelovige blik toe, wat duidelijk maakte dat hij ernstig twijfelde aan diens gezonde verstand. Toen we de plaats van de misdaad naderden, zag ik dat mijn vriend er weliswaar zoals te doen gebruikelijk koel uitzag, maar in werkelijkheid verschrikkelijk opgewonden was.

"Ja," zei hij, in antwoord op een opmerking van mij, "je hebt wel eens eerder meegemaakt dat ik het mis had, Watson. Ik heb voor dergelijke zaken een instinct, maar toch bedriegt me dat een enkele maal wel eens. Toen ik er in die cel in Winchester voor het eerst aan dacht, leek het zo vast als een huis te staan, maar een bezwaar van een actieve geest is dat je altijd alternatieve verklaringen kunt bedenken die ons spoor vals zouden kunnen doen blijken. Maar toch, maar toch… Tja, Watson, we kunnen het alleen maar proberen." Onder het lopen had hij een uiteinde van het touw stevig aan het handvat van de revolver gebonden. We bereikten nu de plaats waar de tragedie zich had afgespeeld. Heel zorgvuldig bepaalde hij op aanwijzing van de politieman de exacte plaats waar het lijk had gelegen. Toen ging hij tussen de hei en de varens op zoek naar een grote steen. Die bond hij vast aan het andere uiteinde van het touw en hing dat over de balustrade van de brug, zodat het net boven het water bengelde. Toen ging hij op het fatale plekje staan, een eindje van het begin van de brug vandaan, met mijn revolver in zijn hand. Het touw tussen het wapen en de overhangende steen stond strak gespannen. "Daar gaan we dan!" riep hij. Toen bracht hij het pistool tot op de hoogte van zijn gezicht en liet het los. Binnen een seconde werd er door het gewicht van de steen al aan getrokken en sloeg het met een klap tegen de balustrade aan, waarna het in het water verdween. Meteen daarop zat Holmes al bij die balustrade geknield en een vreugdevolle kreet maakte duidelijk dat hij had gevonden wat hij had verwacht. "Heb je ooit een duidelijker demonstratie meegemaakt?" riep hij. "Kijk eens, Watson! Je revolver heeft het probleem opgelost." Terwijl hij dat zei, wees hij op een plekje dat precies dezelfde vorm en afmetingen had als het eerste dat hij op de stenen balustrade had waargenomen. "We blijven vannacht logeren in de dorpsherberg," zei hij, terwijl hij overeind kwam en de verbaasde brigadier aankeek.

"Ik ga van de veronderstelling uit dat je bereid bent een enterhaak te halen, waarmee je het wapen van mijn vriend heel gemakkelijk zult kunnen opvissen. Daarnaast zul je dan ook de revolver, het touw en het gewicht aantreffen waarmee deze wraakzuchtige vrouw heeft gepoogd haar eigen misdaad onzichtbaar te maken en een onschuldige te laten beschuldigen van moord. Je kunt de heer Gibson meedelen dat ik bereid ben hem morgenochtend te ontvangen, waarna stappen kunnen worden ondernomen tot de invrijheidstelling van mejuffrouw Dunbar."

Toen we laat die avond samen een pijp zaten te roken in de dorpsherberg, gaf Holmes me een kort verslag van alles wat er was gebeurd.

"Ik ben bang, Watson," zei hij, "dat je de reputatie die ik mogelijk geniet, niet zult vergroten door het opnemen van het mysterie van de Thorbrug in je annalen. Mijn hersenen zijn lui geweest en weigerden me die mengeling van verbeelding en werkelijkheid te verschaffen die de basis vormt van mijn kunst. Ik moet bekennen dat dat stukje steen dat was verdwenen, als aanwijzing voldoende was om de ware oplossing van het raadsel te vinden. Ik neem het mezelf kwalijk dat ik er niet eerder aan heb gedacht. Toegegeven moet worden dat de geest van deze ongelukkige vrouw diep en subtiel werkzaam was, zodat het niet zo eenvoudig was om haar handelwijze te ontwarren. Ik geloof niet dat we ooit een avontuur hebben beleefd dat een vreemder voorbeeld kan worden genoemd van waar geperverteerde liefde toe kan leiden. Het lijkt haar niets te hebben uitgemaakt of juffrouw Dunbar nu in lichamelijk of uitsluitend in geestelijk opzicht haar rivale was. Beide moet ze onvergeeflijk hebben gevonden. Het lijdt geen twijfel dat ze deze onschuldige dame de schuld gaf van de brute bejegening en onvriendelijke woorden van haar echtgenoot – zaken waarmee hij telkens opnieuw probeerde haar al te opdringerige affectie iets te doen afnemen. Het eerste besluit dat ze toen nam, was dat ze zichzelf van het leven zou beroven. Het tweede om dat op zo'n manier te doen dat haar slachtoffer een lot wachtte dat erger was dan een plotselinge dood. We kunnen de verschillende fasen nu zeer duidelijk volgen en zij laten ons zien dat hier een opmerkelijk subtiele geest aan het werk is geweest. Ze heeft juffrouw Dunbar heel handig een briefje weten te ontfutselen dat de indruk zou wekken dat zij de plaats van de misdaad had uitgezocht. Ze wilde er zo zeker van zijn dat dat zou worden gevonden, dat ze het een beetje overdreef door het tot het allerlaatste moment stevig in haar hand te houden. Alleen dat gegeven al zou me eerder achterdochtiger hebben moeten maken dan thans het geval is geweest. Toen pakte ze een van de revolvers van haar echtgenoot – zoals je hebt gezien beschikt die man thuis over een heel arsenaal – en behield dat om het zelf te gebruiken. Toen verborg ze die ochtend eenzelfde exemplaar in de kledingkast van juffrouw Dunbar en wel na een kogel te hebben afgevuurd, hetgeen ze ergens in het bos gemakkelijk moet hebben kunnen doen zonder aandacht te trekken. Daarna ging ze naar de brug en bedacht die uitzonderlijk vindingrijke methode om zich van haar eigen wapen te ontdoen. Toen juffrouw Dunbar verscheen, maakte ze van haar laatste krachten gebruik om haar haatgevoelens te ventileren. Toen de jonge gouvernante eenmaal buiten gehoorsafstand was, heeft ze haar afschuwelijke plan ten uitvoer gebracht. Ieder schakeltje zit nu op zijn plaats en de keten is voltooid. De kranten zullen wel de vraag stellen waarom men niet eerder is gaan dreggen, maar het is gemakkelijk om achteraf te stellen dat je de wijsheid in pacht hebt. En in ieder geval moet worden geconstateerd dat het geen eenvoudige zaak is om een meer vol riet te onderzoeken, tenzij je duidelijk weet waarnaar je op zoek bent en waar je daarnaar moet zoeken. Tja, Watson, zo hebben we een opmerkelijke vrouw geholpen, evenals een werkelijk formidabele man. Wanneer zij in de toekomst hun krachten zullen bundelen, wat niet onwaarschijnlijk lijkt, zal de financiële wereld wellicht tot de ontdekking komen dat de heer Neil Gibson iets heeft geleerd in dat leslokaal van verdriet waar we onze aardse lessen mogen ontvangen."

Het avontuur van de kostschool

ONS KLEINE TONEEL in Baker Street heeft al heel wat mensen op een dramatische manier zien opkomen of afgaan, maar ik kan me geen onverwachter en schrikwekkender opkomst herinneren dan die van Thorneycroft Huxtable, doctor in de filosofie, moderne talen et cetera. Zijn visitekaartje, dat te klein leek te zijn om al die academische graden te kunnen torsen, arriveerde een paar seconden eerder dan hij. Toen kwam hijzelf binnen – zo groot, zo pompeus en zo waardig dat hij de belichaming leek van zelfbeheersing en soliditeit. Maar toen de deur achter hem was gesloten, wankelde hij meteen naar de tafel, waarna hij op de grond gleed en we de majestueuze gestalte voorover en bewusteloos op ons haardkleed van berenhuid zagen liggen. We waren meteen overeind gesprongen en enkele momenten lang staarden we zwijgend en verbaasd naar dit wrakstuk dat getuigde van een onverwachte, fatale storm op de oceaan van het leven. Toen pakte Holmes snel een kussen voor onder zijn hoofd en ik cognac voor zijn keel. Het zware, witte gezicht was met lijnen doorgroefd en de grote wallen onder zijn gesloten ogen hadden de kleur van lood. Zijn mondhoeken hingen triest omlaag en de dikke kinnen waren niet geschoren. Boord en hemd waren smerig door een lange reis en het haar op het goedgevormde hoofd was niet gekamd. De man die daar lag, was duidelijk ergens diep door getroffen.

"Watson, hoe komt dit?" vroeg Holmes.

"Totale uitputting – misschien alleen veroorzaakt door honger en vermoeidheid," zei ik terwijl ik zijn zeer zwakke pols controleerde.

"Retourbiljet gekocht in Mackleton, in het noorden van Engeland," zei Holmes, die het kaartje uit het horlogezakje van de man te voorschijn had gehaald. "Het is nog geen twaalf uur. Hij moet al heel vroeg op weg zijn gegaan."

De oogleden begonnen te trillen en nu keken een paar niets-ziende, grijze ogen ons aan. Even later was de man weer overeind gekrabbeld en zag zijn gezicht rood van schaamte.

"U moet me dit teken van zwakte vergeven, meneer Holmes, ik ben een beetje overwerkt. Ja, ik zou graag een kopje thee en een biscuitje willen hebben, of een glas melk, en dan zal ik me zo meteen ongetwijfeld weer beter voelen. Ik ben persoonlijk naar u toegekomen, meneer Holmes, om ervoor te zorgen dat u met mij mee teruggaat. Ik was bang dat een telegram u niet zou kunnen overtuigen van het feit dat deze kwestie uiterst dringend is!"

"Wanneer u zich weer beter voelt…"

"Ik voel me weer goed. Ik kan me niet indenken waarom ik opeens zo zwak werd. Meneer Holmes, ik wil dat u met de eerst-volgende trein met me meegaat naar Mackleton."

Mijn vriend schudde zijn hoofd.

"Mijn collega, dokter Watson, zou u kunnen vertellen dat ik het op dit moment heel erg druk heb. Ik heb het verzoek gekregen me bezig te houden met de zaak van de Ferrers-documenten en die moord in Abergavenny komt binnenkort voor de rechtbank. Op dit moment zou alleen een heel belangrijke kwestie me ertoe kunnen brengen Londen te verlaten."

"Belangrijk!" Onze bezoeker hief zijn handen ten hemel. "Heeft u dan niets gehoord over de ontvoering van de enige zoon van de hertog van Holdernesse?"

"Wat? Die man die kort geleden nog minister was?"

"Inderdaad. We hebben geprobeerd het buiten de pers te houden, maar in de *Globe* is er gisteren voor het eerst als gerucht melding van gemaakt. Ik dacht dat u er inmiddels ook wel iets van had gehoord."

Holmes stak snel zijn lange, magere arm uit en pakte deel H van zijn naslagwerken op. "Holdernesse, 6de hertog, raadgever des konings, lid van de kroonraad en nog een heleboel functies meer. Baron Beverly, graaf van Carston – mijn hemel, wat een lijst. Commissaris der koningin van Hallamshire sinds 1900. Gehuwd in 1888 met Edith, dochter van Sir Charles Appledore. Erfgenaam en enig kind Lord Saltire. Bezit ongeveer tweehonderdvijftigduizend acres. Mijnen in Lancashire en Wales. Adres: Carlton House Terrace; Holdernesse Hall; Hallamshire; Kasteel Carston, Bangor, Wales. In 1872 benoemd tot minister van Marine; Premier van... Mijn hemel, die man is inderdaad een van de belangrijkste onderdanen in dit koninkrijk!"

"Een van de belangrijkste en wellicht ook de rijkste. Ik weet, meneer Holmes, dat u hoge eisen stelt aan beroepsethiek en dat u bereid bent te werken omwille van het werk. Maar ik kan u wel vertellen dat Zijne Genade al te kennen heeft gegeven dat een cheque ten bedrage van vijfduizend pond zal worden overhandigd aan diegene die hem kan vertellen waar zijn zoon is en een cheque van duizend pond aan diegene die de naam of namen kan noemen van degene of degenen die hem hebben ontvoerd."

"Een koninklijk honorarium," zei Holmes. "Watson, ik denk dat we doctor Huxtable maar moeten vergezellen bij zijn reis terug naar het noorden van Engeland. Wanneer u die melk hebt opgedronken, doctor Huxtable, hoop ik dat u zo vriendelijk zult willen zijn me te vertellen wat er is gebeurd, wanneer dat is gebeurd, hoe het is gebeurd en ten slotte wat doctor Thorneycroft Huxtable van de kostschool in de buurt van Mackleton met dat alles heeft te maken en waarom hij drie dagen na een bepaalde gebeurtenis – de toestand van uw kin is verantwoordelijk voor het constateren van dat tijdsverloop – mijn nederige diensten komt inroepen."

Onze bezoeker had de melk en de biscuitjes inmiddels verorberd. Zijn ogen stonden niet meer zo dof en zijn wangen hadden weer een beetje kleur gekregen. Toen begon hij enthousiast en duidelijk de zaak uiteen te zetten.

"In de eerste plaats, heren, moet ik zeggen dat ik de stichter ben van een kostschool en daar ook de leiding over heb. *Huxtables toelichting op Horatius* is een boekwerk waardoor mijn naam u misschien in herinnering komt. Mijn kostschool is zonder enige twijfel het beste en meest selectieve instituut dat er in deze sector in Engeland te vinden is. Lord Leverstroke, de graaf van Blackwater en Sir Cathcart Soames zijn onder anderen diegenen die hun zoons aan mijn zorgen hebben toevertrouwd. Maar ik had het gevoel dat mijn school het toppunt van zijn carrière had bereikt toen de hertog van Holdernesse drie weken geleden de heer James Wilder, zijn secretaris, naar me toezond met de mededeling dat hij op korte termijn van plan was Lord Saltire, zijn enige zoon en erfgenaam die nu tien jaar oud is, op mijn school te laten inschrijven. Hoe had ik op dat moment kunnen vermoeden dat dat het begin zou betekenen van de grootste misère die me in mijn leven had kunnen overkomen? De jongen arriveerde op de eerste mei, omdat op die datum het zomertrimester begon. Het is een charmant baasje dat zich bij ons al snel op zijn gemak voelde. Ik moet u wel vertellen – zonder indiscreet te willen worden, maar omdat ik vind dat halve mededelingen in een geval als dit zinloos zijn – dat de jongen zich thuis niet helemaal gelukkig voelde. Het is een publiek geheim dat het huwelijksleven van de hertog niet ideaal was en dat uiteindelijk beide partijen in een scheiding hebben toegestemd, waarna de hertogin ergens in het zuiden van Frankrijk is gaan wonen. Dat alles had zich kort daarvoor afgespeeld en het is bekend dat de jongen verreweg het meeste op zijn moeder was gesteld. Na haar vertrek uit Holdernesse Hall begon hij te kniezen en daarom wilde de hertog hem bij mij op school hebben. Binnen veertien dagen voelde de jongen zich bij ons vrijwel volkomen thuis en leek volstrekt gelukkig te zijn. Hij is voor het laatst gezien op de avond van de 13de maart, dat wil dus zeggen afgelopen maandagavond. Hij had een kamer op de eerste verdieping, die je kon bereiken via een andere, grotere kamer waarin twee jongens sliepen. Die jongens hebben niets gezien of gehoord, dus staat het vast dat de jonge Saltire niet door die kamer is weggegaan. Zijn raam stond open en daarvandaan loopt een dichte klimopstruik naar de begane grond. We konden daar beneden geen voetafdrukken vinden, maar toch staat het vast dat hij alleen langs die weg het gebouw kan hebben verlaten. Zijn afwezigheid werd dinsdagmorgen om zeven uur ontdekt. Zijn bed was beslapen. Voor hij wegging, had hij zich volledig aangekleed in ons uniform: een zwart Eton-jasje en een donkergrijze pantalon. Uit niets bleek dat er iemand anders in zijn kamer was geweest en het is absoluut zeker dat kreten of een gevecht niet onopgemerkt gebleven zouden zijn, omdat Caunter, de oudste jongen in de kamer ernaast, heel erg licht slaapt. Toen de verdwijning van Lord Saltire was ontdekt, heb ik meteen iedereen laten aanrukken – jongens, docenten en bedienden. Toen kwamen we erachter dat Lord Saltire niet alleen was weggegaan. Heidegger, de docent Duits, was er niet. Ook zijn kamer bevindt zich op de eerste verdieping, aan de andere kant van het gebouw, maar wel aan dezelfde gangkant als die van de jonge lord. Ook zijn bed was beslapen, maar hij was kennelijk slechts half gekleed vertrokken, omdat zijn hemd en sokken nog op de grond lagen. Het leed geen twijfel dat hij zich via de klimop naar beneden had laten zakken, want we konden zijn voetafdrukken zien op de plaats waar hij op het gazon was neergekomen. Zijn fiets stond normaal gesproken in een klein schuurtje naast dat gazon en ook die bleek te zijn verdwenen. Hij was al twee jaar aan mijn school verbonden en was met uitstekende getuigschriften verschenen. Hij was echter wel een zwijgzame, knorrige man, die noch bij zijn collegae noch bij de jongens bijzonder geliefd was. We konden geen spoor ontdekken van de voortvluchtigen en nu, op donderdagochtend, wisten we nog even weinig als die dinsdagochtend. Er is natuurlijk meteen navraag gedaan op Holdernesse Hall. Dat ligt slechts een paar kilometer van onze school vandaan en we dachten dat hij plotseling heimwee had gekregen en naar zijn vader was teruggegaan. Maar ook daar had men niets van hem gehoord. De hertog is verschrikkelijk opgewonden en u heeft zelf kunnen zien hoe zenuwachtig ik ben geworden door alle spanningen en de verantwoordelijkheid die op mijn schouders rust. Meneer Holmes, ik smeek u om al uw talenten en vermogens te gebruiken voor het oplossen van deze kwestie, want u zult nog nooit van uw leven met een zaak zijn geconfronteerd die uw inspanningen zo waard is."

Sherlock Holmes had met de grootste aandacht geluisterd naar het verhaal van het ongelukkige schoolhoofd. Zijn samengetrokken wenkbrauwen en de diepe lijn ertussen maakten duidelijk dat hij geen aansporing behoefde om al zijn aandacht te concentreren op een probleem dat niet alleen bijzonder was omdat er zulke grote belangen bij op het spel stonden, maar ook omdat het een direct appèl deed op zijn voorliefde voor het ingewikkelde en ongebruikelijke. Nu haalde hij zijn aantekenboekje tevoorschijn en noteerde een paar gegevens die hij wilde onthouden.

"Het is een ernstige fout dat u niet eerder naar me toe bent gekomen," zei hij streng. "Daardoor moet ik met een zeer ernstige handicap aan dit onderzoek beginnen. Het is bijvoorbeeld ondenkbaar dat die klimop en dat gazon niet iets bijzonders zouden hebben opgeleverd voor iemand die een expert is op het gebied van waarnemen."

"Daar kunt u mij niet de schuld van geven, meneer Holmes. Zijne Genade stond erop een openbaar schandaal hoe dan ook te vermijden. Hij was bang dat het algemeen bekend zou worden. En van zoiets heeft hij de grootst mogelijke afschuw."

"Maar is er wel een officieel onderzoek gevolgd, in welke vorm dan ook?"

"Ja, meneer, en dat heeft uiterst teleurstellende resultaten opgeleverd. Een duidelijke aanwijzing lag voor de hand. Men had gezien dat een jongen en een jongeman met een vroege trein van het station in de buurt waren weggereden. Gisteravond pas hebben we vernomen dat het tweetal later in Liverpool is gesignaleerd en dat ze niets met deze kwestie te maken bleken te hebben. Toen werd ik zo wanhopig en teleurgesteld dat ik na een slapeloze nacht met een vroege trein meteen naar u ben toegegaan."

"Ik neem aan dat men het onderzoek ter plaatse niet grondig heeft voortgezet toen men dat valse spoor natrok?"

"Het werd volledig gestaakt."

"Dus zijn er drie dagen verloren gegaan. Deze kwestie is werkelijk abominabel afgehandeld."

"Dat ben ik met u eens."

"Maar toch zal het probleem uiteindelijk moeten kunnen worden opgelost. Ik zal me er graag mee bezighouden. Bent u in staat geweest een connectie te vinden tussen de vermiste jongen en die docent Duits?"

"Geen enkele."

"Had de jongen les van die man?"

"Nee, voor zover ik weet hebben ze nog nooit een woord met elkaar gewisseld."

"Dat is beslist heel eigenaardig. Had die jongen een fiets?"

"Nee."

"Werd er nog een andere fiets vermist?"

"Nee."

"Staat dat vast?"

"Volkomen."

"Tja, u wilt toch niet serieus suggereren dat die Duitser in het holst van de nacht met zijn fiets is vertrokken met de jongen in zijn armen?"

"Beslist niet."

"Welke theorie heeft u dan gevormd?"

"Die fiets kan als rookgordijn zijn gebruikt. Misschien dat die ergens is verborgen, waarna het tweetal te voet verder is gegaan."

"Inderdaad. Maar dan is het wel een nogal absurd rookgordijn, nietwaar? Stonden er nog andere fietsen in die schuur?"

"Een aantal."

"Zou hij dan niet twee fietsen hebben verborgen wanneer hij de indruk had willen wekken dat ze op die manier waren weggegaan?"

"Ik denk van wel."

"Natuurlijk is dat zo. Die theorie van een rookgordijn kan geen stand houden. Maar dat incident is wel een fraai begin voor ons onderzoek. Het valt uiteindelijk niet mee om een fiets te verbergen of te vernietigen. Nog een andere vraag. Is er op de dag voor hij verdween iemand bij de jongen op bezoek geweest?"

"Nee."

"Heeft hij een brief ontvangen?"

"Ja, één brief."

"Van wie?"

"Van zijn vader."

"Maakt u de brieven voor de jongens open?"

"Nee."

"Hoe weet u dan dat hij van zijn vader kwam?"

"Zijn wapen stond op de enveloppe en het handschrift herkende ik meteen. Bovendien kan de hertog zich herinneren dat hij die heeft geschreven."

"En hoe lang daarvoor heeft de jongen een brief ontvangen?"

"Enige dagen daarvoor."

"Heeft hij ooit een brief uit Frankrijk gekregen?"

"Nee, nooit."

"U begrijpt natuurlijk wel waarom ik die vragen stel. Het kan zijn dat de jongen met geweld is meegenomen. Het kan ook zijn dat hij uit eigen vrije wil is weggegaan. In dat laatste geval zou je verwachten dat iemand van buitenaf de jongen er minstens enigermate toe moet hebben aangezet dat te doen. Wanneer hij geen bezoek heeft ontvangen, moet dat via brieven zijn gebeurd. Daarom probeer ik te achterhalen wie met hem heeft gecorrespondeerd."

"Ik ben bang dat ik u wat dat betreft niet veel wijzer kan maken. Voor zover ik weet, was zijn vader de enige die hem schreef."

"Die heeft hem geschreven op dezelfde dag dat hij verdween. Stonden vader en zoon op zeer vriendschappelijke voet met elkaar?"

"Zijne Genade is tegenover niemand zeer vriendelijk. Hij gaat volledig op in de grote maatschappelijke vraagstukken die zijn aandacht opeisen en lijkt nauwelijks gewone emoties te kennen. Maar op zijn manier is hij altijd vriendelijk geweest voor de jongen."

"Maar die voelde meer voor zijn moeder?"

"Ja."

"Heeft hij dat ook gezegd?"

"Nee."

"Heeft de hertog dat dan verklaard?"

"Mijn hemel, nee!"

"Hoe weet u dat dan?"

"Ik heb een paar vertrouwelijke gesprekken gevoerd met de heer James Wilder, de secretaris van Zijne Genade. Hij heeft me de informatie over de gevoelens van Lord Saltire gegeven."

"Hmmm. Tussen haakjes: is die laatste brief van de hertog in de kamer van de jongen gevonden toen die was weggegaan?"

"Nee, hij had hem meegenomen. Meneer Holmes, ik denk dat het nu tijd is om naar Euston Station te vertrekken."

"Ik zal een rijtuig laten bestellen. Over een kwartier staan we tot uw dienst. Meneer Huxtable, zoudt u, wanneer u een telegram naar huis stuurt, zo vriendelijk willen zijn de mensen daar te laten denken dat het onderzoek in Liverpool nog steeds wordt voortgezet of zo? In die tussentijd zal ik in de omgeving van uw school onopgemerkt aan het werk gaan en misschien is het spoor nog niet zo oud dat twee oude honden als Watson en ik er niet nog iets van kunnen opsnuiven!"

DIE AVOND ZATEN we in de koude, verkwikkende atmosfeer van het Peak-graafschap waar de beroemde school van doctor Huxtable ligt. Het was al donker toen we daar arriveerden. Op het haltafeltje lag een visitekaartje en de butler fluisterde zijn meester iets in het oor, waarop die laatste zich met een uiterst geagiteerd gezicht naar ons omdraaide.

"De hertog is er," zei hij. "De hertog en de heer Wilder zitten in de studeerkamer. Komt u maar met me mee, heren, dan zal ik u aan elkaar voorstellen."

Ik had natuurlijk wel portretten van die beroemde staatsman gezien, maar de man zelf zag er in werkelijkheid heel anders uit.

Hij was lang en statig, ging uiterst formeel gekleed en had een afgetobd, mager gezicht en een neus die absurd lang en gekromd was. Zijn gelaatskleur was lijkbleek en stak scherp af tegen een lange, felrode baard die tot op zijn witte vest golfde en waardoorheen je zijn horlogeketting nog net kon zien glinsteren. Zo zag de statige persoon eruit die ons met een woeste blik aankeek vanaf het midden van het haardkleed van de doctor. Naast hem stond een heel jonge man die Wilder bleek te zijn, de secretaris. Hij was lang, zenuwachtig en alert, had intelligente lichtblauwe ogen en een beweeglijk gezicht. Hij opende meteen het gesprek op een besliste en positieve toon.

"Doctor Huxtable, ik ben vanmorgen naar u toegekomen, maar te laat om te voorkomen dat u naar Londen afreisde. Ik heb vernomen dat u die reis ondernam om de heer Sherlock Holmes te verzoeken deze zaak ter hand te nemen. Zijne Genade stond nogal verbaasd over het feit dat u een dergelijke stap heeft ondernomen zonder hem eerst te raadplegen."

"Toen ik hoorde dat de politie er niet in was geslaagd…"

"Zijne Genade is er geenszins van overtuigd dat het politieonderzoek op niets is uitgelopen."

"Maar meneer Wilder…"

"Doctor Huxtable, u weet heel goed dat Zijne Genade tot iedere prijs een groot schandaal wil voorkomen. Hij geeft er de voorkeur aan zo weinig mogelijk mensen in vertrouwen te nemen."

"Dat laat zich makkelijk rechttrekken," zei de geïntimideerde doctor. "De heer Sherloek Holmes kan morgenochtend met de eerste trein naar Londen terugkeren."

"Nee, doctor, dat denk ik niet," zei Holmes zeer minzaam. "De lucht hier in het noorden is aangenaam en versterkend, dus ben ik van plan een paar dagen hier te blijven en mijn geest zo goed mogelijk bezig te houden. U zult natuurlijk moeten besluiten of ik in die tijd onder uw dak kan verblijven of mijn intrek moet nemen in de dorpsherberg."

Ik kon zien dat de ongelukkige doctor steeds besluitelozer werd. Maar toen hoorden we de diepe, sonore stem van de roodgebaarde hertog, die als een gong weergalmde.

"Ik ben het met de heer Wilder eens dat het verstandig zou zijn geweest wanneer u eerst overleg had gepleegd met mij, doctor Huxtable. Maar nu u de heer Holmes al in vertrouwen heeft genomen, zou het werkelijk absurd zijn wanneer we geen gebruik maken van de door hem aangeboden diensten. Meneer Holmes, u hoeft uw intrek niet in de herberg te nemen. Ik zou het heel prettig vinden wanneer u bereid was bij mij op Holdernesse Hall te komen logeren."

"Dank voor dat aanbod, Uwe Genade. Maar ik denk dat het in verband met mijn onderzoek beter zou zijn wanneer ik op de plaats blijf waar het mysterie zich heeft voltrokken."

"Zoals u wilt, meneer Holmes. Meneer Wilder en ik zijn natuurlijk bereid u alle gegevens te verstrekken waarover wij beschikken."

"Het zal waarschijnlijk nodig zijn dat u en ik elkaar op de Hall spreken," zei Holmes. "Maar nu, meneer, zou ik u alleen maar willen vragen of uzelf al een verklaring heeft bedacht voor de mysterieuze verdwijning van uw zoon."

"Nee meneer, geen enkele."

"Het spijt me te moeten refereren aan iets dat ongetwijfeld pijnlijk voor u is, maar ik moet u vragen of u denkt dat de hertogin hier iets mee te maken heeft."

De man aarzelde duidelijk.

"Dat denk ik niet," zei hij ten slotte.

"De andere meest voor de hand liggende verklaring is dat het kind is ontvoerd met het doel een losgeld te verkrijgen. Heeft een dergelijke eis u bereikt?"

"Nee meneer."

"Nog een vraag, Uwe Genade. Ik heb begrepen dat u uw zoon een brief heeft geschreven op de dag dat zich dit incident heeft voorgedaan."

"Nee, ik heb hem de dag daarvoor geschreven."

"Hmmm. Maar hij heeft die brief wel een dag later pas ontvangen?"

"Ja."

"Stond er iets in die brief waardoor hij uit zijn evenwicht kan zijn geraakt of dat hem ertoe kan hebben gebracht een dergelijke stap te ondernemen?"

"Nee, meneer, beslist niet."

"Heeft u die brief zelf op de bus gedaan?"

Op dat moment kwam de secretaris enigermate verhit tussenbeide.

"Zijne Genade post zijn brieven nooit zelf," zei hij. "De brief in kwestie lag, met een stapel andere, op de tafel in de studeerkamer en ik heb alles zelf in de postzak gedaan."

"Bent u er zeker van dat de brief voor de jonge lord erbij zat?"

"Ja, ik heb hem gezien."

"Hoeveel brieven heeft Uwe Genade die dag geschreven?"

"Twintig of dertig. Ik heb veel correspondentie. Maar dit alles is toch zeker nauwelijks ter zake doende?"

"Toch wel," zei Holmes.

"Ik," zei de hertog toen, "heb de politie aangeraden zich te concentreren op het zuiden van Frankrijk. Ik heb al gezegd dat ik niet geloof dat de hertogin een dergelijke monsterlijke actie zou aanmoedigen, maar de jongen heeft er een aantal zeer verkeerde meningen op nagehouden en het is mogelijk dat hij naar haar toe is gevlucht, daarbij geholpen door die Duitser, denk ik. Doctor Huxtable, ik denk dat we nu naar de Hall zullen terugkeren."

Ik kon zien dat Holmes de edelman nog andere vragen had willen stellen, maar de abrupte manier van doen van de hertog maakte duidelijk dat hij het gesprek als beëindigd wenste te beschouwen. Het was eveneens duidelijk dat het bespreken van dergelijke intieme zaken zijn zeer aristocratische natuur bijzonder tegen de borst stuitte en dat hij bang was dat iedere volgende vraag van de hem onbekende man de discreet overschaduwde hoeken van zijn hertogelijke geschiedenis feller zou belichten.

Toen de edelman en zijn secretaris waren vertrokken, begon mijn vriend meteen met het hem typerende enthousiasme aan zijn onderzoek.

De kamer van de jongen werd nauwkeurig bekeken, maar dat onderzoek leverde niets op, behalve de absolute overtuiging dat hij alleen door het raam had kunnen wegkomen. De bezittingen en de kamer van de docent Duits leverden al evenmin een aanwijzing op. In zijn geval was een stuk klimop onder zijn gewicht losgeschoten en bij het licht van een lantaarn zagen we de plaats op het gazon waar hij was neergekomen. Die ene plek in het korte, groene gras was de enige getuige van zijn onverklaarbare nachtelijke vlucht.

Sherlock Holmes ging alleen naar buiten en keerde na elven terug. Hij had een grote kaart van de omgeving gehaald en die nam hij mee naar zijn kamer, waar hij hem op bed uitspreidde. Hij zette de lamp zodanig neer dat die er midden voor stond en begon toen te roken. Af en toe wees hij met het rokende mondstuk van zijn pijp op een of ander interessant object.

"Deze zaak krijgt me steeds meer in zijn greep, Watson," zei hij. "Er zitten beslist interessante kanten aan. In dit vroege stadium wil ik dat je de geografische details die veel met ons onderzoek te maken kunnen hebben, goed in je opneemt. Kijk eens naar deze plattegrond. Dat donkere vierkantje is de kostschool. Ik zal er een speld in steken. Die lijn daar geeft de hoofdweg aan. Je ziet dat die in oostelijke en westelijke richting langs de school loopt en je kunt eveneens zien dat er aan weerszijden van die weg de eerste anderhalve kilometer geen enkele zijweg te bekennen valt. Wanneer die twee mensen over een weg zijn vertrokken, is dat beslist niet over deze weg gebeurd."

"Inderdaad."

"Door een opmerkelijk en gelukkig toeval zijn we tot op zekere hoogte in staat te controleren wat er zich op de desbetreffende avond op deze weg heeft afgespeeld. Op dit punt, waar mijn pijp nu rust, heeft een agent wacht gelopen van twaalf tot zes. Daar bevindt zich, zoals je ziet, de eerste zijweg aan de oostelijke kant. De man verklaart zijn post geen seconde te hebben verlaten en is er absoluut zeker van dat noch de jongen, noch de man ongezien daarlangs kunnen zijn gegaan. Ik heb vanavond met die agent gesproken en heb de indruk dat hij een volstrekt betrouwbaar persoon is. Aan die kant kan dus niets zijn gebeurd. Nu moeten we ons met de andere bezighouden. Daar is een herberg, de Rode Stier, en de herbergierster daarvan was ziek. Ze had iemand naar Mackleton gestuurd om de dokter te laten halen, maar die arriveerde pas de volgende ochtend omdat hij naar een andere patiënt toe was. De mensen in de herberg zijn de hele nacht alert gebleven en hebben de weg voortdurend in de gaten gehouden. Ze hebben verklaard dat er toen niemand is langsgekomen. Wanneer hun verhaal klopt, hebben we het geluk ook die kant van de weg buiten beschouwing te kunnen laten en daarmee dan eveneens te verklaren dat de voortvluchtigen helemaal geen gebruik hebben gemaakt van de weg."

"Maar die fiets dan?" vroeg ik.

"Inderdaad. We zullen het zo meteen over die fiets hebben. Maar eerst redeneren we verder. Wanneer die mensen niet de weg

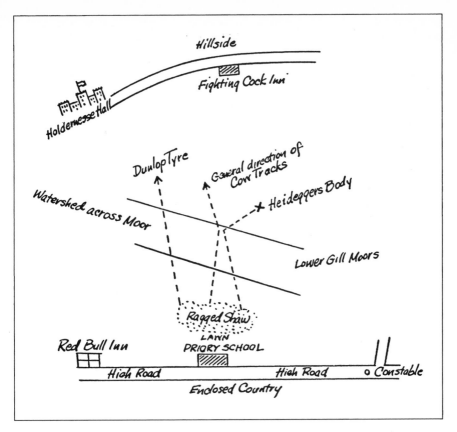

hebben genomen, moeten ze aan de noordelijke of aan de zuidelijke kant van het huis het terrein zijn overgestoken. Dat staat vast.
Laten we beide mogelijkheden eens tegen elkaar afwegen. Ten
zuiden van het huis ligt, zoals je kunt zien, een groot stuk land-
bouwgrond dat is opgedeeld in kleine velden die door stenen
muurtjes van elkaar worden gescheiden. Daar kan iemand zich
niet per fiets hebben voortbewogen. Dat idee kunnen we terzijde
schuiven. Nu richten we onze aandacht dus op het terrein in het
noorden. Hier staan wat bomen en struiken, op de plaats waar ik
kreupelbos heb neergeschreven. En rechts daarachter strekt zich
een golvend heidelandschap uit dat de Lower Gill Heide wordt
genoemd. Dat terrein strekt zich uit over een kilometer of zestien
en loopt geleidelijk op. Daar links heb je Holdernesse Hall, zestien
kilometer hiervandaan via de weg, maar slechts een kleine tien

165

kilometer over de hei. Het is een eigenaardig desolate vlakte. Er zitten een paar kleine boeren die schapen en vee fokken. Maar verder wonen er slechts pluvieren en wulpen tot je bij de hoofdweg naar Chesterfield bent gekomen. Daar staan, zoals je ziet een kerk, een paar huizen en een herberg. Daarachter worden de heuvels steil. Dus staat het vast dat we in noordelijke richting op onderzoek moeten uitgaan."

"Maar die fiets?" hield ik vol.

"Tja," zei Holmes ongeduldig. "Een goede fietser heeft geen hoofdweg nodig. Op de heide lopen allerlei paden en die avond was de maan vol. Hallo! Wat hebben we daar?"

Er werd geagiteerd op onze deur geklopt en even later stond doctor Huxtable in de kamer. In zijn hand hield hij een blauwe cricketcap met een witte chevron.

"Eindelijk hebben we een aanwijzing!" riep hij uit. "De hemel zij dank zitten we eindelijk op het spoor van die lieve jongen. Dit is zijn cap."

"Waar is die gevonden?"

"In de wagen van de zigeuners die op de hei hebben gekampeerd. Die zijn dinsdag weer vertrokken. Vandaag heeft de politie hen weten op te sporen en die wagen doorzocht. En toen hebben ze dit gevonden."

"Welke verklaring hebben ze gegeven voor het bezit daarvan?"

"Ze waren onzeker en logen erom. Zeiden dat ze de cap dinsdagochtend op de hei hebben gevonden. Zij weten waar hij is, die boeven! Godzijdank zijn ze allemaal ingesloten. En nu zullen ze zeker alles vertellen wat ze weten, ofwel uit angst voor de wet, ofwel dankzij de beloning die de hertog heeft uitgeloofd."

"Hmmm," zei Holmes toen de doctor uiteindelijk de kamer weer had verlaten. "In ieder geval is hierdoor de theorie bevestigd dat we aan deze kant van de Lower Gill Heide op resultaten mogen hopen. De politie heeft hier ter plaatse in feite niets gedaan, behalve dan het arresteren van die zigeuners. Watson! Er loopt een waterscheiding door de hei heen. Je ziet die hier op de kaart staan aangegeven. Soms wordt die breder en verandert in een moerasachtig stuk grond. En dat geldt met name voor het stuk tussen Holdernesse Hall en de school. Gezien het droge weer van de laatste tijd is het zinloos elders naar sporen te zoeken, maar daar bestaat de kans dat er sporen zijn achtergelaten. Ik zal je morgenochtend vroeg wekken en dan zullen we samen eens bekijken of we niet een beetje licht kunnen werpen op dit mysterie."

Net toen het dag begon te worden werd ik wakker en zag de lange, magere gestalte van Holmes naast mijn bed staan. Hij was volledig aangekleed en kennelijk al naar buiten geweest. "Ik heb het gazon en die schuur waarin de fietsen staan bekeken," zei hij. "En ik heb daar in het kreupelbos wat rondgelopen. Watson, in de kamer hiernaast staat warme chocolademelk klaar. Ik moet je dringend verzoeken je te haasten want we hebben een belangrijke dag voor de boeg." Zijn ogen straalden en zijn wangen waren rood van opwinding, de opwinding van de vakman die aan de slag wil gaan. Deze actieve, alerte man was een heel andere Holmes dan de in zichzelf gekeerde, bleke dromer uit Baker Street. Toen ik naar die lenige gestalte keek, die energiek, opgewonden en uiterst levenslustig was, had ik het gevoel dat ons inderdaad een inspannende dag wachtte.

Toch bracht het begin van die dag een heel grote teleurstelling met zich mee. Met hooggespannen verwachtingen staken we de veenachtige, roodbruine heide over die werd doorsneden door een duizendtal door schapen betreden paden, tot we de brede, lichtgroene strook hadden bereikt die het begin aangaf van het moerasachtige terrein tussen ons en Holdernesse. Wanneer de jongen naar huis onderweg was geweest, moest hij hierlangs zijn gekomen en dat had niet kunnen gebeuren zonder sporen achter te laten. Maar nergens konden we een spoor ontdekken van hem of de Duitser. Mijn vriend liep met een steeds somberder wordend gezicht langs de rand van dat moeras en bekeek aandachtig iedere modderplek op de mosachtige grond. We zagen talloze afdrukken van schapenpoten en een paar kilometer verderop hadden ook koeien hun sporen nagelaten. Maar verder konden we niets ontdekken. "Eerste onderzoek voltooid," zei Holmes, die somber uitkeek over de glooiende heide. "Maar daar ligt nog zo'n stuk moerasgrond met een smal pad ertussen. Hallo! Hallo! Hallo! Wat hebben we daar?"

We waren gearriveerd bij een smal, zwart pad. Op de doornatte grond zagen we duidelijk de sporen van fietsbanden. "Hoera!" riep ik uit. "We hebben het spoor gevonden!" Maar Holmes schudde zijn hoofd en zijn gezicht stond eerder verbaasd en verwachtingsvol dan blij. "Inderdaad een fiets, maar niet dé fiets," zei hij. "Ik ken tweeënveertig verschillende afdrukken van fietsbanden. Zoals je kunt zien betreft het hier een Dunlop-band die aan de buitenkant een keer is geplakt. Heideggers fiets had Palmerbanden, die lengtestrepen achterlaten. Aveling, de wiskundedocent, was daar absoluut zeker van. Dus is dit niet het spoor van Heidegger."

"Van de jongen dan?"

"Mogelijk, wanneer we zouden kunnen bewijzen dat die een fiets bij zich had. Maar daar zijn we tot dusverre nog helemaal niet in geslaagd. Zoals je ziet is dit spoor achtergelaten door een fietser die van de school wegreed."

"Of erheen ging?"

"Nee, nee, mijn beste Watson. De diepste sporen zijn natuurlijk gemaakt door het achterwiel waarop het gewicht van de fietser rust. Je ziet hoe het spoor van dat wiel op verschillende plaatsen de vagere indruk van het voorwiel doorkruist of heeft weggevaagd. Dus lijdt het geen twijfel dat de fietser van de school weg reed. Het kan verband houden met ons onderzoek, maar dat hoeft niet. Toch zullen we het in de richting van de school terug volgen voor we verder gaan met ons onderzoek."

Dat deden we. Maar een paar honderd meter verder hield het spoor op omdat de grond toen weer kurkdroog werd. Iets verderop ontdekten we bij een klein riviertje opnieuw die sporen, hoewel ze bijna niet meer te zien waren doordat er later vele koeien overheen waren gegaan. Verder vonden we geen sporen meer. Het pad mondde echter wel uit in het kreupelbos. Van daaruit moest de fietser te voorschijn zijn gekomen. Holmes ging op een grote steen zitten en liet zijn kin op zijn handen rusten. Ik had twee sigaretten gerookt voor hij weer in beweging kwam.

"Tja," zei hij uiteindelijk. "Het is natuurlijk mogelijk dat een geslepen man de banden van zijn fiets heeft verwisseld om onbekende sporen achter te laten. Een misdadiger die in staat is zoiets te bedenken, is iemand met wie het me een waar genoegen zou zijn zaken te doen. Maar we zullen deze kwestie nog maar even openlaten en weer naar dat moerasgebied teruggaan, want een groot deel daarvan hebben we nog niet bekeken."

We zetten ons systematische onderzoek van de rand van het natte gedeelte voort en al spoedig werd onze vasthoudendheid op glorieuze wijze beloond. Over het lager gelegen deel liep een modderig pad. Holmes slaakte een kreet van genoegen toen hij daarop afliep. Midden op dat pad zagen we toen een afdruk als die welke kan worden gemaakt door een reeks dunne telefoondraden. Dat waren de sporen van de Palmer-banden.

"Hier heeft de heer Heidegger zonder enige twijfel gereden," riep Holmes jubelend uit. "Watson, ik lijk goed te hebben geredeneerd!"

"Ik feliciteer je daarmee."

"Maar we zijn er nog lang niet. Wil je alsjeblieft niet op het pad zelf lopen? Laten we nu dat spoor maar volgen. Ik ben bang dat het spoedig zal ophouden."

Toen we verder liepen, kwamen we echter tot de ontdekking dat op dat terrein sommige stukken grond opeens een stuk droger waren, zodat we af en toe het spoor bijster raakten. Toch slaagden we er telkens weer in het op te pikken.

"Zie je dat de fietser hier zonder enige twijfel sneller is gaan rijden?" merkte Holmes op. "Dat lijdt geen twijfel. Kijk hier maar eens, waar je de afdrukken van beide banden duidelijk kunt zien. De ene is even diep als de andere. Dat kan alleen maar betekenen dat de fietser zijn gewicht naar voren, in de richting van het stuur heeft verplaatst, zoals iemand dat kan doen wanneer hij er grote vaart achter wil zetten. Mijn hemel! En hier is hij gevallen!"

Ik zag een brede, onregelmatige moddervlek van een paar meter lengte. Toen een paar voetafdrukken en daarna weer de afdrukken van de banden. "Uitgegleden," zei ik. "Geslipt." Holmes had een vertrapt takje van een bloeiende steekbrem opgeraapt. Tot mijn afschuw zag ik dat de gele bloempjes met rood waren bespikkeld. Ook op het pad en tussen de heidestruiken zagen we donkere plekken van geronnen bloed.

"Slecht voorteken," zei Holmes. "Heel slecht voorteken! Watson, loop het pad niet op. Geen voetafdrukken die er niet noodzakelijkerwijze op hoeven te worden aangebracht Wat kan ik hieruit opmaken? Hij is gewond geraakt en gevallen. Hij is weer opgestaan. Hij is weer op zijn fiets geklommen en doorgegaan. Maar verder geen spoor te bekennen. Vee dat daar op dat zijweggetje heeft gelopen. Is hij door een stier op de horens genomen? Onmogelijk! Maar ik zie geen sporen van iemand anders. We moeten verder gaan, Watson. Hij kan ons nu niet meer ontsnappen nu we niet alleen de bandensporen kunnen volgen, maar ook bloedsporen."

We hoefden toen niet lang meer te zoeken. De banden bleken complexe cirkels te hebben gemaakt op het natte, glinsterende pad. Ik keek voor me uit en zag plotseling metaal glinsteren te midden van de dichte bossen steekbrem. Daaruit trokken we een fiets te voorschijn, voorzien van Palmer-banden, met een verbogen pedaal en de voorkant afschuwelijk besmeurd met bloed. Aan de andere kant van die struiken zagen we een schoen uitsteken. We renden eromheen en daar zagen we de ongelukkige fietser liggen. Een lange man met een volle baard en een bril op waarvan een glas was gebroken. Hij was gedood door een afschuwelijke klap op zijn hoofd, waardoor een deel van zijn schedel was verbrijzeld. Het feit dat hij ondanks die verwonding in staat was geweest nog verder te fietsen, was veelzeggend voor de vitaliteit en de moed van die man. Hij had schoenen aan maar geen sokken en omdat zijn jas een beetje openhing konden we zien dat hij daaronder een nachthemd aan had. Het leed geen twijfel dat dit de docent Duits was. Holmes draaide het lichaam behoedzaam om en bekeek dat toen uiterst aandachtig. Toen zat hij enige tijd in diep gepeins verzonken en kon ik aan zijn gefronste voorhoofd zien dat deze grimmige ontdekking ons naar zijn idee niet veel verder hielp met ons onderzoek.

"Het is een beetje moeilijk om te bepalen wat we nu moeten gaan doen, Watson," zei hij uiteindelijk. "Ik ben zelf geneigd meteen verder op onderzoek uit te gaan, want we hebben nu al zoveel tijd verloren dat we het ons niet kunnen veroorloven nog een uur voorbij te laten gaan. Maar aan de andere kant moeten we de politie van deze ontdekking op de hoogte stellen en erop toezien dat het lichaam van deze arme stakker wordt weggehaald."

"Ik zou met een briefje kunnen teruggaan."

"Dat zou kunnen, maar ik heb je gezelschap en je hulp nodig. Wacht eens even! Daar in de verte staat iemand turf te steken. Haal hem maar hierheen. Dan kan hij de politie de weg wijzen."

Ik ging de boer halen en Holmes stuurde de bange man met een briefje naar doctor Huxtable. "Watson," zei hij toen, "we hebben vanmorgen twee aanwijzingen gevonden. De ene is de fiets met de Palmer-banden en we hebben gezien welk resultaat die had. De andere is de fiets met de Dunlop-banden. Voor we daar een nader onderzoek naar instellen, moeten we eens proberen vast te stellen wat we in werkelijkheid weten om daar het optimale uit te halen en essentiële gegevens van toevallige te scheiden. In de eerste plaats wil ik dat je ervan bent doordrongen dat de jongen uit eigen vrije wil is weggegaan. Hij heeft zich uit zijn raam naar beneden laten zakken en is weggegaan, ofwel alleen ofwel met iemand anders. Dat staat vast."

Dat bevestigde ik.

"Nu moeten we aandacht schenken aan die ongelukkige docent Duits. De jongen was volledig aangekleed toen hij vluchtte. Dus wist die dat hij dat zou gaan doen. Maar de Duitser is zonder zijn sokken aan te trekken naar buiten gegaan. Die is dus binnen zeer korte tijd tot handelen overgegaan."

"Ongetwijfeld."

"Waarom is hij weggegaan? Omdat hij de jongen vanachter het raam van zijn slaapkamer heeft zien vluchten. Omdat hij hem wilde inhalen en mee terug wilde nemen. Hij pakte zijn fiets, ging achter de jongen aan en heeft die achtervolging met de dood moeten bekopen."

"Daar heeft het alle schijn van."

"Nu kom ik bij de kritieke fase van mijn redenatie. Wanneer een man achter een jonge jongen aangaat, zou je verwachten dat hij het hollend doet. Omdat hij weet dat hij een kind kan inhalen. Maar deze Duitser doet dat niet. Hij pakt zijn fiets. Ik heb me laten vertellen dat hij heel goed kon fietsen. Hij zou dat niet hebben gedaan wanneer hij niet had gezien dat de jongen zich op de een of andere manier zeer snel uit de voeten kon maken."

"De andere fiets!"

"Laten we deze reconstructie vervolgen. Hij vindt op een afstand van zo'n acht kilometer van de kostschool vandaan de dood. Niet door middel van een kogel, die zelfs door een jonge jongen kan worden afgevuurd. Nee, door een harde slag, toegebracht door een sterk persoon. Dus moet de jongen tijdens zijn vlucht een metgezel hebben gehad. En ze zijn snel weggegaan, omdat een ervaren fietser er acht kilometer voor nodig had om hen in te halen. Maar wanneer we het terrein rond de plaats des onheils bekijken, zien we niets anders dan sporen van vee dat er is langsgetrokken. Ik heb die omgeving uitgebreid verkend en binnen een afstand van vijftig meter is er geen ander pad te bekennen. Een andere fietser kan niets met de feitelijke moord te maken

171

hebben gehad en bovendien heb ik verder ook geen voetafdrukken van mensen kunnen vinden."

"Holmes!" riep ik uit. "Dit is onmogelijk!"

"Bewonderenswaardig," zei hij. "Een zeer verhelderende opmerking. Zoals ik het stel, is het inderdaad onmogelijk en dus moet ik het op de een of andere manier verkeerd hebben gesteld. Toch heb jij alles ook met eigen ogen kunnen waarnemen. Kun jij een fout aanwijzen in mijn redenatie?"

"Is het mogelijk dat zijn schedel door een val is verbrijzeld?"

"In een moerasachtig gebied, Watson?"

"Ik begrijp er niets van."

"Tut, tut, we hebben wel eens ergere problemen opgelost. In ieder geval beschikken we over voldoende materiaal en moeten we alleen bedenken hoe we daar het beste gebruik van kunnen maken. De Palmer-banden zijn al bekeken. Laten we nu maar eens zien wat de Dunlop-band die aan de buitenkant is geplakt, ons kan bieden."

We pikten het spoor weer op en volgden dat over enige afstand, maar al spoedig werd de heidegrond hoger en lieten we het moerasachtige gedeelte achter ons. Vanaf dat punt hoefden we niet meer te rekenen op het vinden van sporen. Op de plaats waar we de laatste afdruk van de Dunlop-band zagen, moesten we constateren dat die fietser net zo goed naar Holdernesse Hall, welks statige torens we enige kilometers verderop links van ons zagen, kon zijn gegaan als naar een lager gelegen, grijs dorpje waarlangs de hoofdweg naar Chesterfield liep. Toen we de sombere, smerige herberg naderden, met het wapen van een vechthaan boven de deur, begon Holmes plotseling te kreunen en greep me bij mijn schouder vast om te voorkomen dat hij zou vallen. Hij was het slachtoffer geworden van een van die hevige enkelverstuikingen die een man hulpeloos maken. Met veel moeite hinkte hij naar de deur, waar een gezette, donkere, oudere man een zwartstenen pijp zat te roken.

"Hoe gaat het met u, meneer Reuben Hayes?" zei Holmes.

"Wie bent u en hoe komt het dat u mijn naam zo meteen paraat heeft?" vroeg de plattelandsbewoner met een achterdochtige blik in zijn geslepen ogen.

"Tja, die staat afgedrukt op het bord boven uw hoofd. En het is nooit moeilijk om de baas van een etablissement te herkennen. Ik veronderstel dat u in uw stallen niet iets als een rijtuig heeft staan?"

"Nee, dat heb ik inderdaad niet."

"Ik kan mijn voet nauwelijks op de grond zetten."

"Zet hem dan niet op de grond."

"Maar ik kan niet lopen."

"Dan moet u hinken."

De manier van doen van de heer Reuben Hayes was verre van hoffelijk, maar Holmes slikte dat alles bewonderenswaardig goedgehumeurd.

"Luister nu eens," zei hij. "Dit is werkelijk nogal vervelend voor me. Het kan me niet schelen hoe ik verder kom."

"Kan mij ook niets schelen," zei de knorrige herbergier.

"Deze zaak is heel belangrijk. Ik ben bereid u een sovereign te geven wanneer ik een fiets van u kan lenen."

De herbergier was meteen een en al oor.

"Waar wilt u heen?"

"Naar Holdernesse Hall."

"Vriendjes van de hertog, neem ik aan?" zei de herbergier die onze bemodderde kleren met een cynisch oog bekeek.

Holmes lachte minzaam.

"Hij zal blij zijn ons te zien, hoe dan ook."

"Waarom?"

"Omdat wij hem iets kunnen meedelen over zijn verdwenen zoon."

De herbergier schrok heel duidelijk zichtbaar.

"Wat zegt u? Bent u hem op het spoor?"

"Hij is in Liverpool gesignaleerd. Ze verwachten hem nu ieder moment te kunnen oppakken." Weer een snelle verandering op het ongeschoren, dikke gezicht van de herbergier. Plotseling werd hij heel toeschietelijk.

"Ik heb minder reden om de hertog welgezind te zijn dan wie ook," zei hij. "Ooit was ik zijn hoofdkoetsier en hij heeft me verschrikkelijk slecht behandeld. Hij heeft me ontslagen zonder zich ook maar even af te vragen of die korenhandelaar soms had gelogen. Maar ik ben blij te horen dat de jonge lord in Liverpool is gezien en ik zal u helpen met dat bericht naar de Hall te gaan."

"Dank u," zei Holmes. "Maar we zouden graag eerst een hapje willen eten. Daarna kunt u de fiets dan halen."

"Ik heb geen fiets."

Holmes hield de sovereign omhoog.

"Ik heb u toch al gezegd dat ik geen fiets heb. Ik zal u twee paarden lenen."

"Tja," zei Holmes, "daar hebben we het na het eten dan nog wel over."

Toen we alleen waren gelaten in de keuken waar leistenen op de vloer lagen, zag ik tot mijn grote verbazing hoe snel een verstuikte enkel zich kon herstellen. Het liep tegen de avond en we hadden sinds de vroege morgen niets meer gegeten, dus deden we enige tijd over de maaltijd. Holmes zat diep in gedachten verzonken en een paar maal liep hij naar het raam om ernstig naar buiten te kijken. Dat raam bood uitzicht op een vies binnenpleintje. In een hoek daarvan bevond zich een smederij waar een smerig uitziende jongen aan het werk was. Aan de andere kant waren de stallen. Net toen Holmes na zo'n gang naar het raam weer was gaan zitten, sprong hij plotseling met een luide uitroep weer overeind.

"Mijn hemel, Watson, ik geloof dat ik erachter ben!" riep hij uit. "Ja, ja, het kan niet anders. Watson, kan je je nog herinneren vandaag sporen van koeien te hebben gezien?"

"Ja, verschillende."

"Waar?"

"Tja, overal. In het moeras, op het pad en bij de plaats waar die arme Heidegger om het leven is gekomen."

"Inderdaad. En nu, Watson, moet je me eens vertellen hoeveel koeien je op de hei hebt gezien."

"Ik kan me niet herinneren daar koeien te hebben gezien."

"Vreemd, nietwaar Watson, dat we overal sporen van die dieren zien, maar het dier zelf nergens te bekennen is. Heel vreemd, nietwaar, Watson?"

"Ja, inderdaad."

"Watson, nu moet je je best doen en even teruggaan naar het verleden. Kun je je die sporen op het pad voor de geest halen?"

"Ja, dat kan ik."

"Kun je je nog herinneren dat die sporen soms zo liepen," – hij legde een aantal broodkruimeltjes op deze manier neer – : : : : : – "en soms zo" – : ? : ? : ? : ? – "en af en toe zo" – . ? . ? . ? "Kun je je dat herinneren?"

"Nee."

"Maar ik kan dat wel. Ik durf erop te zweren. Maar we zullen er op ons dooie gemakje weer heen gaan om het met zekerheid vast te stellen. Wat ben ik blind geweest door daar niet meteen mijn conclusies uit te trekken!"

"En tot welke conclusie ben je dan gekomen?"

"Alleen maar dat het een opmerkelijke koe geweest moet zijn, omdat hij kon lopen, in korte galop kon gaan en voluit kon galopperen. Mijn hemel, Watson! Een dergelijk rookgordijn kan niet zijn bedacht door de hersens van een plattelandsherbergier. De kust lijkt veilig te zijn, met uitzondering van die jongen in de smederij. Laten we maar eens naar buiten glippen om te zien wat we kunnen ontdekken."

In de bouwvallige stal stonden twee ruw behaarde, onverzorgde paarden. Holmes tilde het achterbeen van een van die dieren op en lachte hardop.

"Oude hoefijzers, die echter opnieuw zijn aangebracht − oude hoefijzers, maar nieuwe nagels. Deze zaak verdient het tot de klassieken te worden gerekend. Laten we nu maar eens naar de smidse gaan."

De jongen werkte door, zonder naar ons te kijken. Ik zag Holmes' ogen heen en weer schieten terwijl hij links en rechts de bergen ijzer en hout bekeek. Plotseling hoorden we echter een stap achter ons en daar stond de herbergier. Zijn zware wenkbrauwen hingen over zijn woeste ogen en zijn donkere gezicht was verwrongen. Hij had een korte stok met een metalen knop vast en kwam zo dreigend op ons af dat ik heel blij was mijn revolver in mijn zak te kunnen voelen. "Jullie helse spionnen!" riep de man uit. "Wat doen jullie hier?"

"Meneer Reuben Hayes," zei Holmes koeltjes, "je zou nog de indruk krijgen dat u bang was dat we iets zouden ontdekken."

Met de grootste krachtsinspanning kreeg de man zichzelf weer in de hand en zijn grimmige mond plooide zich tot een onecht glimlachje, dat nog dreigender was dan die frons.

"U kunt hier wat mij betreft rondkijken zoveel u wilt," zei hij. "Maar verder vind ik het niet prettig wanneer mensen zonder mijn toestemming op mijn privéterrein gaan rondneuzen, dus hoe eerder u betaalt en weggaat, hoe liever me dat is."

"Uitstekend, meneer Hayes, we wilden u niet op stang jagen," zei Holmes. "We hebben even naar uw paarden gekeken, maar ik denk dat ik toch maar ga lopen. Ik geloof dat het niet meer zo ver is."

"Drieëneenhalve kilometer tot het hek. Die weg daar links moet u nemen."

Knorrig keek hij ons na tot we zijn terrein hadden verlaten. We liepen echter niet ver de weg op, want op het moment dat een bocht ons aan het oog van de herbergier had onttrokken, bleef Holmes staan.

"We waren warm, zoals kinderen zeggen, daar in die herberg, Watson," zei hij. "En iedere stap ervandaan lijkt op kouder te wijzen. Nee, nee, ik kan het niet hierbij laten."

"Ik ben ervan overtuigd dat die Reuben Hayes er alles vanaf weet," zei ik. "Ik heb nog nooit een stuk geboefte gezien van wie de schurkachtigheid zo duidelijk viel af te lezen."

"O! Heeft hij die indruk op je gemaakt? Ja, deze herberg De Vechtende Haan is inderdaad interessant, gezien die paarden en de smidse. Ik denk dat we er op een onopvallende manier nog maar eens een kijkje moeten nemen." Achter ons bevond zich een lange, glooiende helling met grote stukken leisteen bezaaid. We liepen de weg af en de heuvel op en toen ik de kant van Holdernesse Hall opkeek, zag ik een fietser snel dichterbij komen.

"Laat je zakken, Watson," riep Holmes en duwde met zijn hand mijn schouder krachtig omlaag. Net toen we dat hadden gedaan, vloog de man langs ons heen. Te midden van een opdwarrelende stofwolk kon ik even een glimp opvangen van een bleek, opgewonden gezicht – een gezicht dat in alle opzichten doodsangst uitdrukte. De mond hing open en de ogen staarden woest voor zich uit. Het was net een vreemde karikatuur van de kwieke James Wilder die we die avond daarvoor hadden gezien.

"De secretaris van de hertog!" riep Holmes uit. "Kom, Watson, laten we eens kijken wat die man verder gaat doen."

We klommen van de ene grote steen naar de andere, tot we een paar minuten later een punt hadden bereikt waar we de voordeur van de herberg in de gaten konden houden. Wilders fiets stond tegen de muur daarnaast. Voor de ramen konden we geen gezichten zien en verder leek alles in dat huis rustig te zijn. Langzaamaan werd het donkerder toen de zon verdween achter de hoge torens van Holdernesse Hall. Toen zagen we hoe bij de stal de zijlantaarns van een tweewielig wagentje werden ontstoken. Kort daarop hoorden we het geratel van paardenhoeven toen het rijtuigje de weg opdraaide en razendsnel vertrok in de richting van Chesterfield.

"Wat denk je me daar van, Watson?" fluisterde Holmes. "Het ziet ernaar uit dat hij op de vlucht is geslagen."

"Een enkele man in een rijtuig, voor zover ik kon zien. En die man was in ieder geval niet de heer James Wilder, want die verschijnt daar net in de deuropening."

In de duisternis verscheen opeens een vierkantje rood licht. Midden daarin stond de zwarte gestalte van de secretaris. Hij hield zijn hoofd vooruitgestoken om naar buiten te kijken. Het was duidelijk dat hij iemand verwachtte. Toen hoorden we voetstappen op de weg. Even was tegen het licht een tweede gestalte zichtbaar. Toen werd de deur gesloten en was alles weer donker. Vijf minuten later werd er een lamp aangedaan op de eerste verdieping.

"Rare klanten, de mensen die De Vechtende Haan bezoeken," zei Holmes.

"De bar is aan de andere kant."

"Inderdaad. Dit zullen we maar privégasten noemen. Wat spookt de heer James Wilder in vredesnaam op dit uur van de dag in zo'n hol uit en wie is de man die hem hier is komen opzoeken? Kom, Watson, we moeten enig risico nemen om het geheel van wat dichterbij te gaan bekijken."

Samen liepen we geruisloos de weg af en kropen naar de deur van de herberg. De fiets stond nog altijd tegen de muur. Holmes stak een lucifer aan en hield die bij het achterwiel. Ik hoorde hem grinniken toen het vlammetje een geplakte Dunlop-band bescheen. Recht boven ons bevond zich het verlichte raam.

"Ik moet daardoor even naar binnen gluren, Watson. Wanneer jij je rug buigt en tegen de muur steun zoekt, denk ik dat me dat wel zal lukken."

Even later stonden zijn voeten al op mijn schouders, maar een seconde daarna was hij al weer naar beneden gesprongen. "Kom, mijn vriend," zei hij. "We hebben vandaag beslist lang genoeg gewerkt. Ik denk dat we alle inlichtingen hebben verzameld die we konden vinden. Het is nog een eind lopen naar de kostschool en hoe eerder we op weg gaan, hoe beter."

Tijdens die vermoeiende wandeling over de heide zei hij vrijwel geen woord. Toen we bij de kostschool waren gearriveerd, wilde hij het schoolgebouw niet binnengaan, maar liep verder naar Mackleton, waar hij op het station een paar telegrammen kon versturen. Laat op de avond hoorde ik hem doctor Huxtable troosten die geheel van streek was door de dood van zijn docent. Nog later kwam hij mijn kamer in, even alert en krachtig als hij dat vroeg in de ochtend was geweest. "Alles gaat goed, mijn vriend," zei hij. "Ik beloof je dat we voor morgenavond de oplossing van dit mysterie in handen zullen hebben."

OM ELF UUR de volgende ochtend liepen Holmes en ik de beroemde, met taxusbomen omzoomde oprijlaan van Holdernesse Hall op. Via de schitterende Elizabethaanse hoofdingang werden we naar de studeerkamer van Zijne Genade gebracht. Daar zagen we de heer James Wilder, ingetogen en hoffelijk, maar met in zijn schichtige blik en op zijn afgetobde gezicht nog altijd iets van de doodsangst die we de avond daarvoor hadden gezien.

"Bent u hierheen gekomen voor een onderhoud met Zijne Genade? Het spijt me, maar de hertog voelt zich helemaal niet goed. Het tragische bericht heeft hem erg van streek gemaakt. Gistermiddag hebben we een telegram ontvangen van doctor Huxtable die ons van uw ontdekking op de hoogte heeft gesteld."

"Ik moet de hertog spreken, meneer Wilder."

"Maar hij zit in zijn privévertrek."

"Dan moet ik naar zijn privévertrek gaan."

"Ik geloof dat hij in bed ligt."

"Dan zal ik met hem spreken terwijl hij in bed ligt."

Holmes' koude en onverbiddelijke manier van doen maakte het de secretaris duidelijk dat iedere verdere discussie zinloos was.

"Uitstekend, meneer Holmes, ik zal hem zeggen dat u er bent."

Een uur later verscheen de beroemde edelman. Zijn gezicht zag er kadaverachtiger uit dan ooit, zijn schouders waren gebogen en hij leek me een stuk ouder te zijn geworden dan de ochtend daarvoor. Hij begroette ons statig en hoffelijk en ging toen achter zijn bureau zitten, waarbij zijn rode baard het blad raakte.

"En, meneer Holmes?" zei hij.

Maar de ogen van mijn vriend waren strak gericht op de secretaris, die naast de stoel van zijn meester stond.

"Ik denk, Uwe Genade, dat ik vrijer kan spreken wanneer de heer Wilder hier niet bij aanwezig is."

De man werd iets bleker en keek Holmes even nijdig aan.

"Wanneer Uwe Genade wil..."

"Ja, ja, ga jij maar even weg. En, meneer Holmes, wat heeft u me nu te zeggen?"

Mijn vriend wachtte tot de deur achter de weggaande secretaris was gesloten.

"Uwe Genade," zei hij. "Mijn collega dokter Watson en ik hebben van doctor Huxtable gehoord dat u een beloning heeft uitgeloofd. Ik zou daarvan graag uit uw eigen mond een bevestiging vernemen."

"Dat klopt, meneer Holmes."

"Wanneer mijn informatie juist is, gaat het om een bedrag van vijfduizend pond voor diegene die u kan vertellen waar uw zoon is?"

"Inderdaad."

"En dan is er verder nog sprake van een beloning van duizend pond voor diegene die kan vertellen welke persoon of welke personen hem gevangen houden?"

"Inderdaad."

"Ik neem aan dat tot die laatste categorie niet alleen diegenen behoren die hem hebben ontvoerd, maar ook diegenen die ervoor zorgen dat hij nog altijd gevangen wordt gehouden?"

"Ja, ja," riep de hertog ongeduldig uit.

"Meneer Sherlock Holmes, wanneer u goed werk aflevert, zult u geen reden hebben uw beklag te doen over vrekkigheid mijnerzijds."

Mijn vriend wreef hebzuchtig in zijn handen en dat verbaasde me ten zeerste, omdat ik wist welk een Spartaans leven hij leidde.

"Ik meen het chequeboek van uwe Genade daar op tafel te zien liggen," zei hij. "Ik zou graag zien dat u voor mij een cheque uitschrijft ten bedrage van zesduizend pond. Het zou niet onverstandig zijn wanneer u er twee evenwijdige lijnen over trekt, om zo aan te geven dat hij alleen kan worden geïnd bij mijn bank, de Capital and Counties aan Oxford Street."

Zijne Genade zat heel streng en kaarsrecht in zijn stoel en keek mijn vriend ijskoud aan.

"Is dit een grap, meneer Holmes? Daar is het onderwerp anders helemaal niet naar."

"In het geheel niet, Uwe Genade. Ik ben nog nooit van mijn leven zo serieus geweest."

"Wat heeft dit dan te betekenen?"

"Dat wij de beloning hebben verdiend. Ik weet waar uw zoon is en ken in ieder geval een aantal van de mensen die hem vasthouden."

"Waar is hij?" bracht de hertog met moeite uit.

"Hij zit in de herberg De Vechtende Haan, ongeveer drie kilometer van uw toegangshekken vandaan. Daar zat hij in ieder geval gisteravond."

De hertog, die half overeind was gekomen, liet zich weer terugvallen in zijn stoel.

"En wie beschuldigt u van deze ontvoering?"

Het antwoord dat Sherlock Holmes toen gaf, deed me verstomd staan. Snel deed hij een stap naar voren en raakte de schouder van de hertog aan.

"U," zei hij. "En nu, Uwe Genade, zou ik graag die cheque in ontvangst nemen."

Ik zal nooit vergeten hoe de hertog eruitzag toen hij overeind sprong en zijn handen klauwend bewoog, als iemand die in een afgrond stort. Toen wist deze aristocraat zich weer in bedwang te krijgen, ging zitten en begroef zijn gezicht in zijn handen. Het duurde enige minuten voor hij het woord weer nam.

"Hoeveel weet u hiervan af?" vroeg hij uiteindelijk, zonder zijn hoofd op te heffen.

"Ik heb u gisteravond samen gezien."

"Is er, behalve uw vriend, nog iemand anders van op de hoogte?"

"Ik heb er met niemand over gesproken."

Met trillende vingers pakte de hertog een pen en opende zijn chequeboek.

"Ik zal me aan mijn belofte houden, meneer Holmes. Ik zal die cheque voor u uitschrijven, hoe onwelkom de informatie waarover u beschikt ook voor me kan zijn. Toen ik die beloning uitschreef, had ik er nog geen idee van welke wending de gebeurtenissen zouden nemen. Maar ik neem aan dat u en uw vriend discreet zijn, meneer Holmes?"

"Ik begrijp Uwe Genade niet goed."

"Ik zal duidelijke taal gebruiken, meneer Holmes. Wanneer u beiden de enigen bent die op de hoogte zijn van dit alles, is er geen reden te bedenken waarom anderen ervan in kennis zouden worden gesteld. Ik meen dat ik u twaalfduizend pond ben verschuldigd, nietwaar?"

Maar Holmes glimlachte en schudde zijn hoofd.

"Uwe Genade, ik ben bang dat deze kwestie zich niet zo gemakkelijk zal laten regelen. We hebben in dit verband ook nog te maken met de dood van de docent Duits."

"Maar daar wist James niets vanaf. Daar is hij niet verantwoordelijk voor. Wel die brute schurk die hij helaas heeft ingeschakeld."

"Uwe Genade, ik ben van mening dat een man die een misdaad gaat plegen moreel verantwoordelijk is voor iedere andere misdaad die daaruit kan voortvloeien."

"In moreel opzicht wel, meneer Holmes. Wat dat betreft heeft u ongetwijfeld gelijk. Maar niet in de ogen van de wet. Een man kan niet worden veroordeeld voor een moord waarvan hij niet eens getuige is geweest en die hem evenzeer met afschuw vervult als u. Op het moment dat hij daarvan hoorde, heeft hij me een volledige bekentenis gedaan, zo doodsbang was hij en zoveel berouw had die man. En daarna heeft hij meteen volledig met de moordenaar gebroken. O, meneer Holmes, u moet hem redden. U moet hem redden. Ik zeg u dat u hem moet redden!"

De hertog was zijn zelfbeheersing nu kwijt en liep door de kamer heen en weer met een verwrongen gezicht en tot vuisten gebalde handen waarmee hij door de lucht zwaaide. Ten slotte kreeg hij zichzelf weer in de hand en nam opnieuw plaats achter zijn bureau.

"Ik waardeer het dat u eerst hierheen bent gekomen alvorens er met anderen over te spreken," zei hij. "In ieder geval kunnen we nu overleggen hoe dit afschuwelijke schandaal zoveel mogelijk toegedekt kan blijven."

"Inderdaad," zei Holmes. "Ik denk, Uwe Genade, dat iets dergelijks slechts kan worden gerealiseerd wanneer wij tegenover elkaar volledige openheid betrachten. Ik ben genegen Uwe Genade naar beste kunnen te helpen, maar om dat te doen, moet ik tot in het kleinste detail begrijpen hoe de zaken ervoor staan. Ik heb begrepen dat u refereerde aan de heer James Wilder en dat die niet de moordenaar is."

"Inderdaad. De moordenaar is ontsnapt."

Sherlock Holmes glimlachte.

"Uwe Genade moet niet goed op de hoogte zijn van de kleine reputatie die ik me heb verworven, want anders zou u niet denken dat het zo gemakkelijk is om aan mij te ontsnappen. De heer Reuben Hayes is in Chesterfield gearresteerd op grond van inlichtingen die ik had verschaft, en wel om elf uur gisteravond. Voor ik vanmorgen de kostschool verliet, heb ik een telegram gehad van het hoofd van de politie ter plaatse."

De hertog leunde achterover in zijn stoel en keek mijn vriend verbaasd aan.

"U schijnt talenten te hebben die nauwelijks meer menselijk zijn," zei hij. "Dus Reuben Hayes is gevangen gezet. Ik ben oprecht blij dat te horen, maar hoop dat het niet van invloed zal zijn op het lot van James."

"Uw secretaris?"

"Nee, meneer, mijn zoon."

Nu was het Holmes' beurt om verbaasd te kijken.

"Ik moet bekennen dat dit iets heel nieuws voor me is, Uwe Genade. Ik moet u dringend verzoeken duidelijker te zijn."

"Ik zal niets voor u verborgen houden. Ik ben het met u eens dat volledige openheid, hoe pijnlijk dat voor mij ook zijn moge, de beste politiek is in deze wanhopige situatie, die is ontstaan door het onbezonnen, jaloerse gedrag van James. Toen ik nog een heel jonge man was, meneer Holmes, heb ik van een vrouw gehouden met een liefde die je maar éénmaal in je leven kent. Ik heb de dame een huwelijksaanzoek gedaan, maar dat sloeg ze af met als reden dat een dergelijk huwelijk een ernstige belemmering kon vormen voor mijn carrière. Wanneer zij in leven was gebleven, zou ik beslist nooit met een andere vrouw zijn getrouwd. Maar ze overleed en liet dit ene kind achter. Omwille van haar heb ik dat gekoesterd en verzorgd. Ik kon niet in het openbaar mijn vaderschap erkennen, maar ik heb hem de beste opvoeding gegeven die hij kon krijgen en toen hij volwassen was geworden, heb ik hem dicht bij me in de buurt gehouden. Hij heeft mijn geheim bij toeval ontdekt en sinds die tijd heeft hij voortdurend van alles en nog wat van me geëist, wetend dat ik een afschuw heb van het veroorzaken van een schandaal. Zijn aanwezigheid heeft iets te maken gehad met het ongelukkige einde van mijn huwelijk. Maar bovenal haatte hij mijn jonge, rechtmatige erfgenaam – vanaf het eerste moment en hardnekkig. U heeft alle recht me te vragen waarom ik hem, gegeven die omstandigheden, nog steeds onderdak ben blijven bieden. Dat kwam omdat ik zijn moeders gezicht in het zijne zag en ik omwille van de gekoesterde herinnering aan haar geen einde kon maken aan dat aldoor voortdurende lijden. Op alle mogelijke manieren slaagde hij er telkens weer in om me aan haar te laten terugdenken. Ik kón hem niet wegsturen. Maar ik was zo bang dat hij Arthur – Lord Saltire – kwaad zou berokkenen dat ik het veiliger achtte wanneer hij naar de school van doctor Huxtable ging. James kwam in contact met die Hayes omdat die zijn etablissement van mij huurt en James de huur altijd gaat ophalen. Die man is altijd al een schurk geweest, maar op de een of andere onverklaarbare manier werden die twee vrienden. James heeft zijn hele leven lang al de voorkeur gegeven aan het gezelschap van mensen ver beneden onze stand. Toen James besloot Lord Saltire te ontvoeren, nam hij het besluit Hayes daarbij te betrekken. U zult zich nog wel herinneren dat ik Arthur die laatste dag een brief heb geschreven. James heeft die opengemaakt en er een briefje bijgedaan met het verzoek om een ontmoeting bij het kreupelbos vlakbij de kostschool. Hij maakte daarbij gebruik van de naam van de hertogin en dat had natuurlijk tot gevolg dat de jongen erop inging. Die avond ging James er op de fiets heen – ik vertel u nu wat hij mij heeft verteld – en zei tegen Arthur dat zijn moeder ernaar verlangde hem te zien en dat ze op de hei op hem wachtte en dat hij, als hij rond middernacht weer naar het bos ging, daar een man met een paard zou aantreffen die hem naar haar toe zou brengen. Arthur hield zich aan die afspraak en trof Hayes aan met een pony. Arthur ging op het dier zitten en beiden reden weg. De arme Arthur liep zo regelrecht in de voor hem uitgezette val. Het blijkt dat ze zijn achtervolgd – iets wat James gisteren pas heeft gehoord – en dat Hayes die achtervolger met zijn stok heeft geslagen en dat de man aan die verwonding is overleden. Hayes heeft Arthur toen meegenomen naar zijn herberg, De Vechtende Haan, waar hij in een kamer op de bovenste verdieping werd opgesloten. Mevrouw Hayes, een vriendelijke vrouw die echter volledig onder de plak zit van haar echtgenoot, heeft toen verder voor hem gezorgd. Tja, meneer Holmes, zo stonden de zaken ervoor toen ik u twee dagen geleden voor het eerst zag. Ik kende de waarheid evenmin als u. U zult me wel vragen naar het motief achter de handelwijze van James. Als antwoord daarop kan ik zeggen dat de haat die hij jegens mijn erfgenaam koesterde tot op zeer grote hoogte onredelijk was. Hij was de mening toegedaan dat hij al mijn bezittingen diende te erven en nam het onze wetgeving bijzonder kwalijk dat dat onmogelijk was. Maar hij had nog een ander duidelijk motief. Hij wilde dat ik hem formeel en officieel als zoon zou erkennen en was van mening dat ik dat kon. Hij wilde met me onderhandelen. Ik zou Arthur terugkrijgen wanneer ik gevolg gaf aan zijn wens en het daardoor mogelijk zou maken dat mijn bezittingen hem via een testament zouden worden nagelaten. Hij wist heel goed dat ik nooit uit eigener beweging de politie erbij zou halen om me tegen hem te laten beschermen. Ik moet hier nog aan toevoegen dat hij me een dergelijk voorstel wilde doen maar dat in werkelijkheid niet heeft gedaan omdat alles toen veel te snel ging en hij zijn plannen dus niet meer in praktijk kon brengen. Zijn verdorven plan werd de grond in geboord toen u het ontzielde lichaam van Heidegger vond. James reageerde daarop vol angst en afschuw. We hoorden het gisteren, toen we samen in mijn studeerkamer zaten. Doctor Huxtable had een telegram gestuurd. James was zo verdrietig en opgewonden dat mijn verdenkingen, die ik eigenlijk al van het begin af aan had gekoesterd, onmiddellijk in zekerheid veranderden. Dus wierp ik hem dat voor de voeten. Uit eigen vrije wil legde hij toen een volledige bekentenis af. Daarna smeekte hij me zijn geheim nog drie dagen te bewaren, om die ellendige Hayes de gelegenheid te geven zijn schuldige hachje te redden. Ik gaf toe aan zijn smeekbedes, zoals ik dat altijd heb gedaan, en meteen is James toen naar De Vechtende Haan gegaan om Hayes te waarschuwen en hem te helpen vluchten. Ik kon er overdag niet heen gaan zonder dat daar door derden commentaar op zou worden geleverd, maar zodra het donker werd, ben ik snel op pad gegaan om mijn lieve Arthur te zien. Hij bleek veilig en gezond te zijn, maar was onzegbaar aangeslagen door de afschuwelijke moord waarvan hij getuige was geweest. Omdat ik me aan mijn belofte wilde houden, stemde ik er, geheel tegen mijn zin, in toe om hem daar nog drie dagen te laten blijven en over te laten aan de zorgen van mevrouw Hayes. Want het was duidelijk dat ik met dit verhaal niet naar de politie kon stappen zonder te vertellen wie de moordenaar was en ik kon met geen mogelijkheid een manier bedenken waarop die moordenaar zou kunnen worden gestraft zonder dat dat de ondergang zou betekenen van mijn ongelukkige James. U heeft me gevraagd open kaart te spelen, meneer Holmes, en dat heb ik gedaan, zonder er doekjes om te winden of iets achter te houden. Ik hoop dat u op uw beurt even openhartig zult zijn."

"Dat zal ik zijn," zei Holmes. "In de eerste plaats, Uwe Genade, moet ik u vertellen dat u zichzelf in juridisch opzicht in een heel lastig parket heeft geplaatst. U heeft een misdaad door de vingers gezien en u heeft een moordenaar helpen ontsnappen, want ik twijfel er niet aan dat het geld dat James Wilder heeft meegenomen om zijn makker te helpen, uit uw portemonnee afkomstig is."

De hertog maakte een instemmende buiging.

"Dit is werkelijk allemaal heel ernstig. Maar uw houding tegenover uw jongste zoon, Uwe Genade, is volgens mij nog verwerpelijker. U was bereid hem drie dagen langer in dat hol te laten blijven."

"Omdat ik plechtig had beloofd…"

"Wat zeggen beloftes mensen zoals dat tweetal? U heeft geen enkele garantie dat ze hem niet razendsnel ergens anders heen zullen brengen. Om uw schuldige oudste zoon ter wille te zijn, heeft u uw onschuldige jongste zoon aan groot en onnodig gevaar blootgesteld. Een dergelijke handelwijze laat zich op geen enkele manier rechtvaardigen."

De trotse Lord van Holdernesse was er duidelijk niet aan gewend in zijn eigen hertogelijke woning zo de les gelezen te krijgen. Zijn hoge voorhoofd liep rood aan, maar zijn geweten dwong hem er het zwijgen toe te doen.

"Ik ben bereid u te helpen, maar op één voorwaarde. Dat u de lakei belt en hem door mij die bevelen laat geven die ik wenselijk acht." Zonder iets te zeggen, drukte de hertog op de elektrische bel. Even later kwam er een bediende binnen.

"Het zal u genoegen doen te horen," zei Holmes, "dat uw jonge meester is gevonden. De hertog wenst dat een wagen meteen naar de herberg De Vechtende Haan vertrekt om Lord Saltire mee terug te nemen naar huis."

"En nu," zei Holmes, toen de opgetogen lakei was vertrokken, "is de toekomst veilig gesteld en kunnen we het verleden iets clementer bezien. Ik bekleed geen officiële functie en ik zie geen reden om alles wat ik weet in de openbaarheid te brengen wanneer er maar gerechtigheid geschiedt. Over Hayes hoef ik verder niets meer te zeggen. De galg wacht hem en ik zal niets doen om hem te redden. Ik weet niet wat hij tijdens het proces allemaal zal gaan vertellen, maar ik twijfel er niet aan dat Uwe Genade in staat zal zijn hem duidelijk te maken dat zijn eigen belangen beter bij een stilzwijgen zijn gediend. De politie zal van de mening uitgaan dat hij de jongen heeft ontvoerd om een losgeld te ontvangen. Wanneer ze zelf verder niets ontdekken, zie ik geen reden om hun kennis te vergroten. Maar ik moet Uwe Genade er wel voor waarschuwen dat een verder verblijf van uw oudste zoon in de Hall slechts tot ongelukken kan leiden."

"Dat heb ik ook al begrepen, meneer Holmes, en het is al afgesproken dat hij me voor altijd gaat verlaten om zijn geluk in Australië te beproeven."

"In dat geval, Uwe Genade, nog dit. U heeft zelf verklaard dat uw huwelijk zo ongelukkig is geëindigd door zijn aanwezigheid hier. Ik zou u willen voorstellen om de hertogin hier zo goed mogelijk schadeloos voor te stellen en te proberen of uw relatie, die op zo'n ongelukkige manier is onderbroken, toch niet weer kan worden hervat."

"Ook daarvoor heb ik al gezorgd, meneer Holmes. Ik heb de hertogin vanmorgen een brief geschreven."

"In dat geval denk ik dat mijn vriend en ik onszelf kunnen feliciteren met de gelukkige afloop van ons bezoekje aan het noorden. Er is echter nog een klein punt waar ik wat meer van wil weten. De man Hayes had zijn paarden beslagen met hoefijzers die sporen achterlieten die veel overeenkomsten vertoonden met die van koeien. Heeft de heer Wilder hem een dergelijke list gesuggereerd?"

De hertog stond even na te denken en zijn gezicht drukte opperste verbazing uit. Toen maakte hij een deur open en nam ons mee naar een grote kamer die als museum was ingericht. Hij liep naar een glazen vitrine in een van de hoeken en wees op de inscriptie.

"Deze hoefijzers," stond daar, "zijn opgegraven in de slotgracht van Holdernesse Hall. Ze werden voor paarden gebruikt, maar hebben aan de onderkant een ijzeren gespleten hoef, om achtervolgers het spoor bijster te doen geraken. Men gaat van de veronderstelling uit dat ze hebben toebehoord aan een aantal van de roofbaronnen die in de middeleeuwen Holdernesse Hall hebben bewoond."

187

Holmes deed de vitrine open, maakte zijn vinger nat en streek daarmee over het hoefijzer. Op zijn huid bleef een dun laagje vrij verse modder achter.

"Dank u," zei hij, terwijl hij de vitrine weer sloot. "Dit is het tweede uiterst interessante voorwerp dat ik hier in het noorden heb gezien."

"En het eerste?"

Holmes vouwde zijn cheque open en stopte die zorgvuldig in zijn aantekenboekje.

"Ik ben een arme man," zei hij, terwijl hij er een liefhebbend klopje op gaf en het vervolgens diep in zijn binnenzak wegstopte.

Het avontuur van de Old Place te Shoscombe

SHERLOCK HOLMES HAD al lange tijd over een niet al te sterke microscoop gebogen gestaan. Nu rechtte hij zijn rug en keek triomfantelijk over zijn schouder mijn kant op.

"Lijm, Watson," zei hij. "Het lijdt geen enkele twijfel dat het lijm is. Kijk zelf maar eens naar de verschillende dingetjes die ik onder de microscoop heb liggen."

Ik boog me erover heen en stelde het apparaat op mijn eigen ogen in.

"Die haren zijn draadjes uit een tweedjas. Die onregelmatige grijze vlekken zijn stof. Daar links zie je deeltjes van het slijmvlies. En die bruine bobbeltjes in het midden zijn ongetwijfeld lijm."

"Tja," zei ik lachend, "dat zal ik maar meteen van je aannemen. Hangt er iets van die constatering af?"

"Dit is een heel mooie demonstratie," antwoordde hij. "Je zult je nog wel kunnen herinneren dat er in de St. Pancraszaak een pet gevonden is naast de overleden politieman. De man die in staat van beschuldiging is gesteld, ontkent dat die van hem is. Maar hij is een lijstenmaker, die iedere dag omgaat met lijm."

"Is dit een van de zaken waarmee je je bezig houdt?"

"Nee, mijn vriend Merrivale van de Yard heeft me gevraagd er eens een beetje aandacht aan te schenken. Sinds ik die valsemunter heb weten te pakken op grond van zinken koperresten in de zoom van zijn manchet, beginnen ze in te zien hoe belangrijk een microscoop is."

Hij keek ongeduldig op zijn horloge.

"Er zou een nieuwe cliënt langskomen, maar die is te laat. Zeg, Watson, weet jij tussen twee haakjes iets af van racen?"

"Dat zou ik wel denken. Ik besteed er de helft van het pensioen aan dat me op grond van mijn verwonding is toebedeeld."

"Dan zal ik jou als mijn gids gebruiken. Roept de naam Sir Robert Norberton bepaalde herinneringen bij je op?"

"Natuurlijk. Hij woont in Shoscombe, in een huis dat de Old Place wordt genoemd. Dat huis ken ik goed, omdat ik er eens gedurende de zomer heb verbleven. Norberton is bijna eens op jouw terrein terechtgekomen."

"Hoe kwam dat?"

"Doordat hij Sam Brewer, de bekende geldschieter uit Curzon Street, zo'n aframmeling heeft gegeven dat die man er bijna aan bezweken is."

"Aha! Het lijkt me een interessante man. Doet hij iets dergelijks wel vaker?"

"Tja, hij geniet de reputatie een gevaarlijk man te zijn. Hij rijdt als een duivel. Een paar jaar geleden werd hij tweede in de Grand National. Hij is een van die mannen die eigenlijk enige generaties eerder geboren hadden moeten worden. In de tijd van de Prince Regent zou hij een plaatsje moeten hebben gehad als bokser, atleet, jockey en liefhebber van mooie vrouwen. Hij is zo'n merkwaardige man, Holmes, die dan zo'n zware pijp te roken had gekregen dat hij in een moeras was verzand."

"Uitstekend, Watson. Een briljante, korte beschrijving. Ik heb de indruk dat ik die man ken. Kan je me nu iets meer vertellen over dat huis?"

"Alleen maar dat het midden in Shoscombe Park ligt en dat daar de beroemde renstallen en oefenterreinen te vinden zijn."

"De man die de leiding over het trainen van de dieren heeft, is een zekere John Mason," zei Holmes. "Je hoeft niet zo verbaasd te kijken dat ik dat weet, Watson, want de brief die ik aan het openvouwen ben, is van hem afkomstig. Maar vertel me nog eens wat meer over Shoscombe. Ik lijk een rijke bron te hebben aangeboord."

"Je hebt Shoscombespaniëls," zei ik. "Die tref je bij iedere hondenshow aan. Het meest exclusieve ras dat er in heel Engeland te vinden is. De meesteres van de Old Place is er bijzonder trots op."

"Ik neem aan dat je het nu over de echtgenote van Sir Robert Norberton hebt?"

"Sir Robert is nooit getrouwd. Gezien zijn vooruitzichten maar goed ook, denk ik zo. Nee, hij woont samen met zijn zuster, die weduwe is en Lady Beatrice Falder heet."

"Bedoel je dat zij bij hem is ingetrokken?"

"Nee, nee. Het huis en de grond eromheen waren het eigendom van haar overleden echtgenoot, Sir James. Norberton kan er geen rechten op doen gelden. De dame plukt er alleen maar gedurende haar leven de revenuen van en daarna vervalt alles aan de broer van haar echtgenoot."

"En ik neem aan dat broer Robert die revenuen opsoupeert?"

"Daar komt het wel zo ongeveer op neer. Het is een duivelse vent, die haar het leven beslist niet aangenaam zal maken. Toch heb ik gehoord dat ze heel erg op hem is gesteld. Maar wat is er daar in Shoscombe aan de hand?"

"Dat zou ik ook wel eens graag willen weten! En daar komt, zo verwacht ik, de man die ons dat kan vertellen!"

De deur was opengegaan en de jonge bediende liet een lange, gladgeschoren man binnen met die vastbesloten, strenge gezichts-uitdrukking die typerend is voor mannen die de leiding hebben over paarden of kleine jongens. De heer John Mason had in beide categorieën vele onder zijn hoede en leek tegen die taak uitstekend opgewassen te zijn. Hij maakte met een koele zelfbeheersing een buiging en ging toen zitten op de stoel die Holmes hem had aangewezen. "Heeft u mijn briefje ontvangen, meneer Holmes?"

"Ja, maar daar werd niets in verklaard."

"Het is een te delicate kwestie om details aan het papier te kunnen toevertrouwen. En bovendien ook te ingewikkeld. Ik kon er alleen van aangezicht tot aangezicht over praten."

"We staan tot uw beschikking."

"In de eerste plaats, meneer Holmes, denk ik dat mijn werk-gever, Sir Robert, krankzinnig is geworden."

Holmes trok zijn wenkbrauwen op. "We zitten hier in Baker Street en niet in Harley Street," zei hij. "Maar waarom zegt u dat?"

"Tja, meneer wanneer een man één raar ding doet, of twee, kan dat nog een betekenis hebben, maar wanneer alles wat hij doet raar is, begin je je van alles af te vragen. Ik geloof dat Shoscombe Prince en de Derby hem gek hebben gemaakt."

"Is dat een jonge hengst die bij de races wordt ingezet?"

"Het beste paard in heel Engeland, meneer Holmes. En als er iemand is die dat kan weten, ben ik het wel. Nu zal ik open kaart met u spelen, want ik weet dat u mannen van eer bent en dat wat ik te zeggen heb, buiten deze kamer niet zal worden besproken. Sir

Robert moet die Derby winnen. Hij zit tot over zijn nek in de schulden en dit wordt zijn laatste kans. Al het geld dat hij kon loskrijgen of lenen heeft hij op dat paard ingezet, zo gunstig als dat maar voor hem mogelijk was. Honderd tegen één, zo ongeveer, toen hij de eerste wedjes plaatste, ondanks het feit dat je nu hoogstens veertig tegen één kunt wedden."

"Maar hoe kan dat wanneer het paard zo goed is?"

"Dat weet het grote publiek niet. Sir Robert is de spionnen te slim af geweest. Hij heeft de halfbroer van Prince de oefenrondes laten draaien. Je kunt die twee dieren niet van elkaar onderscheiden. Maar wanneer ze gaan galopperen, is het ene dier het andere binnen een goede tweehonderd meter twee lengtes voor. Hij denkt aan niets anders dan het paard en de race. Zijn hele leven staat daarbij op het spel. Tot die tijd is hij in staat de geldschieters op een afstand te houden. Wanneer Prince hem in de steek laat, is het met die man gebeurd."

"Dat lijkt me een nogal wanhopige gok, maar wat heeft het te maken met uw idee dat hij krankzinnig is geworden?"

"In de eerste plaats hoef je alleen maar even naar hem te kijken. Ik geloof niet dat hij 's nachts slaapt. Hij is voortdurend in de stallen. Zijn ogen staan wild. Het is zijn zenuwgestel allemaal te veel geworden. En dan de manier waarop hij zich ten opzichte van Lady Beatrice gedraagt!"

"Aha! Hoe dan?"

"Ze zijn altijd heel goede vrienden geweest. Ze hadden dezelfde smaak op elk gebied en zij hield evenveel van paarden als hij. Iedere dag ging ze op hetzelfde uur weg om die dieren aan het werk te zien. En ze hield nog wel het meeste van Prince. Hij spitste zijn oren al wanneer hij de wielen van haar rijtuig op het grint hoorde en dan liep hij naar haar toe om zijn suikerklontje te halen. Maar daar is nu allemaal een einde aan gekomen."

"Waarom?"

"Tja, ze lijkt alle belangstelling voor de paarden te hebben verloren. Ze rijdt nu al een week lang langs de stallen zonder ook maar even goedemorgen te zeggen."

"Denkt u dat ze ruzie hebben gehad?"

"Ja, een bittere, hevige ruzie, denk ik. Waarom zou hij anders haar lievelingsspaniël, waarvan ze hield alsof het een kind was, hebben weggegeven? Dat is een paar dagen geleden gebeurd. Hij heeft het dier gegeven aan de oude Barns, die een kleine vijf kilometer verderop de Green Dragon drijft."

"Dat moet u inderdaad merkwaardig zijn voorgekomen."

"Natuurlijk was het haar gezien haar zwakke hart en waterzucht onmogelijk om met hem mee uit te gaan, maar iedere avond verbleef hij twee uur op haar kamer. En het was passend dat hij alles voor haar deed wat in zijn vermogen lag, want ze is een uitzonderlijk goede vriendin voor hem geweest. Maar ook daaraan is nu een einde gekomen. Hij komt niet eens meer bij haar in de buurt. En dat vindt ze verschrikkelijk. Ze broedt erover, is chagrijnig en drinkt te veel. Als een tempelier, meneer Holmes."

"Heeft ze voor ze van Sir Robert vervreemd raakte, wel eens naar de fles gegrepen?"

"Ze nam af en toe een glaasje, maar nu een hele fles per avond. Dat heeft Stephens, de butler, me verteld. Alles is veranderd, meneer Holmes, en daar zit een zeer verdorven kant aan, volgens mij. Ik vraag me ook af wat mijn meester 's avonds bij de crypte van de oude kerk uitspookt. En wie de man is die hij daar ontmoet."

Holmes wreef in zijn handen. "Gaat u verder, meneer Mason. Het wordt allemaal steeds interessanter."

"De butler heeft hem erheen zien gaan. Het was twaalf uur 's nachts en het regende hard. De volgende avond was ik in het huis en zag hem toen inderdaad weer weggaan. Stephens en ik zijn daarna achter hem aangegaan, maar dat was riskant, want het zou niet best zijn geweest wanneer hij ons had gezien. Wanneer hij eenmaal bezig is, kan hij zijn vuisten ontzettend goed gebruiken en respecteert hij niemand meer. Dus durfden we niet te dicht in de buurt te komen, maar toch konden we hem vinden. Hij was onderweg naar de crypte waar het naar men zegt spookt, en daar stond een man op hem te wachten."

"Wat is die crypte voor een ding?"

"Een oude ruïne van een kapel in het park, meneer. Zo oud dat niemand de stichtingsdatum ervan kan schatten. En daaronder is een crypte die bij ons een slechte naam geniet. Overdag is het er donker, vochtig en eenzaam, maar er zijn bij ons in de buurt maar weinig mensen te vinden die er zich 's nachts bij in de buurt durven te wagen. De meester is er echter niet bang voor. Hij is nog nooit in zijn leven ergens bang voor geweest. Maar wat doet hij daar 's nachts?"

"Wacht eens even!" zei Holmes. "U zei dat er een andere man bij was. Dat moet een van uw eigen stalknechten zijn, of een van de huisbedienden. U hoeft toch zeker alleen maar te ontdekken wie het is en die man dan te ondervragen?"

"Het is niet iemand die ik ken."

"Hoe kunt u dat zeggen?"

"Omdat ik hem heb gezien, meneer Holmes. Dat gebeurde op die tweede avond. Sir Robert draaide zich om en liep langs ons heen – langs mij en Stephens, die als twee bange konijntjes in de struiken zaten te bibberen – want er was die avond een beetje licht van de maan. We waren niet bang voor hem, die ander, die zich ergens achter ons bewoog. Dus toen Sir Robert weg was, kwamen we te voorschijn en deden net alsof we een eindje in het maanlicht aan het wandelen waren. Daardoor kwamen we hem als het ware stomtoevallig tegen. 'Hallo, makker, wie ben jij?' vroeg ik. Ik denk dat hij ons niet had horen aankomen, want hij keek over zijn schouder alsof hij de duivel uit de hel had zien komen. Hij schreeuwde en ging er zo hard als de duisternis hem dat mogelijk maakte, vandoor. Mijn hemel, wat kon die man rennen! Dat moet ik hem nageven. Binnen een minuut konden we hem niet meer horen of zien en we zijn er nooit achter gekomen wie hij was of wat hij was."

"Maar u heeft hem in het licht van de maan duidelijk kunnen zien?"

"Ja, dat gele gezicht zou ik overal herkennen – een gemene hond, zou ik zo zeggen. Wat kan die man met Sir Robert te maken hebben?"

Holmes zat enige tijd in gepeins verzonken. "Wie houdt Lady Beatrice gezelschap?" vroeg hij uiteindelijk.

"Haar kamenierster, Carrie Evans. Die werkt al vijf jaar voor haar."

"En die is haar ongetwijfeld volledig toegewijd?"

De heer Mason schoof ongemakkelijk heen en weer in zijn stoel. "Ze is iemand inderdaad volledig toegewijd," zei hij ten slotte. "Maar wie die iemand is, zeg ik liever niet."

"Aha!" zei Holmes.

"Ik mag niet uit de school klappen."

"Dat begrijp ik volkomen, meneer Mason. De situatie is natuurlijk duidelijk genoeg. Uit de beschrijving die dokter Watson me van Sir Robert heeft gegeven, kan ik opmaken dat geen enkele vrouw veilig voor hem is. Denkt u niet dat broer en zus vanwege haar ruzie hebben gemaakt?"

"Tja, dat schandaal is al geruime tijd zonneklaar."

"Maar misschien heeft de dame het niet eerder gezien. Laten we eens veronderstellen dat ze er plotseling achter is gekomen. Ze wil zich van die vrouw ontdoen. Haar broer weigert dat toe te staan. De invalide, die met haar zwakke hart en waterzucht zich moeilijk kan bewegen, beschikt niet over middelen om haar wil dwingend op te leggen. De gehate kamenierster werkt nog steeds voor haar. De dame weigert te spreken, is chagrijnig en pakt de fles. Sir Robert wordt zo nijdig dat hij haar haar lievelingsspaniël afpakt. Valt er tussen die gebeurtenissen werkelijk geen samenhang te bespeuren?"

"Misschien wel... voor zover we nu met de feiten bekend zijn."

"Inderdaad. Voor zover ons de feiten nu bekend zijn. Maar hoe kan dat alles verband houden met die nachtelijke bezoeken aan de crypte? Dat past niet binnen het geheel."

"Nee, meneer, en er is nog iets wat ik er niet ingepast kan krijgen. Waarom wil Sir Robert een lijk opgraven?"

Holmes ging opeens rechtop zitten.

"Daar zijn we gisteren pas achtergekomen – nadat ik u had geschreven. Gisteren was Sir Robert naar Londen gegaan en toen zijn Stephens en ik een kijkje gaan nemen in de crypte. Alles was in orde, meneer, behalve dan dat we in een hoek een deel van een menselijk skelet vonden."

"Ik veronderstel dat u de politie daarvan in kennis heeft gesteld?"

Onze bezoeker glimlachte grimmig. "Meneer, ik denk dat die er nauwelijks belangstelling voor zou opbrengen. Alleen maar de schedel en enige beenderen. Misschien zijn die wel duizend jaar oud. Maar ik heb die dingen daar niet eerder aangetroffen. Daar kan ik op zweren, en Stephens eveneens. Alles was in een hoekje weggestopt en bedekt met een plank, maar tot dan toe was die hoek altijd leeg geweest."

"Wat heeft u ermee gedaan?"

"We hebben alles op zijn plaats laten liggen."

"Dat was verstandig. U zei dat Sir Robert gisteren weg was. Is hij inmiddels weer teruggekeerd?"

"We verwachten hem vandaag terug."

"Wanneer heeft Sir Robert dat hondje van zijn zuster weggegeven?"

"Vandaag precies een week geleden. Het diertje zat te jammeren bij het oude puthuis en Sir Robert verkeerde die ochtend weer eens in een slechte bui. Hij pakte het diertje op en ik dacht dat hij van plan was het te vermoorden. Toen gaf hij het aan Sandy Bain, de jockey, en zei dat die het naar de oude Barns van de Green Dragon moest brengen, omdat hij het hondje nooit meer wilde zien."

Holmes zat enige tijd zwijgend na te denken. Hij had zijn oudste en smerigste pijp aangestoken. "Ik begrijp nog niet goed wat u wilt dat ik in dit verband doe, meneer Mason," zei hij ten slotte. "Kunt u daar niet iets duidelijker over zijn?"

"Misschien zal dit het een en ander duidelijker maken, meneer Holmes," zei onze bezoeker. Hij haalde een papiertje uit zijn zak, vouwde dat behoedzaam open en toonde ons een geblakerd stukje bot. Holmes bekeek dat geïnteresseerd.

"Waar heeft u dat gevonden?"

"In de kelder onder de kamer van Lady Beatrice zit de oven die de centrale verwarming van warmte moet voorzien. Die staat al enige tijd uit, maar Sir Robert klaagde erover dat hij het koud had en liet hem weer aansteken. Harvey, een van mijn jongens, zorgt daar altijd voor. Deze morgen kwam hij naar me toe met dit ding, dat hij tussen de asresten had gevonden. Het stond hem niet aan."

"Mij ook niet," zei Holmes. "Wat maak jij eruit op, Watson?"

Het ding was zwartgebrand, maar de anatomische betekenis ervan was zonneklaar.

"Het is de bovenste gewrichtsknobbel van een menselijk dijbeen," zei ik.

"Inderdaad." Holmes was heel ernstig geworden. "Wanneer zorgt die jongen voor de oven?"

"Iedere avond. Daarna gaat hij weer weg."

"Dus iedereen zou er 's nachts bij kunnen komen?"

"Inderdaad, meneer."

"Kun je er van buitenaf bijkomen?"

"Ja, via een deur. En verder via een andere deur die uitkomt op de trap naar de gang die naar de kamer van Lady Beatrice leidt."

"Dit is een nogal ernstig en smerig zaakje, meneer Mason. U heeft verklaard dat Sir Robert gisteravond niet thuis was?"

"Dat klopt, meneer."

"Hoe heette die herberg waar u het over had ook al weer?"

"De Green Dragon."

"Kan er in dat deel van Berkshire goed worden gevist?"

De eerlijke trainer liet aan zijn gezichtsuitdrukking duidelijk merken dat hij dacht dat hij weer te maken had gekregen met een krankzinnige.

"Tja, meneer, ik heb gehoord dat er in het beekje bij de molen forel zit en in het Hallmeer zwemmen snoeken."

"Dat is prima. Watson en ik zijn fanatieke vissers, nietwaar, Watson? U kunt ons verder aantreffen in de Green Dragon, waar we vanavond zullen arriveren. Ik hoef u natuurlijk niet te zeggen dat u niet naar ons moet toekomen, maar briefjes kunt u wel sturen en ik twijfel er niet aan dat ik u zal weten te vinden wanneer ik u nodig heb. Wanneer we deze zaak wat verder hebben onderzocht, zal ik u mijn doordachte mening erover kunnen geven." En zo zaten Holmes en ik op een mooie meiavond alleen in een eersteklasserijtuig dat onderweg was naar het stationnetje van Shoscombe, waar op verzoek halt kon worden gehouden. Het bagagerek boven ons zat vol met hengels, haspels en manden. Toen we onze bestemming hadden bereikt, bracht een korte rit ons naar een ouderwetse herberg, waar Josiah Barns, de aardige waard, enthousiast onze plannen besprak om het visbestand in de omgeving uit te roeien.

"Hoe zit het met de snoeken in het Hallmeer?" vroeg Holmes. Het gezicht van de waard betrok. "Daar kunt u niet heengaan, meneer. U loopt de kans in het meer te belanden voor u een vis heeft gevangen."

"Hoe dat zo?"

"Dat komt door Sir Robert, meneer. Hij is verschrikkelijk bang voor spionnen. Wanneer u in de buurt van zijn trainingsgronden zou komen, gaat hij absoluut achter u aan. Sir Robert is een man die geen enkel risico neemt, dat staat vast."

"Ik heb gehoord dat hij met een van zijn paarden meedoet aan de Derby."

"Ja, een prima paard bovendien. Wij hebben allemaal veel op hem ingezet. Sir Robert trouwens ook. Tussen twee haakjes" – hij keek ons nadenkend aan – "ik veronderstel dat uzelf geen paarden heeft?"

"Nee, we zijn niets anders dan twee vermoeide Londenaren die hard aan een beetje frisse Berkshirelucht toe zijn."

"Dan bent u naar de juiste plaats gekomen. Maar vergeet niet wat ik u over Sir Robert heb verteld. Hij is de man die eerst een klap uitdeelt en daarna pas vragen gaat stellen. Zorg dat u niet in de buurt van het park komt."

"Dat zullen we zeker in gedachten houden, meneer Barnes! Tussen twee haakjes: wat een schitterend dier, die spaniël die daar in de hal zat te janken."

"Inderdaad. Behoort tot het Shoscomberas. Geen beter ras te vinden in heel Engeland."

"Ik ben zelf bijzonder op honden gesteld," zei Holmes. "Wat zou zo'n fraaie hond kosten, als ik vragen mag?"

"Meer dan ik ervoor op tafel zou kunnen leggen, meneer. Sir Robert heeft me dat exemplaar gegeven. Daarom moet ik hem aangelijnd houden. Wanneer ik hem losliet, zou hij binnen de kortste keren terugrennen naar de Hall."

"We beginnen een aantal kaarten in handen te krijgen, Watson," zei Holmes toen de waard ons alleen gelaten had. "Ik weet nog niet precies hoe we het spel daarmee moeten gaan spelen, maar misschien verandert dat wel binnen een paar dagen. Ik heb tussen twee haakjes gehoord dat Sir Robert nog altijd niet is teruggekomen. Misschien zouden we vanavond zijn geheiligde domein kunnen betreden zonder het risico te lopen te worden aangevallen. Ik zou me van een aantal zaken graag willen vergewissen."

"Heb je al een theorie gevormd, Holmes?"

"Alleen, Watson, dat er ongeveer een week geleden iets is gebeurd dat van grote betekenis moet zijn voor het huishouden in de Old Place. Maar wat is dat iets? We kunnen er slechts naar raden aan de hand van de effecten die het heeft gehad. Die zijn nogal wisselend, maar moeten ons beslist kunnen helpen. Alleen een kleurloze zaak waarin zich geen nieuwe ontwikkelingen voordoen, is een hopeloos geval. Laten we de gegevens waarover we op dit moment beschikken, nog eens nader bekijken. De broer brengt niet langer bezoeken aan zijn geliefde invalide zuster. Hij geeft haar lievelingshondje weg. Haar hondje, Watson! Roept dat geen associaties bij je op?"

"Ik kan daarop alleen maar zeggen dat hij het heeft gedaan om haar te pesten."

"Misschien wel. Maar... Tja, er bestaat mogelijk ook een andere verklaring voor. Laten we nu de situatie maar eens bespreken zoals die na de ruzie is ontstaan, wanneer er tenminste van een ruzie sprake is geweest. De dame blijft altijd op haar kamer, verandert haar gewoontes, wordt alleen maar gezien wanneer ze met haar kamenierster een ritje gaat maken, weigert dan te stoppen om haar lievelingspaard te begroeten en raakt kennelijk aan de drank. Daarmee heb ik alles genoemd wat we weten, nietwaar?"

"Behalve dan die crypte."

"Dat is een ander spoor. We hebben er twee en ik zou je willen verzoeken die niet te verwarren. Spoor A, dat betrekking heeft op Lady Beatrice, heeft een vaag sinister tintje, vind je ook niet?"

"Ik kan er niets uit opmaken."

"Laten we dan nu spoor B maar eens bespreken, wat betrekking heeft op Sir Robert. Die heeft alles op alles gezet om de Derby te winnen. Hij is overgeleverd aan zijn geldschieters en het kan ieder moment gebeuren dat die beslag laten leggen op zijn huis, land-goed en paarden. Hij is een wanhopig man, die echter veel durft. Zijn inkomen krijgt hij binnen via zijn zuster. De kamenierster van zijn zuster is als was in zijn handen. Tot dusverre bevinden we ons nog op redelijk veilig terrein, nietwaar?"

"Maar die crypte?"

"O ja, die crypte! Laten we eens veronderstellen, Watson – en het is niets anders dan een schandelijke veronderstelling, een hypothese omwille van het mogelijk maken van een discussie, dat Sir Robert zijn zuster heeft vermoord."

"Mijn beste Holmes, dat is onmogelijk!"

"Waarschijnlijk wel, Watson. Sir Robert is een man die uit een eerbiedwaardig geslacht stamt. Maar af en toe tref je te midden van de adelaars wel eens een gier aan. Laten we eens even verder pra-ten, uitgaande van die veronderstelling. Hij zou het land niet uit kunnen vluchten voor hij het geld in de wacht heeft gesleept en dat kan slechts geschieden door een succesrijke coup met Shos-combe Prince. Daarom moet hij nog hier blijven. Om dat te kun-nen doen, moet hij zich ontdoen van het lijk van zijn slachtoffer en iemand vinden die de plaats van zijn zuster kan innemen. Dat is niet onmogelijk, gezien het feit dat haar kamenierster zijn confidente is. Het is mogelijk dat het lichaam van de vrouw naar de crypte is gebracht – een plaats waar maar zelden iemand komt – en vervolgens in het geheim wordt vernietigd in de oven van de centrale verwarming, waarvan bewijsmateriaal overblijft, zoals dat botje. Wat vind je daarvan, Watson?"

"Het is allemaal mogelijk wanneer je van die monstrueuze veronderstelling uitgaat."

"Ik denk dat we morgen maar eens een klein experiment ten
uitvoer moeten brengen, Watson, dat enig licht op deze zaak kan
werpen. Maar wanneer we ons als vissers willen blijven voordoen,
zou het, denk ik, verstandig zijn onze gastheer uit te nodigen
samen met ons een glaasje van zijn eigen wijn te drinken en een
hoogstaand gesprek met hem te voeren over aal en forel, waardoor
we ons onmiddellijk van zijn vriendschap lijken te kunnen verzekeren. Misschien dat we dan tussen de bedrijven door een aantal
bruikbare plaatselijke nieuwtjes aan de weet kunnen komen."

De volgende ochtend ontdekte Holmes dat we het kunstaas
hadden vergeten, waardoor we die dag niet hoefden te gaan vissen. Rond elf uur gingen we een wandeling maken en verkreeg
Holmes toestemming om de zwarte spaniël mee te nemen.

"Daar heb je het huis," zei hij, toen we bij twee hoge hekken
arriveerden, waarboven heraldische griffioenen prijkten.

"De heer Barnes heeft me verteld dat de oude dame rond het
middaguur een ritje maakt en het rijtuig moet langzamer gaan
rijden om de hekken open te laten maken. Wanneer het erdoorheen rijdt moet jij, Watson, iets aan de koetsier vragen voor het
weer snelheid gaat maken. Je moet geen aandacht schenken aan
mij. Ik ga achter deze hulststruik staan om zoveel mogelijk in me
op te nemen."

We hoefden niet lang te wachten. Binnen een kwartiertje zagen
we de grote, open, gele barouchet de lange laan af komen rijden,
getrokken door twee schitterende, hoogbenige grijze koetspaar-
den. Holmes kroop met de hond achter de struik en ik stond op de
weg nonchalant te zwaaien met mijn wandelstok. Een poortwach-
ter kwam aangesneld en maakte de hekken open. Het rijtuig reed
nu stapvoets en ik was in staat degenen die erin zaten goed te
bekijken. Links zat een blozende jonge vrouw met blond haar en
onbeschaamde ogen. Rechts van haar zat een oudere vrouw met
een ronde rug en een heleboel sjaals om haar gezicht en schouders, die dus de invalide moest zijn. Toen de paarden de weg vrijwel insloegen, stak ik mijn hand gebiedend omhoog en toen de
koetsier halt hield, vroeg ik of Sir Robert thuis was. Op datzelfde
moment kwam Holmes achter de struik vandaan en liet de spaniël
los. Met een vreugdevol geblaf vloog het dier op het rijtuig af en

sprong op de treeplank. Maar een seconde later veranderde het enthousiasme in furieuze woede en beet het dier in de richting van de zwarte rok boven hem. "Doorrijden! Doorrijden!" riep een harde stem. De koetsier legde de zweep over de paarden en wij bleven midden op de weg achter.

"Zo, Watson, dat is gebeurd," zei Holmes terwijl hij de opgewonden hond weer aanlijnde.

"Hij dacht dat het zijn vrouwtje was, maar kwam tot de ontdekking dat het een vreemde was. Honden maken geen vergissingen."

"Het was de stem van een man!" riep ik.

"Inderdaad. We hebben weer een kaart meer in handen, Watson, maar zullen die niettemin voorzichtig in het spel moeten brengen."

Mijn metgezel leek voor de rest van die dag verder geen plannen te hebben en we gingen werkelijk vissen, met als gevolg dat we een souper van forellen tot ons konden nemen. Pas na die maaltijd gaf Holmes blijk van een hernieuwde energie. Weer liepen we over de weg die we 's morgens hadden genomen en die ons tot voor de hekken van het park bracht. Een lange, donkere fiiguur stond daar op ons te wachten en het bleek de heer John Mason, onze Londense kennis te zijn. De man die de paarden trainde.

"Een goede avond, heren," zei hij.

"Ik heb uw briefje ontvangen, meneer Holmes. Sir Robert is nog niet teruggekeerd, maar ik heb gehoord dat men hem vanavond thuis verwacht."

"Hoe ver ligt die crypte van het huis vandaan?" vroeg Holmes.

"Een kleine vijfhonderd meter."

"Dan denk ik dat we geen rekening hoeven te houden met hem."

"Dat kan ik me niet permitteren, meneer Holmes. Wanneer hij is aangekomen zal hij me onmiddellijk willen spreken om de laatste berichten over Shoscombe Prince te vernemen."

"Dat begrijp ik. In dat geval moeten we het zonder u klaren, meneer Mason. Wanneer u ons de crypte heeft gewezen, kunt u weer teruggaan."

Het was pikdonker en de maan stond niet aan de hemel. Mason nam ons mee over een groot grasveld, tot er een donkere massa voor ons opdoemde die de oude kapel bleek te zijn. We gingen het

gat door waar eens het portaal had gezeten en onze gids, die af en
toe struikelde over losse stenen, ging voorzichtig verder naar een
van de hoeken van het gebouwtje, waar een steile trap naar de
crypte leidde. Hij stak een lucifer aan, waardoor die melancholieke
plaats werd verlicht. Het was er naargeestig en het rook onaangenaam. De muren waren opgetrokken uit ruw uitgehakte stenen.
Daarin zagen we hele stapels lijkkisten, sommige van lood en
andere van steen, die aan een kant tot aan het gewelfde plafond
reikten. Holmes had zijn lantaarn aangestoken, die een kleine
straal felgeel licht in deze trieste ruimte produceerde. De straaltjes
licht werden weerkaatst door de naambordjes op de kisten, waarvan er vele waren opgeluisterd met de kroon en de griffioen van
deze familie, die tot aan de poorten van de Dood haar reputatie
hooghield door het dragen van het wapen.

"Meneer Mason, u had het over enige beenderen. Kunt u ons
die laten zien voor u weer weggaat?"

"Die liggen hier in de hoek."

De trainer liep erheen en bleef zwijgend en verbaasd staan toen
het licht van de lantaarn de hoek bescheen.

"Ze zijn weg," zei hij.

"Dat verwachtte ik al," zei Holmes grinnikend. "Ik denk dat de
asresten ervan te vinden zijn in de oven die er al eerder een deel
van heeft verbrand."

"Maar waarom zou iemand in 's hemelsnaam de beenderen willen verbranden van een lijk dat duizend jaar oud is?" vroeg John
Mason.

"Om die vraag te beantwoorden, zijn we hier," zei Holmes.
"Het kan lang zoeken worden en we hoeven u verder niet hier te
houden. Ik denk zo dat we voor morgenochtend de oplossing
hebben gevonden."

Toen John Mason ons verlaten had, begon Holmes met een zeer
zorgvuldig onderzoek van de graven, van een Saksisch graf in het
midden via een lange reeks Normandische Hugo's en Odo's naar
de Sir William en Sir Denis Falder van de achttiende eeuw. Het
duurde een uur of iets langer voor Holmes bij de loden kist stond
die voor de ingang van het gewelf op zijn kant stond. Ik hoorde
hem een kleine, voldane kreet slaken en merkte aan zijn gehaaste,
maar doelgerichte bewegingen dat hij bereikt had waarnaar hij op
zoek was geweest. Met zijn vergrootglas onderzocht hij enthou-

siast de randen van het zware deksel. Toen haalde hij het een en ander te voorschijn uit zijn zak: een kort breekijzer, en een soort van blikopener die hij tussen een spleetje stak, waardoor de hele voorkant, die alleen met een paar krammen vastgezet leek te zijn, los kwam. We hoorden een scheurend geluid. Maar voor we de inhoud van de kist hadden kunnen bekijken, werden we onverwachts onderbroken. Iemand liep in de kapel boven ons. We hoorden de ferme, snelle tred van iemand die een vast doel voor ogen heeft en de omgeving waar hij zich bevindt, op zijn duimpje kent. Licht kwam langs de trap naar beneden en even later verscheen de man die de lantaarn droeg in de gewelfde deuropening. Een afschrikwekkende gestalte, groot en met ruwe manieren. De grote stallantaarn die hij bij zich had, wierp licht op een sterk gezicht met een grote snor en boze ogen die om zich heen loerden naar alle hoeken van de crypte en uiteindelijk woedend op ons bleven rusten.

"Wie bent u, voor den duivel?" donderde hij. "En wat doet u op mijn grondgebied?"

Toen Holmes hem geen antwoord gaf, deed hij een paar stappen naar voren en hief een zware stok die hij bij zich had hoog in de lucht.

"Heeft u me gehoord?" riep hij. "Wie bent u? Wat doet u hier?"

De stok trilde in de lucht. Maar in plaats van terug te deinzen, liep Holmes op hem af.

"Ik heb u ook een vraag te stellen, Sir Robert," zei hij heel streng. "Wie is dit? En wat doet het hier?"

Hij draaide zich om en trok het deksel van de kist open. Bij het licht van de lantaarn zag ik een lijk dat van hoofd tot voeten in lakens was gewikkeld en afschuwelijke, heksachtige gelaatstrekken had. Grote neus, grote kin en doffe, glazige ogen die uit een verkleurd en ingevallen gezicht leken te staren.

De edelman was met een kreet achteruit gewankeld en hield zich op de been door te steunen op een stenen sarcofaag.

"Hoe bent u daarachter gekomen?" riep hij. Toen kreeg hij zijn vechtlust weer een beetje terug en vroeg: "Wat heeft u hiermee te maken?"

"Mijn naam is Sherlock Holmes," zei mijn metgezel. "Misschien klinkt die naam u bekend in de oren. Ik doe wat iedere goede burger geacht wordt te doen: ervoor zorgen dat eenieder zich aan de wet houdt. Ik heb zo de indruk dat u heel wat te verantwoorden hebt."

Sir Robert loerde even naar hem, maar Holmes' rustige stem en koele, zelfverzekerde manier van doen, misten hun effect niet.

"God weet dat ik niets verkeerds heb gedaan, meneer Holmes," zei hij. "Ik geef toe dat de schijn volledig tegen mij is, maar ik had niet anders kunnen handelen."

"Dat zou ik ook graag willen denken, maar ik ben bang dat u uw verklaring zult moeten afleggen in aanwezigheid van politie-functionarissen."

Sir Robert haalde zijn brede schouders op. "Wanneer dat moet gebeuren, moet het maar. Gaat u nu maar mee naar het huis en dan kunt u voor uzelf de stand van zaken beoordelen."

Een kwartiertje later zaten we in, naar ik aannam – gezien de gepoetste tralies achter de ramen – de wapenkamer van het oude huis. Hij was comfortabel gemeubileerd. Sir Robert liet ons daar eventjes alleen. Toen hij terugkeerde, had hij twee anderen bij zich: de blozende jonge vrouw die we in het rijtuig hadden zien zitten en een kleine man met een ratachtig gezicht en een onaangename, heimelijke manier van doen. Die twee zagen er volkomen verdwaasd uit, wat duidelijk maakte dat de edelman nog niet de tijd had gehad om hen op de hoogte te brengen van de nieuwe stand van zaken.

"Dit," zei Sir Robert met een armgebaar, "zijn de heer en mevrouw Norlett. Mevrouw Norlett heeft onder haar meisjes-naam Evans een aantal jaren als vertrouwd kamenierster voor mijn zuster gewerkt. Ik heb hen hierheen gehaald, omdat ik naar mijn idee u het beste onomwonden op de hoogte kan brengen van de situatie waarin ik mij bevind en alleen deze twee mensen kunnen u dat bevestigen."

"Is dit noodzakelijk, Sir Robert? Weet u wel wat u gaat doen?" riep de vrouw.

"Ik zal iedere verantwoordelijkheid in dezen volstrekt ontkennen," zei haar echtgenoot.

Sir Robert keek hem even minachtend aan. "Ik neem alle ver-antwoordelijkheid op me," zei hij. "En nu, meneer Holmes, moet u maar eens luisteren naar een eenvoudige opsomming van fei-ten. Het is duidelijk dat u zich verregaand in mijn zaken heeft verdiept, want anders had ik u niet daar aangetroffen waar ik u gevonden heb. Daarom weet u waarschijnlijk ook al dat ik voor de Derby met een onbekende mededinger naar voren zal komen en dat alles afhangt van de vraag of dat dier wint. Wanneer dat gebeurt, zal alles in orde komen. Wanneer ik verlies... Tja, daar durf ik eigenlijk niet aan te denken!"

"Ik begrijp uw positie," zei Holmes.

"Ik ben voor alles afhankelijk van mijn zuster, Beatrice. Maar het is algemeen bekend dat zij alleen tijdens haar leven het vruchtgebruik van dit bezit heeft. Ikzelf zit diep in de schulden. Ik heb altijd geweten dat mijn schuldeisers meteen zouden komen aanzwermen wanneer zij kwam te overlijden. Dan zou door die aasgieren alles in beslag worden genomen – mijn stallen, mijn paarden – alles. En, meneer Holmes, nu is mijn zuster een week geleden gestorven."

"En dat heeft u niemand verteld!"

"Wat had ik anders kunnen doen? Ik werd geconfronteerd met een volslagen bankroet. Alles zou in orde komen wanneer ik het drie weken geheim kon houden. De echtgenoot van haar kamenierster, deze man hier, is acteur van beroep. We kregen het idee – ik kreeg het idee – dat hij voor die korte periode de plaats van mijn zuster wel kon innemen. Hij hoefde zich daarvoor alleen maar dagelijks in het rijtuig te vertonen, want niemand hoefde haar kamer te betreden, behalve natuurlijk haar kamenierster. Het was niet moeilijk om dat te regelen. Mijn zuster is overleden aan de waterzucht waardoor ze al lange tijd werd geplaagd."

"Dat zal de lijkschouwer moeten uitmaken."

"Haar arts zal kunnen bevestigen dat de symptomen al maandenlang een dergelijk einde voorspelden."

"En wat heeft u toen gedaan?"

"Het lijk kon niet in het huis blijven. De eerste avond al brachten Norlett en ik het naar het oude puthuis, dat nu nimmer meer wordt gebruikt. We werden echter gevolgd door haar lievelingsspaniël die voortdurend voor de deur stond te blaffen, dus had ik het gevoel dat we een veiliger plekje moesten zien te vinden. Ik ontdeed me van de spaniël en we droegen het lijk naar de crypte onder de kerk. Dat was geen onwaardige of oneerbiedige handelwijze, meneer Holmes. Ik heb niet het gevoel dat ik de dode schade heb berokkend."

"Ik acht uw handelwijze niet te excuseren, Sir Robert."

De man schudde ongeduldig zijn hoofd. "Preken is niet moeilijk," zei hij. "Misschien dat u er anders over had gedacht wanneer u in mijn positie verkeerde. Het is onverdraaglijk om al je plannen en al je hoop op het laatste moment de mist in te zien gaan zonder een poging te doen het lot te keren. Ik vond dat we haar geen onwaardige rustplaats zouden geven wanneer we haar enige tijd, in een van de kisten van de voorouders van haar echtgenoot legden, die zich nog altijd op gewijde grond bevinden. We maakten zo'n kist open, haalden eruit wat erin zat en legden haar daarin, zoals u zelf hebt kunnen zien. We konden echter die oude botten en beenderen niet zomaar op de grond van de crypte laten liggen. Dus hebben Norlett en ik die meegenomen en is hij 's nachts naar de oven van de centrale verwarming gegaan om ze te verbranden. Dat is mijn verhaal, meneer Holmes, maar ik begrijp nog steeds niet hoe u me ertoe heeft kunnen dwingen het u te vertellen."

Holmes zat enige tijd diep na te denken. "Er zit maar één foutje in uw verhaal, Sir Robert," zei hij tenslotte. "Het geld dat u voor de race heeft ingezet – en daarmee uw hoop voor de toekomst – zou niet verloren zijn gegaan wanneer uw schuldeisers het bezit hadden opgeëist."

"Maar het paard behoort tot dat bezit. Wat zouden mijn uitstaande weddenschappen die mensen kunnen schelen? Mijn voornaamste schuldeiser is, helaas, ook mijn grootste, meest bittere vijand, een stuk geboefte dat naar de naam Sam Brewer luistert en die ik eens een aframmeling heb moeten geven met mijn rijzweep. Denkt u dat hij zou proberen me van de ondergang te redden?"

"Tja, Sir Robert," zei Holmes terwijl hij uit zijn stoel overeind kwam. "Deze zaak moet natuurlijk aan de politie worden voorgelegd. Het was mijn plicht de feiten aan het licht te brengen en verder ga ik niet. Wat betreft de morele kant van uw handelwijze: het is mijn taak niet daar een mening over uit te spreken. Het is bijna middernacht, Watson, en ik denk dat het tijd wordt om terug te gaan naar onze nederige verblijven."

HET IS NU algemeen bekend dat deze merkwaardige episode een gelukkiger einde kreeg dan de handelingen van Sir Robert verdienden. Shoscombe Prince won inderdaad de Derby, zijn eigenaar ontving tachtigduizend pond en de schuldeisers hielden zich koest tot na de race. Daarna werden ze betaald en hield Sir Robert voldoende over om verder een redelijk leven te kunnen leiden. Zowel de politie als de lijkschouwer bekeken de kwestie nogal tolerant. Sir Robert kreeg alleen een milde reprimande vanwege het feit dat hij het overlijden van zijn zuster niet meteen had aangegeven. Hij had dus geluk en kwam ongeschonden te voorschijn uit dit incident om een eerlijke carrière te maken, die belooft te eindigen in een eervolle oude dag.

Het avontuur van de drie Garridebs

HET KAN EEN komedie geweest zijn, maar ook een tragedie. Het heeft een man zijn verstand gekost, mij een aderlating en een derde een gevangenisstraf. Toch zat er beslist een komisch element in. Nu ja, dat zal ik de lezer zelf maar laten beoordelen.

Ik kan me de datum nog heel goed herinneren, omdat Holmes in diezelfde maand een ridderorde weigerde voor het verlenen van een dienst die misschien later ooit nog eens te boek gesteld zal worden. Ik refereer hier slechts terzijde aan, want als partner en vertrouweling van Holmes moet ik zeer op mijn hoede zijn geen indiscretie te begaan. Ik herhaal echter wel dat ik me daardoor de datum nog zo goed herinner: tegen het einde van de maand juni van het jaar 1902 – kort na de beëindiging van de oorlog in Zuid-Afrika. Holmes had een paar dagen in bed doorgebracht, wat van tijd tot tijd zijn gewoonte was, maar die ochtend kwam hij te voorschijn met een groot vel papier in zijn hand en een geamuseerde twinkeling in zijn ernstige, grijze ogen.

"Mijn vriend," zei hij, "hier heb je een kans om wat geld te verdienen. Heb je ooit de naam Garrideb wel eens horen vallen?"

Ik moest bekennen dat dat niet het geval was.

"Nu ja. Dan kan ik je wel vertellen dat je geld kan binnenslepen wanneer je een Garrideb kunt bemachtigen."

"Hoezo?"

"Tja, dat is een lang verhaal en bovendien nogal zonderling. Ik geloof niet dat we op al onze verkenningstochten naar ingewikkelde zaken die de menselijke geest kan bedenken, ooit op iets eigenaardigers zijn gestuit. De man komt hier zo meteen naar toe voor een kruisverhoor, dus zal ik er niet verder op doorgaan voor hij is gearriveerd. Maa...

naam van belang is."

De telefoongids lag...

door, wat een hopelo...

mijn verbazing zag ik d...

fantelijke kreet. "Hier, ...

Holmes pakte de gid...

Ryder Street nummer ...

je moet teleurstellen, ...

adres staat eveneens ve...

moeten een andere Gar...

Mevrouw Hudson v...

op een visitekaart ...

aar heb je ...

voorlette...

H...

... Little

... r het feit dat ik

... betreft de man zelf. Dat

... ief die ik heb ontvangen. We

... bben."

... as binnengekomen met een dienblad waar-

... je lag. Ik pakte het op en keek er even naar. "Kijk,

... em!" riep ik verbaasd. "Deze man heeft een andere

... r. John Garrideb, advocaat, Moorville, Kansas, USA."

Holmes glimlachte toen hij naar het kaartje keek. "Ik ben bang dat je het nogmaals moet proberen, Watson. Ook deze man is er al bij betrokken, hoewel ik zeker niet verwachtte hem vanmorgen te zullen zien. Hij zal echter wel in staat zijn om ons veel van wat we willen weten, te vertellen."

Een moment later stond de man in de kamer. Meneer John Garrideb, advocaat, was een kleine, sterke man met een rond, blozend, gladgeschoren gezicht dat typerend is voor zovele Amerikaanse zakenlieden. Hij zag er in zijn totaliteit nogal dik en kinderlijk uit. Zo op het eerste gezicht leek hij jong. Op zijn gelaat speelde een brede glimlach. Maar zijn ogen trokken meteen de aandacht. Ze waren zo helder, alert en veelzeggend over de dingen die hij dacht, als ik dat bij een mens nog maar zelden heb waargenomen. Zijn accent was Amerikaans, maar zijn woordgebruik had niets bijzonders.

"Meneer Holmes?" vroeg hij, terwijl hij van de een naar de ander keek. "Ah ja! Ik hoop dat u het me niet kwalijk neemt wanneer ik u zeg dat de foto's die van u zijn gemaakt, goed lijken. Ik meen dat u een brief heeft ontvangen van mijn naamgenoot de heer Nathan Garrideb?"

"Gaat u alstublieft zitten," zei Sherlock Holmes. "Ik neem aan dat wij heel wat te bespreken hebben."

Hij pakte de velletjes papier op. "U bent natuurlijk de heer John Garrideb van wie in dit schrijven melding wordt gemaakt. Ik eer Holmes?"

hterdochtige blik in zijn ogen te

van Engelse makelij is."

ceerd.

trucjes die u uithaalt, meneer Hol-
cht dat ik daar nog eens het mikpunt
nt u dat te kunnen zien?"
e neuzen van uw laarzen.
onmogelijk twijfelen
k ben hier
u zegt,
d.

De hee

"Ik heb veel ge

mes, maar ik had nooit ge

van zou worden. Waaraan mee

"De schoudervorm van uw ja

Iemand die dat heeft gezien, kan toch verde

aan de Engelse herkomst ervan?"

"Nou, nou, daar had ik eigenlijk geen idee van. Maa

inderdaad enige tijd geleden al voor zaken geweest en zoals

heb ik vrijwel al mijn kleding in Londen gekocht. Ik vermo

echter dat uw tijd kostbaar is en we treffen elkaar niet om over de pasvorm van mijn sokken te praten. Zullen we nu maar ter zake komen?"

Holmes had onze bezoeker kennelijk op de een of andere manier uit zijn evenwicht gebracht, want zijn engelachtige gezicht had nu opeens een heel wat minder vriendelijke uitdrukking. "Geduld, meneer Garrideb. Geduld is een schone zaak!" zei mijn vriend verzoenend. "Dokter Watson zou u kunnen vertellen dat die kleine zijsprongetjes van me soms uiteindelijk wel degelijk verband blijken te houden met een bepaalde zaak die ik onderzoek. Maar waarom is de heer Nathan Garrideb niet met u meegekomen?"

"Waarom heeft die man u er eigenlijk bij gesleept?" vroeg onze bezoeker, plotseling nijdig. "Wat heeft u er toch mee te maken? Er moest tussen twee heren iets zakelijks worden geregeld en opeens achtte een van hen het noodzakelijk om er een detective bij te halen! Ik heb hem vanmorgen gesproken en toen heeft hij me verteld welke poets hij me heeft gebakken en daarom ben ik nu hier. Maar deze hele kwestie zit me beslist niet lekker!"

"Hij heeft u helemaal geen poets willen bakken, meneer Garrideb. Hij wilde er alleen maar op alle mogelijke manieren voor zorgen dat u uw doel zou kunnen bereiken – een doel dat, naar ik heb begrepen, voor u beiden even belangrijk is. Hij wist dat ik aan

bepaalde inlichtingen kan komen en daarom w~~ ~~
meer dan normaal dat hij zich tot mij wendde."

Het boze gezicht van onze bezoeker klaarde plotseling weer op. "Tja, dat werpt een ander licht op de zaak," zei hij. "Toen ik hem vanmorgen trof en hij me vertelde dat hij er een detective bij had gehaald, heb ik alleen maar om uw adres gevraagd en ben toen regelrecht hierheen gegaan. Ik wil niet dat de politie zich gaat bemoeien met een privé-aangelegenheid. Maar wanneer u ons wilt helpen die man te vinden, kan dat volgens mij geen kwaad."

"Zo staan de zaken er inderdaad voor," zei Holmes. "En nu u hier toch bent, meneer, zou ik het op prijs stellen indien u het verhaal in uw eigen woorden zou willen vertellen. Mijn vriend hier kent nog geen enkel detail."

De heer Garrideb nam me met een niet al te vriendelijke blik op. "Moet hij hier iets van afweten?" vroeg hij.

"We werken gewoonlijk samen."

"Best dan. Er is geen enkele reden om dit geheim te houden. Ik zal u zo kort mogelijk op de hoogte brengen van de feiten. Wanneer u in Kansas was geboren, zou ik u niet hoeven uitleggen wie Alexander Hamilton Garrideb was. Hij heeft een fortuin verkregen door de handel in onroerend goed en later door de tarwehandel in Chicago, maar al dat geld gaf hij weer uit aan de aankoop van grond, evenveel grond als uw hele land tezamen, langs de rivier de Arkansas, ten westen van Fort Dodge. Daartoe behoren weilanden, landbouwgronden en bossen en gebieden waar allerlei mineralen in de grond zitten – ieder type grond dat de man die zich de eigenaar ervan kan noemen, geld in het laatje brengt. Hij had verder kind noch kraai op de wereld – in ieder geval voor zover mij bekend was. Maar hij was heel trots op zijn merkwaardige naam. Dat heeft ons samengebracht. Ik oefende praktijk uit in Topeka en op een dag kreeg ik bezoek van die oude heer, die het geweldig vond iemand te ontmoeten die dezelfde naam had als hij. Ik werd zijn lievelingetje en hij nam zich vast voor om te achterhalen of er op deze aarde nog meer Garridebs rondliepen. 'Ga jij daar eens voor mij naar op zoek!' zei hij. Ik zei hem dat ik een drukbezet man was en niet mijn leven lang over de wereld kon gaan rondzwerven op zoek naar Garridebs. 'Toch,' zei hij, 'is dat nu precies wat jij zult gaan doen wanneer alles verloopt, zoals ik dat heb gepland.' Ik dacht dat hij een grapje maakte, maar al

spoedig zou ik ontdekken dat hij ieder woord daarvan had gemeend. Want nog geen jaar nadat hij dat had gezegd, kwam hij te
overlijden en liet een testament na. Het was het meest merkwaardige testament dat ooit in de staat Kansas rechtsgeldig is verklaard.
Zijn bezit werd in drie gelijke delen gesplitst en een daarvan zou
mij toevallen op voorwaarde dat ik twee andere Garridebs zou
weten te vinden die de rest in bezit konden nemen. We krijgen in
dat geval ieder vijfmiljoen dollar in handen, maar wel pas wanneer
we ons gedrieën kunnen presenteren. Dat was zo'n buitenkansje
dat ik mijn advocatenpraktijk liet verlopen en op zoek ging naar
andere Garridebs. In de Verenigde Staten kon ik niemand vinden
die die naam droeg. Ik ben er tijdenlang zeer grondig naar op zoek
geweest, meneer, maar zonder enig resultaat. Toen besloot ik het in
Engeland te gaan proberen. En daar vind ik de naam inderdaad in
de Londense telefoongids. Twee dagen geleden ben ik toen naar
die man toegegaan en heb hem alles verteld. Maar hij is een eenzame man, net als ik, die wel een paar vrouwelijke, maar geen
mannelijke familieleden heeft. En in het testament is bepaald dat
er drie mannelijke Garridebs moesten zijn. Dus zitten we nog
steeds met een vacature, bij wijze van spreken. En wanneer u ons
kunt helpen die te vervullen, zullen we u daar natuurlijk een goed
honorarium voor betalen."

"En, Watson," zei Holmes met een glimlach. "Wat vind je ervan?
Had ik je niet gezegd dat dit een nogal eigenaardige zaak was? Ik
zou zo denken, meneer, dat u er het verstandigst aan zou doen om
op de familieberichtenpagina in de diverse kranten een advertentie te plaatsen."

"Dat heb ik al gedaan, meneer Holmes, maar niemand heeft
daarop gereageerd."

"Mijn hemel! Dit is inderdaad een heel opmerkelijk probleempje! Misschien dat ik me er op mijn dooie gemakje eens in ver-
diep. Merkwaardig, tussen twee haakjes, dat u uit Topeka komt. Ik
had daar een vriend zitten met wie ik heb gecorrespondeerd. Hij
is inmiddels overleden. Doctor Lysander Starr heette hij en in
1890 was hij er burgemeester."

"Die goeie oude doktor Starr!" zei onze bezoeker. "Zijn naam
wordt nog steeds vol eerbied uitgesproken. Ik denk, meneer Holmes, dat we niet veel meer kunnen doen dan u verslag uitbrengen
van onze vorderingen. Ik denk zo dat dat binnen een paar dagen

wel zal gebeuren." Toen maakte de Amerikaan een buiging en vertrok.

Holmes had zijn pijp aangestoken en zat enige tijd te staren, met een merkwaardig glimlachje om zijn mond.

"En, wat vind je ervan?" vroeg ik ten slotte.

"Ik vraag me af, Watson, ik zit me af te vragen…"

"Wat?"

Holmes haalde de pijp uit zijn mond. "Ik vroeg me af, Watson, waarom die man het in vredesnaam noodzakelijk vond om ons zo'n assortiment leugens voor te schotelen. Dat had ik hem bijna ook gevraagd, want er zijn momenten dat een venijnige rechtstreekse aanval verreweg de beste tactiek is, maar toch achtte ik het uiteindelijk beter om hem in de waan te laten dat hij ons een rad voor ogen had weten te draaien. We werden geconfronteerd met een man die een Engelse jas droeg die bij de ellebogen al was versleten en een pantalon aanhad die iedere vouw bij de knieën miste omdat hij hem al minstens een jaar draagt. En toch is hij volgens dit document en zijn eigen verhaal een man die pas kort geleden hier vanaf het Amerikaanse platteland is gearriveerd. Er hebben geen advertenties van hem op de familieberichtenpagina's gestaan. Je weet dat ik die altijd zeer grondig bekijk, omdat ik daar altijd bijzonder in geïnteresseerd ben, nietwaar? En ik heb nooit een zekere dokter Lysander Starr uit Topeka gekend. Die man heeft in geen enkel opzicht open kaart gespeeld. Ik denk wel dat hij echt een Amerikaan is, maar hij moet al jarenlang in Londen wonen, vandaar dat zijn accent niet meer zo opvalt. Welk spelletje is die man aan het spelen en welk motief schuilt er achter die belachelijke zoekactie naar Garridebs? Dit probleem verdient beslist onze aandacht, want hoewel het vaststaat dat die man een boef is, moet worden toegegeven dat hij vindingrijk is. We moeten nu achterhalen of de andere Garrideb die contact met ons heeft gezocht, eveneens een bedrieger is. Watson, wil je hem eens even opbellen?"

Dat deed ik en hoorde een ijle, trillende stem aan de andere kant van de lijn.

"Ja, ja, ik ben Nathan Garrideb. Is de heer Holmes in de buurt? Ik zou de heer Holmes erg graag willen spreken."

Mijn vriend nam de telefoon van me over.

"Ja, die is hier geweest. Ik heb begrepen dat u hem niet kende…

Hoe lang? Pas twee dagen? Ja, ja, natuurlijk. Het ziet er allemaal heel aanlokkelijk uit. Bent u vanavond thuis? Ik veronderstel dat uw naamgenoot er dan niet zal zijn? Uitstekend, dan komen we. Ik wil liever niet met u praten wanneer hij erbij is. Dokter Watson komt met me mee... Uit uw brief heb ik begrepen dat u niet vaak buitenshuis vertoeft... Laten we zeggen rond een uur of zes. U hoeft hier niets over te vertellen aan die Amerikaanse advocaat... Uitstekend. Tot ziens dan maar!"

Het was een schitterende lenteavond en het begon al schemerig te worden toen we Little Ryder Street bereikten – een zijstraatje van Edgeware Road. Het huis bleek een groot, ouderwets Georgiaans bouwwerk te zijn, met een rechte gevel, opgetrokken uit baksteen en slechts onderbroken door twee erkers op de begane grond. Onze cliënt bewoonde die begane grond en de erkers bleken te behoren tot de grote kamer waarin hij de uren dat hij niet sliep, doorbracht. Holmes wees op het koperen naambordje met die merkwaardige naam.

"Dat zit er al vele jaren, Watson," merkte hij op, wijzend op de verkleuring van het koper. "Deze man heet in ieder geval werkelijk Garrideb en dat is de moeite van het onthouden waard."

Het huis bleek in appartementen te zijn onderverdeeld, die via een gezamenlijke trap konden worden bereikt. In de hal zagen we verscheidene naambordjes, sommige van particulieren, andere van kantoren. Onze cliënt deed zelf open en zei verontschuldigend dat zijn huishoudster al om vier uur 's middags vertrok. De heer Nathan Garrideb bleek een heel lange, slungelachtige man met een ronde rug te zijn, mager, kaal en een jaar of zestig oud. Hij had een ingevallen, broodmager gezicht met een vaalbleke huid, wat erop wees dat hij inderdaad nauwelijks in de buitenlucht kwam. Hij droeg een grote, ronde bril en had een klein, vooruitstekend geitensikje. In combinatie met zijn gebogen houding kregen we zo de indruk te maken te hebben met een man die altijd nieuwsgierig naar van alles zat te loeren. Maar alles bij elkaar genomen, kwam ik tot de conclusie dat we ons geplaatst zagen tegenover een excentrieke, maar wel vriendelijke baas.

De kamer was al even opmerkelijk als de bewoner ervan. Het geheel had wel wat weg van een klein museum. De kamer was breed en diep. Overal stonden kasten vol geologische en anatomische specimens. Naast de deur hingen vitrines vol vlinders en motten. De grote tafel midden in de kamer lag vol met allerlei fossielen, temidden waarvan een microscoop stond opgesteld. Terwijl ik om me heen keek, verbaasde ik me steeds meer over de diversiteit van de dingen waarin de man geïnteresseerd bleek te zijn. Ik zag een vitrine vol oude munten, een kastje met vuurstenen voorwerpen, een plank vol fossielen. Schedels van gips met namen als Neanderthaler en Heidelberg en Cro-Magnon. Het was duidelijk dat deze man vele onderwerpen had bestudeerd. Hij stond nu voor ons en was een munt aan het oppoetsen met een stukje zeemleer.

"Komt uit Syracuse – uit de beste periode," zei hij en hield het muntje omhoog. "Later werden de munten daar veel minder van kwaliteit. Ik vind de munten uit de hoogtijdagen van Syracuse de beste, maar anderen geven de voorkeur aan die uit Alexandrië. Daar staat een stoel, meneer Holmes. Staat u het me toe die botten er even uit te halen. En u, meneer... eh, ja, dokter Watson, zou u zo goed willen zijn die Japanse vaas even weg te zetten? U ziet dat ik ben omgeven door de kleine dingen die me in dit leven interesseren. Mijn arts geeft me regelmatig een standje voor het feit dat ik nooit eens buiten kom, maar waarom zou ik het huis uitgaan wanneer ik hier zoveel interessants te doen heb? Ik kan u verzekeren dat het grondig catalogiseren van één zo'n kast ruim drie maanden in beslag zou nemen!"

Holmes keek nieuwsgierig om zich heen.

"Wilt u me vertellen dat u nooit de deur uit gaat?" zei hij.

"Af en toe ga ik naar Sotheby's of Christie's. Verder kom ik maar zelden deze kamer uit. Ik ben niet al te sterk en mijn onderzoekingen nemen me bijna geheel in beslag. Maar u zult zich kunnen voorstellen, meneer Holmes, wat een geweldige schok – aangenaam maar ook beangstigend – het voor me was toen ik van dit ongehoorde meevallertje op de hoogte werd gesteld. We hebben nog slechts één Garrideb nodig om de zaak rond te krijgen en ik ben er zeker van dat we zo iemand zullen vinden. Ik had een broer, maar die is al overleden en vrouwelijke familieleden komen niet in aanmerking. Toch moeten er beslist op deze wereld nog andere Garridebs zijn. Ik had gehoord dat u merkwaardige zaken in behandeling heeft genomen en daarom heb ik u om medewerking gevraagd. Natuurlijk heeft die Amerikaanse heer gelijk wanneer hij stelt dat ik hem eerst om advies had moeten vragen, maar ik heb gedaan wat ik het beste achtte."

"Ik ben van mening dat u inderdaad zeer juist heeft gehandeld," zei Holmes. "Maar bent u er werkelijk op gebrand om in Amerika bezittingen te verkrijgen?"

"Beslist niet, meneer. Niets zou me ertoe kunnen brengen mijn verzameling in de steek te laten. Maar deze heer heeft me verzekerd dat hij me zal uitkopen zodra we ons eigendom hebben opgeëist. Vijfmiljoen dollar, zei hij. Er zijn op dit moment een tiental specimens te koop die gaten in mijn collectie zouden kunnen opvullen. Maar ik kan die niet kopen, omdat ik de paar honderd pond die daarvoor nodig zijn, niet heb. Stelt u zich eens voor wat ik met vijfmiljoen dollar allemaal zou kunnen doen! Ik ben in het bezit van een verzameling die de kern kan gaan vormen van een nationale collectie. Ik zal nog de Hans Sloane van deze eeuw worden."

Zijn ogen glinsterden achter de grote brillenglazen. Het was duidelijk dat de heer Nathan Garrideb alles in het werk zou stellen om een naamgenoot te vinden.

"Ik ben hier alleen maar even langsgekomen om kennis te maken," zei Holmes, "en dus is er geen enkele reden waarom ik u verder bij uw studie lastig zou vallen. Ik geef er altijd de voorkeur aan persoonlijk kennis te maken met de mensen met wie ik zaken doe. Er zijn echter een paar vragen die ik u moet stellen, een paar maar, want u heeft me het hele verhaal duidelijk geschreven. Veel lacunes zijn al ingevuld door mijn gesprek met die Amerikaanse heer. Ik meen te hebben begrepen dat u tot voor kort niet van diens bestaan op de hoogte was?"

"Dat klopt. Ik heb hem afgelopen dinsdag voor het eerst gezien."

"Heeft hij u verteld dat hij me vandaag heeft gesproken?"

"Ja, hij is daarna meteen naar me toe gekomen. Hij was aanvankelijk nogal boos."

"Waarom zou hij boos moeten zijn?"

"Hij leek te denken dat zijn eer hierdoor was aangetast. Maar toen hij weer naar me terugkeerde, was hij weer bijzonder opgewekt."

"Heeft hij u een bepaalde tactiek voorgesteld?"

"Nee, dat heeft hij niet gedaan."

"Heeft hij geld van u gekregen? Of heeft hij daarom gevraagd?"

"Nee, meneer, niet eenmaal."

"U kunt zich met geen mogelijkheid indenken welk doel hem voor ogen staat?"

"Nee, ik ben alleen op de hoogte van het verhaal dat hij me heeft gedaan."

"Heeft u hem verteld van onze telefonische afspraak?"

"Ja, dat heb ik inderdaad gedaan."

Holmes dacht na en ik kon zien dat hij verbaasd was.

"Heeft u in uw collectie waardevolle zaken zitten?"

"Nee, meneer, ik ben geen rijk man. Het is een fraaie verzameling, maar geen bijzonder kostbare."

"U bent niet bang voor inbrekers?"

"Nee, in het geheel niet."

"Hoe lang woont u hier al?"

"Bijna vijf jaar."

Holmes' vragen werden onderbroken door een gebiedende klop op de deur. Onze cliënt maakte die open en meteen rende de Amerikaanse advocaat opgewonden de kamer in.

"Ziezo!" zei hij, terwijl hij met een velletje papier boven zijn hoofd zwaaide. "Ik dacht wel dat ik u hier nog zou aantreffen. Meneer Nathan Garrideb, laat me u feliciteren. U bent nu een rijk man, meneer. We hebben onze zaak tot een gelukkig einde kunnen brengen en nu zal alles verder op zijn pootjes terechtkomen. En wat u betreft, meneer Holmes: we kunnen alleen maar verklaren dat het ons spijt dat we u nodeloos tot last zijn geweest."

Hij overhandigde het velletje papier aan onze cliënt, die naar een omcirkelde advertentie stond te staren. Holmes en ik bogen ons voorover en lazen over zijn schouder mee. Dit stond erin:

HOWARD GARRIDEB
Fabrikant van landbouwmachines, bindapparaten, maaimachines,
handploegen door stoommachines aangedreven, eggen, boerenwagens,
vierwielige wagentjes en alle andere materialen.
Prijsopgaven voor artesische putten.
Gevestigd in het Grosvenor Gebouw, Aston

"Geweldig!" zei onze gastheer ademloos. "We hebben onze derde man gevonden."

"Ik was eens gaan informeren in Birmingham," zei de Amerikaan, "en mijn agent daar heeft me deze advertentie uit een plaatselijk dagblad toegestuurd. We moeten nu snel alles in orde maken. Ik heb die man een brief geschreven en hem meegedeeld dat u hem morgenmiddag om vier uur een bezoek zult brengen in zijn kantoor."

"Moet ik naar hem toe?"

"Wat vindt u ervan, meneer Holmes? Denkt u niet dat dat verstandiger zou zijn? Ik ben een rondzwervende Amerikaan met een fantastisch verhaal. Waarom zou hij bereid zijn me te geloven? U bent echter een Brit met goede referenties en hij moet dus wel aandacht schenken aan wat u zegt. Ik zou indien gewenst wel bereid zijn met u mee te gaan, maar morgen wordt een erg drukke dag voor me en ik kan later altijd nog achter u aan reizen wanneer er zich moeilijkheden mochten voordoen."

"Tja, ik heb al in geen jaren zo'n verre reis gemaakt."

"Het heeft niets om het lijf, meneer Garrideb. Ik heb alles al nagekeken. Wanneer u om twaalf uur weggaat, arriveert u daar even na tweeën. En dan kunt u dezelfde avond weer terug zijn. U hoeft alleen maar naar die man toe te gaan, alles uit te leggen en een bevestiging van zijn bestaan mee te nemen. Mijn hemel!" voegde hij daar fel aan toe "Ik ben helemaal uit het midden van Amerika hierheen gekomen en dus moet het voor u toch niet te veel moeite zijn om ruim honderd kilometer te reizen om deze kwestie definitief te regelen!"

"Inderdaad," zei Holmes. "Volgens mij heeft deze heer volkomen gelijk."

De heer Nathan Garrideb haalde een beetje mistroostig zijn schouders op.

"Tja, wanneer u erop staat, zal ik erheen gaan," zei hij. "Het is inderdaad moeilijk voor me om u iets te weigeren, gezien de geweldige hoop die u me in dit leven heeft gegeven."

"Dan zijn we het daar over eens," zei Holmes. "Ik twijfel er niet aan dat u me zo spoedig mogelijk verslag zult komen uitbrengen."

"Daar zal ik wel voor zorgen," zei de Amerikaan. "Tja," zei hij toen, met een blik op zijn horloge, "ik moet er nu weer vandoor. Ik bel u morgen nog wel op, meneer Nathan, en dan breng ik u naar de trein. Gaat u soms een stukje met me mee, meneer Holmes? Nee? Tot ziens dan maar. Ik hoop dat we u morgenavond iets gunstigs kunnen berichten."

Het viel me op dat mijn vriend opgelucht keek toen de Amerikaan de kamer verlaten had en dat de verbaasde uitdrukking op zijn gezicht was verdwenen.

"Ik wou dat ik uw verzameling eens goed kon bekijken, meneer Garrideb," zei hij. "In mijn vak kan je kennis op vele terreinen uitstekend gebruiken en die zou ik hier in deze kamer kunnen vinden."

Onze cliënt straalde van genoegen. "Ik heb al vaak gehoord dat u een heel intelligent man bent, meneer Holmes," zei hij. "Wanneer u er tijd voor heeft, ben ik meteen bereid u nu alles te laten zien."

"Helaas heb ik daar nu de tijd niet voor. Maar alle voorwerpen hier zijn zo goed gecatalogiseerd, genummerd en van kaartjes voorzien dat het nauwelijks nodig is dat u er nog nadere uitleg bij geeft. Heeft u er bezwaar tegen dat ik hier morgen eens een beetje kom rondkijken?"

"Helemaal niet. U kunt rustig uw gang gaan. Mijn kamer is dan natuurlijk afgesloten, maar mevrouw Saunders zit hier beneden tot vier uur en zij kan u dan met haar sleutel binnenlaten."

"Uitstekend. Ik heb morgenmiddag toevallig niets te doen. Misschien dat u mevrouw Saunders alvast wilt zeggen dat ik kom? Tussen twee haakjes: wie is uw huisbaas?"

Die onverwachte vraag leek onze cliënt te verbazen. "Holloway and Steel op Edgeware Road. Maar waarom vraagt u dat?"

"Op het gebied van huizen ben ik een soort amateur-archeoloog," zei Holmes lachend. "Ik zat me af te vragen of dit huis tot de Queen Anne-periode behoort of Georgiaans is."

"Zonder enige twijfel Georgiaans."

"Hm, werkelijk? Ik zou hebben gedacht dat het uit een iets oudere periode stamde. Dat laat zich echter gemakkelijk controleren. Tot ziens dan maar, meneer Garrideb. Ik hoop dat u de reis naar Birmingham met succes kunt bekronen."

Het kantoor van de huiseigenaar was vlakbij, maar bleek die dag verder te zijn gesloten. Dus gingen we terug naar Baker Street. Pas na het diner kwam Holmes op de zaak terug.

"Ons kleine probleem nadert zijn voltooiing," zei hij. "Het lijdt natuurlijk geen twijfel dat jij al nadenkend ook de oplossing alreeds hebt gevonden."

"Ik kan er helemaal niet uit wijs worden."

"Is je dan niets merkwaardigs opgevallen aan die advertentie?"

"Mij vielen de vierwielige wagentjes en de putten op."

"O, dus die zijn je inderdaad opgevallen? Uitstekend, Watson, je gaat met de dag vooruit. Ja, de tekst was Amerikaans, niet Engels. Die vierwielige wagentjes zijn dingen die je alleen in Amerika aantreft. Ook die putten komen daar veel meer voor dan hier. Dus kunnen we stellen dat het een typisch Amerikaanse advertentie was, die zogenaamd door een Engels bedrijf was opgegeven. Welke conclusie trek je daaruit?"

"Ik kan alleen maar opperen dat onze Amerikaan hem zelf heeft geplaatst. Maar welk doel hij daarmee voor ogen had is me volslagen duister."

"Daar zijn verschillende verklaringen voor te bedenken. In ieder geval wilde hij ervoor zorgen dat die goede, oude, brave baas naar Birmingham vertrok. Dat is volstrekt duidelijk. Ik zou hem kunnen hebben verteld dat hij er voor niets heen ging, maar bij nader inzien achtte ik het beter hem maar te laten vertrekken, zodat we hier vrij spel zouden hebben. Morgen, Watson... Tja, morgen zal wel voor zichzelf spreken."

HOLMES WAS AL vroeg wakker en het huis uit. Toen hij tegen lunchtijd terugkeerde, zag ik dat zijn gezicht heel ernstig stond.

"Dit is een ernstiger zaak dan ik had verwacht, Watson," zei hij. "Dat moet ik je in alle eerlijkheid wel zeggen, ondanks het feit dat ik weet dat je daardoor nog vastbeslotener zult zijn het gevaar met mij te delen. Ik ken mijn Watson daar inmiddels goed genoeg voor. Deze kwestie is inderdaad niet zonder gevaar en ik vind dat je daarvan goed doordrongen moet zijn."

"Het is niet de eerste maal dat we een gevaarlijk karwei samen hebben geklaard, Holmes. En ik hoop dat het evenmin het laatste zal zijn. Om welk gevaar gaat het ditmaal in het bijzonder?"

"Ik heb die meneer John Garrideb, advocaat, weten te identificeren. Het is niemand anders dan de man die ze 'Killer' Evans noemen. Een vent met een sinistere reputatie, die voor het begaan van een moord niet terugdeinst."

"Ik ben bang dat me dat nog niets zegt."

"Ah! Het behoort natuurlijk ook niet bij jouw vak om een draagbare inventarislijst van Newgate in je hoofd bij je te hebben. Ik heb een bezoekje gebracht aan onze vriend Lestrade van Scotland Yard. Ze missen daar soms de noodzakelijke verbeeldingsvolle intuïtie, maar kennen op deze wereld huns gelijke niet waar het gaat om het verrichten van een grondig, methodisch onderzoek. Ik had er zo'n vermoeden van dat we onze Amerikaanse vriend in hun dossiers terug zouden vinden. En inderdaad heb ik zijn blozende gezicht op een portret aangetroffen. 'James Winter, alias Morecroft, alias Killer Evans' stond eronder." Holmes haalde een enveloppe uit zijn zak te voorschijn. "Ik heb een paar aantekeningen overgenomen uit zijn dossier. Vierenveertig jaar oud. Geboren in Chicago. Heeft in Amerika drie mensen doodgeschoten. Is door politieke invloed de gevangenis uit gekomen. In 1893 naar Londen gegaan. Heeft in januari 1895 in een nachtclub aan Waterloo Road een man tijdens een spelletje kaart neergeschoten. Die man overleed aan de gevolgen van zijn verwondingen, maar aangetoond werd dat hij degene was die de aanzet had gegeven. De dode werd geïdentificeerd als een zekere Rodger Prescott, bekend als vervalser te Chicago. In 1901 kwam Killer Evans weer op vrije voeten. Sinds die tijd wordt hij door de politie in de gaten gehouden, maar voor zover bekend heeft hij tot dusverre een eerlijk leven geleid. Heel gevaarlijke man, heeft gewoonlijk wapens bij zich en is bereid die te gebruiken. Dat is ons mannetje, Watson. Je moet toegeven dat hij van wanten weet."

"Maar wat voor spelletje is hij dan nu aan het spelen?"

"Dat begint geleidelijk aan steeds duidelijker te worden. Ik ben naar die huiseigenaar toe geweest. Onze cliënt woont daar nu vijf jaar, zo heeft hij me verteld. Voor die tijd heeft dat appartement een jaar leeggestaan. De vorige huurder was een rondzwervend heerschap dat naar de naam Waldron luisterde. Men kon zich daar op het kantoor die Waldron nog goed herinneren. Hij was op een gegeven moment plotseling verdwenen en daarna heeft niemand ooit nog iets van hem vernomen. Het was een lange, gebaarde man met een heel donker gezicht. Prescott, de man die Killer Evans had neergeschoten, was volgens Scotland Yard een lange, donkere man met een baard. Ik denk dat we als werkhypothese mogen aannemen dat Prescott, de Amerikaanse misdadiger, in dezelfde kamer leefde die nu wordt bewoond door onze onschuldige vriend die al zijn tijd aan zijn museumpje geeft. En daardoor hebben we een schakel van de keten weten te ontdekken, begrijp je wel?"

"En de volgende schakel?"

"We moeten nu weg en zien of we die kunnen vinden."

Hij haalde een revolver uit de lade en overhandigde die aan mij.

221

"Ik heb mijn oude favoriet al bij me gestoken. Wanneer onze vriend uit het Wilde Westen van plan is zijn bijnaam eer aan te doen, moeten we hem kunnen pareren. Watson, je kunt nu een uurtje siësta gaat houden en dan wordt het tijd voor ons avontuur in Ryder Street."

Klokslag vier bereikten we het merkwaardige appartement van Nathan Garrideb. Mevrouw Saunders, de huishoudster, stond net op het punt om te vertrekken, maar liet ons zonder aarzelen binnen, omdat de deur vanzelf weer in het slot viel. Holmes beloofde haar dat we erop zouden toezien dat alles in orde was voor we weer vertrokken. Kort daarop werd de buitendeur gesloten en zagen we haar hoedje langs het erkerraam verdwijnen. Nu waren we alleen. Holmes maakte snel een ronde door het appartement. In een donker hoekje stond een kast, een klein stukje los van de muur. Daarachter gingen we gehurkt zitten en toen vertelde Holmes me fluisterend wat zijn plannen waren.

"Het is zonder meer duidelijk dat hij onze hartelijke vriend deze kamer uit wilde hebben en omdat de verzamelaar normaal gesproken nooit de deur uit gaat, moest hij daarvoor een list bedenken. Vandaar dat verzonnen verhaal over de Garridebs. Ik moet zeggen, Watson, dat het getuigt van een duivelse vindingrijkheid, zelfs wanneer je in aanmerking neemt dat de merkwaardige naam van de huidige bewoner hem een gelegenheid bood waarop hij nauwelijks kan hebben durven hopen. Toen heeft hij dit alles met een opmerkelijke geslepenheid verder gepland."

"Maar wat wil hij er dan mee?"

"Dat hoop ik hier te achterhalen. Voor zover alles me nu duidelijk is, heeft het niets te maken met onze cliënt. Wel met de man die is vermoord – de man die mogelijk een compagnon in de misdaad van Killer Evans is geweest. In deze kamer moet een of ander geheim verborgen zijn. Zo denk ik er in ieder geval over. Aanvankelijk dacht ik nog dat onze cliënt in zijn collectie misschien iets had zitten wat waardevoller was dan hij wist – iets wat de aandacht van een grote boef waard was. Maar het feit dat Rodger Prescott zaliger, eveneens een stuk geboefte, hier heeft gewoond, duidt erop dat er iets belangrijkers aan de hand moet zijn. Tja, Watson, verder zullen we onze ziel in lijdzaamheid moeten bezitten en afwachten wat de komende uren ons wellicht gaan brengen."

Het duurde niet lang voordat we de buitendeur hoorden openen en sluiten en nog iets verder wegkropen in ons duistere schuilhoekje. Toen hoorden we het scherpe, metaalachtige geluid van een sleutel die werd omgedraaid. Daar verscheen de Amerikaan. Hij deed de deur zachtjes achter zich dicht, keek even snel om zich heen om zich ervan te vergewissen dat de kust veilig was, trok zijn overjas uit en liep op de tafel midden in de kamer af, snel en ter zake, als iemand die precies wist wat hij moest doen en hoe dat moest gebeuren. Hij duwde de tafel opzij, trok het kleed weg waarop die had gestaan, rolde dat op en haalde toen een breekijzer te voorschijn. Hij knielde neer en begon daar de vloer mee te bewerken. Kort daarop hoorden we hoe planken werden weggehaald en een seconde later was er een gat ontstaan. Killer Evans pakte een lucifer, stak er een kaars mee aan en verdween in de opening. Nu was het moment daar om tot actie over te gaan. Holmes raakte ten teken daarvan even mijn pols aan en samen liepen we geruisloos naar het luik. Maar ondanks dat moet de plankenvloer toch licht hebben gekraakt, want plotseling zagen we het hoofd van de Amerikaan verschijnen. Bezorgd keek de man om zich heen. Geschrokken en met een van woede vertrokken gezicht keek hij ons aan. Die blik veranderde in een bedremmelde grijns toen hij zag dat er twee pistolen op hem waren gericht.

"Wel, wel," zei hij koeltjes, terwijl hij zich weer ophees. "Ik vermoed zo dat u me te slim bent afgeweest, meneer Holmes. Ik veronderstel dat u mijn spel heeft doorzien en me van het allereerste moment af aan in deze val heeft laten lopen. Ik moet toegeven, meneer, dat u me heeft verslagen en…"

Toen had hij opeens een revolver uit zijn borstzak getrokken en vuurde tweemaal. Ik had het gevoel dat er een gloeiend heet strijkijzer tegen mijn dijbeen was aangedrukt. Met een klap kwam het pistool van Holmes neer op het hoofd van de man. Ik zag hem languit op de grond liggen. Het bloed stroomde over zijn gezicht, terwijl Holmes snel keek of hij nog meer wapens bij zich had. Toen sloeg Holmes zijn gespierde armen om me heen en nam me mee naar een stoel.

"Je bent toch niet gewond, Watson? Zeg me in 's hemelsnaam dat je niet geraakt bent!"

Het was een wond waard – het was vele wonden waard – om te weten hoeveel diepe gevoelens van trouw en liefde achter dat koude masker verborgen zaten. De heldere, harde ogen leken even

223

overschaduwd en de krachtige mond trilde. Dat was de enige keer dat ik niet alleen een grote geest, maar ook een groot hart mocht waarnemen. Heel even, maar onmiskenbaar. Al die jaren had ik hem op mijn nederige, maar vasthoudende wijze terzijde gestaan en die vonden nu hun bekroning in dit onthullende moment.

"Het heeft niets te betekenen, Holmes. Alleen een schampschot."

Hij had mijn pantalon al met zijn zakmes opengesneden. "Je hebt gelijk," riep hij met een zeer grote zucht van opluchting. "Een heel oppervlakkige verwonding."

Zijn gezicht was strak en ijskoud toen hij naar onze gevangene keek, die met een verdwaasd gezicht overeind zat.

"Man, je mag van geluk spreken. Wanneer je Watson had gedood, zou je deze kamer niet levend hebben verlaten. En wat, mijnheer, kunt u tot uw eigen verdediging aanvoeren?"

Hij had niets aan te voeren. Hij zat daar alleen maar somber te kijken. Ik leunde op Holmes' arm en samen keken we de kleine kelder in die onder het stuk kleed verborgen had gezeten. Hij werd nog steeds verlicht door de kaars die Evans mee naar beneden had genomen. We zagen een heleboel roestige machines, grote rollen papier, een heleboel flessen en, netjes naast elkaar op een klein tafeltje, keurig nette stapeltjes.

"Een drukpers – de benodigdheden van een vervalser," zei Holmes.

"Ja, meneer," zei onze gevangene, die moeizaam overeind kwam en zich toen in de stoel liet zakken. "Dat is het apparaat van Prescott en die stapeltjes op het tafeltje zijn tweeduizend biljetten die hij heeft vervaardigd, ieder met een waarde van honderd. Je kunt ze overal als betaalmiddel gebruiken, zo goed zijn ze. Pakt u wat u nodig heeft, heren. En laat mij dan als een haas ervandoor gaan."

Holmes lachte. "Iets dergelijks zullen wij niet doen, meneer Evans. In dit land zult u zich niet uit de voeten kunnen maken. U heeft die Prescott neergeschoten, nietwaar?"

"Ja, meneer, en daar heb ik vijf jaar voor gezeten, hoewel hij degene was die als eerste zijn pistool te voorschijn haalde. Vijf jaren – en dat terwijl men mij een medaille met de afmetingen van een soepbord had moeten geven. Geen enkel levend wezen kon het verschil ontdekken tussen de biljetten van Prescott en die van de Bank of England en wanneer ik hem niet buiten bedrijf had gesteld, zou het land met zijn biljetten zijn overspoeld. Ik was de enige ter wereld die wist waar hij die dingen maakte. Verbaast het u dan nog dat ik hierheen wilde? En verbaast het u dat ik mijn uiterste best moest doen om die krankzinnige domkop van een insectenverzamelaar met die gekke naam, die er bovenop zat, het huis uit te krijgen? Misschien was het verstandiger geweest wanneer ik hem koud had gemaakt. Dat zou me geen enkele moeite hebben gekost, maar ik ben een man met een week hart en kan niet schieten wanneer de man tegenover me niet eveneens een wapen in zijn hand heeft. Maar meneer Holmes, nu moet u me eens vertellen wat voor kwaad ik heb gedaan. Ik heb geen gebruik gemaakt van de apparatuur daar beneden. Ik heb dat fossiel niet verwond. Hoe denkt u me dan de gevangenis in te laten draaien?"

"Voor een poging tot moord, voor zover ik op dit moment kan nagaan," zei Holmes. "Maar dat is onze taak niet. Dat is de volgende stap, die door anderen zal worden gezet. Op dit moment wilden wij alleen maar uzelf te grazen krijgen, mijn beste man. Wil jij de Yard alsjeblieft even bellen, Watson? Dat telefoontje zal niet geheel onverwacht komen."

Dat waren de feiten rond Killer Evans en diens opmerkelijke uitvinding van de drie Garridebs. Later hebben we gehoord dat onze arme oude vriend de schok zijn dromen niet gerealiseerd te zien, nooit te boven is gekomen. Toen zijn luchtkasteel in gruzelementen viel, is hij daarbij onder het puin begraven. Het laatste dat we over hem hebben gehoord, was dat hij in een verzorgingstehuis in Brixton zat.

Op de Yard werd feest gevierd toen Prescotts apparatuur was ontdekt, want hoewel ze van het bestaan ervan op de hoogte waren, hadden ze die na zijn dood niet kunnen vinden. Evans had ons wat dat betreft inderdaad een grote dienst bewezen en heel wat mensen van de C. I. D. sliepen daarna een stuk beter, want een vervalser van bankbiljetten geldt als een maatschappelijk gevaar. Ze zouden graag hun handtekening hebben gezet onder een verzoek om dat stuk geboefte de medaille met de afmetingen van een soepbord te geven waarover hij met ons had gesproken, maar een ongevoeliger rechtbank bleek daar minder positief over te denken. De Killer keerde terug naar die schaduwrijke omgeving waaruit hij kort daarvoor te voorschijn was gekomen.

Het avontuur van de beroemde cliënt

"Het kan nu geen kwaad meer," luidde het commentaar van de heer Sherlock Holmes toen ik hem voor de tiende maal in evenzoveel jaren toestemming vroeg om het hierna volgende verhaal openbaar te maken. En zo kreeg ik ten slotte permissie om datgene op te schrijven wat, in bepaalde opzichten, het moment suprême is geweest in de carrière van mijn vriend.

Zowel Holmes als ik gingen graag naar het Turkse bad. Wanneer we samen zaten te roken in de volkomen rustige atmosfeer van de ruimte waarin je je kon laten opdrogen, vond ik hem altijd minder terughoudend en menselijker dan waar verder dan ook. Op de bovenste verdieping van het etablissement aan Northumberland Avenue bevindt zich een afgezonderd hoekje waar twee sofa's naast elkaar staan en daarop vlijen we ons neer op 3 september 1902, de dag waarop mijn verhaal begint. Ik had hem gevraagd of er iets gaande was en als antwoord had hij zijn lange, dunne, zenuwachtige arm uit een van de lakens waarin hij gehuld was, gestoken en een enveloppe te voorschijn gehaald uit de binnenzak van de jas die naast hem hing. "Misschien is het een of andere bedillerige, verwaande dwaas, maar het kan ook een kwestie van leven of dood zijn," zei hij terwijl hij me het briefje overhandigde. "Ik weet niet meer dan dit schrijven me heeft verteld."

Het kwam uit de Carlton Club en was gedateerd op de avond daarvoor. Dit kreeg ik te lezen:

Sir James Damery laat de heer Sherlock Holmes groeten en zal hem morgen om 4.30 uur een bezoek brengen. Sir James wil benadrukken dat de kwestie waarover hij de heer Holmes wenst te raad-

plegen van uiterst delicate aard is en tevens erg belangrijk. Hij
vertrouwt er daarom op dat de heer Holmes alles in het werk zal
stellen om hem dit gesprek toe te staan en dat die de afspraak via
een telefoontje naar de Carlton Club zal bevestigen.

"Ik hoef niet te zeggen dat ik inderdaad voor die bevestiging
gezorgd heb, Watson," zei Holmes toen ik hem het velletje papier
teruggaf. "Weet jij iets af van die meneer Damery?"

"Alleen dat zijn naam in de hogere kringen algemeen bekend
is."

"Tja, ik kan je nog wel iets meer dan dat vertellen. Hij heeft een
niet onaanzienlijke reputatie opgebouwd als iemand die delicate
kwesties kan regelen die uit de kranten gehouden moeten worden. Misschien herinner je je nog wel zijn onderhandelingen met
Sir George Lewis over die kwestie rond het Hammerfordtesta-
ment. Hij is een man van de wereld met een natuurlijke aanleg
voor de diplomatie. Daarom kan ik niets anders doen dan hopen
dat dit geen vals spoor is en dat hij onze hulp op de een of andere
manier werkelijk nodig heeft."

"Onze hulp?"

"Ja, Watson, wanneer je zo vriendelijk zou willen zijn."

"Het zal me een eer zijn."

"Dan weet je nu het tijdstip: 4.30 uur. Tot die tijd kunnen we
deze kwestie uit ons hoofd zetten." Ik woonde in die tijd in mijn
eigen kamers in Queen Anne Street, maar voor het genoemde
tijdstip zat ik al in Baker Street. Precies om halfvijf werd kolonel
Sir James Damery aangekondigd. Het is nauwelijks nodig om hem
te beschrijven, want velen zullen zich die grote, rondborstige, eerlijke persoonlijkheid herinneren, dat brede, gladgeschoren gezicht
en bovenal die aangename, joviale stem. Zijn grijze Ierse ogen
straalden oprechtheid uit en om zijn beweeglijke, glimlachende
mond speelde een ironisch trekje. Zijn glanzende hoge hoed, zijn
donkere geklede jas, ja, ieder detail vanaf de paarlen dasspeld in
zijn zwartsatijnen das tot de lavendelkleurige slobkousen over
glanzend gepoetste schoenen, getuigde van de angstvallige nauw-
gezetheid waarmee hij zich kleedde en waarom hij beroemd was.
De grote, heerszuchtige aristocraat domineerde de kleine kamer.

"Natuurlijk was ik erop voorbereid hier dokter Watson aan te
treffen," merkte hij met een hoffelijke buiging op. "Zijn assistentie

zou wel eens heel noodzakelijk kunnen zijn, want bij deze gelegenheid, meneer Holmes, hebben we te maken met een man die gewelddadig is en letterlijk nergens voor terugschrikt. Ik kan rustig zeggen dat er in Europa geen gevaarlijker man te vinden is."

"Ik heb verschillende tegenstanders gehad aan wie die vleiende term is gegeven," zei Holmes met een glimlach. "U rookt niet? Wilt u het me dan toestaan dat ik mijn pijp opsteek? Wanneer uw man gevaarlijker is dan wijlen professor Moriarty of kolonel Sebastian Moran, is het inderdaad de moeite waard hem te ontmoeten. Mag ik u naar zijn naam vragen?"

"Heeft u ooit wel eens van baron Gruner gehoord?"

"U bedoelt de Oostenrijkse moordenaar?"

Kolonel Damery stak met een lach zijn in glacéhandschoenen gestoken handen de lucht in. "Niemand kan u te slim af zijn, meneer Holmes! Geweldig! Dus u heeft hem al als een moordenaar geclassificeerd?"

"Het hoort bij mijn beroep om de details te volgen van misdaden die op het vasteland van Europa worden begaan. Wie zou mogelijkerwijze hebben kunnen lezen over datgene wat er in Praag is gebeurd zonder er ook maar een seconde aan te twijfelen dat die man schuldig is! Hij werd uitsluitend gered door een zuiver technisch juridisch punt en de verdachte dood van een getuige! Ik ben er even zeker van dat hij zijn vrouw tijdens dat zogenaamde 'ongeval' in de Splügen Pas doodde als wanneer ik hem dat met mijn eigen ogen had zien doen. Ik wist ook dat hij naar Engeland gekomen was en had er een voorgevoel van dat hij me vroeg of laat iets te doen zou geven. En wat heeft baron Gruner uitgespookt? Ik ga ervan uit dat die oude tragedie niet opnieuw is opgerakeld?"

"Nee, het is iets ernstigers dan dat. Het is belangrijk om misdaden te wreken, maar nog belangrijker om die te voorkomen. Het is iets verschrikkelijks, meneer Holmes, om met eigen ogen te zien dat er een vreselijke gebeurtenis, een gruwelijke situatie wordt voorbereid; duidelijk te begrijpen waartoe die zal leiden, en toch niet in staat te zijn zoiets af te wenden. Kan een mens in een benardere situatie worden geplaatst?"

"Misschien niet."

"Dan zult u begrip hebben voor de cliënt namens wie ik op dit moment handel."

"Ik had niet begrepen dat u slechts een tussenpersoon was. Wie is de hoofdrolspeler?"

"Meneer Holmes, ik moet u verzoeken niet op een antwoord op die vraag aan te dringen. Het is belangrijk dat ik ertoe in staat gesteld word hem ervan te verzekeren dat zijn geëerde naam op geen enkele wijze bij deze zaak wordt betrokken. Zijn motieven zijn alle uiterst rechtschapen en ridderlijk, maar hij geeft er de voorkeur aan onbekend te blijven. Ik hoef niet te zeggen dat u er zeker van kunt zijn dat u voor uw diensten wordt beloond en dat u volkomen de vrije hand gelaten zal worden. De werkelijke naam van uw cliënt doet er dan toch niet toe?"

"Het spijt me," zei Holmes, "maar ik ben gewend dat de gevallen die ik behandel slechts één mysterieuze kant hebben en dus wekt het verwarring wanneer er opeens twee zijn. Ik ben bang, Sir James, dat ik u niet van dienst kan zijn."

Onze bezoeker was bijzonder van streek. Zijn grote, gevoelige gezicht werd verduisterd door teleurstelling.

"U realiseert zich nauwelijks het effect dat uw eigen handelwijze heeft, meneer Holmes," zei hij. "U plaatst me voor een heel ernstig dilemma, want ik ben er zeker van dat u er heel trots op zou zijn deze zaak op u te nemen wanneer ik u de feiten kon meedelen en toch verbiedt een door mij gedane belofte het me om die alle aan u te openbaren. Wilt u het me in ieder geval toestaan u deelgenoot te maken van alles wat ik u kan vertellen?"

"Natuurlijk, zolang het maar duidelijk is dat ik me in het geheel niet wens vast te leggen."

"Dat heb ik begrepen. In de eerste plaats dit: u heeft ongetwijfeld wel eens gehoord van generaal De Merville."

"De Merville van de beroemde Khyber Pas? Ja, ik heb van hem gehoord."

"Hij heeft een dochter, Violet de Merville, jong, rijk, mooi, beschaafd, in alle opzichten een verbazingwekkende vrouw. En deze dochter, dit lieflijke, onschuldige meisje, proberen we te redden uit de greep van een duivel."

"Wilt u zeggen dat baron Gruner haar op de een of andere manier in zijn macht heeft?"

"Inderdaad, en wel op de sterkste wijze waarop je een vrouw in je macht kunt hebben – door de band van de liefde. U heeft wellicht wel gehoord dat de man uitzonderlijk knap om te zien is, uiterst fascinerende manieren heeft, evenals een zachte stem en dat mysterieuze en romantische waasje dat voor een vrouw zoveel betekent. Men zegt dat de hele vrouwelijke sekse onmiddellijk voor hem door de knieën gaat en dat hij daar veelvuldig gebruik van heeft gemaakt."

"Maar hoe heeft zo'n man een dame van stand als mejuffrouw Violet de Merville kunnen ontmoeten?"

"Op een tocht die per jacht door de Middellandse Zee werd gemaakt. Het gezelschap was geselecteerd en betaalde de eigen reis. Diegenen die het georganiseerd hadden, zullen zich ongetwijfeld nauwelijks van de ware aard van de baron bewust zijn geweest – tot het te laat was. De boef sloot zich bij de dame aan en wel met het gevolg dat hij haar hart geheel en al heeft veroverd. Wanneer ik zeg dat ze van hem houdt, zijn dat nauwelijks de juiste woorden. Hij is haar grote passie; ze is geobsedeerd door hem. Buiten hem bestaat er voor haar niets op deze aarde. Ze wil geen ongunstig woord over hem horen. Alles is gedaan om haar van haar krankzinnigheid te genezen, maar tevergeefs. Kort samengevat: ze is van plan de volgende maand met hem te trouwen. Omdat ze volwassen is en een ijzeren wil heeft, valt er verschrikkelijk moeilijk iets te bedenken om haar daarvan te weerhouden."

"Weet ze iets af van die episode in Oostenrijk?"

"De slimme duivel heeft haar ieder onsmakelijk detail uit zijn verleden dat in de openbaarheid gekomen is, verteld, maar altijd op zo'n manier dat hij er als een onschuldige martelaar uit te voorschijn komt. Ze accepteert zijn versie volkomen en weigert naar een andere te luisteren."

"Mijn hemel! Maar nu heeft u beslist toch onopzettelijk de naam van uw cliënt laten vallen? Dat is ongetwijfeld generaal De Merville."

Onze bezoeker zat een beetje op zijn stoel te wiebelen.

"Ik zou u kunnen misleiden door te zeggen dat dat zo is, meneer Holmes, maar het is niet waar. De Merville is een gebroken man. De sterke soldaat is volslagen gedemoraliseerd door dit voorval. Hij heeft de moed die hem op het slagveld nimmer in de steek liet, verloren en is een zwakke, bevende oude man geworden, die totaal niet in staat is om de strijd aan te binden met een briljante, krachtige boef als deze Oostenrijker. Mijn cliënt is echter een oude vriend, iemand die de generaal al vele jaren zeer intiem kent en een vaderlijke belangstelling voor dit meisje aan den dag is gaan leggen vanaf het moment dat ze nog korte rokken droeg. Hij kan deze tragedie zich niet zien voltrekken zonder een poging te ondernemen om dat tegen te houden. Scotland Yard heeft geen enkel houvast waardoor tot handelen kan worden overgegaan. Hij heeft zelf voorgesteld u erbij te halen, maar dat geschiedde, zoals ik al heb gezegd, onder de strikte voorwaarde dat hij niet persoonlijk bij deze zaak betrokken zou raken. Ik twijfel er niet aan, meneer Holmes, dat u zo scherpzinnig bent dat u de naam van mijn cliënt mij gemakkelijk zou kunnen ontfutselen maar ik moet u, als een erekwestie, verzoeken dat niet te doen en zijn incognito niet te verbreken."

Holmes glimlachte een beetje eigenaardig.

"Ik denk dat ik dat rustig kan beloven," zei hij. "En daaraan kan ik toevoegen dat uw probleem me interesseert en dat ik bereid ben er nader op in te gaan. Hoe kan ik contact met u houden?"

"De Carlton Club weet me altijd te vinden. Maar in geval van nood heb ik een privételefoonummer."

Holmes schreef dat op en zat, nog steeds glimlachend, met het geopende notitieboekje op zijn knieën.

"Het huidige adres van de baron, alstublieft?"

"Vernon Lodge, in de buurt van Kingston. Het is een groot huis. Hij heeft geluk gehad bij een aantal nogal duistere speculaties en is een rijk man, wat hem natuurlijk een nog gevaarlijker tegenstander maakt."

"Is hij nu thuis?"

"Ja."

"Kunt u me, afgezien van wat u me al verteld heeft, verder nog iets zeggen over de man?"

"Hij heeft een dure smaak. Hij is gek op paarden. Hij heeft enige tijd polo gespeeld in Hurlingham, maar toen werd er ruchtbaarheid gegeven aan die affaire in Praag en moest hij vertrekken. Hij verzamelt boeken en schilderijen. Hij is een man die artistiek beslist niet onbegaafd is. Hij is, geloof ik, een erkende autoriteit op het gebied van Chinees aardewerk en heeft over dat onderwerp ook een boek geschreven."

"Een complexe geest," zei Holmes. "Dat hebben alle misdadigers. Mijn oude vriend Charlie Peace was een virtuoos violist.

Wainwright was geen slechte kunstenaar. Ik zou nog veel meer voorbeelden kunnen noemen. En nu, Sir James, kunt u uw cliënt meedelen dat ik mijn aandacht aan baron Gruner zal schenken. Meer kan ik niet zeggen. Ik beschik over enkele eigen informatie-bronnen en ik denk zo dat we wel middelen zullen vinden om deze zaak open te breken."

TOEN ONZE BEZOEKER ons verlaten had, zat Holmes zo lang diep in gedachten verzonken dat ik de indruk kreeg dat hij mijn aan-wezigheid was vergeten. Maar uiteindelijk kwam hij opgemon-terd weer op deze aarde terug.

"En, Watson, nog bijzondere gedachten hierover?" vroeg hij.

"Ik denk zo dat je de jongedame zelf eens een bezoek zou moe-ten brengen."

"Mijn beste Watson, wanneer haar arme, gebroken vader haar niet tot andere gedachten kan brengen, hoe zou ik, een vreemde, dat dan wel kunnen? En toch zit er wel iets in die gedachte, wan-neer al het overige zou blijken te falen. Maar ik denk dat we vanuit een andere hoek moeten beginnen. Ik heb er zo'n idee van dat Shinwell Johnson ons zou kunnen helpen."

Ik heb in deze memoires nog niet de gelegenheid gehad om Shinwell Johnson te noemen, omdat ik maar zelden zaken bespreek die mijn vriend in de laatste fasen van zijn carrière heeft behandeld. Gedurende de eerste jaren van deze eeuw werd hij een waardevolle assistent. Het doet me verdriet te zeggen dat Johnson in eerste instantie naam maakte als een heel gevaarlijke boef en twee keer in Parkhurst gevangen gezeten heeft. Uiteindelijk kreeg hij berouw en sloot zich aan bij Holmes, waarbij hij optrad als diens agent binnen de grote misdadige onderwereld van Londen en zo informatie verkreeg die vaak van vitaal belang bleek te zijn. Wanneer Johnson een 'verklikker' van de politie was geweest, zou hij spoedig als zodanig aan de kaak gesteld zijn, maar omdat hij zich bezighield met zaken die nooit rechtstreeks in de rechtszaal belandden, waren zijn makkers zich zijn activiteiten nimmer bewust. Geholpen door de stralenkrans van zijn twee veroordelin-gen kon hij iedere nachtclub, derderangs logement en alle gok-holen vrijelijk betreden en zijn snelle observatievermogen en actieve geest maakten hem tot de ideale agent voor het verkrijgen van inlichtingen. En nu was Sherlock Holmes dus van plan zich tot hem te wenden. Het was mij niet mogelijk de stappen te volgen die mijn vriend toen onmiddellijk ondernam, want ik moest enige zaken die mijn eigen beroep betroffen dringend afhandelen. Maar volgens afspraak ontmoette ik hem die avond bij Simpson, waar hij, gezeten aan een klein tafeltje voor het raam en uitkijkend over het drukke verkeer op de Strand, me iets vertelde over wat er was gebeurd.

"Johnson is de baan op," zei hij. "Misschien dat hij wat rotzooi vindt in de donkerder hoeken van de onderwereld, want daar te midden van de zwarte wortels van de misdaad, moeten we op zoek gaan naar de geheimen van deze man."

"Maar wanneer de dame niet bereid is te aanvaarden wat al bekend is, hoe zou een door jou gedane nieuwe ontdekking haar dan van haar voornemen kunnen afbrengen?"

"Wie weet, Watson? Het hart en de geest van een vrouw zijn voor een man onoplosbare raadsels. Moord kan nog door de vingers worden gezien of verklaard, maar toch kan een of ander kleiner vergrijp gaan knagen. Baron Gruner heeft tegen me gezegd…"

"Heeft tegen je gezegd?!"

"O ja, ik had je niet van mijn plannen op de hoogte gebracht, Watson, maar ik vind het altijd prettig om een tegenstander te bekijken. Ik sta graag oog in oog met zo iemand om zelf eens te zien uit welk hout hij gesneden is. Toen ik Johnson had gezegd wat hij moest doen, heb ik me naar Kingston laten rijden en de baron daar in een zeer vriendelijke stemming aangetroffen."

"Heeft hij je herkend?"

"Dat was niet zo moeilijk, want ik heb hem mijn visitekaartje laten overhandigen. Hij is een uitstekende tegenstander, koud als ijs, zoetgevooisd en vleierig als een van jouw modebewuste patiënten en even giftig als een brilslang. Het is een beschaafde man – een werkelijke aristocraat in de misdaad, die je oppervlakkig gezien doet denken aan het nuttigen van een kopje thee in de middag, maar met alle wreedheid van het graf daarachter. Ja, ik ben blij dat mijn aandacht is gevestigd op baron Adelbert Gruner."

"Je zei dat hij vriendelijk was?"

"Een snorrende kat die denkt dat hij een lekker muizenhapje in het vizier gekregen heeft. De vriendelijkheid van sommige mensen is dodelijker dan het geweld van ruwere zielen. Zijn begroe-

ting was typerend: 'Ik had er al zo'n idee van dat ik u vroeg of laat
een keer zou ontmoeten, meneer Holmes,' zei hij. 'U bent zonder
enige twijfel in de arm genomen door generaal De Merville, om
te proberen mijn huwelijk met zijn dochter Violet tegen te houden. Dat klopt toch, nietwaar?' Dat bevestigde ik. 'Mijn beste man,'
zei hij, 'daarmee zult u alleen maar uw welverdiende reputatie ruïneren. Dit is geen zaak waarmee u mogelijkerwijze succes kunt
boeken. Uw werk zal vruchteloos blijken, om nog maar te zwijgen over het feit dat het niet geheel van gevaar ontbloot kan zijn.
Mag ik u ten stelligste adviseren om u meteen terug te trekken?'
'Merkwaardig,' antwoordde ik, 'maar dat was nu precies het advies
dat ik u wilde geven. Ik respecteer uw hersenen, baron, en het
weinige dat ik van uw persoonlijkheid heb gezien, heeft dat
respect niet minder gemaakt. Laat ik met u spreken van man tot
man. Niemand wil uw verleden oprakelen en het u onnodig lastig
maken. Alles is voorbij en het gaat u thans voor de wind, maar
wanneer u vasthoudt aan dit huwelijk, zult u een hele zwerm
machtige vijanden in het geweer doen komen, die u pas met rust
zullen laten wanneer de grond hier in Engeland u te heet onder de
voeten is geworden. Is het spel u dat waard? U zou er toch zeker
verstandiger aan doen om de dame met rust te laten? Het zou niet
plezierig voor u zijn wanneer de feiten uit uw verleden onder haar
aandacht werden gebracht.' De baron heeft kleine, ingevette toef-
jes haar onder zijn neus, als de korte voelsprieten van een insect.
Die trilden geamuseerd terwijl hij luisterde en toen begon hij uiteindelijk zachtjes te grinniken. 'Vergeef me het feit dat ik hier
plezier in heb, meneer Holmes,' zei hij, 'maar het is werkelijk grap-
pig om te zien hoe u probeert te pokeren zonder een goede kaart
in uw hand te hebben. Ik geloof niet dat zoiets iemand beter af
zou gaan dan u, maar desondanks is het allemaal nogal pathetisch.
U heeft geen enkele goede kaart in uw hand, meneer Holmes,
alleen maar de allerslechtste.' 'Dat denkt u.' 'Dat weet ik. Laat me u
de zaak maar eens duidelijk maken, want ik heb zelf zulke sterke
troeven in handen dat ik het me kan veroorloven mijn kaarten te
laten zien. Ik heb het geluk gehad de liefde van deze dame volledig
voor me te winnen. Zij gaf me die ondanks het feit dat ik haar
zonder er doekjes om te winden, deelgenoot heb gemaakt van alle
ongelukkige voorvallen uit mijn verleden. Ik heb haar ook gezegd
dat bepaalde gemene en listige personen – ik hoop dat u zichzelf

herkent – naar haar toe zouden komen om haar die dingen te vertellen en ik heb haar toen verteld hoe ze hen moest behandelen. Heeft u wel eens iets gehoord over posthypnotische suggestie, meneer Holmes? U zult in ieder geval zien hoe zoiets werkt, want een man met persoonlijkheid kan van het hypnotiseren gebruik maken zonder enige vulgaire bewegingen of rare streken. Dus kan ze u ontvangen en ik twijfel er niet aan dat ze dat ook zal doen, want ze schikt zich graag naar de wensen van haar vader – behalve dan ten aanzien van deze kleine kwestie. Tja, Watson, toen viel er niets meer te zeggen, dus nam ik afscheid van hem met alle koele waardigheid die ik kon opbrengen, maar toen ik mijn hand op de deurkruk had gelegd, hield hij me tegen. 'Tussen twee haakjes, meneer Holmes,' zei hij. 'Heeft u Le Brun, de Franse agent, gekend?' 'Ja,' zei ik. 'Weet u wat er met hem gebeurd is?' 'Ik heb gehoord dat hij in de wijk Montmartre door een aantal apachen in elkaar is geslagen en daardoor blijvend invalide werd.' 'Dat klopt, meneer Holmes. Door een toevallige samenloop van omstandigheden had hij slechts een week daarvoor zijn neus in mijn zaken gestoken. Doet u dat niet, meneer Holmes. Zoiets brengt u geen geluk. Verscheidene mensen hebben dat al ontdekt. Gaat u uw weg en laat mij de mijne gaan, zou ik u tot slot willen zeggen. Vaarwel!' Zo, Watson, dat is alles. Nu ben je op de hoogte."

"Die man lijkt me gevaarlijk."

"Heel erg gevaarlijk. Ik negeer zijn opschepperij, maar dit is het type man dat minder zegt dan hij bedoelt."

"Moet je tussenbeide komen? Doet het er werkelijk wat toe of hij met dat meisje trouwt?"

"Gezien het feit dat hij ongetwijfeld zijn vorige vrouw heeft vermoord, zou ik zeggen dat het er heel veel toe doet. Bovendien hebben we ook nog te maken met de cliënt! Maar daar hoeven we het nu niet over te hebben. Wanneer jij je koffie op hebt, kun je het beste maar met me mee naar huis gaan, want daar zit onze vrolijke Shinwell met zijn verslag te wachten."

En bij onze thuiskomst troffen we inderdaad een grote, grof gebouwde, aan scheurbuik lijdende man met een rood gezicht en een paar levendige zwarte ogen die als enige wezen op zijn zeer slimme geest. Hij bleek zijn eigen merkwaardige koninkrijk ingedoken te zijn en naast hem op de sofa zat datgene wat hij had opgedoken, in de vorm van een slanke jonge vrouw met een bleek, emotievol gezicht, jeugdig, maar toch ook zo getekend door zonde en verdriet dat je er de afschuwelijke jaren als lepratekens op kon zien.

"Dit is juffrouw Kitty Winter," zei Shinwell Johnson en zwaaide bij wijze van introductie met een dikke hand haar kant op. "Wat ze niet weet – tja, laat ze zelf haar zegje maar doen. Heb haar binnen een uur na uw boodschap al te pakken gekregen, meneer Holmes."

"Ik ben gemakkelijk te vinden," zei de jonge vrouw. "Londen is me verdomme iedere keer weer te slim af. Datzelfde geldt voor Varkentje Shinwell. We zijn oude kameraden, hè, Varkentje, jij en ik. Maar verdomme! Er is iemand die in een diepere hel zou moeten zitten dan wij wanneer er op deze wereld nog sprake was van enige rechtvaardigheid! En dat is de man achter wie u aanzit, meneer Holmes."

Holmes glimlachte.

"Ik begrijp dat u ons daarbij het beste toewenst, juffrouw Winter?"

"Wanneer ik ertoe kan bijdragen dat die man terecht komt waar hij behoort te zitten, ben ik geheel de uwe," zei onze bezoekster heftig en fel. Op haar witte, vastberaden gezicht lag een uitdrukking van intense haat en dat gevoel sprak ook uit haar vlammende ogen – een uitdrukking die een vrouw maar zelden en een man nooit te voorschijn zal kunnen halen.

"U hoeft niet in mijn verleden te duiken, meneer Holmes. Dat doet er niet toe. Maar wat ik nu ben, heeft Adelbert Gruner van me gemaakt. Wanneer ik hem klein kan krijgen!" Haar handen klauwden als bezeten door de lucht. "O, wanneer ik hem omlaag zou kunnen trekken in die donkere kuil waarin hij zovelen heeft geduwd…"

"Weet u hoe de zaken ervoor staan?"

"Dat heeft Varkentje Shinwell me verteld. Hij zit achter de een of andere arme dwaas aan en wil ditmaal met haar trouwen. U wilt dat voorkomen. U weet toch zeker wel voldoende van deze duivel af om een fatsoenlijk meisje dat bij zinnen is ervan te overtuigen dat ze zich niet met hem moet inlaten?"

"Ze is niet bij zinnen. Ze is stapelverliefd op hem. Men heeft haar alles over hem verteld. Het kan haar niets schelen."

"Heeft men haar over de moord verteld?"

"Ja."

"Mijn God, dan heeft ze lef!"

"Ze doet alles af als lasterpraatjes."

"Kunt u dan geen bewijzen aan die dwaze ogen van haar laten zien?"

"Zou u ons daarbij kunnen helpen?"

"Ben ik zelf geen bewijs? Wanneer ik voor haar zou staan en haar zou vertellen hoe hij me heeft gestrikt…"

"Zou u dat willen doen?"

"Willen doen? Natuurlijk!"

"Het zou de moeite van het proberen waard kunnen zijn. Maar hij heeft haar het merendeel van zijn zonden opgebiecht en zij heeft hem die vergeven. En ik heb begrepen dat ze de kwestie niet opnieuw besproken wil zien."

"Ik denk zo dat hij haar niet alles heeft verteld," zei juffrouw Winter. "Ik heb iets opgevangen van een of twee moorden naast de moord waarover zoveel ophef is gemaakt. Met die fluweel-zachte stem van hem sprak hij dan over iemand, om me vervolgens strak aan te kijken en te zeggen: 'Die is binnen nog geen maand overleden.' En dat waren geen loze kreten. Maar ik lette er nauwe-lijks op… weet u, in die tijd hield ik zelfs van hem. Ik accepteerde wat hij gedaan mocht hebben, net zoals dit arme meisje dat nu doet. Er was maar één ding waardoor ik van mijn stuk werd gebracht. Ja, nou en of. En wanneer hij toen niet zo'n giftige, liegende tong had gehad die alles verklaart en je weer op je gemak stelt, zou ik hem diezelfde avond nog hebben verlaten. Het is een boek dat hij heeft… een bruinleren boek met een slot, waar op de buitenkant zijn familiewapen in goudkleur is aangebracht. Ik denk dat hij die avond een beetje dronken was, anders had hij het niet aan me laten zien."

"Wat stond er dan in?"

"Dat zal ik u vertellen, meneer Holmes. Deze man verzamelt vrouwen en is trots op zijn verzameling, zoals sommige mannen vlinders of nachtvlinders verzamelen. En dat zat allemaal in dat boek. Foto's, namen, details, alles over hen. Het was een beest-achtig boek… een boek dat geen man, zelfs niet wanneer hij uit de goot afkomstig zou zijn, had kunnen samenstellen. Maar toch was dat boek van Adelbert Gruner. 'Zielen die ik geruïneerd heb,' had hij op de buitenkant kunnen zetten wanneer hij daar zin in had gehad. Maar dat doet er eigenlijk niet toe, want u zou niets aan dat boek hebben en wanneer u er wel wat aan zou hebben, zou u het toch niet te pakken kunnen krijgen."

"Waar is het dan?"

"Hoe zou ik u kunnen vertellen waar het nu is? Ik heb hem nu al meer dan een jaar geleden verlaten. Ik weet waar hij het toen bewaarde. Hij is een precies, net mannetje op zijn manier, dus misschien zit het nog steeds in het geheime vak van het oude bureau in de tweede studeerkamer. Kent u zijn huis?"

"Ik ben in een studeerkamer geweest," zei Holmes.

"O, ja? Dan bent u vlug aan de slag gegaan wanneer u pas vanmorgen met deze zaak bent begonnen. Misschien dat die lieve Adelbert ditmaal zijns gelijke heeft ontmoet. De buitenste studeerkamer is die waar al dat Chinese porselein in staat – in een grote glazen kast tussen de ramen. Achter zijn bureau is een deur die naar de binnenste studeerkamer leidt – een kleine kamer waarin hij papieren en andere dingen bewaart."

"Is hij niet bang voor inbrekers?"

"Adelbert is geen lafaard. Dat zou zijn ergste vijand nog niet van hem kunnen beweren. Hij kan op zichzelf passen. 's Nachts wordt er een alarm ingeschakeld. Bovendien: wat valt er daar voor een inbreker te halen, anders dan al dat opvallende porselein?"

"Zinloos," zei Shinwell Johnson met de besliste stem van de expert. "Geen enkele heler wil spul hebben dat je niet kan smelten of verkopen."

"Inderdaad," zei Holmes. "Juffrouw Winter, ik zou het op prijs stellen wanneer u hier morgen in de namiddag om vijf uur weer langs zou willen komen. Dan zal ik in die tussentijd eens bekijken of uw idee om die dame persoonlijk te ontmoeten niet uitgevoerd kan worden. Ik ben u zeer verplicht vanwege het feit dat u bereid bent tot medewerking. Ik hoef niet te zeggen dat ik mijn cliënt in overweging zal geven u ruimschoots…"

"Dat hoeft beslist niet, meneer Holmes," riep de jonge vrouw. "Ik wil geen geld hebben. Wanneer ik die man in de modder kan zien zakken, heb ik alles waarvoor ik heb gewerkt… Wanneer hij in de modder ligt en ik mijn voet op zijn vervloekte gezicht kan drukken. Dat is mijn prijs. Ik kom morgen en iedere dag daarna naar u toe zolang u hem op het spoor blijft. Varkentje kan u altijd wel vertellen waar u me kunt vinden."

Ik zag Holmes pas weer de volgende avond, toen we opnieuw in het restaurant aan de Strand gingen dineren. Toen ik hem vroeg hoe het gesprek was verlopen, haalde hij zijn schouders op. Daarna vertelde hij het verhaal, dat ik hieronder zal herhalen. Zijn harde, droge opmerkingen behoeven enige bewerking om ze in termen van het werkelijke leven begrijpelijk te maken.

"Het kostte me geen enkele moeite om die afspraak te maken," zei Holmes, "want het meisje gaat er prat op dat ze ten aanzien van alle onbelangrijke dingen als dochter een kruiperige gehoorzaamheid aan den dag legt, in een poging om boete te doen voor de flagrante inbreuk daarop door haar verloving. De generaal belde me op dat alles voor een gesprek in gereedheid was gebracht en de felle juffrouw W. verscheen precies op tijd, zodat een rijtuig ons om halfzes afzette voor de deur van Berkeley Square nummer 104, waar de oude soldaat woont – een van die afschuwelijke grijze Londense kastelen die een kerk er nog frivool zouden doen uitzien. Een livreiknecht begeleidde ons naar een grote salon met gele gordijnen en daar zat de dame op ons te wachten, ernstig, bleek, gesloten, even onbuigzaam en afstandelijk als een sneeuwpop op een berg. Ik weet niet goed hoe ik je een duidelijk beeld van haar moet geven, Watson. Misschien dat je haar nog een keer ziet voor deze zaak is afgehandeld en dan zou je gebruik kunnen maken van je eigen gave om dingen onder woorden te brengen. Ze is mooi, maar wel met de etherische, onwereldlijke schoonheid van een of ander fanatiek persoon wier gedachten ergens in de hemel huizen. Ik heb zulke gezichten gezien op de schilderijen van de oude meesters uit de Middeleeuwen. Hoe een beest van een man zijn smerige klauwen heeft weten te leggen op zo'n wezen uit een heel andere wereld, is mij een raadsel. Het zal je wellicht wel eens opgevallen zijn dat uitersten elkaar aantrekken, het geestelijke het dierlijke, de grotbewoner de engel. Nooit heb je in ieder geval iets ergers gezien dan dit. Ze wist natuurlijk waarvoor we waren gekomen – die boef had geen seconde verloren laten gaan om haar geest tegen ons te vergiftigen. De komst van juffrouw Winter verbaasde haar nogal, denk ik, maar met een handgebaar wees ze ons ieder een stoel, als een eerbiedwaardige abdis die twee nogal leprozenachtige smekelingen ontvangt. Wanneer je ooit te veel verbeelding mocht krijgen, Watson, moet je maar eens in de leer gaan bij mejuffrouw Violet de Melville. 'Ja, meneer,' zei ze met een stem die klonk als de wind van een ijsberg, 'uw naam is me bekend. Voor zover ik het heb begrepen, bent u hier op bezoek gekomen om mijn verloofde, baron Gruner, te belasteren. Het feit dat ik u desondanks ontvang, komt alleen maar voort uit het verzoek dat mijn vader me in die richting heeft gedaan. Ik wil u er bij voorbaat al voor waarschuwen dat niets dat u mogelijkerwijze zou kunnen zeggen, enige invloed op mij zal kunnen uitoefenen.' Ik had medelijden met haar, Watson. Op dat moment beschouwde ik haar als een eigen dochter. Ik ben niet vaak welsprekend. Ik gebruik mijn hoofd en niet mijn hart. Maar ik smeekte haar toen werkelijk met alle gloedvolle woorden die ik over mijn lippen kon krijgen. Ik beschreef haar de afschuwelijke positie van een vrouw die pas achter de ware aard van een man komt wanneer ze eenmaal met hem is getrouwd – een vrouw die het goed moet vinden dat ze wordt geliefkoosd door handen waaraan bloed kleeft, en gekust door wellustige lippen. Ik spaarde haar geen enkel detail – de schande, de angst, de zielenstrijd, de hopeloosheid van dat alles. Al mijn vurige woorden konden geen spoortje kleur op die ivoren wangen brengen, noch een sprankje emotie in die afwezige ogen. Ik herinnerde me wat die boef had gezegd over een posthypnotische invloed. Je kon werkelijk geloven dat ze in een of andere vervoerende droom boven de aarde leefde. Toch viel er aan haar antwoorden niets op te merken. 'Ik heb geduldig naar u geluisterd, meneer Holmes,' zei ze. 'En het effect daarvan op mijn geest is dat wat ik u al heb voorspeld. Ik ben me ervan bewust dat Adelbert, mijn verloofde, een stormachtig leven heeft geleid waarin sommige mensen hem bitter zijn gaan haten en over hem de meest ongerechtvaardigde lasterpraatjes de ronde hebben gedaan. U bent slechts de laatste van een hele reeks mensen die met hun lasterpraatjes naar me toe gekomen zijn. Misschien bedoelt u het goed, hoewel ik gehoord heb dat u door iemand wordt betaald en u dus wel even graag voor als tegen de baron aan het werk zou zijn gegaan. In ieder geval wil ik dat u eens en voor al begrijpt dat ik van hem houd en dat hij van mij houdt en dat de mening van de hele wereld me niets meer zegt dan het getjilp van de vogels die daar voor het raam zitten. Wanneer zijn edele natuur ooit voor een heel kort moment ingestort is, ben ik wellicht gezonden om die terug te brengen op haar ware en verheven niveau. Het is me echter niet duidelijk' – haar ogen richtten

zich op mijn metgezellin – 'wie deze jonge vrouw zou kunnen zijn.' Net toen ik op het punt stond die vraag te beantwoorden, onderbrak het meisje me als een wervelwind. Wanneer er ooit vuur en ijs tegenover elkaar hebben gestaan, waren het wel die twee vrouwen. 'Ik zal u vertellen wie ik ben,' riep ze, uit haar stoel springend met een mond die door hartstocht geheel was verwrongen. 'Ik ben zijn laatste maîtresse. Ik ben een van de honderd vrouwen die hij heeft verleid en gebruikt en geruïneerd en op de vuilnisbelt gegooid, net zoals hij dat met u zal doen. Uw vuilnisbelt zal echter naar alle waarschijnlijkheid een graf zijn en misschien is dat nog wel het beste. Ik zeg u, dwaze vrouw, dat het uw dood zal betekenen wanneer u met deze man trouwt. Het kan een gebroken hart worden of een gebroken nek, maar op de een of andere manier zal hij u te pakken krijgen. Ik zeg dit niet omdat ik zo op u gesteld ben. Het kan me geen barst schelen of u blijft leven of sterft. Ik doe het omdat ik hem haat, hem uit wrok wil dwarsbomen, om hem datgene betaald te zetten wat hij mij heeft aangedaan. Maar dat komt allemaal op hetzelfde neer en u hoeft me niet zo aan te kijken, mooie dame, want voordat u dit alles achter de rug heeft, zou u nog wel eens lager kunnen zijn gezonken dan ik.'
'Ik geef er de voorkeur aan dergelijke zaken niet te bespreken,' zei juffrouw de Melville koud. 'Laat ik u eens en voor al zeggen dat ik weet dat mijn verloofde drie keer in zijn leven in aanraking is gekomen met berekenende vrouwen en dat ik er verzekerd van ben dat hij door en door spijt heeft van enig kwaad dat hij daarbij iemand kan hebben berokkend.' 'Drie keer!' schreeuwde mijn metgezellin. 'U bent dwaas! U bent onuitsprekelijk dwaas!'
'Meneer Holmes, ik zou u willen verzoeken een einde te maken aan dit gesprek,' zei de ijskoude stem. 'Ik heb gehoorzaamd aan de wens van mijn vader door u te ontvangen, maar ik ben niet verplicht te luisteren naar de wartaal van dit persoontje.' Toen vloog juffrouw Winter met een vloek naar voren en wanneer ik haar pols niet had vastgegrepen, zou ze deze krankzinnig makende vrouw bij haar haren hebben vastgepakt. Ik sleepte haar naar de deur en had het geluk haar in het rijtuig teruggeduwd te krijgen zonder dat daar in het openbaar een hele scène ontstond, want ze was van woede buiten zinnen. Zelf werd ik eveneens door een behoorlijk kille woede beheerst, Watson, want er zat iets onbeschrijflijk ergerlijks aan die kalme ontoeschietelijkheid en opperste zelfin-

genomenheid van de vrouw die we probeerden te redden. Dus nu weet je opnieuw hoe de zaken er precies voor staan en het is duidelijk dat ik de een of andere nieuwe openingszet moet bedenken, omdat deze lokzet geen succes heeft gehad. Ik zal contact met je houden, Watson, want het is meer dan waarschijnlijk dat jij ook een rol zult moeten spelen, hoewel het ook niet geheel onmogelijk is dat de volgende zet eerder door hen dan door ons zal worden gedaan."

En dat gebeurde ook. Ze sloegen hun slag... of liever gezegd: hij deed dat, want ik heb me nooit kunnen voorstellen dat de dame ervan op de hoogte was. Ik geloof dat ik u precies die trottoirsteen zou kunnen laten zien waarop ik stond toen mijn blik op het aanplakbiljet viel en mijn ziel door een stekend gevoel van huivering werd bevangen. Die was aangebracht tussen het Grand Hotel en het station Charing Cross, waar een man met één been zijn avondkranten stond te verkopen. Het gebeurde twee dagen na dat laatste gesprek. En daar zag ik het afschuwelijke bericht, in zwarte letters op geel papier aangebracht:

MOORDAANSLAG OP SHERLOCK HOLMES

Ik denk dat ik enige ogenblikken lang als verdoofd ben blijven staan. Ik herinner me vaag dat ik daarna een krant heb weggegrist, dat de man hevig protesteerde omdat ik hem er niet voor betaalde en dat ik uiteindelijk in het portiek van een apotheek stond om de noodlottige passage op te slaan. Die had de volgende inhoud:

Tot onze spijt hebben we vernomen dat de heer Sherlock Holmes, de bekende privédetective, deze ochtend het slachtoffer is geworden van een moordaanslag, waardoor voor zijn leven moet worden gevreesd. We beschikken nog niet over de exacte details, maar de gebeurtenis schijnt zich rond twaalf uur in Regent Street te hebben voorgedaan, voor het Café Royal. Hij werd aangevallen door twee mannen die gewapend waren met stokken. De heer Holmes werd op zijn hoofd en zijn lichaam geslagen, waarbij hij verwondingen opliep die de artsen als zeer ernstig omschrijven. Hij werd naar het Charing Cross-ziekenhuis gedragen en stond er daarna op om te worden teruggebracht naar zijn

kamers in Baker Street. De onverlaten die hem hebben aangevallen, schijnen fatsoenlijk geklede mannen geweest te
zijn, die aan de omstanders ontsnapten door het Café Royal
door te lopen en dat aan de andere kant, in Glasshouse
Street, weer te verlaten. Het lijdt geen twijfel dat zij behoorden tot die misdadige broederschap die zo vaak de gelegenheid heeft gehad om de activiteiten en de vindingrijkheid
van de gewonde man te betreuren.

Ik hoef niet te zeggen dat ik het krantenbericht nog maar
vluchtig doorgelezen had toen ik al in een huurrijtuig stapte en
onderweg was naar Baker Street. Ik trof er Sir Leslie Oakshott, de
beroemde chirurg, in de hal aan en zag dat zijn coupé langs het
trottoir op hem stond te wachten. "Geen direct levensgevaar,"
meldde hij. "Twee hoofdwonden en enige niet onaanzienlijke
kneuzingen. Ik heb nogal wat moeten hechten. Ik heb hem een
morfine-injectie gegeven en rust is essentieel, maar een gesprek
van een paar minuten is niet absoluut verboden." Dus sloop ik met
zijn toestemming de verduisterde kamer binnen. De patiënt was
klaarwakker en ik hoorde hoe hij hees mijn naam fluisterde. Het
luik was voor driekwart gesloten, maar een straaltje zonlicht viel
er schuin doorheen en scheen op het verbonden hoofd van de
gewonde man. Op het witlinnen kompres was een rode vlek verschenen. Ik ging naast hem zitten en boog mijn hoofd naar hem
toe.

"Rustig maar, Watson. Je hoeft niet zo bang te kijken," mompelde hij met een heel zwakke stem. "Het is niet zo erg als het er uit-
ziet."

"Godzijdank!"

"Zoals je weet, ben ik zoiets als een expert op het gebied van
batonneerstokken. Ik was op de meeste slagen voorbereid door
het innemen van de gevechtspositie. Maar die tweede man werd
me te machtig."

"Wat kan ik doen, Holmes? Natuurlijk heeft die verdomde vent
hen daartoe aangezet! Wanneer je me daar toestemming voor
geeft, ga ik naar hem toe en geef ik hem zo'n pak rammel dat hij
voorlopig niet meer kan zitten."

"Goeie ouwe Watson! Nee, we kunnen niets doen, tenzij de
politie die mannen te pakken gekregen heeft. Maar hun ontsnap-

ping was goed voorbereid. Daar kunnen we zeker van zijn. Je moet nog een tijdje wachten. Ik heb al plannen gemaakt. In eerste instantie moeten mijn verwondingen worden overdreven. Ze zullen naar jou toe komen om nadere inlichtingen in te winnen. Leg het er maar dik bovenop, Watson. Dat ik geluk mag hebben wanneer ik het einde van deze week haal – hersenletsel – delirium – wat je maar wilt. Overdrijven is onmogelijk."

"En Sir Leslie Oakshott dan?"

"O, maak je over hem maar geen zorgen. Die zal me ook nauwelijks een kans geven. Daar zal ik zelf wel voor zorgen."

"Verder nog iets?"

"Leg mijn pijp op de tafel, evenals mijn zak tabak. Prima. En dan moet je verder iedere ochtend hierheen komen, zodat we onze campagne kunnen bespreken. Maar in eerste instantie moet je naar Shinwell Johnson gaan en hem zeggen dat hij dat meisje moet laten onderduiken. Die mooie jongens zullen nu wel achter haar aan zitten. Ze weten natuurlijk dat zij tijdens dat bezoek bij me was. Wanneer ze het waagden om mij te proberen te vermoorden, zullen ze ongetwijfeld haar niet verwaarlozen. Dat is dringend en dus moet je daar vanavond nog voor zorgen."

"Uitstekend. Dan ga ik er nu vandoor."

Die avond sprak ik met Johnson af dat hij juffrouw Winter naar een rustige voorstad zou brengen en ervoor zou zorgen dat ze zich niet liet zien tot het gevaar was geweken. Zes dagen lang had het publiek de indruk dat Holmes voor de poort van de dood stond. De bulletins waren zeer ernstig en in de kranten verschenen sinistere berichten. Mijn geregelde bezoeken verzekerden me ervan dat het allemaal niet zo erg was. Zijn goede lichamelijke conditie en sterke wil waren in staat wonderen te doen. Hij herstelde snel en af en toe had ik het vermoeden dat dat nog sneller ging dan hij het, zelfs tegenover mij, deed voorkomen. De man had een merkwaardig terughoudend trekje dat al vele dramatische effecten veroorzaakt had, en zelfs zijn meest intieme vriend liet raden naar het antwoord op de vraag wat zijn plannen nu precies inhielden. Hij had als stelling dat een man slechts veilig plannen kan beramen wanneer hij dat alleen doet, tot het uiterste toe. Ik stond dichter bij hem dan wie dan ook, en toch was ik me altijd bewust van die kloof tussen ons.

De zevende dag werden de hechtingen verwijderd, maar desondanks maakten de avondbladen melding van erysipelas. Diezelfde avondkranten bevatten een aankondiging die ik wel aan mijn vriend moest overbrengen, of hij zich nu nog ziek voelde of weer gezond was. Daar stond eenvoudigweg in dat zich onder de passagiers die aan boord zouden gaan van de *Ruritania*, een boot van de Cunard Line, een zekere baron Adelbert Gruner bevond, die enige belangrijke financiële aangelegenheden in de Verenigde Staten moest regelen voor zijn aanstaande huwelijk met mejuffrouw Violet de Merville, de enige dochter van etc. etc. etc. Holmes luisterde daarnaar met een koude, geconcentreerde uitdrukking op zijn bleke gezicht, hetgeen me duidelijk maakte dat dit een zware slag voor hem was.

"Vrijdag!" riep hij. "Nog maar drie volle dagen! Ik geloof dat de boef zich even buiten de gevarenzone wil houden. Maar dat zal hem niet lukken, Watson! Dat zal hem, voor den duivel, niet lukken! En nu, Watson, wil ik dat je iets voor me doet."

"Daarvoor ben ik hier, Holmes."

"Dan wil ik dat je je de eerste vierentwintig uur druk bezighoudt met het bestuderen van Chinees porselein."

Hij gaf me daar geen verklaring voor en ik vroeg er ook niet naar. Door lange ervaring wijs geworden, wist ik dat het verstandig was om hem te gehoorzamen. Maar toen ik zijn kamer had verlaten en Baker Street afliep, dacht ik erover na hoe ik in vredesnaam zo'n vreemd bevel zou kunnen uitvoeren. Uiteindelijk reed ik naar de Londense bibliotheek aan St. James' Square en legde deze kwestie voor aan mijn vriend Lomax, de tweede bibliothecaris, en vertrok naar mijn kamers met een dik boekdeel onder mijn arm.

Er wordt beweerd dat de jurist die zich voor een bepaalde zaak volpropt met zoveel informatie dat hij op een maandag een getuige-deskundige kan ondervragen, al die kennis de zaterdag daarop al weer vergeten is. Ik zou me op dit ogenblik niet graag voordoen als een autoriteit op het gebied van aardewerk. En toch zat ik die hele avond lang en die hele nacht lang (met een korte pauze om te rusten) en die hele volgende ochtend kennis in me op te zuigen en namen uit mijn hoofd te leren. Ik leerde de merktekens van de grote kunstenaars kennen, evenals het mysterie van de cyclische tijdsindeling, de kenmerken van de Hoen-woe-periode en de schoonheden van de Joeng-lo periode, de geschriften van T'angjing en de glorie van de primitieve periode van de Soeng- en de Juandynastieën. Toen ik Holmes die avond een bezoek bracht, beschikte ik dus over al die informatie. Hij was nu zijn bed uit, hoewel je dat aan de hand van de krantenberichten niet zou vermoeden, en hij zat met zijn dik gezwachtelde hoofd op zijn hand gerust, diep weggedoken in zijn meest geliefde leunstoel.

"Wanneer je de kranten moet geloven, Holmes, ben je stervende," zei ik.

"Dat," zei hij, "is nu precies de indruk die ik wil wekken. En, Watson, heb je je lessen goed geleerd?"

"Dat heb ik op zijn minst geprobeerd."

"Uitstekend. Dus je zou een intelligente conversatie gaande kunnen houden over dat onderwerp?"

"Dat geloof ik wel."

"Geef me dan dat kleine doosje eens dat op de schoorsteenmantel staat."

Hij deed het dekseltje open en haalde er een klein voorwerp uit dat uiterst zorgvuldig in een lapje mooie oosterse zijde was gewikkeld. Dat vouwde hij open en zo kwam er een fraai klein schoteltje in een prachtig diepblauwe kleur te voorschijn.

"Je moet er voorzichtig mee omspringen, Watson. Dit behoort tot de Mingdynastie en wordt bij het zogenaamde eierschaalporselein ingedeeld. Christie's heeft nog nooit een fraaier exemplaar geveild. Een volledig stel hiervan zou voldoende opbrengen om het losgeld voor een koning te betalen – in feite is het twijfelachtig of er buiten het keizerlijke paleis in Peking nog een volledige set van bestaat. Wanneer een werkelijke kenner dit ziet, wordt hij wild van enthousiasme."

"Wat moet ik ermee doen?"

Holmes overhandigde me een kaartje waarop gedrukt stond: Dr. Hill Barton, Half Moon Street 369.

"Zo zul je vanavond heten, Watson. Je zult een bezoek gaan brengen aan baron Gruner. Ik weet iets van zijn gewoontes af en om halfnegen heeft hij waarschijnlijk niets bijzonders meer te doen. Een briefje zal hem van tevoren van je komst verwittigen en je zult hem dan vertellen dat je een absoluut unieke set Mingporselein hebt, waarvan je hem een exemplaar wilt laten zien. Je zegt maar dat je arts bent, omdat dat een rol is die je zonder dubbelhartigheid kunt spelen. Je bent een verzamelaar, je bent op dit setje gestuit, je hebt gehoord van de belangstelling van de baron voor iets dergelijks en je bent er niet afkerig van om het voor een bepaald bedrag te verkopen."

"Welk bedrag?"

"Goede vraag, Watson. Je zou zeker afschuwelijk door de mand vallen wanneer je de waarde van je eigen spullen niet kende. Dit schoteltje heeft Sir James voor me bemachtigd en het is, naar ik begrepen heb, afkomstig uit de verzameling van zijn cliënt. Je zou niet overdrijven wanneer je zei dat er waar dan ook ter wereld nauwelijks iets mooiers te vinden is."

"Ik zou hem misschien kunnen voorstellen de set door een expert te laten taxeren."

"Uitstekend, Watson! Je bent vandaag werkelijk schitterend op dreef. Stel Christie's maar voor, of Sotheby's. Je bent veel te kies om zelf een prijs te willen noemen."

"En wanneer hij me niet wil ontvangen?"

"Oh, hij zal je beslist ontvangen. Hij is een absoluut maniakale verzamelaar en vooral ten aanzien van iets als dit, omdat hij op dat gebied een erkende autoriteit is. Ga zitten, Watson, dan zal ik je de brief dicteren. Antwoord is niet nodig. Je schrijft alleen dat je komt en waarom."

Het was een bewonderenswaardig document, kort, hoffelijk en de nieuwsgierigheid van de kenner opwekkend. Een boodschappenjongen werd erop uitgestuurd om het te bezorgen. Diezelfde avond begon ik aan mijn eigen avontuur, met het kostbare schoteltje in mijn hand en het visitekaartje van dr. Hill Barton in mijn zak. Het prachtige huis en het al even prachtige terrein eromheen waren een aanwijzing dat baron Gruner, zoals Sir James gezegd had, een behoorlijk rijk man was. Een lange, bochtige oprijlaan met zeldzame struiken erlangs, liep uit op een groot plein met kiezeltjes, opgesierd door vele standbeelden. Het huis was gebouwd door een Zuid-Afrikaanse goudkoning in de tijd van de grote hausse en hoewel het met alle torentjes op de hoeken een architectonische nachtmerrie was, was het door zijn afmetingen en soliditeit wel indrukwekkend. Een butler, die binnen een bisschopscollege niet zou hebben misstaan, liet me binnen en gaf me door aan een livreiknecht in een pluche broek, die me bij de baron aankondigde. Hij stond bij een grote, geopende kast tussen de ramen, waarin een deel van zijn Chinese verzameling was ondergebracht. Toen ik binnenkwam, draaide bij zich om met een kleine bruine vaas in zijn hand.

"Gaat u alstublieft zitten, dokter," zei hij. "Ik was mijn eigen schatten aan het bekijken en vroeg me af of ik het me zou kunnen veroorloven om daar werkelijk nog iets aan toe te voegen. Dit kleine exemplaar uit de T'ang-periode, dat uit de zevende eeuw dateert, zal u waarschijnlijk wel interesseren. Ik ben er zeker van dat u nooit een fraaier vakmanschap heeft gezien, noch een rijker glazuur. Heeft u de Mingschotel waarover u het had bij u?"

Die haalde ik behoedzaam uit zijn verpakking en overhandigde het exemplaar aan hem. Hij ging achter zijn bureau zitten, trok de lamp naar zich toe, want het begon al donker te worden, en ging de schotel op zijn gemak zitten bekijken. Terwijl hij dat deed, viel het gele licht op zijn eigen gelaatstrekken en was ik in staat om hem eens op mijn gemak te bekijken. Hij was inderdaad een opmerkelijk knappe man. Zijn reputatie was wat dat betreft beslist verdiend. Qua figuur was hij slechts van middelmatige lengte, maar wel gratievol en energiek van bouw. Zijn gezicht was donker, vrijwel oosters, met grote donkere, zwoele ogen die gemakkelijk voor vrouwen iets onweerstaanbaar fascinerends konden hebben. Zijn haren en snor waren pikzwart, de laatste kort, puntig en zorgvuldig ingevet. Zijn gelaatstrekken waren regelmatig en innemend, met uitzondering van zijn rechte mond met dunne lippen. Werkelijk, zo constateerde ik, de mond van een moordenaar – een wrede, harde snede in zijn gezicht, samengeknepen, onverbiddelijk en vreselijk. Hij had het slechte advies gekregen zijn mond niet door zijn snor te laten bedekken, want die mond was een waarschuwingssignaal van de natuur dat er gevaar dreigde voor zijn slachtoffers. Zijn stem was innemend en zijn manier van doen perfect. Ik schatte zijn leeftijd op voor in de dertig, hoewel later uit zijn dossier bleek dat hij tweeënveertig was. "Fraai… inderdaad heel fraai," zei hij ten slotte. "En u zegt dat u nog een set van zes bijpassende schotels heeft? Het verbaast me dat ik niets heb gehoord over zulke schitterende exemplaren. Ik ken in Engeland slechts één exemplaar dat even fraai is als dit en dat zal zeker niet op de markt worden gebracht. Zou het heel indiscreet van me zijn, dr. Hill Barton, om u te vragen hoe u daaraan gekomen bent?"

"Doet dat er werkelijk iets toe?" vroeg ik zo zorgeloos als het me mogelijk was. "U kunt zien dat het echt is en wat de waarde ervan betreft ben ik bereid me te conformeren aan de taxatie van een deskundige."

"Heel mysterieus," zei hij en keek me met zijn donkere ogen even snel en achterdochtig aan. "Wanneer je met dergelijke waardevolle voorwerpen te maken krijgt, wil je natuurlijk wel alles van de mogelijke transactie afweten. Het staat vast dat de schotel echt is. Daar twijfel ik helemaal niet aan. Maar stel – ik ben gedwongen alle mogelijkheden in aanmerking te nemen – dat later zou blijken dat u het recht niet had dit te verkopen?"

"Ik sta ervoor garant dat zoiets nooit beweerd zal kunnen worden."

"En dat roept natuurlijk de vraag op in hoeverre u daarvoor financieel garant kunt gaan staan."

"Op die vraag kan mijn bank u een antwoord geven."

"Inderdaad. Toch vind ik deze hele transactie nogal ongewoon."

"U kunt zaken met me doen of niet," zei ik onverschillig. "Ik heb het u als eerste laten zien, omdat ik had begrepen dat u een kenner was, maar ik zal het ook bij anderen met het grootste gemak aan de man kunnen brengen."

"Wie heeft u verteld dat ik een kenner ben?"

"Ik wist dat u een boek over dit onderwerp heeft geschreven."

"Heeft u dat boek gelezen?"

"Nee."

"Mijn hemel! Ik kan dit alles steeds moeilijker begrijpen. U bent een kenner en een verzamelaar en heeft in uw verzameling een heel kostbaar stuk, en toch heeft u nooit de moeite genomen om het enige boek ter hand te nemen dat u de werkelijke betekenis en waarde van wat u bezit duidelijk zou kunnen maken. Hoe verklaart u dat?"

"Ik ben een erg druk bezet man. Ik ben praktiserend arts."

"Dat is geen antwoord. Wanneer een man een hobby heeft, houdt hij die bij, wat hij verder ook allemaal te doen kan hebben. In uw briefje schreef u dat u een kenner was."

"Dat ben ik."

"Zou ik u een paar vragen mogen stellen om dat eens te testen? Ik moet u zeggen, dokter – wanneer u tenminste werkelijk arts bent – dat dit alles me steeds achterdochtiger maakt. Ik zou u graag eens willen vragen wat u afweet van de keizer Sjômoe en hoe u hem in verband brengt met de Sjoso-in in de buurt van Nara. Mijn hemel, weet u geen raad met die vraag? Vertelt u me dan maar eens iets over de noordelijke Wéidynastie en de plaats die zij binnen de geschiedenis van het porselein heeft ingenomen."

Ik sprong met voorgewende woede uit mijn stoel overeind.

"Dit is onverdraaglijk, mijnheer," zei ik. "Ik ben hierheen gekomen om u een gunst te verlenen en niet om ondervraagd te worden als een schooljongen. Mijn kennis ten aanzien van deze onderwerpen is wellicht minder groot dan de uwe, maar ik zal beslist geen vragen beantwoorden die me op zo'n beledigende manier worden gesteld."

Hij keek me strak aan. Het zwoele was uit zijn ogen verdwenen. Plotseling stonden zij loerend. Tussen de wrede lippen schitterden zijn tanden.

"Wat voor spelletje wordt hier gespeeld? U bent hier als spion naartoe gekomen. U bent eropuit gestuurd door Holmes. U wilt een truc met me uithalen. Ik heb gehoord dat die vent stervende is, dus stuurt hij zijn ondergeschikten eropuit om mij in de gaten te houden. U bent hier binnen gekomen zonder dat ik u daarom verzocht had en bij God! U zult nog tot de ontdekking komen dat het moeilijker is om dit huis uit te komen dan het te betreden."

Hij was overeind gesprongen. Ik deed een paar passen achteruit en zette me schrap voor de aanval, want de man was buiten zinnen van woede. Misschien heeft hij me vanaf het eerste moment al verdacht; dit kruisverhoor had hem in ieder geval de waarheid duidelijk gemaakt; en het stond vast dat ik er niet op mocht hopen hem verder te kunnen bedriegen. Hij stopte zijn hand in een lade en haalde die woest overhoop. Toen hoorde hij kennelijk iets, want hij stond gespannen te luisteren.

"Ah!" riep hij. "Ha!" en vloog de kamer achter hem in.

Met twee stappen was ik bij de geopende deur en voor mijn geestesoog zal altijd het duidelijke beeld blijven bestaan van wat ik toen in die kamer zag. Het raam dat op de tuin uitkwam, stond wagenwijd open. Daarnaast stond, alsof hij een verschrikkelijke geest was, Sherlock Holmes, zijn hoofd gewikkeld in bloedige zwachtels, zijn gezicht wit en uitgeput. Een seconde later was hij door het open raam verdwenen en hoorde ik zijn lichaam neervallen in de laurierstruiken buiten. Met een woedend gebrul rende de heer des huizes achter hem aan naar het geopende raam. En toen... Ja, toen gebeurde er iets binnen een seconde, maar toch zag ik het duidelijk. Een arm – de arm van een vrouw – schoot tussen de bladeren uit te voorschijn. Op datzelfde moment uitte de baron een afschuwelijke kreet – een schreeuw die ik in mijn herinnering altijd zal blijven horen. Hij sloeg zijn twee handen voor zijn gezicht en rende de kamer rond, waarbij hij met zijn hoofd keihard tegen de muren sloeg. Toen viel hij op het kleed, rollend en ineenkrimpend, terwijl de ene kreet na de andere door het huis weerklonk.

"Water! In godsnaam, water!" riep hij.

Ik pakte een karaf van een bijzettafeltje en vloog hem te hulp. Op datzelfde moment kwamen de butler en enige livreiknechten vanuit de hal aangerend. Ik herinner me nog dat een van hen flauwviel toen ik bij de gewonde man neerknielde en dat afschuwelijke gezicht naar het licht van de lamp toedraaide. Het vitriool was zijn hele gezicht aan het wegbijten en droop van zijn oren en zijn kin af. Eén oog was al wit en glazig. Het andere was rood en gloeiend. De gelaatstrekken die ik een paar minuten daarvoor nog bewonderd had, waren nu net een mooi schilderij waarover de kunstenaar met een natte en smerige spons heen was gegaan. Ze waren bezoedeld, verkleurd, onmenselijk, afschrikwekkend. In een paar woorden legde ik uit wat er precies gebeurd was ten aanzien van het gooien van de vitriool. Sommige bedienden waren inmiddels door het raam geklommen en anderen waren het gazon opgerend, maar het was donker en het begon te regenen. Tussen zijn schreeuwen door raasde het slachtoffer tegen degene die zich had gewroken.

"Dat was die feeks van een Kitty Winter!" riep hij. "O, die duivelin! Ze zal hiervoor boeten! Ze zal hiervoor boeten! Oh, God in de hemel, deze pijn kan ik niet verdragen!"

Ik bette zijn gezicht met olie, legde watten op de aangetaste plekken en gaf hem een injectie met morfine. Door de schok was hij alle achterdocht jegens mij vergeten en hield mijn beide handen stevig vast, alsof ik misschien de macht had om die dode-vissenogen die me glazig aanstaarden, te redden. Ik zou hebben kunnen huilen om de ruïne die van zijn gezicht was gemaakt, wanneer ik me niet duidelijk had herinnerd welk een verachtelijk leven tot zo'n afschuwelijke verandering in zijn voorkomen had geleid. Het was walgelijk om het klauwen van zijn gloeiende handen te voelen en ik was opgelucht toen zijn huisarts, op de voet gevolgd door een specialist, mij kwam aflossen. Er was ook een inspecteur van politie gearriveerd en aan hem overhandigde ik mijn echte visitekaartje. Het zou zinloos en dwaas geweest zijn om dat niet te doen, want de mensen van de Yard kenden mij vrijwel even goed als Holmes. Toen verliet ik dat sombere, akelige huis. Binnen een uur zat ik weer in Baker Street. Holmes zat in zijn bekende stoel en zag er erg bleek en uitgeput uit. Nog afgezien van zijn verwondingen, was ook zijn ijzeren zenuwgestel geschokt door de gebeurtenissen van die avond en hij luisterde vol afschuw naar mijn verhaal over de gedaanteverandering van de baron.

"Het loon van de zonde, Watson. Het loon van de zonde!" zei hij. "Vroeg of laat gebeurt zoiets. En God weet dat hij zonden genoeg heeft begaan," voegde hij daaraan toe en pakte van tafel een bruin boek op.

"Hier is het boek waar die vrouw het over had. Wanneer dit de huwelijksplannen niet verijdelt, zal niets daartoe in staat zijn. Maar dit zal het doen, Watson. Dit moet dat doen. Geen enkele zichzelf respecterende vrouw kan dit verdragen."

"Is dat het dagboek van zijn liefdes?"

"Of van zijn lusten. Je kunt het noemen zoals je wilt. Op het moment dat de vrouw ons hierover vertelde, realiseerde ik me wat een geweldig wapen het zou zijn wanneer we het in handen zouden weten te krijgen. Ik heb toen niets gezegd van wat ik dacht, omdat die vrouw alles dan misschien verraden zou kunnen hebben. Ik bleef er echter wel diep over nadenken. En toen gaf die aanslag op mij me de gelegenheid om de baron de indruk te geven dat er ten aanzien van mij geen voorzorgsmaatregelen genomen hoefden te worden. Dat was goed voor mijn plannen. Ik was eigenlijk van zins nog iets langer te wachten, maar zijn voorgenomen bezoek aan Amerika dwong me tot handelen over te gaan. Hij zou zo'n compromitterend document nooit hebben achtergelaten. Daarom moest ik meteen in actie komen. 's Nachts inbreken was onmogelijk. Hij neemt voorzorgsmaatregelen. Maar 's avonds zou ik een kans maken, mits ik er zeker van kon zijn dat zijn aandacht door iets anders was gevangen. En toen kwamen jij en de blauwe schotel dus op het toneel. Maar ik moest zeker weten waar hij dat boek had opgeborgen, en ik wist dat ik maar een paar minuten de tijd zou hebben om iets te doen, want mijn tijd was beperkt door jouw kennis van het Chinese porselein. Daarom haalde ik het meisje op het laatste moment pas op. Hoe had ik kunnen raden wat ze bij zich had in dat kleine pakje dat ze zo behoedzaam onder haar mantel met zich mee droeg? Ik dacht dat ze alleen maar meekwam om mij te helpen, maar ze bleek zelf ook nog iets te regelen te hebben."

"Hij raadde dat ik door jou was gestuurd."

"Daar was ik al bang voor. Maar je hebt hem net lang genoeg aan het lijntje gehouden om mij in staat te stellen dat boek te pakken, hoewel niet lang genoeg om weer ongemerkt weg te komen. Aha! Sir James, ik ben heel erg blij dat u gekomen bent!"

Onze hoffelijke vriend was verschenen in antwoord op een uitnodiging die hem eerder was gedaan. Hij luisterde uiterst aandachtig naar Holmes' verslag van wat er was gebeurd.

"U heeft een wonder verricht... een wonder!" riep hij toen hij het verhaal gehoord had. "Maar wanneer die verwondingen zo erg zijn als dokter Watson beschrijft, zullen we ons doel – het beletten van dat huwelijk – toch zeker gegarandeerd kunnen bereiken zonder gebruik te maken van dat afschuwelijke boek?" Holmes schudde zijn hoofd.

"Vrouwen van het type De Merville handelen niet zo. Ze zou alleen nog maar meer van hem gaan houden als de verminkte martelaar. Nee, nee. We moeten zijn karakter verwoesten, niet zijn uiterlijk. Dat boek zal haar weer met beide benen op de grond doen belanden – en ik weet niets anders te bedenken dat een dergelijk effect kan hebben. Het is zijn handschrift en hier kan ze niet omheen."

Sir James nam zowel het boek als de kostbare schotel mee. Omdat ik zelf al te laat was voor een afspraak, liep ik met hem mee naar buiten. Een rijtuig stond op hem te wachten. Hij sprong erin en gaf meteen een bevel aan de koetsier, die een kokarde droeg, en reed toen snel weg. Hij smeet zijn jas half uit het raam om het wapen op de deur te verbergen, maar toch had ik dat al in het licht dat door het waaiervormige venster boven de deur heen scheen, gezien. Ik snakte van verbazing naar adem. Toen draaide ik me om en liep de trap weer op naar de kamer van Holmes. "Ik ben erachter gekomen wie onze cliënt is!" riep ik wildenthousiast door dit belangrijke nieuwtje.

"Een trouwe vriend en een ridderlijke heer," zei Holmes en stak een hand op om me verder spreken te beletten. "Laat dat nu en voor altijd voor ons voldoende zijn."

Ik weet niet hoe het incriminerende boek is gebruikt. Misschien dat Sir James het haar overhandigd heeft. Het is echter waarschijnlijker dat die delicate kwestie is overgelaten aan de vader van de jongedame. In ieder geval had het volledig het gewenste effect. Drie dagen later verscheen er een berichtje in de *Morning Post* waarin werd gemeld dat het huwelijk tussen baron Adelbert Gruner en mejuffrouw Violet de Merville niet zou plaatsvinden. In diezelfde krant stond een verslag van de eerste hoorzitting van de politierechtbank in de zaak tegen mejuffrouw Kitty Winter vanwege de ernstige beschuldiging van het gooien met vitriool. Tijdens het proces werden er echter zoveel verzachtende omstandigheden naar voren gebracht dat de straf, zoals men zich nog wel zal herinneren, de laagste was die voor zo'n vergrijp gegeven kan worden. Voor Sherlock Holmes dreigde er een aanklacht wegens diefstal, maar wanneer een doel goed is en een cliënt beroemd genoeg, wordt zelfs de Britse wetgeving menselijk en rekbaar. Mijn vriend heeft tot dusverre nog niet in het beklaagdenbankje gestaan.

Het avontuur van de gebleekte soldaat

HOEWEL DE IDEEËN van mijn vriend Watson beperkt zijn, zijn zij wel uitzonderlijk hardnekkig. Lange tijd al dringt hij er bij mij op aan om zelf eens een ervaring op schrift te stellen. Misschien heb ik me die vasthoudendheid zelf wel op de hals gehaald, omdat ik vaak de behoefte heb gevoeld om hem erop te wijzen hoe oppervlakkig zijn eigen verslagen zijn en hem ervan te beschuldigen dat hij eerder de populaire smaak ter wille is dan dat hij zich strikt houdt aan feiten en getallen.

"Probeer het dan zelf, Holmes!" heeft hij in zo'n geval vaak vinnig geantwoord en ik ben gedwongen toe te geven dat ik, nu ik de pen ter hand genomen heb, me begin te realiseren dat een zaak zodanig gepresenteerd moet worden dat hij voor de lezer interessant kan zijn. De volgende zaak zal dat vrijwel zeker zijn, omdat hij behoort tot de vreemdste gebeurtenissen in mijn verzameling. Hoewel het toevallig zo was dat het ging over mijn oude vriend en biograaf, zou ik graag van deze gelegenheid gebruik maken op te merken dat het feit dat ik mezelf voorzie van een metgezel bij mijn verschillende onderzoekjes, niet voortkomt uit sentiment of grilligheid, maar wel uit het gegeven dat Watson een aantal opmerkelijke eigen karaktertrekken heeft waaraan hij, bescheiden als hij is, maar weinig aandacht heeft geschonken bij het overdreven waarderend beschrijven van mijn eigen prestaties. Een bondgenoot die je conclusies en de manier waarop je zal gaan handelen voorziet, is altijd gevaarlijk; maar iemand voor wie iedere ontwikkeling voortdurend een verrassing en de toekomst altijd een gesloten boek is, is inderdaad een ideale helper.

Ik zie in mijn aantekenboekje dat ik in januari 1903, na het einde van de Boerenoorlog, bezoek kreeg van de heer James M. Dodd, een grote, frisse, zongebruinde, rondborstige Brit. De goede Watson had me in die tijd verlaten voor zijn vrouw – de enige zelfzuchtige handeling van hem die ik me uit de tijd van onze samenwerking kan herinneren. Ik was alleen. Het is mijn gewoonte om met mijn rug naar het raam te zitten en mijn bezoekers in de stoel daartegenover plaats te doen nemen, waar het licht vol op hen valt. De heer James M. Dodd leek niet goed te weten hoe hij het gesprek moest beginnen. Ik deed geen poging hem daarbij te helpen, want zijn stilzwijgen gaf me meer tijd om hem eens op te nemen. Ik heb ervaren dat het verstandig is om cliënten te imponeren door een vertoon van macht, dus presenteerde ik hem een aantal van mijn conclusies.

"Ik zie dat u uit Zuid-Afrika komt, meneer."

"Inderdaad, meneer," antwoordde hij een beetje verbaasd.

"De koninklijke cavalerie, naar ik aanneem?"

"Inderdaad."

"Ongetwijfeld het Middelsex Corps."

"Dat klopt. Meneer Holmes, u bent een tovenaar."

Ik glimlachte om zijn verbijsterde gezichtsuitdrukking.

"Wanneer een heer met een viriel voorkomen mijn kamer binnenkomt met een gezicht dat zo bruin is dat de Engelse zon daar niet debet aan kan zijn, en bovendien zijn zakdoek in zijn mouw in plaats van in zijn zak heeft gestopt, is het niet moeilijk om hem te plaatsen. U heeft een korte baard, wat duidelijk maakt dat u geen beroepssoldaat bent. Uw haar is geknipt op een wijze waarop de meeste ruiters dat laten doen. En wat Middelsex betreft: uw visitekaartje heeft me al laten zien dat u een effectenmakelaar uit Throgmorton Street bent. Dus bij welk ander regiment had u zich kunnen aansluiten?"

"U ziet alles."

"Ik zie niet meer dan u, maar ik heb me erop getraind om aandacht te besteden aan wat ik zie. U bent deze morgen echter niet naar me toe gekomen om de wetenschap der observatie met mij te bespreken, meneer Dodd. Wat is er in het Old Park van Tuxbury allemaal gebeurd?"

"Meneer Holmes!"

"Mijn beste man, daar zit niets mysterieus aan. Uw briefhoofd vermeldde dat adres en omdat u deze afspraak in zeer dringende bewoordingen hebt geregeld, was het duidelijk dat er zich iets onverwachts en belangrijks had voorgedaan."

"Ja, inderdaad. Maar de brief werd in de middag geschreven en sinds die tijd is er heel wat gebeurd. Wanneer kolonel Emsworth me er niet had uitgetrapt…"

"U eruit getrapt?"

"Tja, daar kwam het in ieder geval op neer. Hij is een ijzersterke man, die kolonel Emsworth. In zijn tijd de grootste dienstklopper in het leger; en het is er ook die dag met woorden ruw aan toe gegaan. Ik zou met de kolonel dan ook niets te maken willen hebben, wanneer Godfrey er niet was geweest."

Ik stak mijn pijp aan en leunde achterover in mijn stoel.

"Misschien wilt u me uitleggen waar u het over heeft?"

Mijn cliënt grinnikte ondeugend.

"Ik was gaan veronderstellen dat u alles wist zonder dat u wat verteld was," zei hij. "Maar ik zal u nu de feiten meedelen en ik hoop bij God dat u in staat zult zijn me te vertellen wat zij betekenen. Ik heb de hele nacht wakker gelegen en me mijn hoofd erover gebroken en hoe meer ik erover nadenk, hoe ongelooflijker het wordt. Toen ik me in januari 1901 – nu net twee jaar geleden – bij het corps aansloot, had de jonge Godfrey Emsworth zich net bij hetzelfde squadron gevoegd. Hij was de enige zoon van kolonel Emsworth – Emsworth, de man die na de Krim-oorlog het Victoriakruis gekregen heeft – en hij had het ware vechtersbloed in zijn aderen, dus is het geen wonder dat hij zich als vrijwilliger aanmeldde. Er was geen betere jonge vent in het hele regiment te vinden. We sloten vriendschap – het soort vriendschap dat slechts kan ontstaan wanneer je hetzelfde leven leidt en dezelfde vreugdevolle en verdrietige dingen deelt. Hij was mijn maatje – en dat betekent in het leger heel wat. Gedurende een jaar van hard vechten deelden we lief en leed. Toen werd hij tijdens een actie in de buurt van de Diamantheuvel bij Pretoria getroffen door een kogel uit een olifantsgeweer. Ik ontving een brief uit het ziekenhuis in Kaapstad en later nog een uit Southampton. Sinds die tijd geen woord meer – niet één enkel berichtje van hem, meneer Holmes, nu al ruim zes maanden lang, en dat terwijl hij mijn beste vriend was. Enfin, toen de oorlog was afgelopen en we allemaal terug waren, schreef ik naar zijn vader om te vragen waar Godfrey was. Geen antwoord. Ik wachtte een tijdje en schreef toen opnieuw.

Ditmaal kreeg ik een antwoord, kort en bars. Godfrey was een reis om de wereld gaan maken en het was niet waarschijnlijk dat hij binnen een jaar zou terugkeren. Dat was alles. Ik was daar niet tevreden mee, meneer Holmes. De hele zaak scheen me zo verdomd onnatuurlijk toe. Hij was een goeie jongen en zou een makker niet zo laten vallen. Dat was niets voor hem. Ik wist toevallig dat hij een heleboel geld zou erven en ook dat zijn vader en hij het niet altijd even goed met elkaar konden vinden. De oude man was soms een bullebak en de jonge Godfrey had te veel levenslust om daar tegen te kunnen. Nee, ik was er niet tevreden mee en ik was vastbesloten deze zaak tot op de bodem uit te zoeken. Nu was het echter toevallig zo dat ik ook heel wat orde op eigen zaken te stellen had na een afwezigheid van twee jaar en dus was ik pas deze week in staat om me weer met Godfrey te gaan bezighouden. Maar nu ik me ermee bemoei, ben ik van plan alles verder te laten rusten tot ik tot de kern van de zaak ben doorgedrongen."

De heer James M. Dodd leek een type te zijn dat je beter als vriend dan als vijand kon hebben. Zijn blauwe ogen keken streng en terwijl hij sprak, was zijn vierkante kaak strak gespannen komen te staan.

"En wat heeft u toen gedaan?" vroeg ik. "De eerste stap diende een gang naar zijn huis, Tuxbury Old Park bij Bedford, te zijn, om zelf eens te zien hoe de zaken ervoor stonden. Met dat doel voor ogen heb ik een brief aan de moeder geschreven – ik had beslist genoeg van die zuurpruim van een vader – en ben daarin eerlijk en rechtstreeks in de aanval gegaan. Godfrey was mijn kameraad, ik had over onze gemeenschappelijke ervaringen heel wat interessants te vertellen, ik zou binnenkort in de buurt zijn, zou zij er bezwaar tegen hebben als et cetera. Als antwoord kreeg ik een zeer vriendelijke brief van haar terug waarin ze aanbood me een nacht te laten logeren. Toen ben ik er maandag heengegaan. Tuxbury Old Park is ontoegankelijk. Het ligt een kleine acht kilometer overal vandaan. Bij het station stond geen rijtuig, dus moest ik lopen, met mijn koffer in mijn hand, en het was al bijna donker voor ik arriveerde. Het is een groot huis dat in een behoorlijk uitgestrekt park staat. Volgens mij dateert het uit allerlei verschillende periodes en is het opgetrokken in verschillende stijlen, beginnend met een halfhouten Elizabethaans fundament en eindigend in een

Victoriaanse zuilengang. In het huis overal panelen en tapijten en half vergane oude schilderijen, een huis vol schaduwen en mysteries. Ik ontmoette er een butler, Ralph, die bijna even oud leek te zijn als het huis, evenals zijn vrouw, die wellicht nog ouder was. Zij had Godfrey als kind verzorgd en ik had hem over haar horen spreken als de vrouw van wie hij na zijn moeder het meeste hield. Dus voelde ik me, ondanks haar vreemde uiterlijk, tot haar aangetrokken. Ook de moeder vond ik aardig – een vriendelijk, klein wit muisje van een vrouw. Alleen met de kolonel zelf had ik problemen. We kregen meteen al een beetje ruzie en ik zou naar het station teruggelopen zijn wanneer ik niet het gevoel had gehad dat een dergelijke handelwijze precies in zijn straatje van pas zou komen. Ik werd meteen naar zijn studeerkamer gebracht en daar zat hij, een immens grote man met een gebogen rug, een rookkleurige huid en een dunne, verwilderde baard, achter een bureau vol paperassen. Een rooddooraderde neus stak vooruit als de bek van een gier en twee woeste grijze ogen loerden me aan vanonder borstelige wenkbrauwen. Ik kon toen begrijpen waarom Godfrey maar zelden over zijn vader had gesproken. 'En meneer,' zei hij met een raspende stem, 'wilt u me thans de werkelijke reden van uw bezoek meedelen?' Ik antwoordde dat ik dat in een brief aan zijn vrouw al had uitgelegd. 'Ja, ja, u zei dat u Godfrey in Afrika hebt gekend. En wat dat betreft moeten we u natuurlijk maar op uw woord geloven.' 'Ik heb de brieven die hij geschreven heeft, in mijn zak.' 'Wilt u zo vriendelijk zijn me die te laten zien?' Hij keek even naar de twee brieven die ik hem overhandigde en smeet ze toen weer terug. 'En wat is er dan aan de hand?' vroeg hij. 'Ik was op uw zoon Godfrey gesteld, meneer. Wij waren door vele ervaringen en herinneringen met elkaar verbonden. Is het in dat geval niet normaal dat zijn plotselinge stilzwijgen me verbaast en dat ik graag zou willen weten hoe het met hem is?' 'Ik kan me vaag herinneren, meneer, dat ik al met u heb gecorrespondeerd en u verteld heb hoe het met hem gaat. Hij is een reis om de wereld gaan maken. Na zijn verblijf in Afrika was zijn gezondheid slecht en zowel zijn moeder als ik waren van mening dat rust en verandering absoluut noodzakelijk waren. Wilt u zo goed zijn die verklaring door te geven aan andere vrienden die hier welllicht in zijn geïnteresseerd?'

" 'Zeker,' antwoordde ik. 'Maar misschien zou u zo goed willen zijn me de namen te geven van de scheepvaartmaatschappij en het schip waarop hij uitgevaren is, evenals de datum waarop dat is gebeurd. Ik twijfel er niet aan dat het me zal lukken om dan een brief naar hem verstuurd te krijgen.' Mijn verzoek leek mijn gastheer zowel te verbazen als te irriteren. Zijn grote wenkbrauwen kwamen omlaag en hij tikte met zijn vingers ongeduldig op het bureaublad. Uiteindelijk keek hij op met de gezichtsuitdrukking van iemand die zijn tegenstander tijdens een spelletje schaak een verkeerde zet heeft zien doen en besloten heeft hoe hij daarop zal reageren. 'Vele mensen, meneer Dodd,' zei hij, 'zouden aanstoot nemen aan uw duivelse vasthoudendheid en menen dat dit doorvragen het punt heeft bereikt waarop het verdomd impertinent wordt.' 'Dat moet u dan maar toeschrijven aan het feit dat ik werkelijk veel om uw zoon geef, meneer.' 'Inderdaad. En in dat verband ben ik u dan ook al in elk opzicht ter wille geweest. Ik moet u echter vragen dit onderzoek verder te staken. Iedere familie heeft haar eigen beweegredenen en weet dingen die voor buitenstaanders niet altijd duidelijk kunnen worden gemaakt, hoe goed die laatsten het ook bedoelen. Mijn vrouw wil graag iets weten over Godfrey's verleden en u kunt haar dat vertellen. Maar ik wil u dringend vragen het heden en de toekomst ongemoeid te laten. Een dergelijk onderzoek kan geen enkel doel dienen, meneer, en ons slechts in een delicate en moeilijke positie plaatsen.' En zo ben ik toen vastgelopen, meneer Holmes. Ik kon niet verder komen. Ik kon alleen maar net doen alsof ik de situatie aanvaardde en me in stilte plechtig voornemen dat ik niet zou rusten tot ik duidelijkheid had gekregen over het lot van mijn vriend. Het werd verder een saaie avond. We dineerden met z'n drieën in een sombere, een beetje vervallen oude kamer. De dame stelde me enthousiast vragen over haar zoon, maar de oude man leek knorrig en depressief. De hele gang van zaken verveelde me zodanig dat ik, zodra ik dat met goed fatsoen kon doen, een uitvlucht bedacht en me terugtrok in mijn slaapkamer. Dat was een grote, kale kamer op de begane grond, even somber als de rest van het huis, maar na een jaar lang op de open velden te hebben geslapen, meneer Holmes, stel je niet al te veel eisen meer aan de ruimte, waarin je verblijft. Ik deed de gordijnen open en keek de tuin in. Ik zag dat het een mooie avond was en er een stralende halve maan aan de hemel stond. Toen ging ik bij het loeiende haardvuur zitten, met de lamp op een tafeltje naast me, en probeerde mijn gedachten te verzetten door het lezen van een roman. Daarbij werd ik echter gestoord door Ralph, de butler, die een nieuwe voorraad kolen binnenbracht. 'Ik had het vermoeden dat u voor de nacht kolen tekort zou komen, meneer. Het weer is slecht en deze kamers zijn koud.' Hij aarzelde even alvorens de kamer weer uit te gaan en toen ik me naar hem omdraaide, keek hij me aan met een droefgeestige uitdrukking op zijn gerimpelde gezicht. 'Mijn excuses, meneer, maar ik moest wel horen wat u tijdens het diner over jongeheer Godfrey vertelde. U zult wel weten dat mijn vrouw hem als baby heeft gevoed en dus zou ik kunnen zeggen dat ik zijn stiefvader ben. Dus is het niet meer dan normaal dat wij belangstelling voor hem hebben. U zegt dat hij zich daar goed gedragen heeft, meneer?' 'Er was in het hele regiment geen man te vinden die dapperder was dan hij. Hij heeft me eens onder het geweervuur van de Boeren vandaan gesleept en wanneer hij dat niet had gedaan, was ik nu wellicht niet hier.' De oude butler wreef in zijn magere handen. 'Ja, meneer, ja, dat is absoluut typerend voor Godfrey. Hij was altijd moedig. In het hele park is geen boom te vinden, meneer, waar hij niet ingeklommen is. Hij liet zich nooit door iets weerhouden. Het was een goed ventje, meneer – en oh, meneer, hij was een fantastische jongeman.' Ik vloog overeind. 'Luister nu eens!' riep ik. 'U zegt dat hij dat was. U heeft het over hem alsof hij is overleden. Wat heeft al dit mysterieuze gedoe te betekenen? Wat is er gebeurd met Godfrey Emsworth?' Ik greep de oude man bij zijn schouders vast, maar hij deinsde achteruit. 'Ik begrijp niet waar u het over heeft, meneer. U moet mijn meester maar naar jongeheer Godfrey vragen. Hij weet er alles van af. Het ligt niet op mijn weg om tussenbeide te komen.' Hij wilde de kamer uitlopen, maar ik hield zijn arm vast. 'Luister,' zei ik. 'Voor u weggaat, zult u een vraag moeten beantwoorden, al moet ik u daarvoor de hele nacht hier houden. Is Godfrey dood?' Hij kon mij niet recht in mijn ogen kijken. Het was net alsof hij gehypnotiseerd was. Het antwoord kwam met heel veel moeite over zijn lippen. En het was afschrikwekkend en onverwachts. 'Ik wou bij God dat hij dat was!' riep hij uit, rukte zich toen los en rende de kamer uit. U zult zich kunnen voorstellen, meneer Holmes, dat ik in een niet erg gelukkige stemming naar mijn stoel terugkeerde. Voor de woorden van de man leek mij maar één interpretatie mogelijk te zijn. Het was duidelijk dat mijn arme vriend betrokken was geraakt bij de een of andere misdadige of op zijn minst duistere transactie waar de eer van de familie mee was gemoeid. Die strenge oude man had zijn zoon weggestuurd en hem voor het oog van de wereld verborgen om te voorkomen dat een of ander schandaal aan het licht zou komen. Godfrey was een roekeloze baas. Hij werd gemakkelijk beïnvloed door mensen in zijn omgeving. Het leed geen twijfel dat hij in slechte handen was gevallen en zodanig was misleid dat het zijn ondergang veroorzaakt had. Wanneer dat zo was, was het een trieste zaak, maar ook toen nog beschouwde ik het als mijn plicht om hem op te sporen en te kijken of ik hem kon helpen. Net toen ik, zeer verontrust, over dat alles nadacht, keek ik op en zag Godfrey Emsworth voor me staan."

Mijn cliënt zweeg, als iemand die door diepe emoties is overmand.

"Ga alstublieft verder," zei ik. "Uw probleem vertoont een aantal zeer ongebruikelijke aspecten."

"Hij stond buiten voor het raam, meneer Holmes, met zijn gezicht tegen het glas gedrukt. Ik heb u al verteld dat ik de gordijnen had opengeschoven om naar buiten te kijken. Daarna had ik die gedeeltelijk open gelaten. In de ruimte ertussen was zijn gestalte verschenen. Het raam reikte tot op de grond en dus kon ik hem helemaal zien, maar mijn aandacht werd geheel en al in beslag genomen door zijn gezicht. Hij was doodsbleek – ik heb iemand er nog nooit zo wit zien uitzien. Ik denk dat geesten er wellicht zo uitzien; maar zijn blik kruiste de mijne en zijn ogen waren die van een levende. Hij sprong achteruit toen hij zag dat ik naar hem keek en toen verdween hij in de duisternis. Iets aan de man schokte me, meneer Holmes. Niet alleen dat afschuwelijke gezicht dat wit als was in de duisternis glom. Het was iets subtielers – iets sluipends, iets heimelijks, iets schuldigs, iets heel anders dan de openhartige, mannelijke jongeman die ik had gekend. Het had iets huiveringwekkends en die indruk bleef me bij. Maar wanneer een man een paar jaar soldaat is geweest met broeder Boer als speelgenoot, is hij in staat kalm te blijven en snel tot handelen over te gaan. Vrijwel meteen nadat Godfrey verdwenen was, stond ik al bij het raam. Ik had wat problemen met de grendel en dus duurde het enige tijd voor ik het raam open kon duwen. Toen sprong ik naar buiten en rende het tuinpad af in de richting die hij volgens mij opgegaan kon zijn. Het was een lang pad en het was er vrij duister, maar ik had de indruk dat iemand vlak voor me liep. Ik rende verder en riep zijn naam, maar zonder resultaat. Toen ik het einde van het pad had bereikt, zag ik verschillende paden in verscheidene richtingen naar bijgebouwen lopen. Ik stond daar te aarzelen en hoorde op dat moment duidelijk het geluid van een deur die werd gesloten. Niet achter me, in het huis, maar voor me, ergens in de duisternis. Dat was voldoende, meneer Holmes, om me ervan te overtuigen dat ik geen visioen had gehad. Godfrey was van me vandaan gerend en hij had een deur achter zich dichtgedaan. Daar was ik zeker van. Op dat moment kon ik verder niets meer doen en ik bracht vervolgens een onrustige nacht door, terwijl ik over deze hele affaire nadacht en probeerde de een of andere theorie te bedenken die de feiten zou kunnen dekken. De volgende dag trof ik de kolonel in een iets vriendelijker stemming aan en toen zijn vrouw opmerkte dat enige plaatsen in de buurt de moeite van het bezichtigen waard waren, kreeg ik de gelegenheid om te vragen of ze er bezwaar tegen zouden hebben wanneer ik nog een nachtje bleef logeren. Ietwat mopperend gaf de oude heer daar zijn fiat aan en had ik een dag de tijd om mijn waarnemingen te verrichten. Ik was er al volkomen van overtuigd dat Godfrey zich ergens dicht in de buurt verborgen hield, maar het antwoord op de vraag waar en waarom moest nog worden gevonden. Het huis was zo groot en zo willekeurig van opzet dat een heel regiment zich erin verborgen zou kunnen houden zonder dat iemand daar iets van merkte. Wanneer de oplossing voor het geheim daar te vinden zou zijn, zou ik er moeilijk achter kunnen komen. Maar de deur die ik dicht had horen doen, bevond zich beslist niet in het huis. Ik besloot dus dat het verstandig was om op onderzoek uit te gaan in de tuin en eens te kijken wat ik daar kon vinden. Wat dat betreft werd me geen enkel probleem in de weg gelegd, want de oudere mensen hadden het druk met hun eigen zaken en lieten me verder mijn gang gaan. Er waren enkele kleine bijgebouwen, maar achter in de tuin stond een los gebouwtje van niet geheel onaanzienlijke afmetingen, groot genoeg om door een tuinman of een jachtopziener te worden bewoond. Zou daar het geluid van het sluiten van die deur vandaan gekomen kunnen zijn? Ik liep er zorgeloos op af, alsof ik zomaar een beetje doelloos over het terrein aan het wandelen was. Toen ik dat deed, kwam er een kleine, stevig gebouwde, gebaarde man met een zwarte jas aan en een bolhoed op – helemaal niet het type van een tuinman – de deur uitgelopen. Tot mijn verbazing deed hij die deur vervolgens op slot en stak de sleutel in zijn zak. Toen keek hij me aan met een verbaasde uitdrukking op zijn gezicht. 'Bent u hier op bezoek?' vroeg hij. Ik vertelde hem dat dat inderdaad zo was en dat ik een vriend van Godfrey was. 'Wat jammer dat hij op reis is, want ik ben er zeker van dat hij me graag had willen zien,' ging ik verder. 'Inderdaad. Juist ja,' zei hij en keek daarbij nogal schuldig. 'U zult ongetwijfeld op een geschikter tijdstip nog eens terugkomen?' Hij liep verder, maar toen ik me omdraaide, zag ik dat hij was blijven staan en, half verborgen achter de laurierbomen aan de andere kant van de tuin, naar me stond te kijken. Toen ik om het kleine huisje heen liep, kon ik dat goed bekijken. Maar er hingen zware gordijnen voor de ramen en voor zover ik zien kon, was het huisje leeg. Wanneer ik te vrijpostig werd, bedacht ik, zou ik alles voor mezelf bederven en wellicht zelfs het terrein afgesmeten worden, want ik voelde dat ik nog steeds in de gaten werd gehouden. Daarom liep ik op mijn dooie gemak terug naar het huis en wachtte tot het avond werd. Dan pas zou ik mijn onderzoek voortzetten. Toen alles donker en rustig was, glipte ik mijn raam uit en liep zo geruisloos als ik kon naar dat mysterieuze kleine huisje. Ik heb al gezegd dat er zware gordijnen voor de ramen hingen maar nu ontdekte ik dat er bovendien luiken voor zaten. Door een ervan kwam echter een klein beetje licht en dus concentreerde ik daar mijn aandacht op. Ik had geluk, want het gordijn was niet geheel gesloten en er zat een barst in het luik, waardoor ik de kamer in kon kijken. Het zag er gezellig uit. Een lamp brandde fel en het haardvuur loeide. Recht tegenover me zat de kleine man die ik die ochtend had gezien. Hij was een pijp aan het roken en las een krant."

"Welke krant?" vroeg ik. Het leek mijn cliënt te ergeren dat zijn verhaal zo werd onderbroken. "Zou dat er iets toe kunnen doen?" vroeg hij.

"Het is van het grootste belang."

"Ik heb daar werkelijk niet op gelet."

"Misschien is het u opgevallen of het een breedbladige krant was of dat hij pagina's had van een kleiner type, dat gewoonlijk voor weekbladen wordt gebruikt."

"Nu u het zegt: hij was niet groot. Het zou de *Spectator* geweest kunnen zijn. Ik had echter de tijd niet om aan zulke details veel aandacht te schenken, want een tweede man zat met zijn rug naar het raam en ik durfde er vrijwel op te zweren dat die tweede man Godfrey was. Ik kon zijn gezicht niet zien, maar ik herkende de wijze waarop zijn schouders gebogen waren. Hij zat op een elleboog geleund, in een uiterst melancholieke houding, en had zijn lichaam naar het haardvuur gekeerd. Ik aarzelde ten aanzien van de volgende stap en op dat moment werd er hard op mijn schouder getikt en stond kolonel Emsworth naast me. 'Deze kant op, meneer,' zei hij zachtjes. Zwijgend liep hij terug naar het huis en ik liep achter hem aan, mijn eigen slaapkamer in. Onderweg had hij in de hal het spoorboekje gepakt. 'Om halfnegen vertrekt er een trein naar Londen,' zei hij. 'Om acht uur zal het rijtuig voor de deur staan.' Hij was wit van woede en ik bevond me in zo'n lastig parket dat ik alleen maar een paar onsamenhangende verontschuldigingen kon uiten, waarbij ik er de nadruk op legde dat ik bezorgd was over mijn vriend. 'Over deze kwestie zal verder geen woord worden gewisseld,' zei hij kortaf. 'U heeft de privacy van onze familie op een volstrekt onoorbare wijze geschaad. U was hier als gast en u bent veranderd in een spion. Ik heb u niets meer te zeggen, meneer, behalve dan dat ik u nooit meer wens te zien.' Op dat moment verloor ik mijn zelfbeheersing, meneer Holmes, en sprak ik met enig vuur. 'Ik heb uw zoon gezien en ik ben ervan overtuigd dat u hem om de een of andere reden voor het oog van de buitenwereld verborgen houdt. Ik heb er geen idee van wat uw beweegredenen zijn om hem op die manier zo afgezonderd te houden, maar ik ben er zeker van dat hij niet langer kan doen en laten waar hij zin in heeft. Ik waarschuw u, kolonel Emsworth, dat ik nimmer zal afzien van mijn pogingen om tot op de bodem van dit mysterie door te dringen voor ik er zeker van ben dat mijn vriend veilig is en zich goed voelt. En ik zal me zeker niet laten intimideren door iets wat u zegt of wellicht zult ondernemen.' De oude man had iets duivels en ik dacht werkelijk dat hij op het punt stond me aan te vallen. Ik heb u al verteld dat hij een grimmige, woeste reus van een man was en hoewel ik zelf geen slappeling ben, zou ik wellicht niet tegen hem opgewassen zijn geweest. Maar na me een lange, woedende blik toegeworpen te hebben, draaide hij zich om en liep de kamer uit. Ik nam de volgende ochtend de trein, vast van plan om meteen naar u toe te gaan en u om advies en hulp te vragen tijdens de afspraak waarom ik u per brief al had verzocht."

Dat was het probleem dat mijn bezoeker me voorlegde. Zoals de slimme lezer al wel zal hebben opgemerkt, zou het oplossen ervan niet zo veel problemen met zich meebrengen, want één van een zeer beperkt aantal alternatieven zou me in staat kunnen stellen om tot de kern van de zaak door te dringen. De zaak was dus eenvoudig, maar had toch een aantal interessante en nieuwe aspecten die het feit dat ik hem op schrift heb gesteld, kunnen excuseren. Gebruikmakend van mijn bekende methode om te komen tot een logische analyse, begon ik nu de mogelijke oplossingen tot een minimum aantal terug te brengen.

"De bedienden," vroeg ik. "Hoeveel waren er in het huis?"

"Voor zover ik weet alleen de oude butler en zijn vrouw. Zij leken een heel eenvoudig leven te leiden."

"Dus er was geen bediende aanwezig in dat vrijstaande huisje?"

"Nee, tenzij de man met de baard als zodanig optrad. Hij leek me echter iemand te zijn die daar veel te goed voor was."

"Dat lijkt veelzeggend. Heeft u enige aanwijzing bespeurd dat er eten van het ene naar het andere huis werd gebracht?"

"Nu u het zegt: ik heb de oude Ralph met een mandje het tuinpad zien aflopen in de richting van dat huisje. Toen is het echter niet bij me opgekomen om te denken dat daar eten in zat."

"Heeft u in de buurt nog geprobeerd inlichtingen in te winnen?"

"Ja, inderdaad. Ik heb met de stationschef gesproken, evenals met de herbergier van het dorp. Ik heb alleen maar gevraagd of zij iets afwisten van mijn oude makker Godfrey Emsworth. Beiden hebben me verzekerd dat hij een reis om de wereld was gaan maken. Hij was thuisgekomen en vrijwel meteen daarna weer vertrokken. Dat verhaal was kennelijk algemeen aanvaard."

"En heeft u met geen woord gerept over uw achterdocht?"

"Met geen woord."

"Dat was heel verstandig. Er moeten inderdaad nog nadere inlichtingen worden ingewonnen. Ik zal met u teruggaan naar Tuxbury Old Park."

"Vandaag?"

Nu was het toevallig zo dat ik op dat moment een zaak aan het afronden was, waarbij de hertog van Greyminster opnieuw intensief was betrokken. Ik had ook een opdracht gekregen van de sultan van Turkije, die onmiddellijke aandacht vereiste, omdat een niet tot handelen overgaan zeer ernstige politieke gevolgen kon hebben. Daarom kon ik pas aan het begin van de week daarop, zoals mijn dagboek vermeldt, tezamen met de heer James M. Dodd naar Bedfordshire vertrekken. Terwijl we naar Euston Station reden, pikten we een ernstige en zwijgzame heer op die er grijs uitzag en met wie ik de noodzakelijke regelingen had getroffen.

"Dit is een oude vriend van me," zei ik tegen Dodd. "Het is mogelijk dat zijn aanwezigheid geheel onnodig is, maar zij kan aan de andere kant ook uiterst essentieel zijn. In dit stadium is het niet nodig daar verder op in te gaan."

De verhalen van Watson hebben de lezer ongetwijfeld vertrouwd gemaakt met het feit dat ik geen woorden verspil of mijn gedachten verwoord, terwijl ik me daadwerkelijk met een zaak bezighoud. Dodd leek verbaasd, maar verder werd er niets meer gezegd en gedrieën zetten we onze reis voort. In de trein stelde ik Dodd nog één vraag die ik onze reisgenoot wilde laten horen. "U zegt dat u het gezicht van uw vriend bij het raam heel duidelijk hebt gezien. Zo duidelijk dat er bij u geen twijfel bestaat over zijn identiteit?"

"Daar twijfel ik in het geheel niet aan. Zijn neus was tegen het raam gedrukt. Hij werd volledig beschenen door het licht van de lamp."

"En het kan niet iemand zijn geweest die op hem leek?"

"Nee, nee. Ik ben er zeker van dat hij het was."

"Maar u zegt dat hij was veranderd?"

"Alleen in kleur. Zijn gezicht was – hoe moet ik dat zeggen? – zo wit als de buik van een vis. Gebleekt."

"Was het overal even bleek?"

"Dat geloof ik niet. Met name zijn voorhoofd, dat ik zo duidelijk heb kunnen zien omdat dat tegen het glas was gedrukt."

"Heeft u hem iets toegeroepen?"

"Op dat moment was ik te zeer geschrokken en ontdaan. Toen ben ik, zoals ik u al verteld heb, achter hem aan gegaan, maar zonder enig resultaat."

Ik was nu vrijwel zeker van mijn zaak, en had nog maar één ding nodig om die af te ronden. Toen we na een behoorlijk lange rit bij het merkwaardige, zo wispelturig gebouwde huis arriveerden dat door mijn cliënt beschreven was, werd de deur opengemaakt door Ralph, de oude butler. Ik had voor die dag een rijtuig gehuurd en mijn oudere vriend gevraagd daarin te wachten tot we hem er wellicht bij zouden halen. Ralph, een kleine, gerimpelde oude baas, droeg het conventionele kostuum dat bestond uit een zwarte jas en zwartgrijze kousen, met slechts één opmerkelijke variant. Hij had bruinleren handschoenen aan die hij meteen uittrok op het moment dat hij ons zag en toen we binnenkwamen op de tafel in de hal neerlegde. Zoals mijn vriend Watson wellicht wel eens zal hebben verteld, beschik ik over abnormaal scherpe zintuigen en ik rook een lichte, maar duidelijke geur. Die leek bij de haltafel het meest geconcentreerd te zijn. Ik draaide me om, legde mijn hoed erop, sloeg die er weer af, bukte me om hem op te rapen en slaagde erin mijn neus in de buurt van de handschoenen te brengen. Ja, het leed geen twijfel dat die merkwaardige teergeur daarvan afstraalde. Toen ik de studeerkamer inliep, had ik de zaak afgerond. Wat jammer dat ik me zo in mijn kaart moet laten kijken wanneer ikzelf mijn verhaal vertel! Door het verborgen houden van dergelijke schakels in een keten, werd Watson in staat gesteld zijn verhalen van een plot te voorzien.

Kolonel Emsworth zat niet in zijn studeerkamer, maar toen hij van Ralph de boodschap doorgekregen had, arriveerde hij heel spoedig. We hoorden zijn snelle, zware stap in de gang al. De deur werd opengesmeten en hij rende naar binnen met een verontwaardigd in de lucht gestoken baard en een verwrongen gezicht. Nog nooit had ik zo'n afschrikwekkende oude man gezien. Hij had onze visitekaartjes in zijn hand, verscheurde die en vertrapte de snippers.

"Heb ik u, helse bemoeial, niet gezegd dat u dit terrein niet meer moest betreden? Dat u het niet moest wagen om uw verdomde gezicht hier nog één keer te laten zien? Wanneer u nog een keer zonder mijn toestemming dit huis betreedt, zal ik het recht hebben geweld tegen u te gebruiken. Dan, meneer, zal ik u neer laten schieten! Mijn God, dat zal ik doen! En wat u betreft, meneer," hij wendde zich tot mij, "u geef ik dezelfde waarschuwing. Ik weet welk oneervol beroep u uitoefent, maar u moet uw zogenaamde talenten maar ergens anders voor gebruiken. Hier hebben we daar geen behoefte aan."

"Ik kan hier niet weggaan," zei mijn cliënt beslist, "tot ik uit

Godfrey's eigen mond heb gehoord dat hij op geen enkele manier opgesloten wordt gehouden."

Onze gastheer tegen wil en dank schelde.

"Ralph," zei hij, "ga de politie opbellen en vraag de inspecteur twee agenten hierheen te sturen. Zeg hem maar dat we met inbrekers zitten."

"Een ogenblikje," zei ik. "Meneer Dodd, u zult zich er ongetwijfeld van bewust zijn dat kolonel Emsworth in zijn recht staat en dat we, juridisch gesproken, niets in zijn huis te maken hebben. Aan de andere kant zou hij moeten inzien dat uw handelwijze uitsluitend voortspruit uit bezorgdheid voor zijn zoon. Ik waag te veronderstellen dat ik zijn standpunt in dezen beslist zou kunnen doen veranderen wanneer ik vijf minuten onder vier ogen met kolonel Emsworth zou mogen spreken."

"Ik verander niet zo gemakkelijk van mening," zei de oude soldaat. "Ralph, doe wat ik je heb opgedragen. Waar wacht je verdomme op? Bel de politie!"

"Niets daarvan," zei ik en ging met mijn rug tegen de deur staan. "Tussenkomst van de politie, in welke vorm dan ook, zou nu juist de ramp veroorzaken waar u zo bang voor bent." Ik haalde mijn aantekenboekje te voorschijn en krabbelde een woord op een los blaadje.

"Dat," zei ik, terwijl ik het aan kolonel Emsworth overhandigde, "heeft ons hierheen gebracht." Hij staarde naar het geschrevene met een gezicht waarop alleen nog verbazing te lezen stond. "Hoe weet u dat?" bracht hij er hijgend uit en liet zich zwaar in zijn stoel zakken.

"Mijn vak vereist dat ik dingen weet."

Diep in gedachten verzonken, bleef hij zitten, terwijl zijn benige hand door zijn verwarde baard woelde. Toen maakte hij een berustend gebaar.

"Wanneer u Godfrey wilt zien, zal dat gebeuren. Het gebeurt tegen mijn wil, maar u hebt me ertoe gedwongen. Ralph, ga tegen meneer Godfrey en meneer Kent zeggen dat we over vijf minuten bij hen zullen zijn."

Toen die vijf minuten waren verstreken, waren we het tuinpad afgelopen en stonden we voor het mysterieuze huisje aan het einde daarvan. Een kleine, gebaarde man stond in de deuropening met een gezicht dat nogal wat verbazing uitdrukte.

"Dat is allemaal nogal onverwacht, kolonel Emsworth," zei hij. "Hierdoor worden al onze plannen in de war gestuurd."

"Daar kan ik niets aan doen, meneer Kent. We zijn hiertoe gedwongen. Kan meneer Godfrey ons ontvangen?"

"Ja, hij zit binnen te wachten." Hij draaide zich om en ging ons voor, een grote, eenvoudig gemeubileerde voorkamer in. Daar stond een man met zijn rug naar de open haard gekeerd en toen mijn cliënt hem zag, vloog hij met uitgestoken hand op hem af.

"Godfrey, ouwe jongen, wat goed je te zien!"

Maar de ander gebaarde hem terug te gaan.

"Raak me niet aan, Jimmy. Bewaar een zekere afstand. Ja, bekijk me maar eens goed. Ik zie er nu heel anders uit dan de knappe soldaat eerste klasse van squadron B, nietwaar?"

Hij zag er inderdaad buitengewoon uit. Je kon zien dat hij beslist een knappe man moest zijn geweest met fraaie, gebeeldhouwde gelaatstrekken in een door de Afrikaanse zon gebruind gezicht, maar daarop zaten nu merkwaardige, witachtige vlekken, die de indruk gaven dat zijn huid was gebleekt.

"Daarom stel ik geen prijs op bezoek," zei hij. "Ik vind het niet erg om jou te zien, Jimmy, maar je vriend had van mij weg mogen blijven. Je hebt me in een nadelige positie geplaatst, maar ik veronderstel dat je daar wel een goede reden voor zult hebben gehad."

"Ik wilde me ervan verzekeren dat alles met jou in orde was, Godfrey. Ik heb je die avond, toen je door mijn raam naar binnen keek, gezien en ik kon deze zaak niet laten rusten voordat er klaarheid in was gebracht."

"De oude Ralph heeft me verteld dat jij er was en toen kon ik de verleiding niet weerstaan om even een glimp van je op te vangen. Ik hoopte dat jij mij niet gezien had en toen ik het raam open hoorde schuiven, moest ik als een haas naar mijn hol terug."

"Maar wat is er dan in 's hemelsnaam met je aan de hand?"

"Tja, dat is een lang verhaal," zei hij, terwijl hij een sigaret opstak. "Herinner je je nog dat gevecht op een ochtend bij Buffelspruit aan de rand van Pretoria, bij de oostelijke spoorbaan? Heb je gehoord dat ik toen getroffen ben?"

"Ja, dat heb ik inderdaad gehoord, maar verder nooit nadere bijzonderheden vernomen."

"We raakten met z'n drieën afgezonderd van de rest. Je herinnert je misschien nog wel dat het terrein daar bijzonder oneffen was. Het ging om Simpson – de man die wij de bijnaam de Kale hadden gegeven, Anderson en mij. We waren Broeder Boer aan het verdrijven, maar hij hield zich gedeisd en wist ons drietal onder vuur te nemen. De twee anderen werden gedood. Ik kreeg een olifantskogel in mijn schouder. Ik slaagde er echter in op mijn paard te blijven zitten en dat galoppeerde enige kilometers verder, voor ik flauwviel en uit het zadel rolde. Toen ik weer bij mijn positieven kwam, was het al avond aan het worden. Ik kwam een beetje overeind en voelde me heel zwak en ziek. Tot mijn verbazing lag ik vlak naast een huis, een vrij groot huis met een brede stoep en vele ramen. Het was ontzettend koud. Herinner je je nog die verkleumende kou die daar 's avonds altijd zijn intrede deed? Een dodelijke, ziekmakende koude – heel anders dan een opwekkende, gezonde vorst. In ieder geval was ik tot op het bot verkleumd en mijn enige hoop leek het bereiken van dat huis te zijn. Ik kwam wankelend overeind en sleepte me voort, vrijwel zonder te weten wat ik deed. Ik kan me nog vaag herinneren dat ik langzaam de trap opgelopen ben en een deur doorging die wagenwijd openstond, waardoor ik een ruimte betrad waar een aantal bedden in stond. Met een zucht van opluchting heb ik me toen op een daarvan neer laten vallen. Het bed was niet opgemaakt, maar dat hinderde me in het geheel niet. Ik trok de dekens over mijn rillende lichaam en even later was ik diep in slaap. Toen ik wakker werd, was het al ochtend en toen kreeg ik de indruk dat ik niet naar de beschaafde wereld was teruggekeerd, maar midden in de een of andere buitengewone nachtmerrie was beland. De Afrikaanse zon scheen naar binnen door de grote ramen, waar geen gordijnen voor hingen, en zo kon ik ieder detail van de grote, kale, witgekalkte slaapzaal duidelijk in me opnemen. Voor me stond een kleine, dwergachtige man met een groot, bolvormig hoofd, die opgewonden in het Nederlands aan het kakelen was en door de lucht zwaaide met twee afschrikwekkende handen die eruitzagen als bruine sponzen. Achter hem stond een heel groepje mensen dat uiterst geamuseerd op deze situatie leek te reageren. Maar de koude rillingen liepen over mijn rug toen ik hen eens goed bekeek. Geen van hen was een normaal menselijk wezen. Iedereen was op de een of andere vreemde manier opgezwollen of misvormd. Het gelach van die vreemde monsters klonk me als iets afschuwelijks in de oren. Ik kreeg de indruk dat niemand van hen

Engels kon spreken, maar er moest enige duidelijkheid in die situatie worden geschapen, want het wezen met het grote hoofd werd steeds woedender en onder het uiten van wilde, dierlijke kreten legde hij zijn misvormde handen op me en sleepte me het bed uit, zonder acht te slaan op het feit dat daardoor mijn wond weer begon te bloeden. Het kleine monster was sterk als een paard en ik weet niet wat hij me zou hebben aangedaan wanneer op dat moment niet een oudere man, die kennelijk de leiding had, op het lawaai was afgekomen. Hij sprak in het Nederlands enige vermanende woorden en mijn achtervolger dook achteruit. Toen wendde hij zich tot mij en keek me stomverbaasd aan. 'Hoe bent u hier in vredesnaam gekomen?' vroeg hij verbaasd. 'Rustig maar! Ik zie dat u de uitputting nabij bent en die gewonde schouder van u moet worden verzorgd. Ik ben arts en zal u meteen verbinden. Maar man! U verkeert hier in groter gevaar dan op het slagveld. U bevindt zich in een lepraziekenhuis en heeft geslapen op het bed van een lepralijder.' Moet ik daar nog iets aan toevoegen, Jimmie? Het bleek dat al die arme wezens met het oog op de komende strijd waren geëvacueerd. En wel de dag voor mijn aankomst daar. Maar toen waren de Britten opgerukt en had de arts hen weer mee teruggenomen naar het ziekenhuis. De man ging van de veronderstelling uit dat hij zelf immuun was voor die ziekte, maar zou desondanks nooit in het bed van zo'n patiënt durven slapen, zo verklaarde hij. Hij legde me op een kamer apart en behandelde me vriendelijk en na ongeveer een week werd ik toen overgebracht naar het stadsziekenhuis van Pretoria. Nu ken je mijn tragische verhaal. Ik hoopte tegen beter weten in, maar pas toen ik thuisgekomen was, vertelden die afschuwelijke plekken op mijn gezicht me dat ik niet aan de ziekte was ontsnapt. Wat moest ik toen doen? Ik zat in dit afgelegen huis. We hadden twee bedienden die we volkomen konden vertrouwen. Op ons terrein stond een klein huisje dat ik zou gaan bewonen. De heer Kent, een chirurg, was bereid bij me te blijven. Het zag er toen allemaal zo eenvoudig uit. Het alternatief was afschuwelijk – mijn verdere leven afgezonderd leiden, te midden van vreemden, zonder enige hoop ooit weer in de maatschappij te kunnen terugkeren. Maar daarvoor was een volstrekt stilzwijgen een absoluut vereiste, want anders zou er zelfs in deze rustige plattelandsstreek een heel oproer ontstaan en zou men mij ongetwijfeld mijn afschuwelijke lot tegemoet slepen.

Zelfs jij, Jimmy, zelfs jij mocht hier niets van weten. Ik kan me niet voorstellen waarom mijn vader nu op zijn besluit is teruggekomen." Kolonel Emsworth wees op mij.

"Dat is de heer die me hiertoe heeft gedwongen."

Hij vouwde het velletje papier open waarop ik het woord 'lepra' had geschreven.

"Het leek me beter hem maar van alles op de hoogte te stellen, omdat hij dit al wist."

"En dat is inderdaad beter geweest," zei ik. "Wie weet zal hier alleen maar iets goeds uit voortkomen. Ik heb begrepen dat de heer Kent de enige is die de patiënt heeft gezien. Zou ik u mogen vragen, meneer, of u een expert bent op het gebied van dergelijke klachten die, zoals ik begrepen heb, tropisch of semi-tropisch van aard zijn?"

"Ik beschik over de kennis die iedere goede arts zich eigen heeft gemaakt," zei de man een beetje stijfjes.

"Ik twijfel er niet aan, meneer, dat u volstrekt competent bent, maar ik weet zeker dat u het met me eens zult zijn dat voor een dergelijk geval de mening van een tweede arts waardevol kan zijn. Ik heb begrepen dat u daarvan heeft afgezien, omdat u bang was onder druk te worden gezet om de patiënt te isoleren."

"Dat klopt," zei kolonel Emsworth.

"Ik heb deze situatie al voorzien," verklaarde ik, "en een vriend meegenomen van wiens discretie u volkomen verzekerd kunt zijn. Ik ben eens in de gelegenheid geweest hem een dienst te bewijzen en hij is bereid ons van advies te dienen. Eerder in de hoedanigheid van vriend dan van specialist. Hij heet Sir James Saunders."

Het vooruitzicht op een gesprek met Lord Roberts zou een jonge onderofficier hetzelfde plezier gegeven hebben als nu was af te lezen op het gezicht van de heer Kent.

"Het zou me een hele eer zijn," mompelde hij.

"Dan zal ik Sir James verzoeken hierheen te komen. Hij zit in het rijtuig dat voor de deur staat. Zouden wij in die tussentijd wellicht terug kunnen gaan naar uw studeerkamer, kolonel Emsworth? Dan zal ik daar al het noodzakelijke verklaren."

En op dit moment mis ik Watson. Door slimme vragen en verbaasde uitroepen is hij er telkens weer in geslaagd om mijn eenvoudige gave naar een hoger plan te tillen en datgene wat slechts bestempeld kan worden als een systematisch gebruik van je gezonde verstand, tot iets wonderbaarlijks te maken. Wanneer ik mijn eigen verhaal vertel, kan ik geen gebruik maken van dergelijke hulpmiddelen. Toch zal ik mijn gedachtegang hier beschrijven zoals ik dat voor het kleine aantal toehoorders van toen heb gedaan, onder wie zich tevens de moeder van Godfrey bevond.

"Wanneer je logisch over een zaak gaat nadenken," zei ik, "begin je met de veronderstelling dat, na het elimineren van al het onmogelijke, de rest de waarheid moet zijn, hoe onwaarschijnlijk dat ook mag lijken. Het kan ook zijn dat na een dergelijk eliminatieproces een paar mogelijkheden open blijven. In dat geval dienen die stuk voor stuk te worden bekeken, tot een ervan enigermate overtuigend met bewijzen kan worden geschraagd. We zullen dit principe nu toepassen op het onderhavige geval. Toen dat voor het eerst aan mij werd voorgelegd, waren er drie mogelijke verklaringen voor het feit dat deze heer in een bijgebouw van het landhuis van zijn vader in afzondering of gevangen werd gehouden. Het kon zijn dat hij zich schuil hield omdat hij een misdaad had begaan. Het kon zijn dat hij krankzinnig was geworden en men er de voorkeur aan gaf hem niet naar een gesticht te brengen. En het kon zijn dat hij een of andere ziekte had die afzondering noodzakelijk maakte. Ik kon geen andere, aanvaardbare verklaringen bedenken. Dus moesten die drie mogelijkheden bekeken en tegen elkaar afgewogen worden. Een misdaad behoorde niet tot de mogelijkheden. Uit dit district was geen melding binnengekomen van een onopgeloste zaak. Daar was ik zeker van. En wanneer het een misdaad betrof die nog niet was ontdekt, zou het duidelijk in het belang van de familie zijn geweest om zich van de dader te ontdoen door hem naar het buitenland te sturen, eerder dan hem hier verborgen te houden. Voor een dergelijke handelwijze kon ik geen enkele zinnige verklaring bedenken. Krankzinnigheid was een duidelijk plausibelere verklaring. De aanwezigheid van een tweede persoon in het bijgebouw duidde op het bestaan van een bewaker. Het feit dat hij de deur achter zich op slot deed wanneer hij het huisje verliet, gaf meer gewicht aan die veronderstelling en deed vermoeden dat hij, Godfrey Emsworth, opgesloten werd gehouden. Maar aan de andere kant kon een dergelijke opsluiting ook weer niet al te rigoureus zijn geschied, zo redeneerde ik, want anders zou de jongeman geen kans hebben gezien om het huisje te verlaten om even naar zijn vriend te kunnen kijken. U zult zich nog wel herinneren, meneer Dodd, dat ik probeerde nadere gegevens te verzamelen. Zo heb ik u bijvoorbeeld gevraagd naar de krant die de heer Kent aan het lezen was. Wanneer het de *Lancet* of het *Britse Medische Tijdschrift* was geweest, zou me dat geholpen hebben bij mijn onderzoek. Het is echter geen wetsovertreding om een krankzinnige op particulier terrein ondergebracht te houden, zolang er iemand bij is die is opgeleid om zo'n persoon te verzorgen en het bevoegd gezag daarvan in kennis is gesteld. Waarom probeerde men dan zo wanhopig om dit alles geheim te houden? Ook deze theorie kon ik niet met de feiten in overeenstemming gebracht krijgen. Dus bleef de derde mogelijkheid over. En hoe merkwaardig en onwaarschijnlijk het ook leek, daarbij schenen de feiten wel allemaal te passen. Lepra komt in Zuid-Afrika meer voor. Deze jongeman zou die ziekte door een wonderbaarlijk toeval hebben kunnen oplopen. Daardoor zou zijn familie met een afschuwelijke situatie worden geconfronteerd, omdat ze hem voor een volkomen afzondering van de bewoonde wereld zouden willen behoeden. Uiterste geheimhouding zou dus noodzakelijk zijn om te voorkomen dat er geruchten de ronde gingen doen die zouden kunnen leiden tot een ingrijpen van de bevoegde autoriteiten. Het zou geen moeite kosten om, mits er voldoende geld op tafel kwam, een toegewijde arts te vinden die bereid zou zijn de patiënt onder zijn hoede te nemen. En er was geen enkele reden waarom de patiënt na het invallen van de duisternis dan niet vrij zou mogen rondlopen. Het verbleken van de huid is een normaal gevolg van de ziekte. Die theorie hield duidelijk stand en ik voelde me zo zeker van mijn zaak dat ik tot handelen overging, nog voordat ik alles met bewijzen had onderbouwd. Toen ik bij mijn aankomst hier zag dat Ralph, die de maaltijden naar het bijgebouw bracht, handschoenen droeg die waren doordrenkt met een desinfecterend middel, verdwenen de laatste sporen van twijfel. Een enkel woord, meneer, heeft u toen laten zien dat uw geheim was ontdekt en ik heb dat niet uitgesproken, maar geschreven, om u te bewijzen dat u op mijn discretie kon rekenen."

Net toen ik deze kleine analyse had afgerond, werd de deur geopend en betrad de streng ogende, beroemde dermatoloog de studeerkamer. Ditmaal echter had zijn gezicht de gebruikelijke sfinxachtige uitdrukking verloren en straalden zijn ogen een warme menselijkheid uit. Met grote passen liep hij op kolonel Emsworth af en schudde hem de hand.

"Het is mijn lot om de mensen vrijwel altijd slechte en maar zelden goede berichten door te moeten geven," zei hij. "Dus is deze gelegenheid me meer dan welkom. Uw zoon is geen lepralijder."

"Wat zegt u?"

"Het is een zeer duidelijk geval van pseudo-lepra ofwel *ichthyosis*, een aandoening van de huid, waardoor deze met schubben wordt bedekt. Iemand die daaraan lijdt, ziet er afzichtelijk uit. Het is een hardnekkige aandoening, die echter niet volstrekt ongeneeslijk en in ieder geval totaal niet besmettelijk is. Ja, meneer Holmes, hier is inderdaad sprake van een opmerkelijk toeval. Maar is het wel toeval? Zijn er geen subtiele krachten werkzaam waarover wij maar heel weinig weten? Kunnen we er zeker van zijn dat deze jongeman na het in aanraking komen met de besmettingshaard, niet aan zulke verschrikkelijke angsten heeft blootgestaan dat het lichaam de ziekte waarvoor hij zo bang was, is gaan simuleren? In ieder geval kan ik als dermatoloog plechtig verklaren… De dame is flauwgevallen! Ik denk dat het een goede zaak zou zijn wanneer de heer Kent bij haar blijft tot ze zich van deze vreugdevolle schok heeft hersteld!"

Het avontuur van De Drie Gevelspitsen

 IK GELOOF NIET dat een van de avonturen die ik samen met de heer Sherlock Holmes heb beleefd, zo abrupt en dramatisch is begonnen als dat wat ik met De Drie Gevelspitsen associeer. Ik had Holmes een paar dagen lang niet gezien en dus geen idee van de nieuwe richting die zijn activiteiten waren opgegaan. Hij was die morgen in een spraakzame bui en net toen hij me had geïnstalleerd in de veelgebruikte lage, gemakkelijke stoel aan de ene kant van het haardvuur en zelf in de stoel daartegenover opgerold was gaan zitten, met zijn pijp in zijn mond, arriveerde onze bezoeker. Wanneer ik had geschreven dat er een dolle stier binnenkwam, zou ik echter een duidelijker beeld hebben gegeven van wat er gebeurde.

De deur was opengevlogen en een reusachtig grote neger rende de kamer in. Hij zou een komische figuur zijn geweest wanneer hij er niet zo angstaanjagend had uitgezien, want hij ging gekleed in een zeer opvallend grijsgeruit pak met een brede, zalmkleurige das. Zijn brede gezicht en platte neus staken naar voren toen zijn naargeestige donkere ogen waarin een malicieus licht smeulde, ons om beurten aankeken.

"Wie van u is Masser Holmes?" vroeg hij.

Met een languissante glimlach stak Holmes zijn pijp de lucht in.

"O, bent u dat?" zei onze bezoeker en liep met een onaangename, heimelijke tred om de hoek van de tafel heen.

"Luister eens, Masser Holmes, u moet u niet met andermans zaken bemoeien. Laat de mensen hun eigen zaken maar opknappen. Heeft u dat goed begrepen, Masser Holmes?"

"Ga door," zei Holmes. "Het gaat prima."

"O ja? Gaat het prima?" gromde de woesteling. "Het zal heel wat minder prima gaan wanneer ik u eens een beetje onder handen neem. Ik heb dat wel eens eerder gedaan met mensen van uw soort en die zagen er daarna helemaal niet prima meer uit. Kijk hier maar eens naar, Masser Holmes!"

Hij zwaaide een reusachtig grote gebalde vuist onder de neus van mijn vriend heen en weer. Holmes bekeek die zo te zien uiterst geïnteresseerd.

"Ben je daarmee geboren?" vroeg hij. "Of is die geleidelijk aan zo geworden?" Het kan gekomen zijn door de ijzige kalmte van mijn vriend, of door het beetje lawaai dat ik veroorzaakte toen ik de pook oppakte, maar vanaf dat moment gedroeg onze bezoeker zich iets minder brallerig.

"Ik heb u in ieder geval eerlijk gewaarschuwd," zei hij. "Ik heb een vriendje die belangen heeft in Harrow en er niets voor voelt dat u zich met zijn zaken gaat bemoeien. Heeft u dat goed begrepen? U vertegenwoordigt het gezag niet en ik al evenmin. En wanneer u zich ermee gaat bemoeien, zal ik eveneens in de buurt zijn. Vergeet dat niet."

"Ik heb je al enige tijd eens willen ontmoeten," zei Holmes. "Ik zal je niet vragen te gaan zitten, omdat je geur me niet aanstaat, maar als ik het wel heb, ben jij Steve Dixie, de bokser."

"Zo heet ik inderdaad, Masser Holmes, en ik zal u met mijn vuisten kennis laten maken wanneer u een grote mond gaat opzetten."

"Dat is wel het laatste waar ik behoefte aan heb," zei Holmes, die naar de afzichtelijke mond van onze bezoeker staarde.

"Maar de moord op die jonge Perkins voor de deur van de Holborn Bar... Wat? Je gaat toch niet weg?"

De neger was achteruit gesprongen en zijn gezicht was asgrauw. "Ik ben niet bereid naar dergelijk gezwam te luisteren," zei hij. "Wat heb ik met die Perkins te maken, Masser Holmes? Ik was in de Bull Ring in Birmingham aan het trainen toen die jongen in de problemen kwam."

"Ja, ga dat maar eens aan het bevoegd gezag vertellen, Steve. Ik heb jou en Barney Stockdale in de gaten gehouden en..."

"God sta me bij, Masser Holmes..."

"Zo is het wel genoeg. Zorg dat je er verder niets meer mee te maken hebt. Ik pik je wel op wanneer ik je nodig heb."

"Een goede morgen, Masser Holmes. Ik hoop dat u me dit bezoek niet kwalijk neemt."

"Alleen wanneer je me vertelt wie je hierheen heeft gestuurd."

"Dat is geen geheim, Masser Holmes. Dezelfde heer wiens naam u zojuist heeft genoemd."

"En wie heeft hem daar op zijn beurt opdracht toe gegeven?"

"Dat weet ik werkelijk niet, Masser Holmes. Hij zei alleen maar: 'Steve, je moet een bezoekje brengen aan de heer Holmes en hem meedelen dat zijn leven in gevaar komt wanneer hij zich in de buurt van Harrow waagt.' Dat is de zuivere waarheid."

Zonder verder nog andere vragen af te wachten rende onze bezoeker de kamer vrijwel even snel uit als hij die was binnengekomen. Zachtjes grinnikend klopte Holmes zijn pijp uit. "Ik ben blij dat je er niet toe werd gedwongen zijn kroeskop doormidden te breken, Watson. Ik heb je manoeuvres met de pook waargenomen. Eigenlijk is het een man die geen vlieg kwaad doet; een grote, gespierde, domme, verwarde baby, die, zoals je hebt gezien, gemakkelijk geïntimideerd kan worden. Hij maakt deel uit van de bende van Spencer Jon en heeft zich de laatste tijd met een paar smerige zaakjes beziggehouden, die ik wellicht zal kunnen ophelderen wanneer ik daar de tijd voor heb. Zijn directe baas, Barney, is een sluwere vent. Ze hebben zich gespecialiseerd in bedreiging, intimidatie en dergelijke. Maar ik zou wel eens willen weten wie er in dit speciale geval op de achtergrond meespeelt."

"Maar waarom zouden ze jou willen intimideren?"

"Vanwege die affaire rond Harrow Weald. Hierdoor heb ik besloten daar eens wat dieper op in te gaan, want er moet iets inzitten wanneer iemand het de moeite waard acht om zich zoveel moeite te getroosten."

"Maar wat behelst die affaire dan?"

"Dat wilde ik je net voor dit komische tussenspel gaan vertellen. Hier is het briefje van mevrouw Maberley. Wanneer je zin hebt om met me mee te gaan, moeten we haar nu meteen een telegram zenden en op reis gaan."

Beste meneer Sherlock Holmes,
Er zijn me een heleboel vreemde dingen overkomen die verband houden met dit huis en ik zou uw advies in dezen bijzonder op prijs stellen. Ik ben morgen de hele dag thuis. Het huis ligt op korte

loopafstand van het station Weald. Ik geloof dat wijlen mijn echtge-
noot, Mortimer Maberley, een van uw allereerste cliënten is geweest.
Hoogachtend,

Mary Maberley

Het adres luidde: *De Drie Gevelspitsen, Harrow Weald.*

"Ziezo!" zei Holmes. "En wanneer je nu wat tijd kunt vrijma-
ken, Watson, gaan we erheen."

Een korte reis per trein en een nog korter ritje in een rijtuig
brachten ons naar het huis, een uit hout en baksteen opgetrokken
villa, op een stuk grasland van een acre. Drie kleine uitstulpingen
boven de ramen op de eerste verdieping deden een zwakke
poging om de naam van de villa te rechtvaardigen. Achter het huis
stonden enige melancholieke, half uitgegroeide pijnbomen. Alles
ademde een sfeer van armoede en neerslachtigheid. Toch zagen
we dat het huis goed gemeubileerd was. De dame die ons ontving
was een zeer vriendelijke, oudere vrouw, die duidelijk beschaafd
en belezen was.

"Ik herinner me uw echtgenoot nog goed, mevrouw," zei Holmes, "hoewel het al enige jaren geleden is dat hij voor een vrij
onbelangrijke kwestie van mijn diensten gebruik heeft gemaakt."

"De naam van mijn zoon Douglas klink u waarschijnlijk beken-
der in de oren."

Holmes keek haar hevig geïnteresseerd aan.

"Mijn hemel! Bent u de moeder van Douglas Maberley? Ik heb
hem heel oppervlakkig gekend. Maar natuurlijk kende heel
Londen hem. Hij is een werkelijk magnifiek persoon! Waar zit hij
nu?"

"Hij is dood, meneer Holmes, dood. Hij zat als attaché in Rome
en is daar vorige maand aan longontsteking gestorven."

"Wat erg! Je dacht niet aan de dood wanneer je die man zag. Ik
heb nooit iemand gekend die zo levenslustig was. Hij leefde intens
met iedere vezel van lichaam en geest!"

"Te intens, meneer Holmes. Dat is zijn ondergang geworden. U
herinnert zich hem als de zwierige, geweldige man die hij is
geweest. U heeft de sombere, zwartgallige, broedende man niet
gekend die hij later is geworden. Zijn hart was gebroken. Binnen
een maand heb ik mijn galante zoon zien veranderen in een afge-
leefde, cynische man."

"Een liefdesaffaire... een vrouw?"

"Of een boef van een vent. Maar ik heb u niet gevraagd hierheen te komen om over die arme jongen te praten, meneer Holmes."

"Dokter Watson en ik zijn tot uw dienst."

"Er hebben zich heel vreemde dingen voorgedaan. Ik woon nu al meer dan een jaar in dit huis en omdat ik een teruggetrokken leven wilde leiden, heb ik mijn buren maar heel zelden gezien. Drie dagen geleden kreeg ik bezoek van een man die zei dat hij makelaar was. Hij zei dat dit huis uitstekend geschikt zou zijn voor een van zijn cliënten en dat die er veel geld voor over zou hebben wanneer ik er afstand van wilde doen. Dat leek me nogal merkwaardig, omdat er verscheidene lege huizen te koop staan die even aantrekkelijk zijn als dit. Maar natuurlijk was ik geïnteresseerd in wat hij te zeggen had. Daarom noemde ik een prijs die vijfhonderd pond hoger lag dan het bedrag dat ik voor dit huis heb betaald. Hij ging daar meteen mee akkoord, maar voegde eraan toe dat zijn cliënt ook het meubilair wilde kopen en vroeg me daar een bedrag voor op te geven. Een deel van dit meubilair stamt uit mijn oude huis en is, zoals u kunt zien, bijzonder fraai, zodat ik een hoog bedrag noemde. Ook daar ging hij meteen mee akkoord. Ik heb altijd al graag op reis willen gaan en ik kon nu zoveel geld krijgen dat ik er de rest van mijn leven mee toe kon. Gisteren kwam de man terug met het koopcontract. Gelukkig heb ik dat toen laten zien aan de heer Sutro, mijn advocaat, die in Harrow woont. Hij zei tegen me: 'Dit is een heel vreemd document. Bent u er zich van bewust dat u, wanneer u dit ondertekent, wettelijk niets uit het huis kunt meenemen – niet eens uw eigen bezittingen?' Toen de man 's avonds terugkwam, heb ik hem daarop gewezen en gezegd dat het mijn bedoeling was om alleen het meubilair te verkopen. 'Nee, nee, alles,' zei hij. 'Maar mijn kleren? En mijn juwelen?' "Tja, misschien dat er enige concessies kunnen worden gedaan ten aanzien van dergelijke zaken, maar niets mag zonder controle het huis uitgedragen worden. Mijn cliënt is een zeer vrijgevig man, maar heeft zo zijn stokpaardjes en een heel eigen manier om dingen af te handelen. Wat hem betreft is het alles of niets.' 'Dan zal het niets moeten worden,' zei ik. En daarna is er verder niets meer gebeurd, maar ik vond dit alles zo ongebruikelijk dat ik dacht..."

Op dat moment werd haar verhaal op bijzonder merkwaardige wijze onderbroken. Holmes stak een hand op om haar tot zwijgen te brengen. Toen liep hij snel de kamer door, smeet de deur open en trok een lange, broodmagere vrouw naar binnen door haar bij haar schouder vast te grijpen. Ze verzette zich heftig en weinig bevallig, als een of ander groot lelijk eendje dat piepend en wel uit zijn nest wordt gesleurd.

"Laat me met rust! Wat bent u met me van plan?" krijste ze.

"Susan, wat heeft dit te betekenen?"

"Ik wou alleen maar even binnenkomen om te vragen of uw gasten bleven lunchen en toen greep deze man me opeens vast, mevrouw."

"Ik heb haar al vijf minuten lang gehoord, maar wilde uw zeer interessante verhaal niet onderbreken. Je bent een beetje hijgerig, nietwaar, Susan? Je haalt veel te zwaar adem voor dergelijk werk."

Susan keek de man die haar had vastgepakt, chagrijnig maar ook verbaasd aan.

"Wie bent u eigenlijk dat u zich het recht meent aan te kunnen matigen om me zo naar binnen te slepen?"

"Ik wilde alleen een vraag stellen in jouw aanwezigheid, Susan. Mevrouw Maberley, heeft u iemand verteld dat u me een brief zou schrijven om me om raad te vragen?"

"Nee, meneer Holmes, dat heb ik niet gedaan."

"Wie heeft uw brief op de bus gedaan?"

"Susan."

"Zozo. En naar wie, Susan heb jij toen een briefje geschreven? Of aan wie heb je een boodschap laten bezorgen om mee te delen dat je meesteres advies ging inwinnen bij mij?"

"Dat is niet waar. Ik heb helemaal geen boodschap verstuurd."

"Susan, nu moet je eens goed naar me luisteren. Mensen die zo piepend ademhalen leven gewoonlijk niet zo lang. Het is heel slecht om leugens te verkondigen. Aan wie heb je dat verteld?"

"Susan!" riep haar meesteres uit. "Ik geloof dat je een slechte, verraderlijke vrouw bent. Ik herinner me nu dat ik je over de heg heen met iemand heb zien praten!"

"Dat betrof een privéaangelegenheid," zei de vrouw nors.

"En wanneer ik je nu eens zeg dat je met Barney Stockdale hebt gesproken?" zei Holmes.

"Als u dat toch al weet, waarom vraagt u er dan naar?"

"Ik was er niet zeker van, maar nu ben ik dat wel. Susan, je krijgt tien pond als je me vertelt wie de man achter Barney is."

"Iemand die duizend pond neer kan tellen voor iedere tien pond die u op tafel kunt leggen."

"Een rijke man dus? Nee, je glimlachte. Een rijke vrouw. Nu we dat eenmaal weten, kan je de naam ook wel noemen en zo die tien pond verdienen."

"Loop naar de hel, man!"

"O, Susan! Wat een taalgebruik!"

"Ik ga hier weg. Ik heb genoeg van jullie allemaal. Ik laat morgen mijn hutkoffer wel ophalen." Ze stoof de deur uit.

"Vaarwel, Susan. Opiumtinctuur heet het spul dat jij nodig hebt… En nu," ging hij verder, plotseling weer ernstig geworden nadat de deur achter de rood aangelopen, boze vrouw was gesloten, "het volgende. Deze bende deinst voor niets terug. Ze spelen hun spel scherp op de snede. Uw brief naar mij was afgestempeld om tien uur 's morgens. Susan heeft Barney ervan op de hoogte gesteld. Barney heeft de tijd gehad om naar zijn werkgever te gaan en te vragen wat hij moest doen. Hij of zij – ik vermoed dat laatste, oordelend naar de grijns van Susan toen ze dacht dat ik een blunder had begaan – maakt een plan. Zwarte Steve wordt erbij gehaald en om elf uur van de volgende dag word ik gewaarschuwd dat ik me hier buiten moet houden. Dat is snel werk, nietwaar?"

"Maar wat willen ze dan?"

"Ja, dat weten we inderdaad nog niet. Wie heeft hier voor u in dit huis gewoond?"

"Een gepensioneerde kapitein-ter-zee, Ferguson geheten."

"Iets opmerkelijks aan die man?"

"Niet voor zover ik weet."

"Ik zat me af te vragen of hij misschien ergens iets had begraven. Natuurlijk 'begraven' mensen hun schatten tegenwoordig op de bank. Maar er lopen altijd wel een paar idioten rond en zonder hen zou het er maar saai op deze wereld toegaan. Aanvankelijk dacht ik aan iets waardevols dat ooit is begraven. Maar waarom zouden ze in dat geval uw meubilair willen hebben? U heeft niet toevallig zonder het te weten een Raphaël of een eerste druk van Shakespeare?"

"Nee, ik geloof niet dat ik iets zeldzamers heb dan een thee-servies van Crown Derby."

"Dat is niet voldoende om er zo mysterieus over te doen. Bovendien, waarom zeggen ze dan niet eerlijk wat ze willen hebben? Wanneer ze uw theeservies willen hebben, kunnen ze daar toch zeker een bod op doen zonder u volledig uit te kopen? Nee, volgens mij gaat het om iets waarvan u niet weet dat u het in uw bezit heeft en dat u niet zou afstaan wanneer u daar wel van op de hoogte was."

"Die mening ben ik ook toegedaan," zei ik.

"Dokter Watson is het met me eens, dus staat het vast."

"Maar wat zou het dan kunnen zijn, meneer Holmes?"

"Laten we eens zien of we door analyserend denken wat dichter in de buurt kunnen komen. U woont nu een jaar in dit huis?"

"Bijna twee jaar."

"Des te beter. Tijdens die lange periode heeft niemand ooit iets van u willen hebben. Nu hebben u plotseling de laatste drie, vier dagen dringende verzoeken bereikt. Wat denkt u daaruit te kunnen opmaken?"

"Het kan alleen betekenen," zei ik, "dat het voorwerp, wat het dan ook mag zijn, pas heel kort geleden in dit huis is beland."

"Klopt als een bus," zei Holmes. "Mevrouw Maberley, is er sprake van een dergelijk nieuw object?"

"Nee, ik heb dit jaar niets nieuws gekocht."

"Zo! Dat is inderdaad heel opmerkelijk! Ik denk dat we deze zaak zich eerst maar eens wat verder moeten laten ontwikkelen, tot we over wat duidelijkere gegevens beschikken. Is die advocaat van u een capabel man?"

"De heer Sutro is uiterst capabel."

"Heeft u nog een ander dienstmeisje? Of was de schone Susan, die zojuist uw voordeur dichtgesmeten heeft, de enige?"

"Ik heb nog een jong meisje in dienst, maar die is er nu niet."

"Probeert u Sutro zover te krijgen dat hij een paar nachten bij u komt logeren. Het is niet onmogelijk dat u beschermd moet worden."

"Tegen wie?"

"Wie zal het zeggen? Deze hele kwestie is beslist duister. Wanneer we er niet achter kunnen komen wat ze willen hebben, moet ik de zaak van de andere kant benaderen en proberen degene die hier achter zit, te vinden. Heeft die makelaar u een adres gegeven?"

"Alleen een visitekaartje. Haines-Jonson, stond daarop. Vendu-meester en taxateur."

"Ik denk niet dat we hem in de telefoongids zullen vinden. Eer-lijke zakenmensen houden het adres waar ze zitten niet geheim. Ik neem aan dat u me meteen zult verwittigen van nieuwe ontwik-kelingen. Ik heb deze kwestie op me genomen en u kunt er zeker van zijn dat ik hem zal afronden."

Toen we de hal doorliepen, bleven Holmes' ogen, die alles zagen, rusten op een aantal kisten en koffers die opgestapeld in een hoek stonden. De etiketten erop waren duidelijk leesbaar. "Milano, Lucerne? Die dingen komen uit Italië!"

"Dat zijn de bezittingen van mijn arme Douglas."

"Heeft u die nog niet uitgepakt? Hoe lang zijn die dingen hier al?"

"Ze zijn vorige week gebracht."

"Maar u zei… Dit zou de ontbrekende schakel nog wel eens kunnen zijn! Hoe weten we dat daarbij niet iets waardevols zit?"

"Dat is onmogelijk, meneer Holmes. Die arme Douglas had niets anders dan zijn salaris en een klein jaargeld. Wat zou hij nu voor waardevols kunnen hebben?"

Holmes was geheel in gedachten verzonken.

"Stel het uitpakken ervan niet langer uit, mevrouw Maberley," zei hij toen. "Laat die spullen naar uw slaapkamer op de eerste ver-dieping brengen. Bekijk alles zo snel mogelijk om te zien wat erin zit. Ik kom morgen terug om uw verslag te horen."

Het was heel duidelijk dat De Drie Gevelspitsen nauwlettend in de gaten werd gehouden, want toen we aan het einde van het laantje bij een hoge heg de bocht omgingen, zagen we de neger-bokser in de schaduw staan. Plotseling stonden we tegenover hem en hij zag er op dat stille plekje grimmig en dreigend uit. Holmes stopte snel zijn hand in zijn zak.

"Wilt u uw wapen pakken, Masser Holmes?"

"Nee, mijn reukflesje, Steve."

"Wat geestig, meneer Holmes."

"Wanneer ik achter jou aan ga, zal ik voor jou niets geestigs meer hebben, Steve. Ik heb je daar deze ochtend duidelijk voor gewaarschuwd."

"Tja, Masser Holmes, ik heb eens nagedacht over wat u tegen me heeft gezegd en ik wil geen woord meer horen over die affaire met Masser Perkins. Wanneer ik u zou kunnen helpen, Masser Holmes, zal ik dat doen."

"Vertel me dan maar eens wie er achter dit alles zit."

"God sta me bij, Masser Holmes. Ik heb eerder al de waarheid gesproken. Ik weet het niet. Ik krijg mijn bevelen van mijn baas, Barney, en meer weet ik werkelijk niet."

"Vergeet in dat geval niet, Steve, dat de dame die in dat huis woont en alles wat onder dat dak zit, onder mijn bescherming staat. Vergeet dat niet!"

"Uitstekend, Masser Holmes. Dat zal ik onthouden."

"We hebben hem doodsbang gemaakt voor zijn eigen hachje, Watson," merkte Holmes op toen we weer verder liepen. "Ik denk dat hij zijn werkgever zou verlinken wanneer hij wist wie het was. Ik bofte dat ik iets afwist van die bende van Spencer Jon en dat Steve daartoe bleek te behoren. Watson, dit is een zaak die aan Langdale Pike moet worden voorgelegd, en ik ga nu naar hem toe. Wanneer ik terugkom, is er misschien enige klaarheid in deze kwestie gebracht."

Die dag kreeg ik niets meer van Holmes te zien, maar ik kon me heel goed voorstellen hoe hij die doorbracht, want Langdale Pike was zijn informatiebron ten aanzien van alle schandaaltjes die zich in het maatschappelijk verkeer konden voordoen. Die vreemde, lusteloze man bracht de uren dat hij niet sliep door in een erker van een club aan St. James' Street en fungeerde daarbij als ontvangstation en doorgever van alle roddelverhaaltjes die in de binnenstad de ronde deden. Men beweerde dat hij een viercijferig inkomen binnenhaalde met het volschrijven van rubrieken die iedere week verschenen in de roddelkrantjes die een nieuwsgierig lezerspubliek op zijn wenken bedienden. Wanneer er zich ergens in de troebele onderwereld van het Londense leven een opmerkelijke trilling voordeed, werd dat door deze menselijke seismograaf meteen aan de oppervlakte gesignaleerd. Onmiddellijk en uiterst nauwkeurig. Holmes gaf Langdale discreet nieuwtjes door en kreeg als dank daarvoor wel eens informatie terug.

Toen ik mijn vriend de volgende ochtend vroeg terugzag in diens kamer, maakte ik uit zijn houding op dat alles in orde was, maar toch wachtte ons een zeer onaangename verrassing, in de vorm van het volgende telegram:

Komt u alstublieft meteen hierheen. In het huis van mijn cliënte is vannacht ingebroken. Politie heeft de zaak ter hand genomen.
Sutro

Holmes floot even. "Het drama heeft een crisis bereikt en sneller dan ik had verwacht. Er zit een grote drijvende kracht achter deze hele zaak, Watson, wat me, na wat ik heb gehoord, niets verbaast. Die Sutro is natuurlijk haar advocaat. Ik ben bang dat ik duidelijk een vergissing heb begaan door jou niet te vragen daar vannacht de wacht te houden. Deze man blijkt duidelijk iemand te zijn op wie je je niet kunt verlaten. Er zal dus niets anders opzitten dan nogmaals naar Harrow Weald te gaan."

De Drie Gevelspitsen zag er heel anders uit dan de dag daarvoor. Een klein groepje mensen liep bij het tuinhek te lanterfanten, terwijl een aantal politiemensen de ramen en geraniumperken bekeek. Binnen maakte ik kennis met een grijze oude heer, die de advocaat bleek te zijn, evenals met een bedrijvige, blozende inspecteur, die Holmes als een oude bekende begroette. "Tja, meneer Holmes, ik ben bang dat deze zaak u niets te bieden heeft. Alleen maar een doodgewone inbraak, die rustig aan die arme ouwe politie overgelaten kan worden. Experts hoeven er niet bij betrokken te worden."

"Ik ben er zeker van dat deze zaak bij u in zeer goede handen is," zei Holmes. "Alleen maar een doodgewone inbraak, zei u?"

"Inderdaad. We weten vrij zeker wie de boeven zijn en waar we ze kunnen vinden. Het gaat om de bende van Barney Stockdale, waartoe die grote neger behoort. Ze zijn hier in de buurt gesignaleerd."

"Uitstekend. Wat hebben ze meegenomen?"

"Niet veel, naar het schijnt. Ze hebben mevrouw Maberley met chloroform bedwelmd en toen is het huis... Aha! Daar komt mevrouw net aan."

Onze vriendin zag er heel bleek en ziekelijk uit. Steunend op een klein dienstmeisje, kwam ze de kamer in.

"U heeft me een heel goede raad gegeven, meneer Holmes," zei ze met een droevig glimlachje. "Helaas heb ik daar geen gehoor aan gegeven! Ik wilde de heer Sutro niet lastig vallen en dus was er niemand om me te beschermen."

"Ik hoorde hier pas vanochtend van," legde de advocaat uit.

"Meneer Holmes had me aangeraden om een vriend bij me te laten logeren. Ik heb dat advies naast me neergelegd en daar heb ik voor moeten boeten."

"U ziet er verschrikkelijk slecht uit," zei Holmes. "Bent u wel in staat om me te vertellen wat er is gebeurd?"

"Dat heb ik al allemaal opgeschreven," zei de inspecteur en klopte op een dik aantekenboek. "Maar wanneer mevrouw niet al te zeer is uitgeput…"

"Er valt eigenlijk zo weinig te vertellen. Ik twijfel er niet aan dat die verdorven Susan ervoor heeft gezorgd dat ze binnen konden komen. Ze moeten het huis van binnen en van buiten hebben gekend. Ik was nog even bij bewustzijn toen ze die lap met chloroform tegen mijn neus hielden, maar ik heb er geen idee van hoe lang ik bewusteloos ben geweest. Toen ik bijkwam, stond een man naast mijn bed en was een ander net overeind aan het komen met een pakje dat hij uit de bagage van mijn zoon had gehaald, die gedeeltelijk over de grond verspreid lag. Voor hij zich uit de voeten kon maken, was ik overeind gevlogen en had ik hem vastgepakt."

"Daarmee heeft u een groot risico genomen," zei de inspecteur.

"Ik ging aan hem hangen, maar hij wist me van zich af te schudden en toen heeft die ander me waarschijnlijk geslagen, want daarna herinner ik me niets meer. Mary, het dienstmeisje, heeft toen het lawaai gehoord en is uit het raam om hulp gaan roepen. Daarop is de politie gearriveerd, maar toen waren de boeven er al als een haas vandoor gegaan."

"Wat hebben ze meegenomen?"

"Ik geloof niet dat ik iets van waarde mis. Ik ben er zeker van dat er niets bijzonders in de koffers en kisten van mijn zoon zat."

"Hebben die kerels geen enkele aanwijzing achtergelaten?"

"Een velletje papier dat ik waarschijnlijk uit de handen heb gerukt van de man die ik had vastgegrepen. Dat lag helemaal verfrommeld op de grond. Ik heb het handschrift van mijn zoon herkend."

"Wat betekent dat we daar niet veel aan hebben," zei de inspecteur. "Wanneer het nu het handschrift van de inbreker…"

"Inderdaad," zei Holmes. "Het is altijd goed je gezonde verstand te gebruiken. Toch zou ik dat velletje papier graag willen zien."

De inspecteur haalde een opgevouwen foliovel uit zijn aantekenboek te voorschijn.

"Ik veronachtzaam geen enkel detail, hoe klein dan ook," zei hij een beetje plechtstatig. "En ik raad u aan dat ook niet te doen, meneer Holmes. Een ervaring van vijfentwintig jaar heeft me mijn lesje wel geleerd. Er bestaat altijd een kans dat je vingerafdrukken vindt of zoiets."

Holmes bekeek het vel papier aandachtig.

"Wat vindt u hiervan, inspecteur?"

"Voor zover ik kan nagaan, lijkt het me het einde toe van de een of andere vreemde roman."

"Het zou zeker het einde van een vreemd verhaal kunnen zijn," zei Holmes. "Het getal boven aan de bladzijde is u ongetwijfeld opgevallen. Tweehonderdvijfenveertig. Waar zijn de andere tweehonderdvierenveertig bladzijden?"

"Ik denk dat de inbrekers die bezitten. Daar zullen ze heel wat aan hebben!"

"Ik vind het een beetje merkwaardig dat iemand een huis binnendringt om dergelijke papieren te stelen. Kunt u er iets uit opmaken, inspecteur?"

"Jawel, meneer. Ik vermoed dat de boeven zoveel haast hebben gehad dat ze het eerste het beste maar hebben meegenomen. Ik wens ze er veel genoegen mee!"

"Waarom zouden ze het op de bezittingen van mijn zoon hebben gemunt?" vroeg mevrouw Maberley.

"Ze hebben beneden niets waardevols kunnen vinden en zijn toen naar boven gegaan om te zien of ze daar soms meer geluk hadden. Die mening ben ik in ieder geval toegedaan. Wat vindt u ervan, meneer Holmes?"

"Ik moet er eens over nadenken, inspecteur. Watson, loop eens mee naar het raam."

Toen we daar naast elkaar stonden, las hij de tekst op het velletje papier. Het begon midden in een zin en had de volgende inhoud:

...gezicht bloedde behoorlijk door alle wonden en slagen, maar dat was niets vergeleken met het bloeden van zijn hart toen hij dat lief-lijke gezicht zag, het gezicht waarvoor hij bereid was geweest zijn leven te offeren... en dat nu zijn pijn en vernedering gadesloeg. Ze

glimlachte. Ja, waarlijk, ze glimlachte toen hij naar haar opkeek, als de harteloze duivelin die ze bleek te zijn. Op dat moment werd de liefde gedood en nam haat haar plaats in. Een man moet ergens voor leven. Wanneer dat niet is om door u te worden omhelsd, vrouwe, dan zal het zeker zijn om u de das om te doen, zodat ik op die wijze volledig wraak kan nemen.

"Wat een hoogdravende taal," zei Holmes met een glimlach terwijl hij het velletje papier teruggaf aan de inspecteur. "Is het u opgevallen dat 'hij' plotseling verandert in 'ik'? De schrijver heeft zich door zijn eigen verhaal zo laten meeslepen dat hij zichzelf op het moment suprême als de held zag."

"Ik vind het maar belabberd geschreven," zei de inspecteur terwijl hij het velletje terugstopte in zijn aantekenboek. "Hé! Gaat u weg, meneer Holmes?"

"Ik geloof niet dat ik hier nog iets kan doen, nu de zaak in zulke capabele handen rust. Mevrouw Maberly, wanneer ik het me goed herinner heeft u ons verteld dat u altijd al graag op reis wilde gaan."

"Daar heb ik inderdaad altijd van gedroomd, meneer Holmes."

"Waar zou u graag heen gaan? Caïro, Madeira, de Rivièra?"

"O, wanneer ik geld genoeg had, zou ik een reis om de wereld willen maken."

"Hm. Om de wereld? Ik wens u een goedemorgen verder. Misschien dat ik u vanavond een briefje stuur."

Toen we langs het raam liepen, zag ik even hoe de inspecteur glimlachte en zijn hoofd schudde. "Die slimme jongens hebben altijd iets krankzinnigs," zei die glimlach volgens mij.

"En nu, Watson, beginnen we aan de laatste etappe van onze kleine reis," zei Holmes, toen we weer in het drukke centrum van Londen terug waren. "Ik denk dat we deze zaak maar het beste meteen kunnen ophelderen en het zou een goede zaak zijn wanneer jij met me mee ging, want het is veiliger om een getuige bij de hand te hebben wanneer je te maken krijgt met een dame als Isadora Klein."

We hadden een huurrijtuig genomen en reden snel naar een huis aan Grosvenor Square. Holmes was in gedachten verzonken geweest, maar werd plotseling alert.

"Ik ga ervan uit, Watson, dat jij je inmiddels een duidelijk beeld hebt gevormd?"

"Nee, dat kan ik niet zeggen. Ik meen alleen te hebben begrepen dat we onderweg zijn naar de dame die achter dit alles zit."

"Inderdaad! Maar zegt de naam Isadora Klein je niets? Ze was dé gevierde schoonheid. Geen vrouw die zich met haar kon meten. Ze is een Spaanse en heeft het ware bloed van de sterke conquistadores in zich. Familieleden van haar zijn generaties lang leiders geweest in Pernambuco. Ze is met Klein getrouwd, de bejaarde Duitse suikerkoning, en werd kort daarop de rijkste en meest aantrekkelijke weduwe op deze aarde. Toen heeft ze enige tijd een avontuurlijk leven geleid en precies gedaan waar ze maar zin in had. Ze heeft een aantal minnaars gehad en Douglas Maberley, een van de meest opvallende mannen in Londen, was een van hen. Hun relatie was beslist meer dan een avontuurtje. Hij was geen vlinderachtig type, maar een sterke, trotse man die zich helemaal gaf en van zijn partner dezelfde instelling verwachtte. Maar zij is de *belle dame sans merci* uit de boeken. Als ze eenmaal aan een gril gevolg gegeven heeft en bevrediging daarin heeft gevonden, beschouwt ze zo'n affaire als afgedaan en wanneer de andere partij haar dan niet op haar woord gelooft, weet ze hoe zoiets hem duidelijk moet worden gemaakt."

"Dus hebben we zijn eigen verhaal gelezen..."

"Aha! Ik zie dat je de stukjes in elkaar gaat passen. Ik heb gehoord dat ze van plan is te gaan trouwen met de jonge hertog van Lomond, die bijna haar zoon zou kunnen zijn. De mama van Zijne Genade zou misschien nog bereid zijn het leeftijdsverschil door de vingers te zien, maar een groot schandaal zou dat alles wel heel rigoureus veranderen, en dus moeten we... Aha! We zijn er!"

Het was een van de fraaiste hoekhuizen in West End. Een lakei die zich als een automaat gedroeg, nam onze visitekaartjes mee en keerde terug met de mededeling dat mevrouw niet thuis was.

"Dan wachten we wel tot ze komt," zei Holmes vrolijk. De automaat functioneerde niet meer. "Niet thuis betekent dat ze voor u niet thuis is," zei de man.

"Uitstekend," zei Holmes. "Dat betekent dat we niet hoeven te wachten. Wees zo vriendelijk deze boodschap door te geven aan uw meesteres."

Hij krabbelde drie of vier woorden op een velletje uit zijn aantekenboekje, vouwde dat op en gaf het aan de man.

"Wat heb je geschreven, Holmes?" vroeg ik.

"Ik heb alleen geschreven: *Dan maar de politie?* Ik denk dat we daarmee wel binnenkomen." Dat bleek inderdaad zo te zijn – en wel verbazingwekkend snel. Een minuutje later stonden we in een salon die je deed denken aan de sprookjes van duizend-en-een-nacht – groot en prachtig, half duister, met her en der een klein roze elektrisch lampje. Ik had het gevoel dat de dame een stadium in haar leven had bereikt waarin zelfs de meest trotse schoonheden tot de conclusie komen dat een niet al te fel licht verkieslijk is. Toen we binnenkwamen, ging zij overeind zitten op een sofa. Lang, koninklijk, een perfect figuur, een lieflijk, maskerachtig gezicht en twee schitterende Spaanse ogen, die ons uiterst boos-aardig aankeken.

"Wat komt u hier doen? Wat betekent die beledigende bood-schap?" vroeg ze en hield het velletje papier omhoog.

"Dat hoef ik u niet uit te leggen, mevrouw. Daarvoor heb ik te veel respect voor uw intelligentie, hoewel ik moet bekennen dat die intelligentie de laatste tijd verbazingwekkend veel fouten heeft gemaakt."

"Hoe dat zo, meneer?"

"Door te veronderstellen, bijvoorbeeld, dat die ingehuurde vechtersbazen mij van mijn werkzaamheden zouden afbrengen. Geen mens zou mijn beroep gaan uitoefenen wanneer het gevaar niet iets aantrekkelijks voor hem had. Dus heeft u me ertoe gedwongen om een onderzoek in te stellen naar de zaak rond de jonge Maberley."

"Ik heb er geen idee van waar u het over heeft."

Holmes draaide zich vermoeid om. "Ja, ik heb uw intelligentie overschat. Een goede middag, mevrouw."

"Blijf staan! Waar gaat u naar toe?"

"Naar Scotland Yard."

We waren nog niet halverwege de deur toen ze ons al had inge-haald en Holmes' arm vastpakte. Binnen een seconde was ze van keihard poeslief geworden.

"Neemt u toch plaats, heren. Laten we deze kwestie maar eens bespreken. Ik heb het gevoel dat ik eerlijk tegenover u kan zijn, meneer Holmes. U bent een ware heer. Hoe snel voelt een vrouw zoiets niet instinctief aan! Ik zal u behandelen als een vriend."

"Ik kan u niet beloven eenzelfde houding jegens u aan te

nemen, mevrouw. Ik ben geen vertegenwoordiger van de wet, maar dien wel – voor zover dat in mijn vermogen ligt – de zaak der rechtvaardigheid en gerechtigheid. Ik ben bereid naar u te luisteren en dan zal ik u zeggen wat ik verder ga doen."

"Het was ongetwijfeld dom van me om een dapper man als u te bedreigen."

"Wat werkelijk dom van u was, mevrouw, was het feit dat u zich heeft overgeleverd aan de genade van een groep boeven die u kunnen chanteren of verraden."

"Nee, nee! Zo simpel van geest ben ik niet. Ik heb u beloofd open kaart te spelen. Niemand, met uitzondering van Barney Stockdale en Susan, zijn vrouw, heeft er enig idee van wie hun werkgever is. En wat die twee betreft... tja, het is niet de eerste..."
Ze glimlachte en knikte, charmant, koket en vriendelijk.

"Ik begrijp het al. Zij hebben al eerder bewezen betrouwbaar te zijn."

"Het zijn goede honden die nooit blaffen."

"Zulke honden hebben de gewoonte om de hand die hun te eten geeft, vroeg of laat tussen hun kaken te nemen. Zij zullen voor deze inbraak worden gearresteerd. De politie is al naar hen op zoek."

"Dan krijgen ze een veroordeling en zullen daar niet tegen protesteren. Daar worden ze voor betaald. Mijn naam zal in dit verband niet worden genoemd."

"Tenzij ik dat zou doen."

"Nee, nee, dat zult u niet doen. U bent een heer en dit is het geheim van een vrouw."

"In de eerste plaats moet u dat manuscript teruggeven."

Ze begon parelend te lachen en liep in de richting van de open haard. Daar lag een verkoolde berg, die ze met een pook uit elkaar trok.

"Moet ik u dit teruggeven?" vroeg ze. Ze zag er zo schelms en schitterend uit toen ze daar met een uitdagende glimlach om haar lippen voor ons stond, dat ik het gevoel kreeg dat het Holmes moeite zou kosten om haar aan de kaak te stellen. Hij bleef echter volstrekt ongevoelig voor haar charmes.

"Hiermee is uw lot bezegeld," zei hij koud. "U gaat snel tot handelen over, mevrouw, maar in dit geval bent u iets te ver gegaan."

Ze gooide de pook weg, die kletterend in de haard viel.

"Wat is het moeilijk om u ergens van te overtuigen!" riep ze uit. "Ik zal u het hele verhaal vertellen."

"Ik denk dat ik het ook zo wel weet."

"Maar u moet het ook vanuit mijn standpunt bekijken, meneer Holmes. U moet zich indenken dat u een vrouw bent die alle ambities die ze in dit leven koestert, op het laatste moment bijna tot mislukken ziet gedoemd. Kan iemand het zo'n vrouw kwalijk nemen wanneer zij zichzelf daartegen in bescherming neemt?"

"De eerste zonde is door u begaan."

"Ja, ja. Dat geef ik toe. Douglas was een lieve jongen, maar toevallig was het zo dat hij niet binnen mijn plannen paste. Hij wilde trouwen – trouwen, meneer Holmes, met een man die niet van adel was en geen cent op zak had! Hij was niet bereid met minder genoegen te nemen. Toen werd hij zeer vasthoudend. Omdat ik me eens aan hem had gegeven, vond hij dat ik me moest blijven geven, en alleen aan hem. Het was onverdraaglijk. Uiteindelijk zag ik me ertoe gedwongen hem dat duidelijk aan zijn verstand te brengen."

"Door een aantal boeven in te huren die hem vlak onder uw raam in elkaar hebben geslagen."

"U lijkt inderdaad alles te weten. Ja, dat klopt. Barney en de jongens hebben hem weggejaagd en ik moet toegeven dat ze dat een beetje hardhandig hebben aangepakt. Maar wat heeft hij toen vervolgens gedaan? Zou ik ooit hebben kunnen geloven dat een heer tot zoiets in staat was? Hij is een boek gaan schrijven met zijn eigen levensverhaal daarin. Ik was natuurlijk de wolf en hij het zoete lammetje. Het stond er allemaal in. Wel met andere namen, natuurlijk. Maar wie in Londen zou de ware personen er niet uit hebben gehaald? Wat heeft u daarop te zeggen, meneer Holmes?"

"Dat hij het recht daartoe had."

"Het was net alsof hij de Italiaanse lucht door zijn aderen voelde stromen, die voor hem de aloude Italiaanse wreedheid met zich meebracht. Hij heeft me een brief geschreven en daar een kopie van het manuscript bij gedaan om me alvast te kwellen. Hij schreef dat er twee kopieën waren – een voor mij en een voor de uitgever."

"Hoe wist u dat die andere kopie nog niet bij de uitgever lag?"

"Ik wist wie de uitgever was. Hij heeft nog meer boeken geschreven, weet u. Ik ben er toen achter gekomen dat die man nog niets uit Italië had gehoord. Toen overleed Douglas plotseling. Zolang dat andere manuscript nog bestond, was ik niet veilig. Het moest natuurlijk bij zijn spullen zitten, die naar zijn moeder werden gezonden. Toen heb ik de bende in actie laten komen. Een van hen is als dienstmeisje het huis in gekomen. Ik wilde alles zo netjes mogelijk afhandelen. Werkelijk waar. Ik was bereid het huis en alles wat daartoe behoorde, te kopen voor de prijs die zij ervoor vroeg. Ik moest het echter anders regelen toen dat plan in alle opzichten bleek te falen. Ik geef toe dat ik Douglas te hard heb aangepakt, meneer Holmes, en God weet dat ik daar spijt van heb, maar wat had ik anders kunnen doen? Mijn hele toekomst stond op het spel."

Sherlock Holmes haalde zijn schouders op. "Wel, wel," zei hij. "Ik veronderstel dat ik, zoals te doen gebruikelijk, om persoonlijke redenen weer een misdaad niet zal moeten laten vervolgen. Hoeveel kost een reis om de wereld, zo luxueus als het maar kan?"

De dame staarde hem verbaasd aan.

"Zou dat te regelen zijn voor vijfduizend pond?"

"Dat zou ik wel denken, ja."

"Uitstekend. Ik denk dat u wel bereid zult zijn een cheque voor dat bedrag uit te schrijven en er vervolgens voor te zorgen dat die bij mevrouw Maberley terechtkomt. U bent haar een verandering van klimaat verschuldigd. En verder, mevrouw,"- hij zwaaide waarschuwend met een wijsvinger onder haar neus – "zult u heel voorzichtig moeten zijn. Heel voorzichtig. U kunt niet altijd met vuur blijven spelen zonder ooit op de blaren te moeten gaan zitten."

Het avontuur van de Mazarinsteen

DOKTER WATSON VOND het plezierig om zich weer eens te bevinden in de niet al te nette kamer op de eerste verdieping in Baker Street, die het startpunt van zovele opmerkelijke avonturen was geweest. Hij keek om zich heen naar de natuurkundige kaarten aan de muren, de door zuren aangetaste plank met chemicaliën, de vioolkist die in een hoek stond, de kolenemmer, waarin als vanouds de pijpen en de tabak zaten. Uiteindelijk bleven zijn ogen rusten op het blozende en glimlachende gezicht van Billy, de jonge, maar heel verstandige en tactvolle hulp, die de eenzaamheid van de sombere, grote detective een beetje had doorbroken.

"Er lijkt allemaal nog niets veranderd, Billy. En jij verandert ook niets. Ik hoop dat van hem hetzelfde kan worden gezegd?"

Billy wierp even een enigszins bezorgde blik op de gesloten deur van de slaapkamer.

"Ik denk dat hij in bed ligt en slaapt," zei hij. Het was een prachtige zomeravond. De klok wees zeven uur aan. Maar dokter Watson was genoegzaam bekend met de vreemde tijdsindeling die zijn vriend erop nahield en verbaasde zich daar dus niet over.

"Ik veronderstel dat dat betekent dat hij zich met een zaak bezighoudt?"

"Ja, meneer, daar is hij op dit moment heel druk mee bezig. Ik maak me zorgen over zijn gezondheid. Hij wordt steeds bleker en magerder en eet niets. 'Wanneer wilt u dineren, meneer Holmes?' heeft mevrouw Hudson gevraagd. 'Om halfacht overmorgen,' heeft hij toen geantwoord. U weet hoe hij zich gedraagt wanneer hij geheel door een zaak in beslag wordt genomen."

"Ja, Billy, dat weet ik."

"Hij is iemand aan het volgen. Gisteren is hij als arbeider vermomd op zoek gegaan naar een baantje. Vandaag is hij een oude vrouw geweest. Daar ben ik bijna ingetuind, ondanks het feit dat ik zijn methode van werken nu toch wel ken."

Met een grijns wees Billy op een heel flodderige parasol die tegen de sofa aan stond.

"Die maakte deel uit van de uitrusting van de oude vrouw," zei hij.

"Maar waar gaat het allemaal om, Billy?"

Billy liet zijn stem dalen, alsof hij belangrijke staatsgeheimen moest gaan bespreken.

"Ik vind het niet erg u dat te vertellen, meneer, maar verder mag niemand er iets van weten. Het gaat om de Kroondiamant."

"Wat? Die honderdduizend-pond-inbraak?"

"Ja, meneer. Ze moeten hem terugkrijgen, meneer. Op die sofa hebben de premier en de minister van Binnenlandse Zaken gezeten, weet u. Meneer Holmes is heel erg aardig voor hen geweest. Hij heeft hen al snel op hun gemak gesteld en beloofd dat hij alles zou doen wat hij kon. En dan zitten we met Lord Cantlemere…"

"Ah!"

"Ja, meneer, u weet wat dat betekent. Dat is een stugge man, meneer, wanneer ik het zo zeggen mag. Ik kan het wel vinden met de premier en ik heb niets tegen de minister van Binnenlandse Zaken, die een beleefde, vriendelijke man lijkt te zijn, maar ik kan de lord niet uitstaan. En dat kan meneer Holmes ook niet. Hij gelooft niet in meneer Holmes, weet u, en was erop tegen dat hij in de arm werd genomen. Die man zou beslist liever zien dat hij er niet in slaagde zijn opdracht met succes te bekronen."

"En dat weet meneer Holmes?"

"Meneer Holmes weet altijd alles wat er te weten valt."

"Nu, ik hoop in ieder geval dat hij niet zal falen en dat Lord Cantlemere daarover versteld zal staan. Maar vertel me eens, Billy, waartoe dat gordijn voor het raam dient?"

"Dat heeft meneer Holmes daar drie dagen geleden opgehangen. Er zit iets grappigs achter." Billy liep erop af en trok het gordijn weg dat de erker voor het raam aan het oog onttrokken hield. Dokter Watson kon een uitroep van verbazing niet binnenhouden. Daar zat een reproductie in van zijn oude vriend, compleet met kamerjas. Het gezicht was voor driekwart naar het raam toegekeerd en een beetje naar de borst toegebogen, alsof hij een onzichtbaar boek aan het lezen was. Het lichaam zat diep weggedoken in een leunstoel. Billy maakte het hoofd los en hield dat omhoog. "We zetten dat hoofd steeds in een iets andere hoek op de romp, zodat het wat levensechter lijkt. Ik zou er niet aan durven komen wanneer het rolgordijn niet was gesloten. Maar wanneer dat niet gesloten is, kan je dit geheel vanaf de overkant van de straat waarnemen."

"Van iets dergelijks hebben we al eens eerder gebruik gemaakt."

"Dat was voor mijn tijd," zei Billy. Hij deed het gordijn een stukje open en keek de straat op. "Vanaf de overzijde worden we gadegeslagen door een paar mensen. Ik kan nu een vent voor het raam zien staan. Kijkt u zelf maar eens!"

Net toen Watson een stap in die richting had gedaan, ging de deur van de slaapkamer open en kwam de lange, magere gestalte van Holmes te voorschijn. Zijn gezicht was bleek en vermoeid, maar zijn houding en manier van lopen straalden zoals gewoonlijk een en al activiteit uit. Met een enkele sprong was hij bij het raam en deed het gordijn weer dicht.

"Zo is het wel genoeg, Billy," zei hij. "Op die manier riskeer je je leven en ik kan het op dit moment nog niet zonder je stellen. Zo, Watson, het is goed om je weer eens in je oude omgeving te zien. Je komt op een belangrijk moment."

"Dat heb ik al begrepen."

"Jij kunt nu wel gaan, Billy. Die jongen is een probleem, Watson. In hoeverre mag ik hem blootstellen aan gevaar?"

"Aan welk gevaar, Holmes?"

"Dat van een onverwachte dood. Ik verwacht dat er vanavond iets zal gaan gebeuren."

"Wat dan?"

"Dat ik word vermoord, Watson."

"Nee, nee, Holmes, je maakt een grapje."

"Zelfs mijn beperkte gevoel voor humor zou een betere grap kunnen bedenken. Maar in die tussentijd zullen we het ons maar gemakkelijk maken, vind je ook niet? Is het gebruik van alcohol toegestaan? De sifon staat nog steeds op zijn vaste plekje, evenals de doos sigaren. Laat me je nog eens zien plaatsnemen in de oude leunstoel. Ik hoop dat je inmiddels nog niet zover bent gekomen dat je een hekel hebt gekregen aan mijn pijp en mijn afschuwelijke tabak? Die nemen tegenwoordig de plaats van eten in."

"Maar waarom eet je niet?"

"Omdat je capaciteiten dan groter worden. Mijn beste Watson, jij als arts zult het toch wel met me eens zijn dat het bloed dat noodzakelijk is voor de spijsvertering, wordt onttrokken aan de hersenen. Voor mij zijn de hersenen het allerbelangrijkste, Watson. De rest van mij is niets anders dan een aanhangsel. En daarom moet ik rekening houden met mijn hersenen."

"Maar dat gevaar waarover je sprak, Holmes?"

"Ah, ja. Wanneer dat gebeurt, zou het wellicht niet onverstandig zijn wanneer jij je geheugen belast met de naam en het adres van de moordenaar. Die kun je dan aan Scotland Yard geven, met mijn groeten en een laatste zegen. De man heet Sylvius – graaf Negretto Sylvius. Schrijf het op, man, schrijf het op! Moorside Gardens nummer 136, noordwest Londen. Heb je dat?"

Het eerlijke gezicht van Watson vertrok van bezorgdheid. Hij wist maar al te goed welke reusachtig grote risico's Holmes bereid was te nemen en was er zich terdege van bewust dat hetgeen er werd gezegd eerder een understatement dan een overdrijving was. Maar Watson was altijd al een man van actie geweest en toonde zich meteen tegen de situatie opgewassen.

"Je kunt op me rekenen, Holmes. Ik heb toch een paar dagen niets te doen."

"Het moreel van jou is er niet op vooruitgegaan, Watson. Je hebt liegen aan je andere ondeugden toegevoegd. Aan je hele voorkomen is te zien dat je het als arts druk hebt en dat er vrijwel ieder uur een beroep op je wordt gedaan."

"Ik heb op dit moment geen werkelijk belangrijke patiënten. Maar kun je die man niet laten arresteren?"

"Ja, Watson, dat zou ik inderdaad kunnen doen en daar maakt hij zich verschrikkelijke zorgen over."

"Maar waarom doe je het dan niet?"

"Omdat ik niet weet waar de diamant is."

"Aha! Daarover heeft Billy me al verteld. Het vermiste kroonjuweel!"

"Ja, de grote, gele Mazarinsteen. Ik heb een net uitgeworpen en de vis gevangen. Maar ik heb de steen nog niet gevonden. Dus wat heeft het dan voor zin die man te laten oppakken? We kunnen deze wereld wat leefbaarder maken door de boeven gevangen te zetten, maar daarop ben ik niet uit. Ik wil die steen hebben."

"En behoort die graaf Sylvius tot de gevangen vis?"

"Ja, en dat is een haai. Hij bijt. De andere is Sam Merton, de bokser. Sam is geen slechte vent, maar de graaf heeft hem gebruikt. Sam is geen haai. Hij is een grote, dwaze, doldriftige en lichtgelovige sul. Maar ook hij zwemt in mijn net rond."

"Waar zit die graaf Sylvius?"

"Ik ben de hele ochtend vlak bij hem in de buurt geweest. Je hebt me wel eens eerder vermomd gezien als een oude dame, Watson. En ik heb die rol nog nooit zo overtuigend gespeeld als vandaag. Hij heeft een keer zelfs mijn parasol voor me opgeraapt. 'Alstublieft, madame,' zei hij toen. Hij is van half Italiaanse afkomst, weet je, en kan zich uiterst goedgemanierd en zwierig gedragen wanneer hij daar zin in heeft, maar wanneer hij in een andere stemming verkeert, lijkt hij de duivel in hoogst eigen persoon. Het leven zit vol zonderlinge gebeurtenissen, Watson."

"Het had op een tragedie kunnen uitlopen."

"Misschien wel, ja. Ik ben hem gevolgd naar de werkplaats van de oude Straubenzee in de Minories. Straubenzee heeft de windbuks vervaardigd – een heel fraai stukje werk, naar ik heb begrepen; en ik heb er zo'n vermoeden van dat dat ding zich op dit moment achter het raam aan de overzijde bevindt. Heb je die pop gezien? Ja, natuurlijk, die heeft Billy je laten zien. Die kan nu ieder moment een kogel in zijn kop krijgen. Ah, Billy, wat is er aan de hand?"

De jongen was de kamer weer ingelopen met een visitekaartje op een dienblad. Holmes keek ernaar, met opgetrokken wenkbrauwen en een geamuseerde glimlach.

"De man in hoogst eigen persoon. Dat had ik eigenlijk niet verwacht. Vat de koe bij de horens, Watson. Die man heeft lef. Misschien heb je wel eens gehoord dat de man de reputatie geniet groot wild neer te kunnen schieten. Zijn schitterende carrière zou inderdaad een triomfantelijke bekroning krijgen wanneer hij mij aan zijn lijst van slachtoffers zou kunnen toevoegen. Dit bewijst dat hij het gevoel heeft dat ik hem zeer dicht op de hielen zit."

"Laat de politie komen!"

"Dat zal ik waarschijnlijk ook wel doen. Maar nu nog niet. Zou jij even voorzichtig uit het raam kunnen kijken, Watson, om te zien of er iemand op straat rondhangt?"

"Ja, vlakbij de deur staat een nogal ruw ogende vent."

"Dat moet Sam Merton zijn – de trouwe, maar nogal sullige Sam. Waar wacht deze heer, Billy?"

"In de wachtkamer, meneer."

"Breng hem hierheen wanneer ik bel."

"Ja meneer."

"En wanneer ik zelf niet in deze kamer ben, moet je hem toch binnenlaten."

"Ja meneer."

Watson wachtte tot hij de kamer was uitgegaan en wendde zich toen ernstig tot zijn metgezel. "Luister nu eens, Holmes, hiermee kun je werkelijk niet doorgaan. Die man is wanhopig en zal voor niets terugdeinzen. Hij is misschien wel gekomen om je te vermoorden."

"Dat zou me niets verbazen."

"Ik sta erop bij je te blijven."

"Je zou me verschrikkelijk voor de voeten lopen."

"Toch kan ik je hier onmogelijk alleen achterlaten."

"Ja, dat kan je wel, Watson. En dat zul je ook doen, want je hebt het spelletje tot dusverre altijd meegespeeld. Ik ben er zeker van dat je dat ook ditmaal zult willen doen. Deze man is hierheen gekomen omdat hij daarmee een bepaald doel voor ogen had en mag hier blijven omwille van het doel dat ik me heb gesteld."

Holmes haalde zijn aantekenboekje te voorschijn en krabbelde daar een paar regels in.

"Neem een huurrijtuig naar Scotland Yard en geef dit aan Youghal van de C.I.D. En kom dan, met politieversterking, weer terug. Daarna zal de man worden gearresteerd."

"Dat zal me een waar genoegen zijn."

"Voor jij terugkeert, heb ik wellicht net tijd genoeg om erachter te komen waar de steen is."

Hij raakte de bel aan.

"Ik denk dat we via de slaapkamer weg moeten gaan. Die tweede uitgang is uitzonderlijk nuttig. Ik wil mijn haai kunnen zien zonder dat hij mij ziet, en zoals je weet heb ik daar zo mijn eigen manieren voor."

Dus werd graaf Sylvius een minuut later door Billy een lege kamer binnengebracht. De beroemde jager, sportliefhebber en man van de wereld was een grote, getaande vent met een reusachtig grote snor die een wrede mond met dikke lippen overschaduwde en waarboven een lange, gebogen neus uitstak, als de bek van een adelaar. Hij was goed gekleed, maar zijn felgekleurde stropdas, glimmende dasspeld en schitterende ringen hadden een opzichtig effect. Toen de deur achter hem was gesloten, keek hij met felle, schrikachtige ogen om zich heen, als iemand die overal een val vermoedt. Toen hij het onbeweeglijke hoofd en de kraag van de kamerjas zag die boven de rugleuning van de gemakkelijke stoel uitstaken, schrok hij hevig. Aanvankelijk drukte zijn gezicht opperste verbazing uit. Toen begon er in zijn donkere, moordzuchtige ogen een afschuwelijke, hoopvolle blik te verschijnen. Hij keek nog eenmaal om zich heen om er zeker van te zijn dat er geen getuigen waren en liep toen, met half opgeheven dikke wandelstok, op zijn tenen naar de zwijgende gestalte in de stoel. Net toen hij ineendook voor de beslissende sprong, werd hij vanaf de deuropening van de slaapkamer begroet door een koele, sardonische stem.

"Breek dat ding niet, graaf! U moet dat ding niet breken!"

De moordenaar wankelde een stukje naar achteren met een vertrokken, verbaasd gezicht. Even hief hij zijn zware stok weer omhoog, alsof hij in plaats van de pop het origineel te lijf wilde gaan. Maar iets in die vaste, grijze blik en spottende glimlach bracht hem ertoe zijn hand omlaag te brengen.

"Dat is een mooi dingetje," zei Holmes, die op de pop afliep. "Gemaakt door Tevernier, de Franse modelleur. Hij is even goed met was als uw vriend Straubenzee dat met windbuksen is."

"Windbuksen, meneer? Wat bedoelt u daarmee?"

"Leg uw hoed en stok op dat bijzettafeltje. Dank u wel. Gaat u alstublieft zitten. Zou u zo vriendelijk willen zijn uw revolver eveneens weg te leggen? O, ik vind het best wanneer u er de voorkeur aan geeft om er bovenop te gaan zitten. Uw bezoek komt me werkelijk uiterst gelegen, want ik wilde verschrikkelijk graag een paar minuten met u spreken."

De graaf keek nijdig onder zijn zware, dreigende wenkbrauwen vandaan.

"Ik wilde ook een paar woorden met u wisselen, Holmes. Daarom ben ik hier. Ik zal niet ontkennen dat ik zo-even van plan was u aan te vallen."

Holmes zwaaide zijn benen op de hoek van de tafel.

"Ik vermoedde al dat u iets dergelijks in gedachten had," zei hij. "Maar vanwaar die belangstelling voor mijn persoon?"

"Omdat u al het mogelijke heeft gedaan om mij te ergeren. Omdat u die volgelingen van u op mijn spoor hebt gezet."

"Volgelingen van me? Ik kan u verzekeren dat dat niet het geval is!"

"Nonsens. Ik heb hen laten volgen. Er zijn meerdere mensen die dat spelletje kennen, Holmes."

"Het is een kwestie die van weinig belang is, graaf Sylvius, maar ik zou het toch op prijs stellen wanneer u me aansprak met het voorvoegsel dat bij mijn naam hoort. U zult wel kunnen begrijpen dat mijn werk met zich meebrengt dat ik de helft van het boevenbestand vrij goed ken, maar desondanks moeten bepaalde omgangsvormen in acht worden genomen, vind ik."

"Menééer Holmes dan."

"Uitstekend. Maar ik kan u verzekeren dat u het mis heeft ten aanzien van die zogenaamde volgelingen, of agenten zo u wilt, van mij."

Graaf Sylvius lachte vol verachting.

"Andere mensen beschikken over een even goed waarnemingsvermogen als u. Gisteren was het een oude jager. Vandaag een oudere dame. Zij hebben me de hele dag in de gaten gehouden."

"U bent me nu werkelijk een complimentje aan het maken, graaf! Die oude baron Dowson zei de avond voor hij werd opgehangen dat wat de wet in mijn persoon had gewonnen, voor het toneel verloren was gegaan. En nu bent u zo vriendelijk mijn kleine vermommingen te prijzen?"

"Bent... bent u het zelf geweest?"

Holmes haalde zijn schouders op.

"U kunt daar in de hoek de parasol zien staan die u zo vriendelijk was me in de Minories terug te geven voordat u enige achterdocht ging koesteren."

"Wanneer ik dat had geweten, zou u waarschijnlijk nooit..."

"Dit bescheiden vertrek hebben teruggezien. Daar was ik me terdege van bewust. Ieder van ons kent wel een aantal verwaarloosde kansen die hij betreurt. U wist op dat moment toevallig niet dat ik het was en dus zitten we nu samen hier!"

De samengeknepen wenkbrauwen van de graaf kwamen nog verder over zijn dreigende ogen heen te hangen.

303

"Wat u me heeft verteld, maakt alles alleen nog maar erger. Het waren dus geen agenten van u. U was het zelf, zoals gewoonlijk weer de grote bemoeial! U geeft dus toe dat u me bent gevolgd. Waarom?"

"Kom nou, graaf. U heeft in Algerije toch op leeuwen gejaagd?"

"En?"

"En waarom?"

"Waarom? De sport – de opwinding – het gevaar!"

"En natuurlijk ook om een land van een plaag te ontdoen?"

"Inderdaad."

"Een korte samenvatting van mijn redenen!"

De graaf sprong overeind, waarbij zijn hand vanzelf naar zijn heupzak ging. "Gaat u zitten, graaf, gaat u zitten! Er was ook een andere, meer praktische reden. Ik wil die gele diamant hebben!"

Graaf Sylvius leunde achterover in zijn stoel met een boosaardig glimlachje om zijn lippen.

"Wat zeg je me daarvan!" zei hij.

"U wist dat ik daarom achter u aan zat. De werkelijke reden waarom u hier vanavond bent, is om erachter te komen hoeveel ik van deze kwestie afweet en in hoeverre een moord op mij absoluut noodzakelijk is. Vanuit mijn standpunt bezien zou ik zo zeggen dat iets dergelijks inderdaad absoluut noodzakelijk is, want ik weet er alles vanaf, met uitzondering van één ding, dat u me zo meteen zult gaan meedelen."

"O, ja? En wat weet u dan nog niet, als ik vragen mag?"

"Waar de diamant nu is."

De graaf keek zijn metgezel scherp aan.

"O, dus dat wilt u weten? Hoe voor den duivel zou ik u kunnen vertellen waar die is?"

"Dat kunt u en dat zult u ook doen."

"Zozo!"

"U kunt mij niet overbluffen, graaf Sylvius." Holmes keek hem strak aan en zijn ogen veranderden in twee dreigende stalen punten. "U bent zo doorzichtig als glas. Ik kan tot in de verste uithoeken van uw geest kijken."

"Dan kunt u natuurlijk ook meteen zien waar de diamant is!"

Holmes klapte geamuseerd in zijn handen en richtte toen spottend een vinger op de graaf.

"Dus u weet het. Dat hebt u zojuist toegegeven!"

"Ik geef niets toe."

"Luistert u nu eens, graaf, wanneer u een beetje redelijk wilt zijn, kunnen we zaken doen. Zo niet, dan zult u hier niet zonder kleerscheuren uit te voorschijn komen."

Graaf Sylvius hief zijn ogen ten hemel. "Over bluffen gesproken!" zei hij.

Holmes keek hem nadenkend aan, als een schaakmeester die over een zet nadenkt die de partij moet bekronen. Toen trok hij snel een tafella open en haalde daar een klein, dik aantekenboekje uit te voorschijn.

"Weet u wat er in dit boekje staat?"

"Nee, meneer, dat weet ik niet."

"Iedere handeling die u tijdens uw verachtelijke en gevaarlijke leven hebt verricht."

"Verdomme, Holmes!" riep de graaf met gloeiende ogen. "Er zijn grenzen aan mijn geduld!"

"Het staat er allemaal in, graaf. De werkelijke feiten rond de dood van die oude mevrouw Harolds, die u het Blymer-bezit heeft nagelaten dat u zo snel hebt vergokt."

"Nonsens!"

"En de hele levensgeschiedenis van mejuffrouw Minnie Warrender."

"Nou en? Daar kunt u toch niets mee doen!"

"Er staat nog veel meer in, graaf. Hier heb ik de roofoverval op de luxe trein naar de Rivièra op 13 februari 1892. En hier de vervalste cheque die in datzelfde jaar werd aangeboden bij de Crédit Lyonnais."

"Nee, wat dat betreft heeft u het mis."

"Dus dan heb ik het wat die andere zaken betreft bij het rechte eind! Graaf, u bent een kaartspeler. Wanneer de tegenspeler alle troeven in handen heeft, bespaart het tijd wanneer je je kaarten dan maar op tafel legt."

"Wat heeft dit alles te maken met het juweel waarover u het had?"

"Rustig aan, graaf. Houd die enthousiaste geest van u een beetje in toom! Laat mij op mijn eigen saaie manier ter zake komen. Ik beschik over al deze gegevens die tegen u pleiten; maar belangrijker is wel dat ik u en die vechtende stier van u in verband met de diamant zonder meer voor de rechtbank kan slepen."

"Dat zal wel!"

"Ik heb de koetsier gevonden die u naar Whitehall heeft ge-bracht, evenals de koetsier die u daar weer vandaan heeft gereden. Ik ken de suppoost die u vlakbij de vitrine heeft zien staan. Ik weet dat Ikey Sanders de man is die geweigerd heeft die steen voor u bij te slijpen. Ikey is gaan praten en daarmee is het spelletje uit."

De aderen op het voorhoofd van de graaf waren gezwollen. Zijn donkere, behaarde handen waren vast ineengestrengeld om geen enkele emotie te laten blijken. Hij probeerde iets te zeggen, maar de woorden lieten zich niet vormen.

"Dat zijn de kaarten die ik in handen heb," zei Holmes. "Ik heb ze nu allemaal op tafel gelegd. Maar één kaart ontbreekt. De ruitenkoning. Ik weet niet waar de diamant is."

"En daar zult u ook nooit achterkomen!"

"O, nee? Wees nu toch eens redelijk, graaf. Denk eens na over de situatie waarin u zich bevindt. U zult voor twintig jaar worden opgesloten. Net als Sam Merton. En wat voor goeds kan de diamant u dan brengen? Niets. Maar wanneer u mij die overhan-digt… tja, dan zal ik om persoonlijke redenen deze misdaad niet laten vervolgen. We willen u niet hebben en Sam evenmin. We willen de steen hebben. Wanneer u die afstaat, kunt u wat mij betreft vrijuit gaan, zolang u zich in de toekomst fatsoenlijk blijft gedragen. Wanneer u weer van het rechte pad afdwaalt… zal dat de laatste keer zijn. Maar ditmaal heb ik opdracht gekregen om de steen te pakken te krijgen en niet u."

"En wanneer ik weiger?"

"Dan zal, helaas, u gepakt moeten worden in plaats van de steen."

Billy was verschenen, omdat Holmes had gebeld.

"Ik denk, graaf, dat het verstandig zou zijn Sam bij deze bespre-king te betrekken. Uiteindelijk moet ook aan zijn belangen worden gedacht. Billy, je zult een grote en lelijke meneer voor de deur aantreffen. Vraag hem boven te komen."

"En wanneer hij niet wil komen, meneer?"

"Geen geweld gebruiken, Billy. Pak hem niet ruw aan. Wanneer je hem zegt dat graaf Sylvius hem nodig heeft, zal hij zeker komen."

"Wat gaat u nu doen?" vroeg de graaf toen Billy was verdwenen. "Mijn vriend Watson was zo-even bij me. Ik heb hem verteld dat ik een haai had gevangen, evenals een ouwe sul. Nu ben ik het net aan het dichttrekken en komen zij beiden boven water."

De graaf was uit zijn stoel overeind gekomen en hield zijn hand op zijn rug. Holmes hield iets vast wat half uit de zak van zijn kamerjas stak.

"U zult niet in uw bed sterven, Holmes!"

"Dat idee heb ik zelf ook al vaak gehad. Doet het er eigenlijk veel toe? Uw eigen vertrek, graaf, zal waarschijnlijk eerder in een verticale dan in een horizontale houding geschieden. Maar dit vooruitlopen op de toekomst heeft iets morbides. Waarom geven we ons niet over aan de onbeperkte genoegens van het heden?"

Plotseling gloeide er in de donkere, dreigende ogen van de aartsboef een licht als dat van een wild beest. Holmes' gestalte leek groter te worden terwijl hij zich spande en op alles was voorbereid.

"Het heeft geen enkele zin om uw revolver te pakken, mijn goede vriend," zei hij toen rustig. "U weet heel goed dat u dat ding niet zou durven gebruiken, zelfs wanneer ik u de tijd zou geven om het te pakken. Vervelende, lawaaierige dingen die revolvers, graaf. U kunt het beter op windbuksen houden. Ah! Ik geloof dat ik daar de lichte voetstap hoor van uw achtenswaardige partner. Een goede dag, meneer Merton. Het is buiten op straat nogal saai, nietwaar?"

De bokser, een zwaargebouwde jongeman met een dom, koppig, lang en schraal gezicht, stond een beetje ongemakkelijk in de deuropening en keek verbaasd om zich heen. Holmes' minzame houding was iets nieuws voor hem en hoewel hij vaag vermoedde dat er vijandigheid uit sprak, wist hij niet hoe hij daarop moest reageren. Hij wendde zich om hulp tot zijn slimmere makker. "Wat is er nu gaande, graaf? Wat wil deze vent? Wat is er aan de hand?" Zijn stem klonk diep en schor. De graaf haalde zijn schouders op en Holmes beantwoordde zijn vragen.

"Wanneer ik het kort mag samenvatten, meneer Merton, zou ik willen zeggen dat het spelletje uit is." De bokser richtte zich nog steeds tot zijn makker.

"Probeert dat mannetje geestig te zijn of zo? Ik ben zelf niet zo in de stemming voor grapjes."

"Nee, dat zal wel niet," zei Holmes. "En ik kan u beloven dat u zich naarmate de avond verder verstrijkt, steeds minder in een dergelijke stemming zult kunnen wanen. En nu moet u eens goed naar me luisteren, graaf Sylvius. Ik heb het erg druk en kan mijn tijd niet verspillen. Ik ga die slaapkamer in. Maakt u beiden het zich in die tussentijd alstublieft gemakkelijk. U kunt uw vriend dan uitleggen hoe de situatie ervoor staat zonder u door mijn aanwezigheid belemmerd te hoeven voelen. Ik ga de *Barcarolle* van Hoffman oefenen op mijn viool. Over vijf minuten kom ik terug en verwacht dan een definitief antwoord van u. U heeft toch goed begrepen wat het alternatief is, nietwaar? Zullen we u beiden gevangen nemen, of krijgen we de steen in handen? Daar gaat het om."

"Wat is er aan de hand?" vroeg Merton bezorgd toen zijn metgezel zich tot hem wendde. "Weet hij iets af van de steen?"

"Daar weet hij veel te veel van af. En ik ben er niet zeker van dat hij er niet álles van af weet."

"Mijn hemel!"

Het toch al bleke gezicht van de bokser werd nog een slagje witter.

"Ikey Sanders heeft ons verlinkt."

"O, ja? Daar zal ik hem dan eens een stevige opstopper voor geven!"

"Daar hebben we nu niet zoveel aan. We moeten besluiten wat we nu verder gaan doen."

"Wacht eens even," zei de bokser, die achterdochtig naar de slaapkamerdeur keek. "Dat is een gewiekste kerel die in de gaten moet worden gehouden. Hij zal toch niet staan te luisteren?"

"Hoe zou dat kunnen met al die muziek?"

"Inderdaad. Misschien staat er iemand achter een gordijn. Er hangen te veel gordijnen in deze kamer." Hij keek om zich heen en zag voor het eerst de pop bij het raam. Te verbaasd om iets te kunnen zeggen, wees hij ernaar.

"Dat is een pop," zei de graaf.

"Namaak? Wel heb je ooit! Dat kan Madame Tussaud hem niet verbeteren. Het lijkt sprekend op hem, inclusief die kamerjas en zo. Maar die gordijnen, graaf."

"O, hou toch op over die gordijnen, man. We zijn onze tijd aan het verspillen en daar zitten we nu niet bepaald ruim in. Hij kan ons vanwege die steen in de cel doen belanden."

"Zal wel!"

"Maar hij is bereid ons ongemoeid te laten wanneer we hem vertellen waar de buit verborgen is."

"Wat zeg je? Die steen opgeven? Honderdduizend pond laten lopen?"

"Het is een kwestie van het een of het ander."

Merton krabde in zijn kortgeknipte haar. "Hij is daar alleen. Ik breng hem wel om zeep. Wanneer hij de pijp uit is gegaan, hoeven we nergens meer bang voor te zijn." De graaf schudde zijn hoofd.

"Hij is gewapend en op alles voorbereid. Wanneer we hem zouden neerschieten, is de kans verdomd klein dat we uit dit huis weg kunnen komen. Bovendien is het heel waarschijnlijk dat de politie op de hoogte is van het bewijsmateriaal dat hij heeft. Hé, wat is dat?"

Ze hoorden een vaag geluid, dat uit de buurt van het raam vandaan leek te komen. Beide mannen draaiden zich razendsnel om, maar alles was rustig. Met uitzondering van die ene vreemde figuur in de leunstoel en zijzelf was er beslist niemand in de kamer.

"Iets van buiten," zei Merton. "Nu moet je eens goed luisteren, makker, jij bent de man met de hersenen. Je kunt toch zeker wel iets bedenken om ons hier uit te draaien. Wanneer het geen zin heeft om hem om zeep te brengen, moet jij wat verzinnen."

"Ik heb slimmere kerels dan hij op een dwaalspoor weten te brengen," zei de graaf. "De steen zit hier, in een geheim zakje. Ik neem geen enkel risico door hem ergens te laten slingeren. We kunnen hem vanavond nog Engeland uitgesmokkeld hebben en dan kan hij voor zondag in Amsterdam in vieren zijn gespleten. Hij weet niets af van Van Seddar."

"Ik dacht dat Van Seddar volgende week pas vertrok."

"Dat was ook zo. Maar nu moet hij met de eerste de beste boot weggaan. Een van ons moet met de steen naar Lime Street gaan om hem dat te vertellen."

"Maar die valse bodem is nog niet klaar."

"Tja, dan zal hij hem zo mee moeten nemen en er verder dan maar het beste van hopen. We hebben geen moment te verliezen." Weer zweeg hij even en keek aandachtig naar het raam, als jager instinctief gevaar vermoedend. Ja, dat vage geluid was beslist van buiten gekomen.

"En wat Holmes betreft," ging hij toen verder, "die kunnen we makkelijk zat in de maling nemen. Die idioot zal ons niet laten arresteren wanneer hij de steen in handen heeft. Nu, we zullen hem die steen beloven. We zullen hem op het verkeerde spoor zetten en voordat hij daarachter komt, is de diamant al in Holland en zijn wij eveneens het land uit."

"Dat klinkt geweldig!" zei Sam Merton met een grijns.

"Ga jij die Hollander nu maar vertellen dat hij moet maken dat hij wegkomt. Ik zal die vent hier dan wel een zogenaamde bekentenis voorschotelen. Ik zal hem vertellen dat de steen in Liverpool is. Wat een jammermuziek! Werkt me op mijn zenuwen! Tegen de tijd dat hij erachter komt dat de steen niet in Liverpool is, is die al in vieren gedeeld en zitten wij op zee. Kom hier staan, zodat hij je door dat sleutelgat niet kan zien. Hier heb je de steen."

"Het verbaast me dat je die bij je durft te dragen."

"Waar zou het ding veiliger opgeborgen kunnen zitten? Wij hebben hem uit Whitehall kunnen meenemen, wat betekent dat iemand hem met het grootste gemak uit mijn kamer zou kunnen stelen."

"Mag ik hem nog eens bekijken?"

Graaf Sylvius wierp een weinig vleiende blik op zijn metgezel en sloeg geen acht op de ongewassen hand die naar hem was uitgestrekt.

"Hé, denk je soms dat ik van plan ben dat ding van je te jatten? Luister eens, makker, ik begin die manier van doen van jou een beetje beu te worden."

"Nou, nou, maak je niet druk, Sam. We kunnen ons geen ruzie veroorloven. Kom maar eens bij het raam staan wanneer je dit juweeltje goed wilt bekijken. Je moet hem tegen het licht houden! Zo!"

"Dank u wel!"

Met een enkele sprong vloog Holmes uit de stoel van de pop overeind en pakte het kostbare juweel beet. Dat hield hij toen in één hand, terwijl hij met zijn andere een revolver richtte op het hoofd van de graaf. De twee boeven wankelden in opperste verbazing achteruit. Voor ze zich hadden hersteld, had Holmes al op de elektrische bel gedrukt.

"Geen geweld, heren – geen geweld, smeek ik u! Denk aan de toekomst! Het moet u toch zonder meer duidelijk zijn dat u zich in een onmogelijke positie bevindt. De politie wacht beneden."

Verbazing won het bij de graaf van woede en angst.

"Maar hoe voor den duivel..." bracht hij er naar adem snakkend uit.

"Het is heel normaal dat u zich hierover verbaast. U weet niet dat mijn slaapkamer een tweede deur heeft, die achter dit gordijn uitkomt. Ik vermoed dat u me gehoord heeft toen ik de pop weghaalde, maar ik had geluk. En zo heb ik de kans gekregen om naar uw gekruide conversatie te luisteren, die ongetwijfeld veel minder openhartig was geweest wanneer u zich van mijn aanwezigheid bewust was geweest."

De graaf maakte een berustend handgebaar.

"U heeft gewonnen, Holmes. Ik geloof dat u de duivel in hoogst eigen persoon bent."

"Zo ongeveer wel," antwoordde Holmes met een beleefde glimlach.

Sam Merton, die niet zo slim was, begon de situatie heel geleidelijk aan te begrijpen. Er weerklonken zware voetstappen op de trap en op dat moment verbrak hij zijn stilzwijgen.

"Fraai werk!" zei hij. "Maar ik hoor nog steeds die jammerviool!"

"Let een beetje op uw woorden," zei Holmes. "Maar verder heeft u gelijk. Die moderne grammofoons zijn werkelijk een opmerkelijke uitvinding!"

Toen kwam de politie binnengerend. Handboeien klikten en de boeven werden naar het wachtende rijtuig gebracht. Watson bleef hij Holmes en feliciteerde hem met het nieuwe blaadje dat aan zijn lauwerkrans kon worden toegevoegd. Weer werd hun gesprek toen onderbroken door Billy, die binnenkwam met een visitekaartje op een dienblad.

"Lord Cantlemere, meneer."

"Laat hem maar binnenkomen, Billy. Dat is de eminente edelman die de allerhoogste belangen vertegenwoordigt," zei Holmes. "Een schitterende, loyale vent, die echter nog tot het oude regime behoort. Zullen we hem eens een beetje laten ontdooien? Zouden we ons een dergelijke kleine vrijheid kunnen veroorloven? We kunnen ervan uitgaan dat hij niets weet van wat er is gebeurd."

De deur ging open en daar verscheen een dunne, norse man met een smal gezicht en een glanzende, zwarte hangsnor, die nauwelijks in overeenstemming waren met de gebogen schouders en wankele pas. Vriendelijk liep Holmes op hem af en schudde hem de hand, zonder dat daarop merkbaar werd gereageerd.

"Hoe maakt u het, Lord Cantlemere? Het is koud voor de tijd van het jaar, maar binnen vrij warm. Kan ik uw jas van u aannemen?"

"Nee, dank u wel. Die houd ik aan."

Holmes legde nadrukkelijk een hand op zijn mouw.

"Staat u het me alstublieft toe dat wel te doen. Mijn vriend dokter Watson kan u verzekeren dat dergelijke temperatuurwisselingen zeer verraderlijk zijn."

Lichtelijk ongeduldig schudde de lord Holmes' hand van zich af.

"Ik heb er geen last van, meneer. Ik blijf niet lang. Ik ben alleen maar even binnengewipt om te horen hoe u vordert met het werk dat u naar u heeft toegehaald."

"Het is moeilijk… heel erg moeilijk."

"Ik was al bang dat u tot die conclusie zou komen."

De woorden en houding van de oude hoveling hadden beslist iets snierends. "Iedere man moet zijn eigen grenzen leren ontdekken, meneer Holmes, maar op die manier komen we in ieder geval van onze zelfvoldaanheid af."

"Ja, inderdaad. Ik sta perplex."

"Ongetwijfeld."

"Vooral ten aanzien van één punt. Misschien zou u me daarbij behulpzaam kunnen zijn."

"Het is een beetje aan de late kant om mij om advies te vragen. Ik dacht zo dat u over geheel eigen methodes beschikte waarmee ieder probleem door u zelfstandig kon worden opgelost. Desondanks ben ik bereid u te helpen."

"Weet u, Lord Cantlemere, het lijdt geen twijfel dat we de werkelijke dieven met succes voor het gerecht kunnen slepen."

"Wanneer u die hebt weten te pakken."

"Inderdaad. De vraag is echter hoe we degene die de steen in ontvangst neemt, moeten aanpakken."

"Is het niet een beetje vroeg om daar nu al aan te denken?"

"Het is altijd goed om je plannen gereed te hebben liggen. Wat zou u beschouwen als onomstotelijk bewijsmateriaal ten aanzien van de ontvanger?"

"Het bezit van de steen, natuurlijk."

"Zou u hem dan laten arresteren?"

"Zonder enige twijfel."

Holmes lachte maar zelden, maar op dat moment gebeurde dat toch bijna, zag zijn oude vriend Watson.

"In dat geval zal het mijn pijnlijke plicht zijn om de politie aan te raden u te arresteren."

Lord Cantlemere werd heel erg boos. Op zijn holle wangen verscheen iets als de blosjes van weleer.

"U gaat nu wel erg ver, meneer Holmes. Ik ben al vijftig jaar officieel in functie en heb al die tijd nog nooit iets dergelijks meegemaakt. Ik ben een druk bezet man, mijnheer, en heb belangrijke zaken af te handelen. Dus heb ik geen tijd voor dwaze grappen. Bovendien kan ik daar geen enkele waardering voor opbrengen. Ik zal u maar eerlijk zeggen, mijnheer, dat ik nooit heb geloofd in uw vermogens en dat ik altijd van mening ben geweest dat deze zaak beter in handen van de politie gegeven had kunnen worden. Uw gedrag bevestigt al mijn conclusies. Ik heb de eer, mijnheer, u verder een goede avond te wensen."

Holmes was snel tussen de lord en de deur gaan staan.

"Een ogenblik nog, alstublieft," zei hij. "Het zou werkelijk een ernstiger vergrijp zijn wanneer u met de Mazarinsteen in uw bezit wegging dan wanneer men tot de conclusie zou komen dat u hem slechts tijdelijk in uw bezit heeft gehad."

"Mijnheer, dit is onverdraaglijk. Laat me erdoor!"

"Stop uw hand eens in de rechterzak van uw overjas."

"Hoezo, mijnheer?"

"Kom... doet u nu maar wat ik u heb gevraagd."

Even later stond de stomverbaasde edelman met knipperende ogen naar de grote gele steen die in zijn trillende handpalm lag, te kijken en stamelde: "Wat... wat... hoe kan dat, meneer Holmes?"

"Helaas, Lord Cantlemere!" riep Holmes. "Mijn oude vriend hier zal u kunnen vertellen dat ik de duivelachtige gewoonte heb om *practical jokes* uit te halen. En ook dat ik de verleiding nooit kan weerstaan om een dramatische situatie te doen ontstaan. Ik heb me de vrijheid – de heel grote vrijheid – veroorloofd om de steen aan het begin van ons gesprek in uw zak te stoppen."

De oude edelman staarde van de steen naar het glimlachende gezicht voor zijn neus.

"Mijnheer, ik sta versteld. Maar... ja... het is inderdaad de Mazarinsteen. We zijn u veel dank verschuldigd, meneer Holmes. Uw gevoel voor humor mag dan, zoals uzelf heeft toegegeven, een beetje vreemd zijn, maar ik ben bereid om alle opmerkingen die ik gemaakt heb over uw werkelijk verbazingwekkende vermogens, in te trekken. U bent een man die zijn vak verstaat. Maar hoe…"

"De zaak is pas voor de helft afgerond. Details kunnen wachten. Het lijdt mijns inziens geen twijfel, Lord Cantlemere, dat het genoegen waarmee u in uw verheven kringen kunt verhalen over dit succesvolle resultaat, u enige compensatie zal bieden voor de grap die ik met u heb uitgehaald. Billy, wil jij Lord Cantlemere naar buiten begeleiden en mevrouw Hudson vervolgens meedelen dat ik het plezierig zou vinden wanneer ze zo snel mogelijk een diner voor twee personen bereidt?"

Het avontuur van de kruipende man

DE HEER SHERLOCK HOLMES was altijd van mening dat ik de merkwaardige feiten rond professor Presbury te boek moest stellen, al was het alleen maar om eens en voor al een einde te maken aan de vuige geruchten die de universiteit zo'n twintig jaar geleden in opschudding brachten en in de Londense wetenschappelijke kringen werden overgenomen. Dat werd echter door bepaalde obstakels onmogelijk gemaakt, waardoor het ware gebeuren rond deze merkwaardige zaak opgesloten bleef in de tinnen doos die zovele verslagen bevat van avonturen die mijn vriend heeft meegemaakt. Nu hebben we tenslotte dan toch toestemming gekregen om de feiten te boekstaven die verband hielden met een van de allerlaatste zaken die Holmes in behandeling nam voor hij besloot zijn praktijk niet langer uit te oefenen. En zelfs nu nog is een zekere mate van terughoudendheid en discretie noodzakelijk bij het beschrijven van deze kwestie voor het grote publiek.

OP EEN ZONDAGAVOND in het begin van de maand september van het jaar 1903 kreeg ik een van Holmes laconieke boodschappen toegestuurd:

Kom meteen indien je dat schikt – zo niet, kom dan toch maar.
S.H.

Onze verhouding was in die tijd merkwaardig. Hij was een gewoontedier, een man die er zeer bepaalde, vastgeroeste gewoontes op nahield, en ik was er daar één van geworden. Als gewoonte was ik net zoiets als de viool, de pijptabak, de oude zwarte pijp, de

315

naslagwerken en andere wellicht minder gemakkelijk te excuseren gewoonten. Wanneer hij een zaak behandelde waarbij tot activiteiten moest worden overgegaan, en hij behoefte had aan een kameraad op wiens durf hij enigermate kon rekenen, was mijn rol duidelijk. Maar ook los daarvan kon ik hem van nut zijn. Ik was een slijpsteen voor zijn geest. Ik stimuleerde hem. Hij vond het prettig om in mijn aanwezigheid hardop te denken. In zo'n geval kon je nauwelijks zeggen dat hij zijn opmerkingen tot mij richtte – vele ervan kon hij net zo goed tot zijn ledikant richten – maar toen hij er eenmaal een gewoonte van had gemaakt, bleek het hem op de een of andere manier toch te stimuleren wanneer ik kon luisteren en vragen stellen. Wanneer ik hem irriteerde door een zekere methodische traagheid van mijn denkwijze, diende die irritatie er slechts toe zijn eigen snel opkomende intuïtie en indrukken des te levendiger te maken. Dat was mijn nederige rol binnen ons bondgenootschap.

Toen ik in Baker Street arriveerde, trof ik hem ineengedoken in zijn stoel aan, met opgetrokken knieën, zijn pijp in zijn mond en denkrimpeltjes op zijn voorhoofd. Het was duidelijk dat hij zich intensief bezighield met een lastig probleem. Met een handgebaar wees hij op mijn oude gemakkelijke stoel, maar verder gaf hij een halfuur lang geen enkel teken dat hij zich mijn aanwezigheid bewust was. Toen leek hij opeens geschrokken uit zijn overpeinzingen te ontwaken en begroette me met zijn gebruikelijke eigenaardige glimlach in het huis dat ik eens met hem had gedeeld.

"Mijn beste Watson, je moet het me vergeven wanneer ik een beetje afwezig ben," zei hij. "Er zijn me enige merkwaardige feiten voorgelegd de afgelopen vierentwintig uur en die hebben weer geleid tot een aantal veronderstellingen van een meer algemene aard. Ik denk er werkelijk serieus over om een kleine monografie te gaan schrijven over het gebruik van honden bij het werk van een detective."

"Maar dat onderwerp is toch al onderzocht, Holmes," zei ik. "Bloedhonden, speurhonden…"

"Nee, nee, Watson. Die kant van de zaak is natuurlijk al duidelijk. Maar er zit een andere kant aan, die veel subtieler is. Misschien herinner je je nog wel dat ik bij de behandeling van de zaak die jij op jouw sensationele wijze in verband hebt gebracht met de Bruine Beuken, in staat was om door middel van het gadeslaan van de geest van een kind, conclusies te trekken over de misdadige gewoonten van de heel zelfvoldane en respectabele vader."

"Ja, dat kan ik me nog goed herinneren."

"In analoge zin heb ik nagedacht over honden. Een hond is een afspiegeling van het gezinsleven. Wie heeft ooit een vrolijke hond gezien in een somber gezin of een trieste hond bij een gelukkige familie? Snauwende mensen hebben snauwende honden, gevaarlijke mensen gevaarlijke viervoeters. En hun wisselende stemmingen kunnen een afspiegeling zijn van de wisselende stemmingen van anderen."

Ik schudde mijn hoofd. "Holmes, dat is toch werkelijk een beetje ver gezocht," zei ik.

Hij had zijn pijp opnieuw gestopt en was weer gaan zitten, zonder aandacht te besteden aan mijn commentaar.

"Het praktische gebruik van wat ik zojuist heb gesteld, houdt direct verband met de zaak die ik nu onderzoek. Het is een verwarde zaak, begrijp je, en ik ben op zoek naar enig houvast. Dat valt misschien te vinden in het antwoord op de vraag waarom de wolfshond van professor Presbury probeert hem te bijten."

Een beetje teleurgesteld liet ik me weer terugzakken in mijn stoel. Was ik in verband met zo'n triviale vraag uit mijn werk gehaald? Holmes keek me even aan.

"Je bent nog altijd niets veranderd, Watson!" zei hij. "Je lijkt nooit te zullen leren dat de ernstigste zaken van de kleinste dingen kunnen afhangen. Maar is het ook zo op het eerste gezicht al niet vreemd dat een bezadigde, oudere filosoof – je hebt natuurlijk wel van Presbury gehoord, de beroemde fysioloog uit Camford – dat zo'n man, wiens trouwe vriend die wolfshond altijd is geweest, nu tweemaal door zijn eigen hond is aangevallen? Wat kan jij daar uit opmaken?"

"Dat die hond ziek is."

"Die mogelijkheid heeft men inderdaad in overweging genomen. Maar hij valt verder niemand anders aan en lijkt zijn meester ook alleen maar bij zeer speciale gelegenheden aan te vallen. Merkwaardig, Watson... heel erg merkwaardig. Maar de jongeheer Bennett is te vroeg. Wanneer hij tenminste degene is die zojuist heeft aangebeld. Ik had gehoopt wat langer met jou te kunnen praten voor zijn komst."

Snel kwam iemand de trap opgelopen. Er werd hard op de deur

geklopt en een seconde later stelde de nieuwe cliënt zich aan ons voor. Het was een lange, knappe jonge man van zo'n jaar of dertig, goed gekleed en elegant, maar met iets in zijn voorkomen dat eerder de verlegenheid van een student opriep dan de zelfbeheersing van een man van de wereld. Hij gaf Holmes een hand en keek mij toen een beetje verbaasd aan.

"Dit is een heel delicate kwestie, meneer Holmes," zei hij. "Vooral gezien mijn verhouding tot professor Presbury – zowel in de privésfeer als in het openbaar. Ik kan het werkelijk nauwelijks verantwoorden om te spreken in aanwezigheid van een derde."

"Maakt u zich daarover maar geen zorgen, meneer Bennett. Dokter Watson is uiterst discreet en ik kan u verzekeren dat dit een zaak is waarbij ik naar alle waarschijnlijkheid een assistent nodig zal hebben."

"Zoals u wenst, meneer Holmes. Ik ben er zeker van dat u zult begrijpen dat ik me in dezen een beetje gereserveerd moet opstellen."

"Dat zul jij ook begrijpen, Watson, wanneer ik je vertel dat deze heer, Jack Bennett, de grote geleerde bij zijn onderzoek professioneel terzijde staat, onder zijn dak woont en verloofd is met zijn enige dochter. We moeten het erover eens zijn dat de professor alle recht heeft op zijn trouw en toewijding. Maar daarvan kan wellicht wel het beste blijk worden gegeven door het nemen van de noodzakelijke stappen om dit vreemde mysterie tot een oplossing te brengen."

"Ik hoop dat dat zal gebeuren, meneer Holmes. Dat doel staat me voor ogen. Is dokter Watson op de hoogte van de feiten?"

"Ik heb de tijd niet gehad om hem die mee te delen."

"Dan is het misschien verstandig dat ik alles nog eens op een rijtje zet alvorens u deelgenoot te maken van enkele nieuwe ontwikkelingen."

"Dat eerste doe ik liever zelf," zei Holmes, "om te kijken of ik de gebeurtenissen in de juiste volgorde heb geplaatst. De professor, Watson, is iemand die in geheel Europa naam heeft gemaakt. Zijn leven lang heeft hij zich geheel en al aan de wetenschap gewijd. Nooit is er ook maar iets van een schandaal rond zijn persoon ontstaan. Hij is weduwnaar en heeft een dochter, Edith. Ik heb begrepen dat de man een zeer positief, viriel, ja, je zou bijna kunnen zeggen strijdlustig karakter heeft. Zo was, een aantal maanden geleden, de stand van zaken. Toen werd zijn leven verstoord. Hij is eenenzestig jaar oud, maar werd verliefd op de dochter van professor Morphy, zijn collega, die eveneens professor is in de vergelijkende anatomie. Ik heb begrepen dat er geen sprake was van de doordachte hofmakerij van een oudere man, maar eerder van de gepassioneerde hartstocht van een jongeman, want niemand zou zich tegenover de jongedame als een meer liefhebbende aanbidder hebben kunnen voordoen. De dame in kwestie, Alice Morphy, was een perfect meisje, zowel naar lichaam als naar geest, zodat het verliefd worden van de professor in ieder opzicht kon worden geëxcuseerd. Toch was zijn eigen familie het er volstrekt niet mee eens."

"We vonden het nogal overdreven," zei onze bezoeker.

"Inderdaad. Overdreven en onnatuurlijk. Professor Presbury was echter een rijk man en de vader van de jongedame had er geen bezwaar tegen. De dochter dacht er echter anders over en een aantal mannen dong al naar haar hand – mannen die wellicht vanuit een werelds standpunt bekeken minder aantrekkelijk waren, maar in ieder geval veel beter bij haar leeftijd pasten. Ondanks het excentrieke gedrag van de professor, leek het meisje hem toch wel te mogen. Alleen het leeftijdsverschil vormde een onoverkomelijke belemmering. Rond die tijd verduisterde een klein mysterie plotseling de normale, dagelijkse routine van het leven van de professor. Hij deed iets wat hij nog nooit eerder had gedaan. Hij ging het huis uit en vertelde niemand waarheen. Hij bleef veertien dagen weg en toen hij terugkeerde zag hij er moe uit, als een man die veel had gereisd. Hij vertelde niemand waar hij was geweest, ondanks het feit dat hij gewoonlijk bijzonder openhartig was. Nu was het toevallig zo dat onze cliënt, de heer Bennett, een brief ontving van een medestudent uit Praag, die schreef dat het hem goed had gedaan professor Presbury daar te hebben gezien, ondanks het feit dat hij niet in de gelegenheid was geweest hem te spreken. Op die manier kwamen de mensen die bij hem in huis wonen erachter waar hij was geweest. Nu komt het belangrijkste. Vanaf die tijd leek de professor een merkwaardige verandering te hebben ondergaan. Hij werd steels en sluw. Degenen om hem heen hadden voortdurend het gevoel dat hij niet meer de man was die ze hadden gekend, dat hij onder de invloed was gekomen van iets wat zijn grote geestelijke vermogens verduisterde. Toch leek zijn intellect er niet door te zijn aangetast. Zijn colleges waren nog altijd even briljant. Maar altijd was er sprake van iets nieuws, sinisters en onverwachts. Zijn dochter, die hem volkomen is toegewijd, heeft telkens opnieuw gepoogd de oude draad van hun relatie weer op te pakken en het masker dat haar vader leek te hebben voorgedaan weg te halen. Ik heb begrepen dat u, meneer, precies hetzelfde heeft gedaan, maar eveneens zonder succes. En nu, meneer Bennett, moet u zelf maar vertellen over het incident dat u in uw brief heeft beschreven."

"U moet begrijpen, dokter Watson, dat de professor geen geheimen voor me had. Een zoon of een jongere broer zou zijn vertrouwen niet vollediger hebben kunnen genieten. Ik fungeerde ook als zijn secretaris en kreeg uit dien hoofde alle brieven onder ogen die hij ontving. Ik maakte die open en rubriceerde ze. Kort na zijn terugkeer veranderde dat alles. Hij vertelde me dat het mogelijk was dat hij uit Londen bepaalde brieven zou ontvangen die een kruisje onder de postzegel zouden hebben. Die waren privé en alleen voor zijn ogen bestemd. Ik heb inderdaad een aantal van die brieven in handen gehad. Ze waren gepost in East Central Londen en het handschrift getuigde van een schrijver die nauwelijks een pen kan vasthouden. Misschien dat hij die brieven heeft beantwoord, maar daar heb ik nooit iets van gemerkt. Ik heb dergelijke brieven niet in handen gehad en ze ook niet zien liggen in het vakje waarin we gewoonlijk de uitgaande post verzamelen."

"En de doos," zei Holmes.

"O, ja, de doos. De professor had van zijn reizen een klein houten doosje meegenomen. Dat was het enige dat wees op een reis over het vasteland van Europa, want het was bewerkt op een wijze die Duitse kunstenaars vaak hanteren. Dat doosje zette hij in zijn instrumentenkast. Toen ik op een dag op zoek was naar iets, pakte ik dat doosje op. Tot mijn verbazing werd hij toen heel erg boos en gaf me in woeste bewoordingen een berisping vanwege mijn nieuwsgierigheid. Iets dergelijks was me nog nooit overkomen en ik voelde me diep gekwetst. Ik probeerde hem te vertellen dat ik dat doosje slechts puur toevallig had aangeraakt, maar ik was me er de hele avond van bewust dat hij me hardvochtig zat aan te kijken en dat het incident hem behoorlijk dwars zat."

De heer Bennett haalde een kleine agenda uit zijn zak te voorschijn. "Dat gebeurde op de tweede juli," zei hij.

"U bent een uitstekende getuige," zei Holmes. "Het kan zijn dat ik die data, waarvan u een notitie gemaakt heeft, later nodig heb."

"Mijn grote leermeester heeft me onder andere geleerd altijd methodisch te werk te gaan. Vanaf het moment dat ik merkte dat hij zich abnormaal gedroeg, achtte ik het mijn plicht om zijn zaak eens nader te bestuderen. Daarom heb ik ook opgeschreven dat Roy precies op die tweede juli de professor aanviel toen die vanuit zijn studeerkamer de hal ingelopen kwam. Op de elfde juli heeft zich een soortgelijke scène voorgedaan en op de twintigste juli eveneens. Daarna moesten we Roy in de stallen opgesloten houden. Het was zo'n lief, aanhankelijk dier… Maar ik ben bang dat ik u hiermee verveel."

Meneer Bennett zei dat nogal verwijtend, want het was zonneklaar dat Holmes niet naar hem luisterde. Zijn gezicht stond strak en zijn ogen staarden afwezig naar het plafond. Met enige moeite herstelde hij zich weer.

"Eigenaardig! Heel eigenaardig!" mompelde hij. "Die details kende ik nog niet, meneer Bennett. Ik geloof dat we nu alle oudere gegevens wel afdoende hebben besproken. U had het echter zo-even over een aantal nieuwe ontwikkelingen."

Het plezierige, open gezicht van onze bezoeker vertrok, raakte overschaduwd, alsof hij zich iets heel grimmigs herinnerde.

"Dat is eergisteravond gebeurd," zei hij. "Rond twee uur 's nachts lag ik nog wakker en hoorde toen in de gang een dof, gedempt geluid. Ik maakte mijn deur open en stak mijn hoofd om de hoek. Ik moet u eerst even vertellen dat de professor aan het einde van de gang slaapt…"

"Welke datum?" vroeg Holmes.

Het ergerde onze bezoeker duidelijk dat hij werd onderbroken met zo'n onbelangrijke vraag.

"Ik heb al gezegd dat dit eergisteravond is gebeurd, dus op de vierde september."

Holmes knikte en glimlachte. "Gaat u alstublieft verder," zei hij.

"Hij slaapt aan het einde van de gang en moet langs mijn deur om bij de trap te kunnen komen. Wat ik zag was iets wat me doodsbang maakte, meneer Holmes. Ik heb sterke zenuwen, maar schrok me dood van wat ik zag. De gang was donker. Er kwam alleen wat licht binnen via een raam dat halverwege zit. Ik kon daardoor zien dat er iets de gang door kwam, iets donkers, dat kroop. Toen viel het licht er plotseling op en zag ik dat hij het was. Hij kroop, meneer Holmes – kroop op handen en voeten! Zijn gezicht hing omlaag tussen zijn handen. Toch leek hij zich gemakkelijk te kunnen bewegen. Ik was zo verlamd van schrik dat ik pas een stap de gang in kon doen toen hij voor mijn deur was aangekomen. Toen vroeg ik of ik hem soms kon helpen. Zijn antwoord was buitengewoon merkwaardig. Hij vloog overeind, voegde me enige afschuwelijke woorden toe en liep vervolgens snel langs me heen en de trap af. Ik heb toen ongeveer een uur lang gewacht, maar hij kwam niet meer terug. Het moet al dag zijn geweest toen hij naar zijn kamer terugging."

"En Watson, wat vind je daarvan?" vroeg Holmes, als een patholoog die een zeldzaam specimen laat zien.

"Misschien een geval van spit. Ik weet dat een zware aanval ervan een mens zo kan doen laten lopen en in zo'n geval spreekt het voor zich dat de persoon in kwestie in een niet al te beste bui is."

"Uitstekend, Watson! Jij zorgt er altijd weer voor dat we met beide benen stevig op de grond blijven staan. Maar we kunnen toch nauwelijks veronderstellen dat de man spit had, want hij was in staat binnen een seconde rechtop te gaan staan."

"Hij geniet nog altijd een uitstekende gezondheid," zei Bennett. "Om u de waarheid te zeggen, is hij sterker dan hij in jaren is geweest. Maar dit zijn de feiten, meneer Holmes. Het is geen zaak waar we de politie bij kunnen halen en toch weten we helemaal niet meer wat we nu verder moeten doen en we hebben het merkwaardige gevoel dat we regelrecht op een ramp aan het afstevenen zijn. Edith – juffrouw Presbury – is net als ik van mening dat we niet langer passief kunnen blijven toekijken."

"Het is inderdaad een heel merkwaardige en te denken gevende zaak. Wat vind jij ervan, Watson?"

"Sprekend als arts," zei ik, "lijkt me dit een zaak voor een psychiater. De hersenen van die oude heer zijn in de war geraakt door die liefdesaffaire. Hij heeft een reis naar het buitenland gemaakt in de hoop zich van die hartstocht te kunnen bevrijden. Zijn brieven en dat doosje kunnen verband houden met de een of andere particuliere transactie – een lening misschien, of aandelen die in dat doosje zijn opgeborgen."

"En de wolfshond is het zonder enige twijfel oneens met die

financiële transactie. Nee, nee, Watson, er zit meer achter. Ik kan op dit moment alleen maar opperen..."

Wat Sherlock Holmes op dat moment wilde opperen, zullen we nooit weten, want op dat moment ging de deur open en kwam een jongedame de kamer ingelopen. De heer Bennett stond met een kreet op en rende met uitgestoken handen op haar af.

"Edith, lieveling. Er is toch hopelijk niets aan de hand?"

"Ik had alleen het gevoel dat ik achter je aan moest gaan, Jack. Ik was zo verschrikkelijk bang. Het is afschuwelijk om nu alleen thuis te zijn."

"Meneer Holmes, dit is de jongedame over wie ik u heb verteld. Mijn verloofde."

"Die conclusie waren we ook al aan het trekken, nietwaar, Watson?" zei Holmes glimlachend. "Juffrouw Presbury, ik neem aan dat zich een nieuwe ontwikkeling heeft voorgedaan en dat u van mening was dat wij daarvan op de hoogte gesteld dienden te worden?"

Onze bezoekster, een levendig, aantrekkelijk, duidelijk conventioneel Engels meisje, keek Holmes eveneens glimlachend aan terwijl ze naast de heer Bennett ging zitten.

"Toen ik erachter kwam dat de heer Bennett zijn hotel had verlaten, dacht ik dat ik hem naar alle waarschijnlijkheid wel hier zou aantreffen. Natuurlijk had hij me verteld dat hij u zou raadplegen. Maar, o, meneer Holmes, kunt u niet iets doen voor mijn arme vader?"

"Dat hoop ik wel, juffrouw Presbury, maar de zaak is nog altijd duister. Misschien dat er enig nieuw licht op geworpen kan worden door wat u ons te vertellen heeft."

"Het is gisteravond gebeurd, meneer Holmes. Hij had zich de hele dag al heel raar gedragen. Ik ben er zeker van dat er tijden zijn dat hij zich niets meer herinnert van wat hij heeft gedaan. Hij lijkt in een vreemde droom te leven. Gisteren was zo'n dag. Ik leefde met iemand die mijn vader niet was. Zijn uiterlijk omhulsel was onveranderd, maar van binnen was hij iemand anders."

"Vertelt u me maar eens wat er is gebeurd."

"Ik werd 's nachts gewekt doordat de hond vreselijk aan het blaffen was. Die arme Roy, die nu vastgeketend moet zitten in de buurt van de stallen! Ik moet u vertellen dat ik voor het slapen gaan de deur van mijn kamer altijd op slot doe, want zoals Jack –

de heer Bennett – u zal kunnen bevestigen, hebben we allemaal het gevoel dat er gevaar dreigt. Mijn slaapkamer bevindt zich op de eerste verdieping. Nu was het toevallig zo dat ik de gordijnen niet had dichtgedaan en de maan helder aan de hemel stond. Ik lag naar het raam te staren en luisterde naar het krankzinnige geblaf van de hond. Toen zag ik tot mijn grote verbazing het gezicht van mijn vader voor het raam verschijnen, meneer Holmes. Ik ging bijna dood van verbazing en angst. Zijn gezicht was tegen het glas aangedrukt en hij had een hand omhoog geheven, alsof hij van plan was het raam open te schuiven. Ik denk dat ik krankzinnig geworden zou zijn wanneer dat raam open was gegaan. Het was geen inbeelding van me, meneer Holmes. Denkt u dat vooral niet. Ik vermoed dat ik zo'n twintig seconden lang verlamd van schrik naar dat gezicht heb liggen kijken. Toen verdween het weer. Maar ik kon... ik kon mijn bed niet uitspringen om te kijken waarheen hij was gegaan. Ik heb tot het ochtendgloren trillend en rillend op mijn bed gelegen. Tijdens het ontbijt gedroeg hij zich humeurig en zinspeelde in het geheel niet op het avontuur van die nacht. Dat heb ik ook niet gedaan, maar ik heb wel een smoesje verzonnen om naar de stad te kunnen gaan en nu ben ik hier."

Holmes had dat alles met duidelijk grote verbazing aangehoord.

"Mijn beste jongedame, u heeft ons zojuist verteld dat uw kamer zich op de eerste verdieping bevindt. Staat er in de tuin een lange ladder?"

"Nee, meneer Holmes. Dat maakt het nu juist zo verbazingwekkend. Je kunt dat raam op geen enkele manier bereiken, en toch heb ik hem daar gezien."

"Dat is dus gebeurd op de vijfde september," zei Holmes. "Dat maakt de zaak gecompliceerder." De jongedame keek verbaasd.

"Dat is de tweede maal dat u het over een datum heeft, meneer Holmes," zei Bennett. "Is het mogelijk dat die iets met deze zaak te maken heeft?"

"Het is mogelijk – heel goed mogelijk – maar toch beschik ik nu nog niet over alle noodzakelijke gegevens."

"Misschien denkt u in dat verband aan een connectie tussen krankzinnigheid en bepaalde maanstanden?"

"Nee, ik kan u verzekeren dat mijn gedachten een heel andere kant opgaan. Misschien zou u zo vriendelijk willen zijn uw agenda hier te laten, zodat ik die data nog eens kan controleren? Nu denk ik zo, Watson, dat het volkomen duidelijk is wat ons te doen staat. Deze jongedame heeft ons verteld – en ik heb het grootste vertrouwen in haar intuïtie – dat haar vader zich niets of nauwelijks iets kan herinneren van wat hij op bepaalde dagen heeft gedaan. We zullen hem daarom een bezoekje brengen, alsof hij ons op zo'n dag een afspraak had toegezegd. Dat zal hij dan toeschrijven aan zijn eigen geheugenverlies. En op die manier kunnen we onze campagne van start doen gaan door hem eens goed van dichtbij te bekijken."

"Dat is een uitstekend idee," zei de heer Bennett. "Ik moet u er echter wel voor waarschuwen dat de professor af en toe gevaarlijk driftig kan worden."

Holmes glimlachte. "Er zijn bepaalde redenen die het noodzakelijk maken dat we meteen naar hem toegaan – heel geldige redenen wanneer mijn theorieën kloppen. Morgen, meneer Bennett, zullen we ons in Camford bevinden. Wanneer ik het me goed herinner, is er in dat stadje een herberg, Chequers geheten, waar de port beter was dan gemiddeld en het beddengoed onberispelijk schoon en netjes. Ik denk zo, Watson, dat het lot ons de eerstkomende dagen ook naar minder aangename verblijfplaatsen zal voeren."

Maandagmorgen waren we onderweg naar de beroemde universiteitsstad – wat voor Holmes, die vrijelijk kon gaan en staan waar hij wilde niet zo moeilijk was, maar voor mij betekende dat er snel van alles en nog wat moest worden geregeld omdat mijn praktijk op dat moment behoorlijk groot was. Holmes refereerde pas aan de zaak toen we onze koffers in de oude herberg hadden gedeponeerd.

"Ik denk zo, Watson, dat we de professor nog net voor de lunch kunnen aantreffen. Hij geeft om elf uur een college en daarna gaat hij voor de lunchpauze ongetwijfeld even naar huis."

"Welk excuus kunnen we mogelijkerwijze geven voor ons bezoek?" Holmes keek even in zijn aantekenboekje.

"Op de zesentwintigste augustus heeft hij weer zo'n onrustige periode doorgemaakt. We zullen aannemen dat hij zich alles wat er dan gebeurt, slechts vaag herinnert. Wanneer we volhouden dat hij op die dag een afspraak met ons gemaakt heeft, zal hij het naar mijn mening nauwelijks wagen ons tegen te spreken. Denk je dat je onbeschaamd genoeg bent om dat spelletje vol te kunnen houden?"

"Dat kunnen we alleen maar ontdekken door het te proberen."

"Uitstekend, Watson. Ik denk dat een van de inwoners van dit stadje wel bereid zal zijn ons te vertellen hoe we bij zijn huis kunnen komen."

We vonden een fraai rijtuigje met een koetsier die de weg op zijn duimpje kende en reden langs een rij zeer oude collegegebouwen. Toen draaiden we een met bomen omzoomde oprijlaan op en kwamen tot stilstand voor de deur van een uiterst charmant huis, omgeven door gazons en begroeid met klimop en blauwe regen. Het was duidelijk dat professor Presbury niet alleen in een comfortabele, maar zelfs luxueuze omgeving woonde. Toen ons rijtuig tot stilstand kwam, zagen we een hoofd met grijs haar voor een van de ramen aan de voorkant verschijnen en werden we door een paar scherpe ogen vanonder ruige wenkbrauwen door een grote hoornen bril bekeken. Een ogenblik later bevonden we ons al in zijn heiligdom en stond de mysterieuze geleerde, wiens grillen ons ertoe hadden genoopt Londen te verlaten, voor ons. Noch zijn manier van doen, noch zijn uiterlijk hadden op dat moment iets excentrieks. Het was een gezette man met een groot gezicht, ernstig, lang en gehuld in een geklede jas. Zijn houding was waardig, zoals passend is voor iemand die colleges geeft. Zijn ogen waren van alles nog het meest opmerkelijk – scherp, observerend en slim tot op de rand van het geslepene. Hij keek naar onze visitekaartjes.

"Gaat u alstublieft zitten, heren. Wat kan ik voor u doen?"

Holmes glimlachte vriendelijk.

"Dat was de vraag die ik u net wilde stellen, professor."

"Mij?"

"Misschien dat hier sprake is van een vergissing. Ik heb via derden gehoord dat professor Presbury uit Camford mijn hulp nodig had."

"O, ja?" Ik kreeg de indruk dat de scherpe grijze ogen een beetje boosaardige glans kregen. "Heeft u dat inderdaad gehoord? Mag ik vragen naar de naam van degene die dat heeft gezegd?"

"Die kan ik u tot mijn spijt niet geven, professor, omdat het een nogal vertrouwelijke aangelegenheid betrof. Wanneer ik me heb vergist, is dat niet erg. Dan kan ik alleen maar zeggen dat het me spijt u lastig gevallen te hebben."

"Nergens voor nodig. Ik wil deze kwestie graag nader bespreken. Het interesseert me. Heeft u een brief of een telegram of iets dergelijks waarmee u uw bewering kunt staven?"

"Nee, iets dergelijks heb ik niet."

"Ik neem aan dat u niet zover zult gaan te verklaren dat ik uzelf heb verzocht hierheen te komen?"

"Ik zou liever geen vragen beantwoorden," zei Holmes.

"Nee, dat zal wel niet," zei de professor scherp. "Maar die vraag kan gemakkelijk worden beantwoord door iemand anders dan u."

Hij liep de kamer door, naar het schelkoord. En daar verscheen onze vriend Bennett, met wie we in Londen hadden kennisgemaakt.

"Kom binnen, meneer Bennett. Deze twee heren zijn vanuit Londen hierheen gekomen en verkeren in de veronderstelling dat ze daartoe het verzoek hebben gekregen. U handelt al mijn correspondentie af. Heeft u een zekere Holmes een briefje gestuurd?"

"Nee, meneer," antwoordde Bennett blozend.

"Daarmee is de zaak dan afgehandeld," zei de professor en loerde nijdig naar mijn metgezel. Hij zette twee handen op tafel en boog zich voorover. "En nu, meneer, meen ik te mogen stellen dat u zich in een zeer twijfelachtige positie bevindt."

Holmes haalde zijn schouders op.

"Ik kan alleen maar herhalen dat het ons spijt dat we u zonder enige reden hebben lastig gevallen."

"Dat is nauwelijks een excuus te noemen, meneer Holmes!" zei de oude man met een hoge, schreeuwerige stem en een uitzonderlijk boosaardige uitdrukking op zijn gezicht. Terwijl hij sprak, plaatste hij zich tussen ons en de deur en schudde razend zijn twee vuisten onze kant op. "Zo gemakkelijk zal ik u niet laten gaan!"

Zijn gezicht was vertrokken en hij grijnsde en brabbelde verder in een vlaag van zinloze woede. Ik ben ervan overtuigd dat we ons vechtend een weg de kamer uit hadden moeten banen wanneer de heer Bennett op dat moment niet tussenbeide was gekomen.

"Mijn beste professor!" riep hij. "Denk aan uw functie. Denk aan het schandaal dat hierdoor op de universiteit zou kunnen ontstaan. Meneer Holmes is iemand die algemene bekendheid geniet. U kunt hem onmogelijk zo onhoffelijk bejegenen!"

Chagrijnig deed onze gastheer – wanneer ik hem tenminste zo kan noemen – een stap opzij om ons door te laten. We waren blij

weer buiten te staan, op de rustige, met bomen omzoomde oprijlaan. Holmes leek het hele voorval bijzonder te hebben geamuseerd.

"De zenuwen van onze geleerde vriend zijn niet helemaal in
orde," zei hij. "Misschien zijn we een beetje grof geweest door
onze aanwezigheid zo aan hem op te dringen, maar we hebben nu
wel het door mij gewenste persoonlijke contact met hem gehad.
Maar mijn hemel, Watson, hij zit ons nog steeds op de hielen. De
man achtervolgt ons nog altijd."

We hoorden achter ons voetstappen snel naderbij komen, maar
tot mijn opluchting zag ik niet de indrukwekkende professor,
maar diens assistent om de bocht van de oprijlaan verschijnen.
Hijgend kwam hij op ons af.

"Het spijt me zo, meneer Holmes. Ik wilde u mijn verontschuldigingen aanbieden."

"Mijn beste man, dat is nergens voor nodig. Dergelijke dingen
maak ik bij het uitoefenen van mijn beroep wel meer mee."

"Ik heb hem nog nooit eerder in zo'n gevaarlijke stemming
gezien. Hij wordt steeds sinisterder. U zult nu wel kunnen begrijpen waarom zijn dochter en ik ons zoveel zorgen maken. En toch
lijkt hij nog steeds volkomen helder van geest te zijn."

"Te helder van geest," zei Holmes. "Wat dat betreft heb ik een
misrekening begaan. Het is duidelijk dat zijn geheugen veel
betrouwbaarder is dan ik had verondersteld. Tussen twee haakjes: is
het mogelijk even het raam van juffrouw Presbury's slaapkamer te
zien voor we weggaan?"

"Daar. Het tweede van links."

"Mijn hemel, ik krijg niet de indruk dat iemand daar gemakkelijk bij kan komen. Maar u zult net als ik al wel hebben gezien dat
er onder dat raam een kruipende plant zit, evenals een afvoerbuis,
die iemand enig houvast kan geven."

"Ik zou zelf niet zo omhoog kunnen klimmen," merkte de heer
Bennett op.

"Naar alle waarschijnlijkheid niet. Het zou beslist een gevaarlijke onderneming zijn voor een normale man."

"Er is nog iets anders wat ik u wil vertellen, meneer Holmes. Ik
heb het adres van de man in Londen, naar wie de professor schrijft.
Hij schijnt hem vanmorgen weer te hebben geschreven en ik heb
dat adres overgenomen van het vloeipapier. Niet bepaald een vlei-

ende handelwijze voor een secretaris, maar wat had ik anders kunnen doen?"

Holmes keek even naar het velletje papier en stopte dat toen in zijn zak.

"Dorak. Merkwaardige naam. Slavisch, veronderstel ik. Dit is in ieder geval een belangrijke schakel in de keten. Voorlopig zullen we de professor met rust laten. We kunnen hem niet arresteren, omdat hij geen misdaad heeft begaan en hem al evenmin in zijn bewegingsvrijheid beperken, want we kunnen niet bewijzen dat hij krankzinnig is. Tot dusverre kunnen we nog niet tot actie overgaan."

"Wat kunnen we dan in 's hemelsnaam wel doen?"

"Een beetje geduld oefenen, meneer Bennett. Er zullen zich snel nieuwe ontwikkelingen voordoen. Tenzij ik me heel sterk vergis, zal aanstaande dinsdag een crisis opleveren. Op die dag zullen we er in ieder geval voor zorgen in Camford te zijn. In die tussentijd is de algehele situatie beslist onaangenaam en wanneer juffrouw Presbury haar verblijf in Londen nog wat langer kan rekken…"

"Dat zal geen probleem opleveren."

"Laat haar dan hier wegblijven tot we haar ervan kunnen verzekeren dat er geen gevaar meer dreigt. In die tussentijd moet u hem zijn gang maar laten gaan en ervoor zorgen dat hij zich niet kwaad maakt. Zolang zijn humeur goed is, kan er niets gebeuren."

"Daar heb je hem!" fluisterde Bennett toen opeens geschrokken. We keken tussen de takken door en zagen de lange, kaarsrechte gestalte in de deuropening verschijnen en om zich heen kijken. Hij stond voorovergebogen, met zijn handen recht voor zich uit bengelend, terwijl zijn hoofd van links naar rechts draaide. De secretaris zwaaide nog snel naar ons en verdween toen tussen de bomen. Even later zagen wij hoe hij zich bij zijn werkgever voegde en daarop liep het tweetal naar binnen, zo te zien gewikkeld in een geanimeerd, ja zelfs vrolijk gesprek.

"Ik vermoed dat de oude heer begrijpt wat er aan de hand is," zei Holmes terwijl we naar het hotel liepen. "Ik heb hem maar even gezien, maar volgens mij beschikt hij over een bijzonder helder en logisch verstand. Gemakkelijk ontvlambaar, zonder enige twijfel, maar vanuit zijn standpunt bezien heeft hij het recht nijdig te worden wanneer er detectives op hem af worden gestuurd en hij vermoedt dat daar iemand achter zit die onder zijn eigen dak woont. Ik denk zo dat onze vriend Bennett het de eerste tijd verre van gemakkelijk zal hebben."

Holmes ging even een postkantoor binnen om een telegram te versturen. Daarop ontvingen we 's avonds een antwoord, dat hij doorlas en toen mijn kant opgooide.

Ben naar de Commercial Road geweest en heb Dorak gezien. Vriendelijk persoon, Boheems, van middelbare leefiijd. Heeft grote winkel waar allerlei waren worden verkocht.
Mercer

"Jij kent Mercer nog niet," zei Holmes. "Hij is er na jouw tijd bijgekomen. Ik gebruik hem als een manusje-van-alles dat routinezaken voor me kan controleren. Het was voor mij belangrijk iets meer af te weten van de man met wie onze professor een geheime correspondentie voert. Zijn nationaliteit houdt duidelijk verband met het bezoek aan Praag."

"Godzijdank dat we iets hebben gevonden dat met iets anders verband houdt," zei ik. "Verder worden we geconfronteerd met een lange reeks onverklaarbare voorvallen die niets met elkaar te maken lijken te hebben. Welk verband zou er bijvoorbeeld mogelijkerwijs kunnen bestaan tussen een boze wolfshond en een bezoek aan Bohemen, of tussen die twee gegevens en dat nachtelijke kruipen door een gang? En wat die data betreft – die lijken me nog het meest duister te zijn."

Holmes glimlachte en wreef in zijn handen. We zaten in de oude salon van het al even oude hotel met een fles vol met de beroemde port, waarover Holmes het al eerder had gehad, tussen ons in. "Laten we die data nu eerst maar eens bespreken," zei hij, met zijn vingertoppen tegen elkaar aan, alsof hij het woord richtte tot een klas vol leerlingen. "De agenda van deze nauwgezette jongeman laat ons zien dat er zich op de tweede juli problemen hebben voorgedaan en vanaf die tijd lijken die zich om de negen dagen te hebben herhaald met voor zover mij bekend slechts één uitzondering op die regel. De laatste symptomen zijn waargenomen op de vijfde september, dus negen dagen na de zesentwintigste augustus. Hier kan geen sprake meer zijn van toeval."

Ik was gedwongen dat met hem eens te zijn.

"Laten we dan uitgaan van de voorlopige theorie dat de professor om de negen dagen een of ander sterk verdovend middel tot zich neemt dat een voorbijgaand, maar sterk vergiftigend effect op hem heeft. Zijn van nature al gewelddadige aard wordt erdoor versterkt. Hij heeft geleerd dat middel tot zich te nemen in de tijd die hij in Praag heeft doorgebracht en krijgt het nu geleverd via een Boheems tussenpersoon in Londen. Er bestaat wel degelijk een duidelijk verband tussen alle gegevens, Watson!"

"Maar die hond dan, en het gezicht voor het raam, en dat kruipen door de gang?"

"Dat weet ik nog niet precies, maar het begin is er nu. Ik verwacht niet eerder dan aanstaande dinsdag nieuwe ontwikkelingen. In de tussentijd kunnen we alleen maar contact houden met onze vriend Bennett en genieten van alles wat dit aardige stadje ons te bieden heeft."

De volgende ochtend kwam de heer Bennett ons verslag doen van wat er na ons vertrek was voorgevallen. Zoals Holmes al had gedacht, had hij het moeilijk gehad. De professor had hem er niet rechtstreeks van beschuldigd dat hij voor onze aanwezigheid verantwoordelijk was, maar had wel heel wreed en onbeschoft het woord tot hem gericht en droeg hem kennelijk om de een of andere reden een zeer kwaad hart toe. Maar deze ochtend leek hij weer helemaal de oude te zijn en had zoals te doen gebruikelijk briljant college gegeven.

"Afgezien van die merkwaardige aanvallen," zei Bennett, "beschikt hij in wezen over meer energie en levenslust dan ooit tevoren en zijn hersenen werken op volle toeren. Maar toch is hij nooit de man die we zo lange tijd al hebben gekend."

"Ik denk niet dat u de eerste week – op zijn minst – iets te vrezen heeft," antwoordde Holmes. "Ik ben een druk bezet man en dokter Watson moet zijn aandacht weer aan zijn patiënten wijden. Laten we afspreken elkaar hier aanstaande dinsdag op ditzelfde uur weer te treffen en het zou me hogelijk verbazen wanneer we u dan voor we weer vertrekken geen verklaring voor dit alles kunnen geven en misschien zelfs definitief een einde kunnen maken aan de problemen waarmee u wordt geconfronteerd. In die tussentijd moet u ons wel op de hoogte houden van alles wat zich voordoet."

De eerste dagen daarna zag ik mijn vriend niet eenmaal, maar die maandagavond ontving ik een kort berichtje van hem met het

331

verzoek hem bij de trein te ontmoeten. Uit wat hij me onderweg naar Camford vertelde, kon ik opmaken dat alles tot dan toe goed was gegaan, dat het bij de professor thuis rustig was geweest en dat de man zich volkomen normaal had gedragen. Dat werd bevestigd door de heer Bennett die ons diezelfde avond in de herberg een bezoek bracht. "Hij heeft vandaag weer bericht ontvangen van die man uit Londen met wie hij correspondeert. Een brief en een klein pakje, beide met een kruisje onder de postzegel waardoor ik wist dat ik ervan af moest blijven. Verder niets."

"Het zou nog wel eens meer dan voldoende kunnen blijken te zijn," zei Holmes grimmig. "Meneer Bennett, ik verwacht dat we vanavond resultaten zullen boeken. Wanneer mijn wijze van redeneren correct blijkt te zijn, moeten we een gelegenheid krijgen om aan te sturen op een crisis. Om dat te doen, is het echter noodzakelijk dat de professor voortdurend wordt geobserveerd. Ik zou daarom willen voorstellen dat u niet naar bed gaat en waakzaam blijft. Wanneer u hem langs uw deur hoort komen, moet u hem niet storen, maar hem zo onopgemerkt mogelijk volgen. Dokter Watson en ik zitten voortdurend vlak in de buurt. Tussen twee haakjes: waar bevindt zich de sleutel van het doosje waarover u ons heeft verteld?"

"Aan zijn horlogeketting."

"Dan zullen we ons onderzoek daarop moeten richten. Wanneer we de sleutel niet kunnen bemachtigen, zou het me hogelijk verbazen indien dat slot niet op een andere manier open te krijgen is. Zijn er in het huis nog andere mannen die een grote lichaamskracht bezitten?"

"De koetsier, MacPhail."

"Slaapt die in het huis?"

"Nee, boven de stallen."

"Het kan zijn dat we hem nodig hebben. En nu kunnen we niets meer doen tot de zaken zich verder gaan ontwikkelen. Tot ziens... maar ik verwacht dat we u voor het aanbreken van een nieuwe dag al wel weer zullen treffen."

Het was bijna middernacht toen we ons verscholen tussen de struiken recht voor de deur van het huis van de professor. Het was een mooie, maar koude avond en we waren blij dat we een warme overjas hadden aangetrokken. Er stond een briesje en de halfvolle maan werd van tijd tot tijd verduisterd door voortjagende wolken.

Het zou een naargeestige wake zijn geweest wanneer we niet zo verwachtingsvol en opgewonden gestemd waren geweest en mijn metgezel me niet had verzekerd dat we waarschijnlijk nu getuige zouden zijn van het einde van de vreemde reeks gebeurtenissen die onze aandacht had opgeëist.

"Wanneer mijn veronderstelling van die cyclus van negen dagen klopt, zullen we de professor vannacht op zijn slechtst meemaken," zei Holmes. "De gegevens dat die vreemde symptomen zich voor het eerst openbaarden na zijn bezoek aan Praag en dat hij in het geheim correspondeert met een Boheemse handelaar in Londen, die naar alle waarschijnlijkheid een Praagse collega vertegenwoordigt, en dat hij vandaag een pakketje van die man heeft ontvangen, wijzen allemaal in eenzelfde richting. We weten nog niet wat hij gebruikt en waarom, maar vast staat dat het spul op de een of andere manier uit Praag afkomstig is. Hij neemt het tot zich volgens de strikte regel van eens in de negen dagen, en dat feit trok onmiddellijk mijn aandacht. De symptomen zijn echter bijzonder opmerkelijk. Heb je zijn knokkels gezien?"

Ik moest bekennen dat dat niet het geval was.

"Dik en hoornachtig. Iets dergelijks heb ik nog nooit eerder gezien. Je moet altijd eerst naar de handen kijken, Watson. Daarna naar de manchetten, de knieën van een pantalon en de laarzen. Heel merkwaardige knokkels, die zich alleen laten verklaren door…"

Holmes zweeg en sloeg plotseling met zijn hand tegen zijn voorhoofd.

"O, Watson, Watson, wat ben ik dom geweest! Het lijkt ongelooflijk, maar toch moet het waar zijn. Alles wijst in die richting. Hoe heb ik het verband tussen die ideeën kunnen missen? Die knokkels! Hoe is het mogelijk dat ik daar niet meteen mijn volle aandacht aan geschonken heb? En de hond! En de klimop! Ik ben aan het dromen geweest. Kijk uit, Watson! Daar komt hij! Nu krijgen we de kans hem met eigen ogen gade te slaan."

De deur was langzaam opengegaan en beschenen door het hallicht zagen we de lange gestalte van professor Presbury. Hij droeg zijn kamerjas. Hij bleef in de deuropening staan, iets voorover gebogen met zijn armen recht voor zich bungelend, net zoals we hem de voorlaatste keer hadden gezien. Hij liep nu de oprijlaan op en toen voltrok zich in hem een merkwaardige verandering. Hij ging op zijn hurken zitten en bewoog zich voort op handen en voeten. Af en toe maakte hij zelfs een sprongetje, alsof hij barstte van energie en levenslust. Hij bewoog zich voort langs de voorkant van het huis en ging toen de hoek om. Toen hij verdwenen was, kwam Bennett zachtjes de hal uit en ging achter hem aan.

"Kom, Watson, kom!" zei Holmes dringend en we kropen zo geruisloos mogelijk tussen de struiken door tot we een plaatsje hadden bereikt waar we de andere kant van het huis konden zien, die baadde in het licht van de maan. We konden de professor duidelijk gehurkt zien zitten bij de met klimop bedekte muur. Toen we naar hem keken, begon hij plotseling en ongelooflijk behendig omhoog te klimmen. Hij sprong van tak naar tak, zeker van de plaatsen waar hij zijn voeten neer moest zetten en waar hij zich met zijn handen aan moest vastgrijpen. Hij klom ogenschijnlijk voort zonder daarbij een bepaald doel voor ogen te hebben, slechts genietend van zijn eigen kracht. Zijn kamerjas wapperde naar links en naar rechts open en daardoor zag hij eruit als een of andere immens grote vleermuis die aan een van de muren van zijn eigen huis zat vastgeplakt – een grote, vierkante donkere plek op de door de maan beschenen muur. Kort daarop leek dat vermaak hem te gaan vervelen. Hij liet zich, springend van tak tot tak, omlaag zakken, hurkte opnieuw en kroop op dezelfde merkwaardige manier als zo-even door in de richting van de stallen. De wolfshond was nu naar buiten gekomen en sloeg wild aan het blaffen en raakte verschrikkelijk opgewonden toen hij zijn baas te zien kreeg. Zijn ketting stond strak gespannen en het dier trilde van woede en emotie. De professor ging met opzet even buiten het bereik van de hond op zijn hurken zitten en begon het dier op alle mogelijke manieren uit te dagen. Hij pakte handenvol steentjes en gooide die naar de kop van de hond. Hij porde het dier met een stok die hij had gepakt, en zwaaide zijn handen vlak voor de geopende bek heen en weer en probeerde op alle mogelijke manieren het dier nog nijdiger te maken. Ik kan me niet herinneren dat ik ooit tijdens een van onze avonturen een vreemder tafereel heb gadegeslagen dan dat van die gevoelloze gestalte die als een kikvors op de grond ineengedoken zat en de toch al dolgedraaide hond steeds nijdiger trachtte te maken door een uiterst vindingrijke en berekenende wrede manier van doen.

En toen gebeurde het opeens, binnen een seconde. De ketting

brak niet, maar de halsband gleed over de kop van het dier, want die was vervaardigd voor een Newfoundlander met een dikke nek. We hoorden het geratel van vallend metaal en even later rolden man en hond samen over de grond, de ene grommend van woede, de andere gillend van angst met een vreemde, verdraaide stem. Dat had de professor bijna het leven gekost. De woeste hond had hem vrijwel bij de keel gegrepen. Zijn tanden stonden er diep in en de professor was al bewusteloos voordat we het tweetal uit elkaar konden trekken. Dat zou voor ons gevaarlijk geweest kunnen zijn wanneer Bennetts stem en aanwezigheid de wolfshond niet meteen tot bedaren had gebracht. Door al die herrie was de slaperige, stomverbaasde koetsier verschenen uit zijn kamer boven de stallen.

"Dit verwondert me eigenlijk niet," zei hij. "Ik heb hem dat al eerder zien doen. Ik wist dat de hond hem vroeg of laat te grazen zou nemen."

De hond werd weer vastgezet en gezamenlijk droegen we de professor de trap op naar diens slaapkamer, waar Bennett, die een graad in de medicijnen had behaald, me hielp zijn opengereten keel te verbinden. De scherpe tanden waren rakelings langs de halsslagader gescheerd en de bloeding liet zich moeilijk stelpen. Binnen een halfuur was het levensgevaar echter geweken en had ik de patiënt een morfine-injectie gegeven, waarna hij in een diepe slaap viel. Toen, en toen pas, waren we in staat elkaar aan te kijken en de situatie te inventariseren.

"Ik ben van mening dat een eersteklas chirurg naar deze man moet kijken," zei ik.

"Nee, in godsnaam niet!" riep Bennett. "Nu kan het schandaal beperkt blijven tot dit huis en de mensen die hier wonen. Bij ons is het veilig. Wanneer iets hiervan uitlekt, zullen de geruchten nooit meer ophouden. U moet denken aan zijn functie bij de universiteit, de reputatie die hij in heel Europa geniet, de gevoelens van zijn dochter."

"Inderdaad," zei Holmes. "Ik denk dat het heel wel mogelijk is dat we deze zaak onder ons kunnen houden en een herhaling ervan kunnen voorkomen nu ons de vrije hand gegeven is. De sleutel die aan de horlogeketting zit, alstublieft, meneer Bennett. MacPhail moet de patiënt bewaken en ons meteen van een eventuele verandering op de hoogte stellen. Laten wij maar eens gaan kijken wat er in dat mysterieuze doosje van de professor zit."

Niet veel, zo bleek, maar wel voldoende – een leeg medicijnflesje, een ander flesje dat nog vrijwel vol was, een injectiespuit en een aantal brieven, geschreven in een kriebelig buitenlands handschrift. De merktekens op de enveloppen lieten zien dat zij behoorden bij de brieven die de secretaris niet had mogen openen. Elk van die brieven was verzonden vanuit de Commercial Road en ondertekend met A. Dorak. Erin stond alleen maar dat er een nieuwe fles werd verzonden of dat geld was ontvangen. Maar we vonden ook een andere enveloppe met een fraaier handschrift en een Oostenrijkse postzegel met het poststempel van Praag.

"Daar hebben we het!" riep Holmes, terwijl hij de brief te voorschijn haalde.

Geëerde collega, (lazen we)

Sinds uw gewaardeerde bezoek heb ik veel nagedacht over de kwestie die u mij heeft voorgelegd en hoewel er, gegeven uw omstandigheden, een aantal speciale redenen zijn aan te voeren voor een behandeling van uw persoon, zou ik u toch willen aanraden voorzichtig te zijn, omdat de resultaten die ik heb behaald duidelijk maken dat er zekere gevaren aan kleven.

Het is mogelijk dat het antropoïde serum beter zou zijn geweest. Zoals ik u al heb uitgelegd, heb ik gebruik gemaakt van dat van de slankaap met het zwarte gezicht, omdat ik een exemplaar voorhanden had. Een slankaap is uit de aard der zaak een kruiper en een klimmer, terwijl de mensaap rechtop loopt en de mens in alle opzichten dichter benadert.

Ik smeek u alle noodzakelijke voorzorgsmaatregelen te nemen om te voorkomen dat er van dit proces vroegtijdig iets uitlekt. Ik heb in Engeland nog een andere cliënt en Dorak kan voor u beiden optreden als tussenpersoon.

Ik zou het op prijs stellen wekelijks een verslag van u te ontvangen.
Met gevoelens van de meeste hoogachting,
H. Lowenstein

Die naam bracht me een deel van een krantenartikel in herinnering waarin melding werd gemaakt van een duistere geleerde die op de een of andere onbekende wijze probeerde te achterhalen hoe iemand weer jong kon worden door middel van een levenselixer. Lowenstein uit Praag! Lowenstein met zijn wonderbaarlijke, krachtgevende serum waarover andere wetenschapsmensen een taboe hadden uitgesproken omdat hij weigerde zijn bronnen openbaar te maken. In een paar woorden vertelde ik wat ik ervan afwist. Bennett had een dierkundeboek uit de kast gehaald.

"Slankaap," las hij voor, "de grote aap met een zwarte snoet die wordt aangetroffen op de hellingen van de Himalaya. Grootste en meest op de mens lijkende onder de klimapen. Daarna volgen nog vele details. Dankzij u, meneer Holmes, zijn we duidelijk in staat geweest het kwaad te achterhalen."

"De werkelijke oorzaak ervan," zei Holmes, "schuilt natuurlijk in die liefdesaffaire die onze onstuimige professor het idee heeft gegeven dat zijn wensen alleen maar in vervulling konden gaan wanneer hij erin slaagde een jongere man te worden. Wanneer iemand probeert boven de natuur uit te stijgen, is het zeer waarschijnlijk dat hij diep zal vallen. Zelfs de meest achtenswaardige mensen kunnen iets dierlijks krijgen wanneer ze het rechte pad van hun eigen lot verlaten." Hij zat een tijdje mijmerend voor zich uit te kijken met het flesje in zijn hand. "Wanneer ik deze man een brief heb geschreven waarin ik hem meedeel dat ik hem beschouw als een misdadiger die verantwoordelijk is voor de vergiften die hij bereid is uit te delen, zullen we in dit opzicht verder niet meer met problemen worden geconfronteerd. Maar op zich kan zich iets dergelijks opnieuw voordoen. Anderen vinden misschien een betere manier. Daarin schuilt een gevaar – een zeer reëel gevaar – voor de mensheid. Denk je eens in, Watson, dat de materialistisch ingestelde, de sensueel georiënteerde en de slechts in wereldse zaken geïnteresseerde mensen allemaal hun waardeloze leven zouden kunnen verlengen! Ook de mensen die het geestelijke belangrijker achten, zouden zich er niet van kunnen weerhouden het eveneens te proberen. Dat alles zou uiteindelijk gaan betekenen dat de minst sterke geesten overblijven. En in welk een beerput zou onze wereld dan niet veranderen?"

Plotseling was de dromer weer verdwenen en sprong de man van actie uit zijn stoel overeind.

"Ik geloof niet dat er verder nog iets besproken behoeft te worden, meneer Bennett. De verschillende voorvallen zullen nu zonder moeite binnen het grotere geheel kunnen worden geplaatst. De hond was zich die verandering natuurlijk veel eerder bewust dan u. Daar heeft zijn reukorgaan voor gezorgd. Roy viel de aap en niet de professor aan, en de aap was degene die Roy ging treiteren. Dat wezen genoot ervan om te klimmen en ik veronderstel dat zijn verschijning voor het raam van de jongedame niets anders was dan puur toeval. Er vertrekt vanmorgen vroeg al een trein naar Londen, Watson, maar ik denk dat we nog net tijd genoeg hebben om bij Chequers een kopje thee te drinken voor we naar het station moeten."

Het avontuur van de leeuwenmaan

HET WAS HEEL merkwaardig dat een probleem dat beslist even duister en ongewoon was als alle andere die ik in mijn lange carrière onder ogen heb gehad, na mijn pensionering als het ware op de stoep voor mijn deur werd neergelegd. Het gebeurde nadat ik me had teruggetrokken in mijn kleine huisje in Sussex, waar ik volledig opging in het troostrijke leven met de natuur, waarnaar ik zo vaak hevig had verlangd tijdens de lange jaren die ik in het sombere Londen had doorgebracht. In die fase van mijn leven was de goede Watson vrijwel geheel uit mijn gezichtsveld verdwenen. Ik zag hem alleen maar af en toe een weekendje, wanneer hij me een bezoek kwam brengen. Dus moet ik nu zelf mijn verhaal te boek stellen. O, wanneer hij bij me was geweest, zou hij deze wonderbaarlijke gebeurtenis en mijn uiteindelijke succes na vele moeilijkheden zo schitterend hebben kunnen verwoorden! Maar nu ben ik gedwongen het verhaal op mijn eigen, eenvoudige wijze te vertellen en door middel van woorden de lezer op de hoogte te brengen van iedere stap op de moeilijke weg die ik had te gaan bij het zoeken naar een oplossing van het mysterie van de leeuwenmaan.

Mijn villaatje ligt op een zuidelijke helling en biedt een schitterend uitzicht over het kanaal. De kust bestaat hier uitsluitend uit krijtrotsen, die je slechts kunt aflopen via een smal, lang en kronkelend pad, dat bovendien steil en glibberig is. Onder aan dat pad is een stuk strand met kleine steentjes en kiezeltjes, dat ook bij hoog water droog blijft. Maar her en der zitten er grote kuilen in die uitstekende zwembaden vormen die iedere keer opnieuw bij vloed met vers water worden gevuld. Dat schitterende strandje strekt zich in beide richtingen enige kilometers uit, behalve op

een punt waar de lijn wordt onderbroken door het dorpje Fulworth en de kleine inham die daarbij hoort.

Mijn huis ligt afgelegen. Ik, mijn oude huishoudster en mijn
bijen hebben het stukje grond geheel en al voor onszelf. Een
kleine kilometer verderop ligt het bekende opleidingsinstituut
van Harold Stackhurst, de Gevelspitsen geheten, waar enkele
tientallen jongemannen voor verschillende beroepen worden
opgeleid door een staf van enige docenten. Stackhurst zelf was in
zijn jonge jaren een zeer bekende roeier en een uitstekend, veelzijdig geleerde. Hij en ik hebben elkaar altijd vriendelijk bejegend
vanaf het moment dat ik me aan de kust heb gevestigd en hij was
de enige man met wie ik het zo goed kon vinden dat we 's avonds
onuitgenodigd bij elkaar konden langskomen.

Tegen het einde van de maand juli van het jaar 1907 stak er een
hevige storm op. De golven sloegen tegen de onderkanten van de
rotsen aan en lieten toen het eb werd een lagune achter. Op de
morgen waar ik het over heb, was de storm weer gaan liggen en
leek de hele natuur fris en schoongespoeld te zijn. Ik voelde er
niets voor om op zo'n heerlijke dag te werken en dus maakte ik
voor het ontbijt een wandelingetje om te genieten van de heerlijke frisse lucht. Ik wandelde over het pad dat via de rotsen naar
het strand leidde. Terwijl ik daar liep, hoorde ik iemand achter me
roepen en zag Harold Stackhurst vrolijk naar me zwaaien.

"Wat een heerlijke ochtend, Holmes. Ik verwachtte al je hier
aan te treffen!"

"Ik zie dat je van plan bent een eindje te gaan zwemmen."

"Weer een van je oude trucjes," zei hij lachend en klopte op zijn
uitpuilende zak.

"Ja. McPherson is al eerder weggegaan en ik vermoed zo dat ik
hem hier wel zal aantreffen." Fitzroy McPherson was de leraar
natuurkunde – een prima, rondborstige jonge vent wiens leven
gedeeltelijk was verwoest door een hartkwaal die was ontstaan als
gevolg van een reumatische koorts. Hij was echter van nature een
atleet en muntte uit in ieder spel waarvoor hij zich niet al te zeer
hoefde in te spannen. Hij ging altijd zwemmen, 's zomers en
's winters, en omdat ik zelf ook graag zwem, heb ik me vaak bij
hem aangesloten.

Op dat moment zagen we de man in kwestie. Zijn hoofd was
zichtbaar boven de rand van de rots, daar waar het pad ophield.

Toen zagen we zijn hele gestalte, die als in dronkenschap wankelde. Een seconde later hief hij zijn armen ten hemel en viel met een afschuwelijke kreet plat op zijn gezicht. Stackhurst en ik renden op hem af en draaiden hem op zijn rug. Hij was duidelijk stervende. Die wazige, ingevallen ogen en afschuwelijk doodsbleke wangen konden niets anders betekenen. Even flikkerde een laatste sprankje leven in zijn gezicht op en hij uitte een paar duidelijk als waarschuwing bedoelde woorden. Ze kwamen er vaag en onduidelijk uit, maar als laatste zei hij, vrijwel schreeuwend, iets wat ik verstond als 'de leeuwenmaan'. Het leek totaal niet ter zake doende te zijn en was voor mij volstrekt onbegrijpelijk, maar toch kon ik aan die klanken geen andere betekenis geven. Toen drukte hij zich half van de grond op, hief zijn handen omhoog en viel voorover op zijn zij. Hij was dood.

Mijn metgezel was verlamd door dat onverwachte, afschuwelijke gebeuren, maar men zal zich wel kunnen voorstellen dat ik in alle opzichten meteen alert was. En dat moest ook wel, want het werd al heel snel duidelijk dat we met een buitengewoon geval te maken hadden. De man was slechts gekleed in zijn Burberry-overjas, pantalon en een paar canvasschoenen met losse veters. Toen hij viel gleed zijn Burberry, die over zijn schouders geslagen had gezeten, van hem af, waardoor zijn bovenlichaam werd ontbloot. We staarden er verbaasd naar. Zijn rug was overdekt met donkerrode lijnen, alsof hij met een dunne ijzeren gesel was afgeranseld. Het instrument waarmee hem deze afstraffing was gegeven, moest duidelijk buigzaam zijn geweest, want de lange, felrode striemen bogen zich om zijn schouders en ribben heen. Er druppelde bloed van zijn kin af, want hij had door de hevige pijnen zijn onderlip kapotgebeten. Zijn vertrokken en verwrongen gezicht vertelde ons hoe verschrikkelijk veel pijn hij had geleden.

Terwijl ik bij het ontzielde lichaam geknield zat en Stackhurst ernaast stond, viel er een schaduw over ons heen en zagen we dat Ian Murdoch erbij gekomen was. Murdoch gaf wiskunde. Hij was een lange, donkere, magere man, die zo zwijgzaam en afstandelijk was dat niemand zich ooit zijn vriend heeft kunnen noemen. Hij leek te leven in een of ander hoog, abstract gebied vol onmeetbare getallen en kegelsneden, waarbij hij het contact met het gewone dagelijkse leven bijna geheel had verloren. De studenten vonden hem maar een merkwaardig man en ze zouden hem ongetwijfeld tot een mikpunt van spot hebben gemaakt wanneer hij niet een of ander vreemd, buitenlands bloed door zijn aderen had stromen, wat niet alleen tot uitdrukking kwam in zijn koolzwarte ogen en donkere gezicht, maar ook in sporadisch voorkomende uitbarstingen die slechts konden worden omschreven als woest. Toen hij op een keer werd lastiggevallen door een klein hondje dat het eigendom was van McPherson, had hij het diertje opgepakt en door een raam met spiegelglas naar buiten gegooid – een handelwijze waarvoor Stackhurst hem beslist zou hebben ontslagen wanneer hij als docent niet zo waardevol was geweest. Dat was de vreemde, complexe man die nu naast ons opdook. Hij leek werkelijk geschokt te zijn door wat hij zag, hoewel het voorval met de hond aantoont dat de overledene en hij nu niet bepaald op vriendschappelijke voet met elkaar stonden.

"Die arme man! Die arme man! Wat kan ik doen? Hoe kan ik helpen?"

"Was u bij hem? Kunt u ons vertellen wat er is gebeurd?"

"Nee, nee, ik was vanmorgen laat. Ik ben helemaal niet op het strand geweest. Ik ben regelrecht van de Gevelspitsen hierheen gekomen. Wat kan ik doen?"

Zonder verder nog iets te zeggen, rende hij weg en ik besteedde weer al mijn aandacht aan het geval door de omgeving in ogenschouw te nemen, terwijl Stackhurst, die nog was verdoofd door deze tragedie, bij het lichaam bleef. Mijn eerste taak was natuurlijk om te kijken of er iemand op het strand was. Boven aan het pad kon ik het hele stuk overzien, maar het was volstrekt verlaten. In de verte zag ik twee of drie donkere figuren die zich in de richting van Fulworth begaven. Toen ik dat had bekeken, liep ik langzaam het pad weer af. Tussen het krijt zat af en toe een stukje klei of zachte mergel en her en der zag ik dezelfde voetafdrukken, zowel van boven naar beneden als vice versa. Het was duidelijk dat niemand die dag via dat pad verder nog naar het strand was gegaan. Op een plaats zag ik de afdruk van een geopende hand, de vingers gestrekt in de richting van de top. Dat kon alleen maar betekenen dat die arme McPherson bij het naar boven klimmen was gevallen. Ik zag ook meer dan eens ronde afdrukken, wat erop wees dat hij meermalen op zijn knieën was gevallen. Onder aan het pad was de vrij grote lagune die de vloed daar had achtergelaten. Daarnaast moest McPherson zich hebben uitgekleed, want op een steen zag ik zijn handdoek liggen. Die was opgevouwen en droog, zodat het er alle schijn van had dat hij het water niet in was geweest. Een paar keer vond ik tussen de kiezeltjes een beetje zand waarin ik de afdrukken zag van zijn canvasschoenen, evenals die van zijn blote voeten. Dat laatste duidde erop dat hij vrijwel gereed geweest moest zijn om een duik te nemen, hoewel de handdoek suggereerde dat hij daar niet aan toe was gekomen.

En daarmee is het probleem duidelijk gedefinieerd. Een heel vreemd probleem, meende ik. De man kon op zijn hoogst een kwartier op het strand zijn geweest. Stackhurst was vanaf de Gevelspitsen achter hem aan gegaan, dus dat stond vast. Hij was naar het strand gegaan om te zwemmen en had zich uitgekleed, zoals de afdrukken van zijn blote voeten lieten zien. Toen had hij plotseling zijn kleren snel weer aangetrokken – ze waren verfom- faaid en slordig aangedaan – en was teruggekeerd zonder een duik te nemen – of in ieder geval zonder zich af te drogen. En de reden voor die verandering van plannen was het feit dat hij op een woes- te, onmenselijke manier was gegeseld, gemarteld tot hij van de pijn zijn onderlip stukgebeten had en alleen nog kracht genoeg over had om weg te kruipen en te sterven. Wie had hem zoiets barbaars aangedaan? Het is waar dat er onder aan de rotsen enige grotjes waren, maar de lage zon scheen daarin en niemand zou zich er op dat moment verborgen kunnen houden. Dan waren er nog die figuren veel verder weg op het strand. Ze leken echter te ver weg te zijn om iets met deze misdaad te maken te kunnen hebben en de grote lagune waarin McPherson had willen zwemmen, lag tus- sen hem en hen in en sloeg tegen de rotsen. Op zee zag ik niet al te ver weg twee of drie vissersbootjes. Diegenen die erop zaten, zou- den we later op ons gemak eens nader kunnen bekijken. Het onderzoek kon bepaalde kanten opgaan, maar geen daarvan leek me naar een duidelijk doel te kunnen leiden.

Toen ik na lange tijd weer naar het ontzielde lichaam terugkeer- de, zag ik dat er zich een heel groepje verbaasde mensen omheen had gevormd. Stackhurst was er natuurlijk nog steeds bij en Ian Murdoch was net gearriveerd met Anderson, de dorpsagent, een grote man met een lichte snor. Typisch iemand uit Sussex – traag, maar solide, met een goed gezond verstand dat verborgen wordt gehouden achter een ernstig, zwijgzaam uiterlijk. Hij luisterde aandachtig naar alles wat we te vertellen hadden en trok me toen een beetje van de anderen vandaan.

"Ik zou blij zijn wanneer u me raad zou kunnen geven, meneer Holmes," zei hij. "Dit is een beetje grote zaak voor me en wanneer ik een fout maak, krijg ik er ongetwijfeld vanuit Lewes voor op mijn donder."

Ik raadde hem aan zijn onmiddellijke superieur hierheen te laten komen, evenals een arts. Ik zei hem ook dat het verstandig was niets aan te raken of te verplaatsen en zo weinig mogelijk mensen ter plaatse rond te laten lopen, zodat de voetafdrukken intact konden blijven. In de tussentijd doorzocht ik de zakken van de dode man. Ik vond zijn zakdoek, een groot mes en een klein opvouwbaar kaartenetuitje. Daar haalde ik een velletje papier uit te voorschijn, dat ik openvouwde en aan de agent overhandigde. In een slordig, vrouwelijk handschrift stond daar het volgende op:

Je kunt er zeker van zijn dat ik er ben
Maudie

Dat zag eruit als een liefdesaffaire, een afspraakje, hoewel het onduidelijk was waar of wanneer. De agent deed het briefje terug in het etuitje en stopte dat, net als de andere dingen, weer in de zak van de Burberry-jas. Toen viel er voor mij niets meer te doen en liep ik terug naar het huis om te gaan ontbijten, na ervoor te hebben gezorgd dat de voet van de rots grondig zou worden bekeken.

Een paar uur later kwam Stackhurst langs om me te vertellen dat het lijk naar de Gevelspitsen was overgebracht, waar het juridische vooronderzoek zou worden gehouden. Hij had ook iets ernstigs te melden, waaraan niet kon worden getwijfeld. Zoals ik al had verwacht had men in de kleine grotjes niets gevonden, maar hij had de papieren in McPhersons bureau bekeken en een aantal brieven gevonden die duidden op een intieme relatie met een zekere mejuffrouw Maud Bellamy uit Fulworth. En daarmee was de identiteit van de schrijfster van het briefje vastgesteld. "Die brieven zijn nu in het bezit van de politie," verklaarde hij. "Ik kon ze niet meenemen. Maar het lijdt geen twijfel dat dit een serieuze liefdesaffaire was. Ik kan echter geen enkel verband bedenken met de afschuwelijke gebeurtenis van hedenochtend. Ze heeft een afspraak met hem gemaakt, maar meer…"

"Ze zullen vast geen afspraakje hebben gemaakt bij een lagune waar jullie allemaal eens in de zoveel tijd gaan zwemmen."

"Het is puur toeval dat er niet een aantal studenten met McPherson is meegegaan," zei hij.

"Was dat werkelijk puur toeval?"

Stackhurst fronste nadenkend zijn wenkbrauwen.

"Ian Murdoch heeft hen tegengehouden," zei hij toen. "Hij stond erop voor het ontbijt iets van algebra uit te leggen. Arme kerel. Hij is helemaal van streek door dit alles."

"En toch heb ik begrepen dat ze geen vrienden van elkaar waren."

"In het verleden niet. Maar het laatste jaar of iets langer heeft Murdoch met McPherson contact gehad, voor zover hem dat mogelijk was. Hij kan nu niet bepaald een van nature vriendelijke man worden genoemd."

"Dat meende ik al te hebben begrepen. Ik meen me te herinneren dat je me eens iets hebt verteld over de mishandeling van een hond."

"O, maar die storm is toen snel weer gaan liggen."

"Maar heeft misschien wel enige rancune achtergelaten?"

"Nee, nee, ik ben er zeker van dat ze werkelijk vrienden waren."

"Dan moeten we maar eens nader op die affaire met dat meisje ingaan. Ken je haar?"

"Iedereen kent haar. Ze is de schoonheid van de buurt – een werkelijke schoonheid, Holmes, die overal de aandacht zou trekken. Ik wist dat McPherson zich tot haar aangetrokken voelde, maar had er geen idee van dat hun relatie al zover was als de brieven lijken aan te geven."

"Maar wie is ze?"

"De dochter van Tom Bellamy, die alle boten en badhuisjes in Fulworth bezit. Hij is begonnen als visser, maar heeft nu een aardig kapitaaltje vergaard. Hij en zijn zoon William leiden de zaak."

"Zullen we dan maar eens naar Fulworth wandelen om een praatje met hen te maken?"

"Onder welk voorwendsel?"

"O, een voorwendsel is gemakkelijk genoeg te vinden. Die arme man heeft uiteindelijk niet zichzelf op zo'n ongehoorde wijze mishandeld. Een mensenhand moet die gesel hebben vastgehouden, wanneer zijn verwondingen tenminste werkelijk met een gesel zijn toegebracht. De Gevelspitsen ligt zo afgelegen dat hij hier niet al te veel kennissen zal hebben gehad. Die moeten we allemaal natrekken en dan zal het motief naar alle waarschijnlijkheid wel boven tafel komen en dat moet ons dan weer naar de misdadiger leiden."

Het zou een plezierige wandeling over de naar tijm ruikende, grasrijke heuvels zijn geweest wanneer onze geesten niet waren vergiftigd door de tragedie waarvan we getuige waren geweest. Het dorpje Fulworth ligt in een halve cirkel rond de baai. Achter het ouderwetse dorpje zijn tegen de heuvel op een aantal nieuwe huizen gebouwd. En naar een daarvan nam Stackhurst me toen mee.

"Dat is The Haven. Zo heeft Bellamy zijn huis gedoopt. Dat huis met het hoektorentje en het leistenen dak. Niet gek, hè, voor een man die met niets begonnen is, maar… Mijn hemel! Kijk daar eens!"

Het tuinhek van The Haven was opengegaan en we zagen een man verschijnen. Ik herkende die lange, hoekige, gestalte meteen. Het was Ian Murdoch, de wiskundeleraar. Even later stonden we op de weg tegenover hem.

"Hallo," zei Stackhurst. De man knikte, keek ons vanuit zijn ooghoeken met die merkwaardige donkere ogen even aan en zou doorgelopen zijn wanneer zijn superieur hem niet had tegengehouden.

"Wat deed u daar?" vroeg hij.

Murdochs gezicht werd rood van woede. "Onder uw dak, meneer, ben ik uw ondergeschikte. Maar ik ben me er niet van bewust dat ik me tegenover u moet verantwoorden over mijn privégedrag."

Stackhurst had al zoveel meegemaakt dat hij licht ontvlambaar was. Anders had hij misschien afgewacht wat er verder zou gaan gebeuren. Maar nu verloor hij zijn zelfbeheersing volledig. "Gegeven de omstandigheden kan dat antwoord van u slechts als onbeschaamd worden bestempeld, meneer Murdoch!"

"Uw eigen vraag kan wellicht binnen diezelfde categorie worden gerangschikt."

"Dit is niet de eerste maal dat ik onbeschaamd gedrag van u over het hoofd moet zien. Maar het is zeker wel de laatste maal. Ik verzoek u zo snel u kunt uit te zien naar een andere betrekking."

"Dat was ik toch al van plan. Ik heb vandaag de enige persoon verloren die de Gevelspitsen nog bewoonbaar maakte."

Met grote passen liep hij toen verder, terwijl Stackhurst hem met boze ogen nastaarde.

"Is het geen onmogelijke, onverdraaglijke kerel?" riep hij.

Het viel me op dat de heer Ian Murdoch van de eerste de beste gelegenheid die hem werd geboden om de plaats van de misdaad te verlaten, onmiddellijk gebruik maakte. Er begon zich nu een vage, nevelachtige verdenking in mijn geest te vormen. Misschien dat een bezoekje aan de familie Bellamy wat meer licht op deze kwestie zou kunnen werpen. Stackhurst kreeg zichzelf weer in bedwang en samen liepen we verder naar het huis. De heer Bellamy bleek een man van middelbare leeftijd te zijn met een vlammend rode baard. Hij leek erg boos te zijn en binnen de kortste keren was zijn gezicht even rood als zijn haar.

"Nee, meneer. Ik wens er geen nadere details over te horen. Mijn zoon hier" – hij wees op een sterke jongeman met een breed, nors gezicht die in een hoek van de zitkamer zat – "is het volstrekt met me eens dat de aandacht die de heer McPherson Maud schonk, beledigend was. Ja, meneer. Het woord 'huwelijk' is nooit gevallen, maar ze schreven elkaar en ontmoetten elkaar en deden nog veel meer waar wij het geen van beiden mee eens waren. Ze heeft geen moeder en wij zijn de twee enige voogden. We zijn vast van plan…"

Toen werd hij tot zwijgen gebracht doordat de jongedame zelf verscheen. Het viel niet te ontkennen dat ze ieder gezelschap, waar ook ter wereld, zou hebben opgeluisterd. Wie had kunnen vermoeden dat zo'n zeldzame bloem in zo'n omgeving en met zo'n achtergrond kon groeien? Ik heb me maar zelden tot vrouwen aangetrokken gevoeld, want mijn hersenen regeren altijd over mijn hart, maar ik kon haar perfecte gezichtje, zacht, fris en fraai van huidskleur, niet bekijken zonder me te realiseren dat iedere jongeman onder haar bekoring moest komen. Zo zag het meisje eruit dat de deur had opengedaan en nu gespannen en met grote ogen voor Harold Stackhurst stond.

"Ik weet al dat Fitzroy dood is," zei ze. "U moet me de bijzonderheden vertellen."

"Die andere heer die bij u werkt, heeft het ons verteld," legde de vader uit.

"Er is geen enkele reden te bedenken waarom mijn zuster bij deze zaak gehaald moet worden," gromde de jongere man.

De zuster keek hem even scherp en nijdig aan. "William, bemoei je niet met mijn zaken. Het is volstrekt duidelijk dat er een misdaad is begaan en wanneer ik kan helpen met het opsporen van de dader, is dat wel het minste dat ik kan doen voor hem die er nu niet meer is."

Ze luisterde naar een kort verslag dat mijn metgezel haar deed, geconcentreerd en rustig – wat me duidelijk maakte dat ze niet alleen een opvallende schoonheid bezat, maar ook een sterk karakter. Maud Bellamy zal in mijn herinnering altijd blijven voortleven als een zeer opmerkelijke, uiterst veelzijdige en uitgebalanceerde vrouw. Het had er alle schijn van dat ze me van gezicht al kende, want toen Stackhurst klaar was, wendde ze zich tot mij.

"Sleep de misdadigers voor het gerecht, meneer Holmes. En ik zal u daarbij helpen, wie de daders ook mogen blijken te zijn."

Ik had de indruk dat ze tijdens het spreken even uitdagend naar haar vader en haar broer keek. "Dank u," zei ik. "Ik hecht bij dergelijke aangelegenheden veel waarde aan de vrouwelijke intuïtie. U had het over daders. Denkt u dat er meer dan één misdadiger bij betrokken was?"

"Ik heb de heer McPherson goed genoeg gekend om te weten dat hij een dappere, sterke man was. Geen enkel individu zou hem in zijn eentje zulke afschuwelijke verwondingen hebben kunnen toebrengen."

"Zou ik u even onder vier ogen kunnen spreken?"

"Maud, ik heb je al gezegd dat je je hier niet mee moet inlaten," riep haar vader nijdig.

Ze keek me hulpeloos aan. "Wat kan ik doen?"

"De hele omgeving zal binnenkort van de feiten op de hoogte zijn, dus kan het geen kwaad wanneer ik die nu hier bespreek," zei ik. "Ik had er liever onder vier ogen met u over willen spreken, maar wanneer uw vader daar geen toestemming voor geeft, zal hij bij de beraadslagingen aanwezig moeten zijn."

Toen sprak ik over het briefje dat in de zak van de dode was gevonden. "Dat zal bij het vooronderzoek zonder enige twijfel ter tafel komen. Mag ik u vragen me er zoveel mogelijk over te vertellen?"

"Ik zou niet weten waarom niet," antwoordde ze. "We waren

verloofd en zouden gaan trouwen en hielden dat alleen maar geheim omdat Fitzroy's oom, die heel erg oud is en op sterven schijnt te liggen, hem mogelijkerwijze zou hebben onterfd wanneer hij zonder diens toestemming een huwelijk sloot. Dat was de enige reden."

"Je zou ons ervan op de hoogte hebben kunnen stellen," gromde de heer Bellamy.

"Dat zou ik ook hebben gedaan, vader, wanneer u er ooit een beetje belangstelling voor aan den dag had gelegd."

"Ik heb er bezwaar tegen wanneer een meisje zich inlaat met iemand die tot een andere maatschappelijke klasse behoort dan zij."

"U was ten aanzien van hem zo bevooroordeeld, dat we u er daarom niets over hebben verteld. En wat die afspraak betreft…" Uit een zak in haar jurk haalde ze een verfrommeld briefje te voorschijn. "Dat heb ik geschreven als antwoord op dit:

Lieveling,
Het oude plekje op het strand, dinsdag, kort na zonsondergang. Dat
is het enige tijdstip waarop ik weg kan.
F. M.

Dinsdag was vandaag en ik was van plan vanavond naar hem toe te gaan."

Ik draaide het velletje papier om.

"Hoe heeft u dit briefje ontvangen? Kennelijk niet per post."

"Op die vraag wil ik liever geen antwoord geven. Het heeft werkelijk niets te maken met de zaak die u aan het onderzoeken bent. Maar op vragen die daar wel wat mee te maken hebben, zal ik u zonder meer een eerlijk antwoord geven."

Ze deed haar belofte gestand, maar kon niets vertellen dat ons bij het onderzoek kon helpen. Ze had geen reden om aan te nemen dat haar verloofde een vijand had, maar ze gaf wel toe dat zij een aantal vurige aanbidders had gehad.

"Mag ik vragen of de heer Murdoch daar één van was?"

Ze bloosde en de vraag leek haar te verwarren. "Er is een tijd geweest dat ik dat inderdaad dacht. Maar dat veranderde volkomen toen hij begreep hoe de relatie tussen mij en Fitzroy was."

Weer leek de schaduw rond die vreemde man voor mij een vas-

tere vorm aan te nemen. We moesten meer over hem te weten
komen. Zijn kamers moesten worden doorzocht zonder dat hij
daarvan op de hoogte was. Stackhurst was meteen bereid zijn
medewerking eraan te verlenen, want ook hij begon bepaalde vermoedens te krijgen. We keerden van ons bezoek naar The Haven
terug in de hoop dat we een onderdeel van dit ingewikkelde raadsel zouden kunnen ontwarren. Er ging een week voorbij. Het
vooronderzoek bracht geen licht in de duisternis en was opge-
schort, in de hoop dat er nieuw bewijsmateriaal boven water zou
komen. Stackhurst had discreet inlichtingen ingewonnen over zijn
ondergeschikte en diens kamers waren oppervlakkig doorzocht,
maar dat alles zonder enig resultaat. Ik persoonlijk had eveneens
alles nogmaals de revue laten passeren, maar was al evenmin in staat
geweest met nieuwe gevolgtrekkingen te komen. In al mijn kronieken zal de lezer geen zaak tegenkomen waarvoor ik mijn talenten zo tot het uiterste heb moeten inzetten. Zelfs mijn verbeelding
was niet in staat een oplossing voor het mysterie te bedenken.

En toen deed zich het incident met de hond voor. Mijn oude
huishoudster was de eerste die erover hoorde, via dat merkwaardige, draadloze communicatiesysteem waarvan mensen op het
platteland zich bedienen.

"Triest verhaal, meneer, over de hond van McPherson," zei ze
op een avond.

Ik ben gewoonlijk niet geneigd een dergelijke conversatie aan te
moedigen, maar de woorden vereisten meteen mijn aandacht.

"Wat voor verhaal doet er dan de ronde over McPhersons
hond?"

"Die is dood, meneer. Gestorven van verdriet om de dood van
zijn baasje."

"Wie heeft u dat verteld?"

"Iedereen heeft het erover, meneer. Het diertje was volledig van
streek en weigerde een week lang te eten. En vandaag hebben
twee jongeheren van de Gevelspitsen het beestje dood aangetroffen. Op het strand, meneer. Precies op de plaats waar zijn baasje is
overleden."

Precies op de plaats waar. Die woorden staan in mijn geheugen
gegrift. Ik had vaag de indruk dat dat een uiterst belangrijke
mededeling was. Het feit dat de hond was overleden, stemde overeen met de schitterende, trouwe aard van die diersoort. Maar

precies op de plaats waar! Waarom zou dat eenzame stuk strand het diertje fataal geworden moeten zijn? Was het mogelijk dat ook hij het slachtoffer was geworden van de een of andere wraakgierige vete? Was het mogelijk… Ja, het inzicht was vaag, maar in mijn geest begonnen bepaalde ideeën vorm te krijgen. Binnen een paar minuten was ik al op weg naar de Gevelspitsen, waar ik Stackhurst in zijn studeerkamer aantrof. Op mijn verzoek liet hij Sudbury en Blount halen, de twee studenten die de hond hadden gevonden.

"Ja, hij lag aan de rand van het meertje," zei een van hen. "Het dier moet het spoor van zijn overleden baas zijn gevolgd."

Ik zag het trouwe dier, een airedaleterriër, op de mat in de hal liggen. Het lijfje was stijf en koud, de ogen puilden uit en de poten waren verwrongen. Aan alles was duidelijk te zien dat het dier veel pijn had gehad. Vanuit de Gevelspitsen liep ik door naar het meertje. De zon was al ondergegaan en de schaduw van de grote rots rustte op het water, dat dof glansde, als een stuk lood. De plek was verlaten en ik zag slechts twee meeuwen die boven mijn hoofd krijsend rondcirkelden. In het steeds vager wordende licht kon ik nog net het spoor zien van de poten van de hond op het zand rond de steen waarop de handdoek van zijn baas had gelegen. Lange tijd bleef ik daar in diep gepeins verzonken staan, terwijl de schaduwen om me heen steeds donkerder werden. Allerlei gedachten schoten door mijn hoofd. Het zal de lezer wel bekend zijn dat je een nachtmerrie kunt hebben waarin je weet dat er iets heel belangrijks is waarnaar je op zoek bent, waarvan je weet dat het er is, hoewel je er telkens net niet de vinger op kunt leggen. Zo voelde ik me die avond toen ik daar op de plaats des onheils in mijn eentje stond. Na lange tijd draaide ik me om en liep langzaam terug naar huis.

Net toen ik boven aan het pad stond, begon het me te dagen. Als in een flits herinnerde ik me datgene waarnaar ik zo heftig maar tevergeefs op zoek was geweest. Het zal de lezer bekend zijn – anders zijn al Watsons geschriften zinloos geweest – dat ik van zeer vele zaken het een en ander afweet, zonder daar een bepaald wetenschappelijk systeem voor te hanteren en dat is me in mijn werk al vaak uitstekend van pas gekomen. Mijn geest is als een stampvolle bergkamer waarin allerlei verschillende pakjes zijn opgeborgen – zoveel dat ikzelf waarschijnlijk maar een vaag idee heb van wat er allemaal in staat. Ik had echter wel geweten dat er iets in zat opgeborgen wat voor deze zaak van belang kon zijn. Het idee was nog steeds vaag, maar nu wist ik in ieder geval hoe ik ervoor kon zorgen dat het duidelijk naar boven kwam. Het was monsterachtig, ongelooflijk en toch mogelijk. Ik zou het volledig uittesten. Mijn kleine huis, dat vol staat met boeken, heeft een vliering. Daar ging ik heen en bracht er een uur zoekend door. Toen had ik een klein, chocoladebruin boekje gevonden. Enthousiast sloeg ik het hoofdstuk op dat ik me vaag herinnerde. Ja, het was inderdaad een vergezochte en onwaarschijnlijke gedachte, maar toch zou ik geen rust hebben voordat ik had achterhaald of het soms toch het geval kon zijn. Pas laat ging ik naar bed, terwijl mijn geest vol spanning afwachtte wat de volgende dag zou opleveren.

Ik werd echter meteen gestoord en dat ergerde me behoorlijk. Net toen ik een kopje thee had gedronken en naar het strand wilde gaan, kreeg ik een bezoekje van inspecteur Bardle van de politie van Sussex – een evenwichtige, stevig gebouwde, trage man met nadenkende ogen, die me heel bezorgd aankeken.

"Ik weet dat u over een geweldig grote ervaring beschikt, meneer," zei hij. "Dit is natuurlijk een volstrekt onofficieel bezoek en niemand hoeft hier verder iets vanaf te weten. Ik moet u bekennen dat ik geen raad weet met dat geval McPherson. De vraag is deze: moet ik overgaan tot arrestatie of niet?"

"Ik neem aan dat u daarmee doelt op de heer Ian Murdoch?"

"Inderdaad, meneer. Ik zou niemand anders kunnen bedenken. Dat is het voordeel van een afgelegen oord als dit – binnen de kortste keren hoef je nog maar een zeer beperkt aantal mogelijkheden in overweging te nemen. Maar wanneer hij het niet heeft gedaan… wie dan wel?"

"Wat kunt u tegen hem inbrengen?"

Hij was op dezelfde manier te werk gegaan als ik. Murdochs karakter en het mysterieuze waas dat die man leek te omgeven. Zijn felle uitbarstingen, zoals tijdens het voorval met de hond. Het feit dat hij in het verleden ruzie had gemaakt met McPherson en de mogelijkheid dat het hem niet lekker had gezeten dat de overledene zoveel aandacht schonk aan mejuffrouw Bellamy. Hij noemde dezelfde dingen op die ik ook al had bedacht, maar voegde er niets nieuws aan toe, behalve dan dat Murdoch druk voorbereidingen aan het treffen was om weg te gaan.

"In wat voor positie kom ik te verkeren wanneer ik hem weg

laat gaan terwijl er zoveel dingen tegen hem pleiten?" De gezette, flegmatische man had het er duidelijk erg moeilijk mee.

"U moet alle belangrijke, nog niet genoemde kanten aan deze zaak niet uit het oog verliezen," zei ik. "Het staat vast dat hij een alibi heeft voor de ochtend waarop de misdaad is gepleegd. Tot op het laatste moment is hij bij zijn studenten gebleven en een paar minuten na het verschijnen van McPherson kwam hij van bovenaf naar ons toegelopen. Verder moet u niet vergeten dat het volstrekt onmogelijk is dat hij een man die even sterk is als hij in zijn eentje zulke afschuwelijke verwondingen heeft toegebracht. En bovendien zitten we dan ook nog met de vraag met welk instrument die verwondingen zijn aangebracht."

"Wat zou dat anders kunnen zijn dan een gesel of de een of andere zeer soepele zweep?"

"Heeft u de verwondingen bekeken?" vroeg ik.

"Ik heb ze gezien. Net zoals de dokter ze bekeken heeft."

"Maar ik heb ze zeer zorgvuldig onderzocht met een vergrootglas. En toen zijn me bepaalde eigenaardigheden opgevallen."

"Welke zijn dat dan, meneer Holmes?"

Ik liep op mijn bureau af en pakte een vergroting die ik van een foto had laten maken.

"Van een dergelijke methode bedien ik me in zulke gevallen," zei ik.

"U gaat beslist grondig te werk, meneer Holmes!"

"Wanneer ik dat niet deed, zou ik niet degene zijn die ik nu ben. Laten we nu eens kijken naar die striem rond de rechterschouder. Valt u niet iets opmerkelijks op?"

"Nee, eigenlijk niet."

"Het is toch zonder meer duidelijk dat die striem niet overal even diep en breed is. Hier en daar kleeft meer bloed dan op andere plaatsen. Ook bij die striem daar beneden valt dat op. Wat zou het kunnen betekenen?"

"Ik heb er geen idee van. U wel?"

"Misschien wel. Misschien ook niet. Misschien dat ik er heel binnenkort meer over zal kunnen zeggen. Wanneer ik iets kan ontdekken waarmee die striem nader kan worden gedefinieerd, zitten we een stuk dichter bij de oplossing."

"Het is natuurlijk een absurd idee," zei de politieman, "maar stel nu eens dat een gloeiend heet netwerk van ijzerdraad op zijn rug was gelegd? Dat zou die bloedklonters verklaren, die dan natuurlijk zijn ontstaan op de plaatsen waar de draden elkaar kruisen."

"Een heel vindingrijk idee. Wat zou u denken van een heel harde karwats met kleine, harde knoppen erop?"

"Mijn hemel, meneer Holmes, ik denk dat u de oplossing heeft gevonden!"

"Misschien, meneer Bardle, maar er kan ook iets heel anders zijn gebruikt. In ieder geval kunnen we stellen dat u veel te weinig sluitende bewijzen tegen Murdoch heeft om hem te kunnen arresteren. Bovendien zitten we dan ook nog eens met de laatste woorden van het slachtoffer – die 'leeuwenmaan'."

"Ik heb me afgevraagd of Ian…"

"Ja, daar heb ik ook over gedacht. Wanneer het tweede woord nu ongeveer net zo had geklonken als Murdoch… maar dat was niet het geval. Hij schreeuwde dat woord vrijwel uit en het luidde beslist 'maan'."

"Kunt u geen alternatief bedenken, meneer Holmes?"

"Misschien wel. Maar ik wil er niet over spreken tot ik het enigermate kan onderbouwen."

"En wanneer zult u dat wel kunnen?"

"Over een uur – misschien iets eerder."

De inspecteur wreef over zijn kin en keek me weifelend aan.

"Ik wou dat ik uw gedachten kon lezen, meneer Holmes. Misschien dat die vissersbootjes er toch wat mee te maken hebben gehad."

"Nee, nee, die waren veel te ver de zee op gegaan."

"Bellamy dan, samen met die zoon van hem? Die dachten nu niet bepaald al te vriendelijk over McPherson. Zouden zij hem dit hebben kunnen aandoen?"

"Nee, nee, u zult van mij geen woord meer horen tot ikzelf zover ben dat ik erover wil praten," zei ik met een glimlach. "En nu, inspecteur, moeten we beiden met ons eigen werk aan de slag. Misschien zou u het zo kunnen regelen dat we elkaar hier om twaalf uur vanmiddag weer treffen?"

Toen werden we opeens heftig onderbroken. Mijn buitendeur werd opengesmeten, in de gang klonken harde voetstappen en toen strompelde Ian Murdoch de kamer in, bleek, met verwarde haren en scheef zittende kleren. Met zijn benige handen moest hij zich aan het meubilair vastklampen om niet te vallen. "Cognac!

354

Cognac!" bracht hij er hijgend uit en liet zich toen kreunend op de sofa vallen. Hij was niet alleen. Achter hem aan kwam Stackhurst, buiten adem en zonder hoed op, bijna even erg van streek als zijn metgezel.

Een half glas cognac bracht een wonderbaarlijke verandering in Murdoch teweeg. Hij duwde zich op één arm overeind en zwaaide de mantel van zijn schouder af. "In 's hemelsnaam, olie, opium, morfine," riep hij. "Alles is goed, wanneer het maar een einde maakt aan deze afschuwelijke pijn!"

De inspecteur en ik slaakten kreten van verbazing toen we de naakte schouders van de man zagen. Kriskras eroverheen zagen we hetzelfde netvormige patroon van brandend rode strepen die de dood van Fitzroy McPherson hadden aangekondigd. Het was duidelijk dat de man afschuwelijke pijnen leed en niet alleen bij zijn schouders, want af en toe kon hij geen adem meer halen en werd zijn gezicht zwart. Toen greep hij hijgend naar zijn hart, terwijl op zijn voorhoofd de zweetdruppels parelden. We goten met tussenpozen cognac in zijn keel en iedere slok bracht hem verder tot het leven terug. De vreemde wonden leken iets verzacht te worden door er watten op te leggen die in slaolie waren gedoopt. Uiteindelijk viel zijn hoofd zwaar terug op het kussen. De uitgeputte natuur had haar toevlucht genomen tot een laatste redmiddel. Hij viel half in slaap en was half bewusteloos, maar in ieder geval voelde hij nu geen pijn meer. Het was onmogelijk geweest om hem vragen te stellen, maar op het moment dat we er zeker van waren dat hij het er levend vanaf zou brengen, wendde Stackhurst zich tot mij.

"Mijn God, Holmes," riep hij. "Waardoor is dit veroorzaakt? Waardoor?"

"Waar heb je hem gevonden?"

"Op het strand. Op precies dezelfde plaats waar die arme McPherson dood is gegaan. Wanneer het hart van deze man even zwak was geweest als dat van McPherson, zou hij hier nu niet op de sofa liggen. Toen ik hem hierheen bracht, dacht ik meermalen dat ook hij dood zou gaan. Teruggaan naar de Gevelspitsen was te ver, dus heb ik hem naar jou gebracht."

"Heb je hem op het strand gezien?"

"Ik liep boven op de rots en toen hoorde ik hem opeens schreeuwen. Hij stond aan de waterkant, wankelend als een dronken man. Ik ben erheen gerend, heb een paar kleren om hem heen geslagen en hem toen meegenomen. In 's hemelsnaam, Holmes, maak gebruik van al je vermogens en spaar kosten noch moeite om ons van deze plaag te verlossen, want zo wordt het leven onverdraaglijk. Kan jij, die overal ter wereld zo'n grote faam geniet, dan helemaal niets voor ons doen?"

"Dat denk ik wel, Stackhurst. Ga nu meteen maar met me mee! En u ook, inspecteur. We zullen eens kijken of we deze moordenaar niet aan u kunnen overleveren."

Ik liet de bewusteloze man achter in handen van mijn huishoudster en we liepen gedrieën naar de dodelijke lagune. Op de kiezeltjes lag een bergje handdoeken en kleren, daar achtergelaten door de man die was getroffen. Ik liep langzaam langs de rand van het water en mijn kameraden kwamen stuk voor stuk achter me aan. Het merendeel van het meertje was bijzonder ondiep, maar vlak bij de voet van de rots, waar het strand was uitgehold, was het een meter twintig tot anderhalve meter diep. Daar zou een zwemmer natuurlijk heen gaan, want het water was er kristalhelder. Daarboven liep een primitief pad van stenen, dat ik als eerste betrad, terwijl ik aandachtig naar beneden keek. Toen ik bij het diepste punt was gekomen, zag ik waarnaar ik op zoek was geweest en uitte een luide, triomfantelijke kreet.

"Cyanea!" riep ik. "Cyanea! Ziedaar de Leeuwenmaan!"

Het vreemde object waar ik op wees, zag er inderdaad uit als een verwarde massa haren die uit de manen van een leeuw waren getrokken. Het lag op een uitstekend stukje rots, zo'n meter onder de waterspiegel – een merkwaardig wiegend, trillend, harig wezen, geel van kleur en met zilveren strepen erdoorheen. Het haalde adem en zette zich daarbij ver uit.

"Hij heeft nu genoeg ellende veroorzaakt. Zijn dagen zijn ten einde!" riep ik. "Help me eens, Stackhurst, om deze moordenaar voorgoed onschadelijk te maken!"

Vlakbij ons lag een groot rotsblok en dat duwden we naar de rand tot het ding met een geweldige plons in het water belandde. Toen het water weer strak was, zagen we dat het blok boven op het uitstekende stukje rots was gevallen. Een trillend geel tentakel toonde duidelijk aan dat ons slachtoffer eronder lag. Een dikke, olieachtige substantie drupte onder de steen vandaan, verkleurde het water in de omgeving ervan en kwam langzaam naar de oppervlakte.

"Hier begrijp ik niets van!" riep de inspecteur. "Wat was dat, meneer Holmes? Ik ben in deze buurt geboren en getogen, maar zo'n ding heb ik nog nooit gezien. Dat hoort hier in Sussex niet thuis."

"Dat is maar goed ook voor Sussex," merkte ik op. "Misschien is het dier hier met de zuidwestenwind heen gekomen. Gaan jullie nu maar weer met me mee naar huis en dan zal ik jullie vertellen over de ervaringen van een man die alle reden heeft om zich zijn eigen ontmoeting met hetzelfde gevaar van de zee te blijven herinneren."

Toen we mijn studeerkamer betraden, zagen we dat Murdoch al weer zoveel was hersteld dat hij rechtop kon zitten. Zijn geest was nog verdoofd en om de zoveel tijd trilde hij hevig van de pijn. In gebroken zinnen vertelde hij dat hij er geen idee van had wat hem was overkomen, behalve dan dat hij plotseling verschrikkelijke pijnscheuten had gekregen en dat hij al zijn krachten nodig had gehad om uit het water te komen.

"Hier heb ik een boek," zei ik, terwijl ik het werkje oppakte, "dat voor het eerst enig licht heeft geworpen in wat dreigde voor altijd een duisternis te blijven. De titel is *Out of Doors* en het is geschreven door de beroemde observator J. G. Wood. Wood zelf is bijna om het leven gekomen toen hij in contact kwam met dit gemene wezen, dus heeft hij er met een absolute kennis van zaken over kunnen schrijven. Dat wangedrocht heet officieel *Cyanea capillata* en hij is gevaarlijker dan een cobra. Een aanraking met hem brengt ook meer pijn met zich mee dan de beet van zo'n slang. Laat me zijn verhaal in het kort samenvatten, door jullie een heel klein stukje voor te lezen.

Wanneer iemand die gaat zwemmen een losse, ronde massa geelbruine tentakels en vezels ziet, iets wat veel wegheeft van handenvol leeuwenmanen en zilverpapier, moet hij bijzonder op zijn hoede zijn, want dat is het afschuwelijke dier dat de Cyanea capillata wordt genoemd en dat zijn slachtoffers dodelijke steken kan toebrengen.

Onze sinistere kennis zou niet beter kunnen worden beschreven. Daarna verhaalt hij hoe hij zelf met dat creatuur in contact is gekomen toen hij vlak voor de kust van Kent aan het zwemmen was. Hij merkte dat het dier over een afstand van ruim vijftien meter vrijwel onzichtbare gloeidraden uitstraalde en dat eenieder die zich binnen die straal begaf, in direct levensgevaar kwam te verkeren. Wood is in feite niet zo verschrikkelijk dicht bij het wezen in de buurt gekomen, maar zelfs dat is hem al bijna fataal geworden. De talloze draden veroorzaakten lichtrode striemen op de huid, die bij nadere beschouwing bleken te bestaan uit zeer kleine spikkeltjes of puistjes, via welke de zenuwen werden bereikt, alsof die met een gloeiend hete naald werden geprikt. Daarna vertelt hij dat de pijn op de plekken waar hij was geraakt, nog lang niet de ergste kwelling was.

Pijnscheuten schoten door mijn borst, waardoor ik viel alsof ik door een kogel was getroffen. Af en toe stond mijn hart stil en meteen daarna sloeg het zes of zeven maal snel en hard achter elkaar, alsof het uit mijn borstkas wilde springen.

Dat is bijna 's mans dood geworden, hoewel hij er slechts aan werd blootgesteld in de snelstromende oceaan en niet in het zeer rustige, vrijwel stilstaande water van de lagune. Hij schrijft dat hij zichzelf daarna nauwelijks meer herkende, omdat zijn gezicht er zo wit, gerimpeld en ingevallen uitzag. Toen heeft hij een hele fles cognac leeggedronken en dat schijnt zijn leven te hebben gered. Hier heeft u het boekwerkje, inspecteur. Ik zal het aan u toevertrouwen en het lijdt geen twijfel dat er een volledige verklaring in staat van de tragedie van de arme meneer McPherson."

"Het is, tussen twee haakjes, ook een boekwerk dat mij van alle blaam zuivert," merkte Ian Murdoch met een droog glimlachje op. "Ik neem het u niet kwalijk, inspecteur, en u al evenmin, meneer Holmes, dat u mij verdacht, want dat was niet meer dan natuurlijk. Ik heb het gevoel dat ik op de vooravond van mijn arrestatie mijn onschuld alleen maar heb kunnen bewijzen door het lot van mijn arme vriend te delen."

"Nee, meneer Murdoch. Ik zat al op het goede spoor en wanneer ik zo vroeg op het strand was gearriveerd als ik oorspronkelijk van plan was, zou ik u deze afschuwelijke ervaring zeer waarschijnlijk hebben kunnen besparen."

"Maar hoe bent u er dan achter gekomen, meneer Holmes?"

"Ik ben een omnivoor waar het lezen betreft en kan de kleinste details dan verder onthouden. Die woorden van McPherson over de leeuwenmaan bleven in mijn hoofd rondspoken. Ik wist dat ik een dergelijke term binnen een geheel onverwachte context al eens eerder was tegengekomen. U heeft gezien dat het dier er goed mee wordt omschreven. Ik twijfel er niet aan dat het op het water dreef toen McPherson het zag en dat hij alleen door het gebruik van die woorden ons kon waarschuwen voor het schepsel dat zijn dood had veroorzaakt."

"Zo ben ik in ieder geval vrijgesproken," zei Murdoch, die langzaam ging staan. "Ik moet nog het een en ander verklaren, omdat ik weet welke kant uw onderzoek is opgegaan. Het is waar dat ik van die dame hield, maar vanaf de dag dat ze de voorkeur gaf aan mijn vriend McPherson wilde ik nog maar één ding: er mede toe bijdragen dat zij gelukkig werd. Ik nam er zonder meer genoegen mee me terug te trekken en voor hen als tussenpersoon op te treden. Ik heb vaak briefjes bij hen bezorgd en omdat ik hun vertrouwen genoot en zij mij zo dierbaar was, ben ik haar meteen gaan vertellen dat mijn vriend dood was, om te voorkomen dat iemand anders dat op een snellere en hartelozer manier zou doen. Ze wilde u daarover niets vertellen, meneer, omdat ze bang was dat u het daarmee niet eens zou zijn en dat dat vervelende consequenties voor mij zou hebben. Maar wanneer u het goed vindt, wil ik nu proberen naar de Gevelspitsen terug te gaan, omdat een bed me zeer welkom zou zijn."

Stackhurst stak hem zijn hand toe. "We zijn allemaal tot het uiterste gespannen geweest," zei hij. "Murdoch, vergeef me wat er in het verleden is voorgevallen. In de toekomst zullen we elkaar beter kunnen begrijpen."

Ze liepen samen naar buiten, arm in arm, als vrienden. De inspecteur bleef nog zitten en staarde me met zijn bedachtzame ogen zwijgend aan.

"Tja, het is u gelukt!" riep hij na enige tijd. "Ik had al over u gelezen, maar die verhalen nooit geloofd. Het is geweldig!"

Ik was gedwongen mijn hoofd te schudden. Wanneer ik een dergelijke lof zou accepteren, zou ik daarmee mijn eigen normenstelsel naar beneden halen.

"Ik ben van het begin af aan traag geweest en daar voel ik me schuldig onder. Wanneer het lichaam in het water was gevonden, zou dit me naar alle waarschijnlijkheid niet zijn ontgaan. Ik werd op een verkeerd spoor gezet door die handdoek. Die arme man had er geen seconde over gedacht om zich eerst nog eens af te drogen en daardoor meende ik dat hij nimmer het water in was gegaan. Dus was er geen reden om te denken aan een aanval door een of ander creatuur uit de zee. Toen ben ik helemaal de verkeerde weg ingeslagen. Tja, inspecteur, ik waag het vaak om de heren van de politie spottend onder de loep te nemen, maar de *Cyanea capillata* was er bijna in geslaagd namens Scotland Yard afdoende wraak op mij te nemen.”